BYWYD A GWAITH
JOHN DANIEL EVANS
EL BAQUEANO

Bywyd a Gwaith
JOHN DANIEL EVANS
El Baqueano

Golygydd:
Paul W. Birt

Argraffiad cyntaf: Mehefin 2004

ⓗ *Golygydd: Paul W. Birt*

Rhif Llyfr Safonol Rhyngwladol: 0-86381-910-9

Cynllun clawr: Sian Parri

Argraffwyd a chyhoeddwyd gan Wasg Carreg Gwalch,
12 Iard yr Orsaf, Llanrwst, Dyffryn Conwy, LL26 0EH.
☏ 01492 642031 🖷 01492 641502
✆ llyfrau@carreg-gwalch.co.uk
Lle ar y we: www.carreg-gwalch.co.uk

Cynnwys

Rhagair

Mae'n sicr fod rhyw swyn arbennig yn perthyn i gyfnod cynharaf y Wladfa Gymreig ym Mhatagonia, ac wrth i'r cyfnod hwnnw ymbellhau, mae perygl i ramant a chwedl gymylu sawl agwedd ar hanes y Cymry cyffredin a droediodd dir y Paith yn y blynyddoedd cyntaf ar ôl glaniad y *Mimosa*. Mae'n dal yn werth pwysleisio'r cyfraniad enfawr a wnaed ganddynt wrth i'w gwlad fabwysiedig ymestyn ei ffiniau a sicrhau ei gafael ar bob nant, afon a mynydd mewn cyfnod cythryblus. Cyfyng a thlawd oedd amgylchiadau'r gwladfawyr cyntaf bron i gyd hyd nes y daethant i reoli eu byd newydd, ac ni ellir amau fod galw mawr am ddynion a merched ymarferol i fynd i'r afael â'r byd newydd a dieithr hwn. Un felly yn sicr oedd John Daniel Evans, Trevelin. Prin y bu neb fu'n fwy ei ymlyniad wrth arferion ac ysbryd y Paith yn ei gyfnod na John Evans, un o blant y *Mimosa* yn llythrennol. Er y bu rhai amlycach nag ef ym maes gwleidyddiaeth, John Evans yn bendant oedd un o brif ffigyrau'r werin Gymraeg yn Archentina. Haeddodd y teitl *El Baqueano* (Arweinydd) am ei wybodaeth drylwyr am y Paith, ac am ei waith yn arwain mintai newydd i Fro Hyfryd yn y gorllewin. Mae ei fywyd yn rhan annatod o hanes y Wladfa gynnar, ac yn gynnar iawn aeth yr hanes am ei deithiau arloesol yn rhan o chwedloniaeth ffurfiannol y Wladfa. Yn ffodus iawn, cadwodd John Evans nifer o ddyddiaduron a nodiadau helaeth am ei deithiau ac er i gyfieithiadau ymddangos o'i waith, dyma'r tro cyntaf erioed i'r gwaith hwnnw gael ei gyhoeddi yn ei grynswth yn Gymraeg – yr iaith wreiddiol.

Mae'n dda gennyf gydnabod yn ddiolchgar y cynhorthwy a dderbyniais gan amryw wrth baratoi'r golygiad hwn. Yn gyntaf ac yn bennaf rwyf yn ddiolchgar iawn i wyres John Evans, sef Sra. Clery A. Evans, Trevelin, am roi ei chaniatâd i'r dogfennau yn ei meddiant gael eu cyhoeddi. Mawr yw fy niolch hefyd i'r Bon. Elvey McDonald am hyrwyddo'r gwaith hwn, ac am roi ei arweiniad a'i gymorth. Diolch hefyd i'r Athro Robert Owen Jones am ei gefnogaeth i'r fenter. Mae fy nyled yn fawr iawn hefyd i Sra. Tegai Roberts, Ceidwad Amgueddfa'r Gaiman, am rannu ei gwybodaeth eang a diolchaf iddi am ateb llu o gwestiynau. Diolch hefyd i staff Amgueddfa Trevelin. Dymunaf ddiolch yn ogystal i staff Llyfrgell Genedlaethol Cymru, yn enwedig Ceris Gruffudd am sawl sgwrs wladfaol a buddiol. Diolch hefyd i Gwyn a Mónica Jones, y Gaiman gynt, am eu croeso di-ail a'u lletygarwch di-ben-draw tra oeddwn i'n ceisio dilyn hynt El Baqueano. Ni fyddai'r ymchwil i'r gyfrol hon wedi bod yn bosibl heb y cymorth ariannol a gefais gan Gyfadran y Celfyddydau, Prifysgol Ottawa, Canada, na'r ysgoloriaeth a ddyfarnwyd imi gan Gyngor Ymchwil Canada (1999-2002).

Hoffwn gydnabod fy ngwerthfawrogiad mawr o waith trylwyr Gwasg Carreg Gwalch a chymorth golygyddol Dewi Morris Jones, Cyngor Llyfrau Cymru.

Paul W. Birt

Rhagymadrodd

Ar ddiwrnod poeth ym mis Mawrth 1884 ar eu ffordd yn ôl o'r Andes i Ddyffryn Camwy, bu ymosodiad sydyn a ffyrnig ar bedwar Cymro gan fintai o frodorion rhyfelgar. Nid oedd yr ymosodiad yn gwbl annisgwyl ond credai'r pedwar eu bod yn ddigon pell o bob perygl. Un o'r Cymry hyn, a'r unig un i ddianc yn fyw, oedd John Daniel Evans, gŵr ifanc 21 oed o Aberpennar yn wreiddiol, a ddaeth yn enwog drwy'r Wladfa i gyd yn y blynyddoedd i ddod fel *El Baqueano*, arweinydd talentog, neu un cyfarwydd â ffyrdd y brodorion ar y Paith. Bu'r daith dyngedfennol honno yn dipyn o fenter o'r cychwyn cyntaf. Prin fu'r ymweliadau gan y Cymry â'r berfeddwlad i rannau uchaf afon Camwy, a chyfnod oedd hwn pan oedd byddin Ariannin wrthi'n erlid brodorion Patagonia. Bu sawl sgarmes waedlyd rhwng y fyddin a'r brodorion, ac er bod y berthynas rhwng Cymry'r Dyffryn a'r brodorion wedi bod yn dda ar y cyfan, roedd yn ffaith fod pob dyn gwyn bellach o dan amheuaeth fel ysbïwr ar ran y llywodraeth, yn arbennig os oeddent yn mentro teithio i'r gorllewin. Ac eto, er gwaethaf tyndra diwedd y rhyfel hwnnw, dyma gyfnod pan gafodd ysbryd anturus nifer o Gymry'r Dyffryn ei danio gan obaith i greu sefydliad newydd y tu allan i ddyffryn Camwy; fe'u taniwyd hefyd gan straeon am yr aur yn afonydd yr Andes. Aeth criw ohonynt felly dan arweiniad John Daniel Evans, a oedd eisoes yn cael ei adnabod fel rhywun a wyddai dipyn am y llwybrau, yr hafnau a'r trofeydd ar hyd yr afon ac a adwaenai'r brodorion yn weddol o dda, i fentro eu lwc. Bu nifer o 'wibdeithiau' eisoes yn 1883 i fyny'r afon, ond erbyn hyn y bwriad oedd mentro ymhellach fyth.

Yn wreiddiol roedd naw Cymro yn y fintai, ac ar ôl cyfarfod â chatrawd o'r fyddin Archentaidd a ddychwelai o'r Andes gyda nifer o garcharorion o blith y brodorion, a hanesion, mae'n siŵr, am yr ymladd a fu yn ddiweddar, plannwyd peth amheuaeth ym meddwl rhai o'r Cymry. Penderfynodd rhai o'r fintai yn y diwedd, felly, mai'r peth doethaf oedd troi'n ôl. Fodd bynnag, dan arweiniad JDE, parhaodd pedwar mor bell ag afon Lepa ac yno, ar ôl cyfarfod â dau frodor a gwrthod cymhelliad y brodorion i'w dilyn i wersyll eu pennaeth, dychwelodd y pedwar Cymro nerth carnau eu ceffylau i gyfeiriad y Dyffryn. Ond wrth iddynt gyrraedd y man a elwir heddiw yn Ddyffryn y Merthyron, ymosodwyd arnynt gan griw o frodorion picellog a chan fod y Cymry wedi pacio eu harfau y tu hwnt i gyrraedd, ni fedrent ymladd yn ôl a syrthiodd tri o'r Cymry a chael eu lladd. Un o'r tri yn unig a gafodd gyfle i ymladd yn ôl am sbel ond ni fedrodd yntau barhau'n hir cyn cael ei ladd. Yn y cyfamser, roedd JDE ar gefn ei geffyl ifanc Malacara: 'Gwneuthum un neidlam gan blannu fy ysbardunau yn ochr fy Malacara yr hwn oedd fel taran o sydyn a llwyddais i dorri trwy gylch yr Indiaid.' Cafodd JDE ei achub gan ei geffyl a neidiodd i lawr dibyn oedd tua 12 troedfedd o uchter gan lwyddo i farchogaeth yr holl ffordd yn ôl i'r Dyffryn. Dychwelodd tua 30 o Gymry wedyn a chael cyrff y Cymry wedu eu darnio'n ffiaidd. Ystyrid dihangfa JDE yn dipyn o wyrth a gofalodd yntau'n dyner am ei geffyl am weddill ei oes. Bu'r ymosodiad annisgwyl (o gofio'r berthynas dda rhwng y Cymry a'r brodorion) yn bwnc llosg am gryn amser, a phawb yn ffieiddio at y modd y triniwyd cyrff y tri Chymro a laddwyd gan y brodorion. Cododd llawer o gwestiynau am y rhesymau paham yn union yr ymosodwyd ar y Cymry, ac fel y gwelir oddi wrth adroddiad JDE ei hun am y digwyddiad (gweler hefyd nodiadau pennod Cyflafan Dyffryn y Merthyron) mae'r rhesymau yn eithaf cymhleth a heb gael eu hegluro'n gwbl foddhaol.

Daeth JDE i amlygrwydd yn dilyn y digwyddiad hwn, ac yn gyflym iawn daeth yn adnabyddus yn y Wladfa byth ar ôl hynny, nid yn gymaint yn sgil y ddihangfa hon, er mor 'wyrthiol' oedd honno, ond am ei allu cwbl broffesiynol fel teithiwr di-flin dros y Paith ac fel arweinydd i'r Cymry a'r awdurdodau fel ei gilydd mewn cyfnod pan ddechreuwyd meddwl o ddifrif am ehangu ffiniau'r sefydliad gwreiddiol. Byddai hefyd, ar ôl sefydlu Cwm Hyfryd, yn allweddol yn y gwaith o ddatblygu economi a diwylliant Cymraeg y cwm hwn, sef y wladfa newydd yn yr Andes. Ond o safbwynt ei fywyd a hanes y Wladfa mae'r ysgrifau a luniodd JDE yn Gymraeg yn hynod werthfawr gan eu bod yn caniatáu inni glywed gan un a fu'n llygad-dyst ac yn un o'r 'medelwyr' gwreiddiol yn y maes.

Cefndir a Bywyd Cynnar John Daniel Evans

Gwyddom i JDE gael ei eni, yn ôl ei dystiolaeth ei hun, yn Aberpennar, Sir Forgannwg, ym 1862. Nid oes sôn am y teulu'n byw yno yng nghyfrifiad 1861, felly mae'n bosibl eu bod wedi cyrraedd yn fuan wedyn. Dywedir gan JDE fod ei dad yn dod o Bont-Henri, Sir Gaerfyrddin, ac yn fwy manwl dywedir mai Ty'n y Waun yn agos iawn i Bont-Henri oedd cartref teulu Daniel Evans. Gwelir Ty'n y Waun yn glir ar fap electroteip yn perthyn i gyfnod y 1860au, a gwelir yr enw ar gyfres o linellau agos yn dynodi ardal y glo brig. Yn y flwyddyn 1865 y dechreuodd Cwmni Glo Pont Henri, felly nid yw'n debygol iawn i Daniel Evans gael llawer o brofiad fel glöwr cyn mudo i Aberpennar. Hanai mam JDE, Mary, merch John Jones, o Aberdâr. Mae'n amlwg fod taid JDE, John Jones Aberdâr, ymhlith y rhai a gafodd eu perswadio'n gynnar am yr athroniaeth Batagonaidd. Yn ei gyfrol *Yr Hirdaith* (1999) dywed Elvey MacDonald fod Edwin Cynrig Roberts, ar ran pwyllgor Patagonia, wedi ennill cefnogaeth sylweddol wrth iddo gynnal cyfarfodydd cyhoeddus drwy siroedd y wlad. Y pwyslais ar ymfudo i un lleoliad gyda'i gilydd oedd yr elfen gref yn ei genhadaeth. Cynhaliwyd y cyfarfod cyntaf gan Roberts yng nghymoedd Morgannwg yn Aberpennar tua dechrau Tachwedd 1861. Gellir bod yn sicr y rhoddwyd pwyslais ar ennill glowyr i'r achos oherwydd eu bod yn gyfarwydd â chaledi ac yn berchen ar elfen gref o gyd-dynnu cymdeithasol, dau beth a fyddai'n gwbl angenrheidiol yn y Wladfa newydd. Os derbynnir yr awgrym i deulu John ac Elizabeth Jones fod yn bresennol yn y cyfarfod hwnnw, ynghyd â'u meibion John a Richard (John Jones Patagones a Richard Jones Glyn Du yn ddiweddarach), heb sôn am eu merched Mary, Marged ac Ann, rhaid bod Daniel Evans yno hefyd gan fod ei wraig Mary eisoes yn cario'r baban a fyddai'n cael cario'r enw John Daniel Evans.

Priododd Edwin Cynrig Roberts ag un arall o ferched John Jones Aberdâr yn Ebrill 1866 sy'n awgrym o'r cysylltiadau agos a dyfodd rhyngddo a theulu John Jones. Ar sail adroddiad JDE ei hun am ei daid, ymddengys fod yr olaf yn ddyn o argyhoeddiad cryf ac yn dipyn o arweinydd. Efallai nad yw'n ormodiaith honni mai John Jones Aberdâr fu'r sbardun wrth i'r teulu mawr benderfynu ei mentro hi i Batagonia. Wrth edrych ar y rhestr o enwau o blith y rhai a ddaeth at ei gilydd i fyrddio'r *Mimosa* ym 1865, daw'n glir mai teulu John Jones oedd y mwyaf o dipyn. Yn ôl Elvey MacDonald eto: 'Cyraeddasai ef [Richard Jones] Lerpwl yng nghwmni ei rieni, John ac Elizabeth (Betsan) Jones, ei frawd John, a chwiorydd y ddau, Mary, Margaret ac Ann . . . Gyda hwy, teithiai Mary, gwraig Daniel Evans (gynt o Bont-Henri) a phlant y ddau, John Daniel (tair oed) ac Elizabeth (pump) – ynghyd â'r brodyr amddifad Thomas Tegai (dwy ar bymtheg) a William Awstin (un ar ddeg) a Thomas Harries Jones, a deithiai yng ngofal y pâr olaf.' Newydd ddathlu ei ben-blwydd yn dair oed roedd John Daniel Evans felly pan ymunodd y teulu â mintai'r *Mimosa* yn Lerpwl. Roeddent yn deulu mawr o bedwar aelod ar ddeg, dan arweiniad John Jones. Gan Ann Jones, Aberpennar, y dywedwyd un o'r brawddegau hynny a aeth yn rhan o chwedloniaeth y Wladfa am iddi ddweud wrth iddynt gyrraedd y lan ym Mhatagonia: 'Weli di'r dyn yna sy'n rhwyfo'r cwch? Hwnna fydd fy ngŵr i'. A'r gŵr hwnnw oedd Edwin Cynrig Roberts. Gwelir fod cryfder cymeriad yn nodweddu teulu John Jones, gan i nain JDE, Betsan Jones, benderfynu na fyddai'n teithio ar y môr fel y gwragedd eraill hyd at enau'r Camwy tra byddai'r dynion yn cerdded bob cam o Fae Newydd. Yn y diwedd cafodd gerdded gyda'r gweddill, gan gynnwys y merched Ann a Mary. Felly dyna'r teulu i gyd yn cerdded ar y daith enwog o'r Bae Newydd (Porth Madryn) i Gaer Antur, sef John Jones, Daniel Evans, y merched i gyd a'r ddau blentyn John Daniel Evans a'i chwaer hŷn Elizabeth Evans.

Ac yntau'n gyn-löwr, aethai Daniel Evans allan i'r Wladfa i ffermio, fel gweddill mintai'r *Mimosa*, ond fel llawer o'r glowyr yr adeg honno, roedd ganddynt wreiddiau dwfn iawn yn y byd amaethyddol, a ffermio y bu'r teulu yn y blynyddoedd cynnar yn y Glyn Du, ardal agos i Drerawson. Rhoddwyd yr enw Coed Newydd ar fferm John Jones, a Llwyn Glas ar fferm Daniel Evans. Mae hunangofiant JDE yn enwi ei dad droeon ynghyd â hynt a helynt eu bywyd yn y Glyn Du. Mynegir teimladau JDE am ei dad pan sonia am ei farwolaeth gynnar ym 1887, wedi iddo gael teiffoid. Ceir nodyn yn crybwyll fferm Llwyn Glas yn un o'r atodiadau a ychwanegwyd at adroddiad R. P. Dennistown, comandyr y llong Brydeinig *Cracker* a ddaeth ar ymweliad â'r sefydliad yn Ebrill 1871. Dywedir fod Daniel Evans yn löwr yn wreiddiol, fod ganddo wraig a phedwar o blant, dwy erw a hanner o dir yn cael eu cnydio, a'i fod yn berchen ar ddau geffyl, dwy fuwch, mochyn a ffowls. Ategir y manylion hyn yn hunangofiant JDE ei hun.

Mae'n amlwg i daid JDE fod yn ŵr crefyddol iawn, fel yn wir yr oedd ei ŵyr, ond fe ymddengys, serch hynny, nad oedd Daniel yn perthyn i'r union draddodiad â'i daid; nid ymunodd ag unrhyw enwad a 'cymerai ei ddiferyn pan gâi ei gymell i hynny'. Gŵr oedd Daniel Evans na fyddai'n ffraeo â neb: 'Byddai yn gyfaill i bawb a phawb yn gyfaill iddo ef. Hwyliai ei gwch gyda'r lan felly osgoai ystormydd croes.' Prin yw'r cyfeiriadau at fam JDE gan y rhai a ysgrifennodd hanes y Wladfa, a dywed JDE yn syml amdani: 'Yn Ionawr 25, 1914, bu farw fy mam yn bedwar ugain mlwydd oed. Dioddefodd lawer ym mlynyddoedd cyntaf y Wladfa, heddwch i'w llwch annwyl ar fryncyn Moriah.' Un neu ddau ddarlun o fywyd cartref JDE a geir ond yr un mwyaf cartrefol a difyr, mae'n siŵr, yw'r sgwrs rhwng tad a mam JDE ynglŷn â'r priodoldeb o ladd crëyr glas ar y Sul, a hwythau heb weld tamaid o gig ers cryn amser. Wrth sôn am fam JDE, un o'r rhannau mwyaf torcalonnus yn ei hunangofiant yw honno lle disgrifir ymgais aflwyddiannus mam a nain JDE, sef 'Betsan Jones', yn crefu am gwpanaid o wenith oddi wrth ffermwr ('bonheddwr ger Rawson') digon lwcus i gael cynhaeaf, a'r teulu wedi bod ar eu cythlwng ers misoedd.

Er nad yw Hunangofiant JDE yn dilyn trefn amser yn agos iawn bob tro, mae modd dilyn prif droeon yr yrfa hyd at yr adeg yr aeth JDE ati i sgrifennu am ei deithiau a'i fywyd tua 1918. Daw'n amlwg nad oedd JDE yn awyddus iawn i amaethu yn yr un modd â'i dad, ei daid a gweddill ei gymdogion ar hyd glannau Camwy. Roedd caledi affwysol y blynyddoedd cyntaf yn bendant wedi cael effaith ar y gŵr ifanc. Roedd yn amlwg hefyd fod elfen deithio a chwilio am antur yn ei natur. Bu presenoldeb y brodorion yn ffactor hefyd wrth iddo freuddwydio am y wlad tu hwnt i'r dyffryn, sef gwlad i'r gorllewin yr honnid ei bod yn llawn llynnoedd a choedwigoedd, a'r wlad tua'r de. Roedd ambell un fel Lewis Jones, Aaron Jenkins a John Murray Thomas eisoes wedi dechrau'n betrus ar y gwaith o arloesi'r mannau hynny yn gynnar yn y 1870au.

Rywfodd cawsai'r JDE ifanc afael ar lyfr George Chaworth Musters, y teithiwr o Sais a fu'n dilyn y llwybrau brodorol yng 'Ngwlad yr Afalau' ar hyd yr Andes. Mae *At Home With the Patagonians* yn ddisgrifiad o deithiau Musters yng ngorllewin Patagonia ac wedi bod yn ysbrydoliaeth i deithwyr eraill y cyfnod. Mae'r cysylltiadau rhwng JDE a'r brodorion yn allweddol wrth geisio deall rhai cymhellion wrth wraidd ei gymeriad. Gwyddom ar sail ei waith ei hun ac awduron eraill y Wladfa fod y brodorion Tehweltsaidd yn ymwelwyr cyson â'r sefydliad newydd yn y Dyffryn. Un o'r atgofion cyntaf a feddai (nid oedd yn gallu cofio Cymru o gwbl) oedd yr adeg y bu bron i'r Wladfa dorri i fyny a phawb am fynd i ranbarth newydd. Drwy drugaredd, ni ddigwyddodd hyn (er i ewyrth JDE, y John Jones ifanc, fynd gydag eraill i Batagones ar lannau afon Negro), ac achubwyd y freuddwyd Wladfaol, er gwaethaf y caledi, am ddegawd arall ar ôl hynny. Cyn penderfynu aros, roedd y Cymry i gyd wedi ymgasglu ym Mhorth Madryn i baratoi i fynd, a chofiai JDE am ddicter y brodorion wrth weld y newydd-ddyfodiaid yn codi pac i fynd. Roedd yn well gan y brodorion fasnachu â'r Cymry na'r *Cristianos*, sef yr Hisbaeniaid.

Unwaith iddynt benderfynu rhoi cynnig ar y Wladfa cafodd y Cymry gymorth gan y brodorion i ddychwelyd i'r sefydliad ger Caer Antur. Mewn adroddiad a gyhoeddwyd ar y sefydliad gan is-gapten y llong Brydeinig *Cracker* yn dilyn ymweliad ym 1871, ceir sylwadau ar y brodorion a'r modd y byddent yn dod i gysylltiad â'r Cymry. Mae digon o dystiolaeth am hyn gan awduron eraill fel Richard Jones, Glyn Du, Thomas Jones Camwy a William Meloch Hughes. Mae'r adroddiad hwn er hynny yn nodi fod tair cenedl yn ymweld â'r sefydliad: y Tehweltsiaid, y Medio Pampas, a'r Manzanas (sef y rhai o'r Andes). Dywed mai'r nifer fwyaf o frodorion i ymweld â'r sefydliad mewn cyfnod penodol oedd 300, yn ddynion, merched a phlant. Sonnir am eu hagwedd heddychlon a'u diddordeb mewn masnach – er eu bod yn lladrata ar brydiau. Nid yn unig y deuent i'r sefydliad i fasnachu, meddir, ond i fynd at y gof er enghraifft, i gael cyllyll, *bolas*, o fetel er mwyn gwneud y gwaith o hela'n haws, yn ogystal â byclau. O ran iaith, dywed yr adroddiad mai'r Gymraeg oedd prif iaith y sefydlwyr heblaw am ambell eithriad, ond bod aelodau ifanc y sefydliad yn prysur ddysgu elfennau'r iaith Sbaeneg gan mai dyna oedd yr iaith fasnachu a ddefnyddid gan y brodorion. Er y byddai ambell un yn y gymuned, fel Jenkin Richards, yn dysgu iaith y brodorion yn drwyadl, mae'n ymddangos fod y Sbaeneg yn iaith gyffredin rhwng y Cymry ifainc a'r brodorion, er mai Sbaeneg bratiog fyddai hynny'n aml mae'n siŵr. Mae hyn yn bwysig o safbwynt y cyfathrebu rhwng y gwŷr ifainc o Gymry a ddaeth ar y *Mimosa* a'r brodorion. Diamau mai fel hyn y lledaenodd llawer o'r wybodaeth leol am lwybrau, arferion hela a'r sôn am fannau pell ymhlith yr elfennau mwyaf anturus yn y sefydliad. Mae'n arwyddocaol efallai fod JDE, pan oedd yn dyfynnu union eiriau yr Indiad Juan Salvo yn ei adroddiad am Gyflafan Cel-Cein yn 1883–4, yn dyfynnu'r geiriau hyn yn Sbaeneg. Roedd yr ymwneud â'r brodorion drwy fasnach, hwyl a thynnu coes wedi plannu'r ysfa yn JDE i fentro allan ymhellach na'r Dyffryn.

Dyddiau Ysgol yn y Glyn Du
Un o'r rhannau mwyaf difyr yn ei hunangofiant yw'r hanes am ei ddyddiau ysgol yng Nglyn Du. Dywed JDE mai Capel Glyn Du oedd yr ysgoldy yn ystod y dydd. Nid oes sicrwydd pendant pryd y codwyd Capel Glyn Du, ond yn ôl JDE daeth yr ysgoldy i fodolaeth tua 1873 neu 1874. Y dyddiau difyrraf o dipyn, mae'n debyg, oedd y cyfnod pan oedd T. Dalar Evans yn ysgolfeistr, a'r hwyl ar ei mwyaf pan oeddent oll y tu allan yn chwarae gêm o'r enw 'estrysod'. Cafodd JDE a gweddill y disgyblion (yn cynnwys John Coslett Thomas sydd hefyd yn ysgrifennu am yr ysgol hon yn ei hunangofiant ef) athro newydd ar ôl Dalar, sef yr enigmatig Elaig, Sais a ddysgodd Gymraeg ac a ysgrifennodd lyfrau i ddysgu Sbaeneg drwy gyfrwng y Gymraeg. Dywed JDE fod pawb wedi symud i Moriah pan godwyd hwnnw yn 1880, a chollwyd capel Glyn Du yn un o'r llifogydd achlysurol a drawodd y dyffryn. Ond roedd dyddiau ysgol JDE drosodd erbyn 1880.

Yn ei hunangofiant, cawn awgrym nad oedd y gŵr ifanc John Evans, Llwyn Glas, yn edrych ymlaen at fod yn amaethwr, yn arbennig o gofio'r anawsterau i ddyfrio'r tir. A fu ffrae rhyngddo a'i dad am hyn? Fel John Evans, Llwyn Glas, yr oedd pawb yn ei adnabod tan tua 1888, gan mai dyna enw tyddyn ei dad yn y Glyn Du. Dechreuodd wedyn ei hurio ei hun allan fel gwas fferm i'r Drofa Fresych a'r Bryn Gwyn ymhellach i'r gorllewin, lle saif pentref y Gaiman heddiw, ac eto daw'n fwyfwy amlwg fod gan JDE ddiddordebau y tu hwnt i'r cae rwdins. Wrth lenwi'r blynyddoedd pan ddaliai i fod yn llencyn ifanc, mae JDE yn adrodd nifer o'r digwyddiadau hanesyddol a ddigwyddodd yn ystod y cyfnod cynnar, gan gynnwys llofruddiaeth enwog Aaron Jenkins gan ffoadur o Chileniad yn 1877. Ar ôl iddo gael ei ladd, aeth mintai o Gymry allan i chwilio am y llofrudd, a saethwyd y llofrudd gan un o'r criw. Saethodd pob un wedyn i'r corff fel na fyddai unrhyw un yn unigol yn cael ei gyhuddo o'r weithred gan yr awdurdodau. Er nad oes awgrym y byddai JDE wedi ymuno yn y saethu, gellir holi a oedd JDE gyda'r rhai a aeth i chwilio am y drwgweithredwr. Mae ei atgofion yn awgrymu'n gryf ei fod yn rhan o'r fintai, efallai gan fod Aaron yn ewyrth iddo.

Yn y flwyddyn 1880, cafodd Capel Moriah ei sefydlu ger afon Camwy ychydig y tu allan i dref Trelew heddiw. Cafodd ei adeiladu ar 'chacra rhif 103' yn perthyn i Rhydderch Hughes, a'r gweinidog cyntaf oedd y Parch. Abraham Matthews. Mae un o ddisgynyddion A. Matthews, sef Matthew Henry Jones, yn dweud yn ei gyfres o gyfrolau ar hanes Trelew mai syniad Richard Jones, ewythr JDE, ac amryw o ddynion eraill yn cynnwys Thomas Jones Glan Camwy oedd adeiladu capel yn y fan honno. Roedd angen capel newydd ar y rhai oedd yn byw yn bell o gapel Trerawson. Yn yr un flwyddyn cafodd JDE ei dderbyn yn aelod o'r capel newydd ynghyd â'i gyfaill Richard Jenkins, mab Aaron Jenkins. Byddai JDE a Richard Jenkins yn ffrindiau agos am weddill eu bywydau. Ni ellir gorbwysleisio lle crefydd ym mywyd JDE, fel mae ei hunangofiant a'i ysgrifau eraill yn tystio. Tybiaf fod yr elfen grefyddol yn ei fywyd wedi cynyddu ganwaith yn dilyn y digwyddiad trawmatig yn Nyffryn y Merthyron pan laddwyd ei dri chydymaith, ac yntau'n unig wedi gallu dianc o'r fan. Rhaid crybwyll hefyd y 'weledigaeth gyfriniol' a gafodd yn ystod ei salwch yn 1914. Gellir awgrymu fod trawma'r ymosodiad gan y brodorion yn 1884 a marwolaeth ei gyd-deithwyr a'i deimladau crefyddol cryf wedi effeithio arno am weddill ei oes.

Ymddengys mai ymweliad Michael D. Jones â'r Wladfa yn 1882 fu'r sbardun i chwilio am diroedd newydd a fyddai'n addas ar gyfer eu hamaethu. Bu nifer o gyfarfodydd ar hyd y Dyffryn i ennill cefnogaeth i'r antur. Roedd JDE erbyn hyn wedi dysgu cryn dipyn am y llwybrau brodorol a arweiniai i'r de a'r gorllewin. Penderfynodd ymateb i'r alwad, a chawn yr hanes am y daith i'r de mor bell â Comodoro Rivadavia a gymerodd tua dau fis a hanner. Dim ond am naw mlynedd y bu JDE yn deithiwr o'r fath, ond cymaint oedd pwysigrwydd rhai o'r teithiau hyn nes ei bod yn anodd peidio â meddwl amdano heb ei gysylltu â hwy. Pan ddechreuodd allan i'r wlad y tro hwnnw gyda phedwar arall roedd yn dal yn 19 oed. Mae'n glir o'r adroddiad byr a geir am y daith honno fod y Cymry ifainc eisoes yn gyfarwydd â dulliau hela'r brodorion ac wedi eu mabwysiadu. Bu farw ei daid, John Jones Aberdâr, tra oedd ar y daith; bu John Jones yn ddylanwad mawr ar ei ŵyr ac mae'n siŵr y bu ei farwolaeth yn ergyd. Fel patriarch y teulu yr edrychid arno, mae'n siŵr, ac mae'n glir fod ei gyfraniad yn y dyddiau cynnar yn fawr. Ceir ambell hanes amdano yn ysgrifau JDE, gydag un o'r mwyaf difyr yn sôn amdano'n dweud y drefn wrth gynulleidfa capel Glyn Du am gyrraedd yn hwyr i'r oedfa, a hynny wedi ei gofnodi yn nhafodiaith Aberpennar.

Y digwyddiad mwyaf yn hanes JDE pan oedd yn ifanc yn bendant oedd ei ddihangfa wyrthiol o afael mintai o frodorion a ymosododd arno ef a thri Chymro arall ym mis Mawrth 1884. Nid yw'n rhyfedd fod rhai o wŷr ifainc y Dyffryn am ddianc o slafdod y gwaith o drin tir anodd ei ddyfrio ar y pryd a chwilio am foddion eraill o ennill bywoliaeth. Bu llawer o sôn am aur a mwynau ar lannau afon Camwy ac ymhellach i'r gorllewin. Taniwyd dychymyg llawer gan un Capten Richards a ddaeth i Batagonia o Awstralia ym 1882. Dewiswyd JDE fel arweinydd ar gyfer y daith archwiliadol hon ar ddiwedd 1883 oherwydd ei fod yn gyfarwydd iawn â'r paith ac arferion y brodorion. Rhaid bod ei gyfoeswyr yn gweld JDE yn eithriad yn hyn o beth, er eu bod oll wedi troi ymhlith y brodorion a ddôi'n achlysurol i'r Dyffryn. Gellir darllen adroddiad JDE ei hun am bob cam o'r daith mor bell â Gualjaina ger yr Andes, eu cyfarfyddiad â'r ddau Indiad a bwysai mor daer ar y pedwar Cymro gan geisio eu denu i wersyll eu pennaeth. Mae Atodiad Tri yn cynnwys adroddiad gan John Coslett Thomas a fu'n aelod o'r fintai a aeth allan yn ddiweddarach ym Mawrth 1884 i gladdu'r tri, a cheir disgrifiad gan un a oedd yn llygad-dyst i'r olygfa pan ddaethant i olwg y cyrff. Claddwyd y cyrff yn y fan a'r lle, a gellir gweld cofgolofn uwchben y bedd hyd heddiw yn Nyffryn y Merthyron fel y gelwir yr ardal byth oddi ar hynny.

Y Cymry a'r Brodorion
Mae unrhyw drafodaeth am ddyddiau cynnar y sefydliadau Cymreig ym Mhatagonia yn arwain yn anochel at y berthynas rhwng y Cymry a'r brodorion cyntaf yn neheubarth Ariannin. Ni ellir ychwaith beidio â thrafod sut y daeth ymyrraeth yr awdurdodau canolog i newid tynged y naill fel y llall yn gyfan gwbl. Os oedd y cyfnod 1875–1900 yn gyfnod lle gwelwyd Cymry'r Wladfa yn graddol golli hynny o annibyniaeth a fu ganddynt yn y degawd cyntaf un, bu'r un cyfnod yn ddim llai na thrychineb a arweiniodd at ddatgymaliad llwyr o'r hen ffordd o fyw a fu gan y brodorion, a hynny drwy'r trais a'r orfodaeth a adlewyrchai i raddau helaeth y driniaeth a gafodd brodorion cyntaf America yn yr Unol Daleithiau yn ystod yr un cyfnod.

Dywedir fod tua 3,000 o frodorion ym Mhatagonia yn ystod y bedwaredd ganrif ar bymtheg yn byw bywyd crwydrol.[1] Yn gyffredinol sonnir am ddwy 'genedl' ymhlith brodorion Patagonia: y Tehweltsiaid a'r Arawcaniaid. Ond ceir amryw dylwythau o fewn y ddau brif ddosbarthiad hyn. Gellir dweud bod afon Camwy wedi bod yn ffin rhwng Tehweltsiaid y gogledd a'r de. Yr 'Aónikenk' yw'r enw a roddir yn bennaf ar y rhai a heliai yn y de yn nhalaith Santa Cruz. Yn hanesyddol hanai'r Arawcaniaid (neu Mapuches) o ochr draw'r Andes yn Chile, a daeth nifer o'r minteiau brodorol i ymgymysgu â'r Tehweltsiaid yn y gorllewin. Yn y cyfnod yn arwain at sefydliad yr Ewropeaid ym Mhatagonia (canol y 19g), roedd llawer o'r brodorion yn ddwyieithog (iaith y Tehweltsiaid ac iaith yr Arawcaniaid) yn ogystal â siarad elfennau iaith y *Cristianos*, sef y Sbaeneg. Roedd hyn yn wir yn arbennig am y 'Manzaneros', neu bobl fforestydd a pheithdir ardal yr Andes, yn cynnwys Cwm Hyfryd.

Daeth y ceffyl i newid llawer iawn ar batrymau cymdeithasol y brodorion ym mhobman oddi ar yr ail ganrif ar bymtheg. Yn naturiol roedd dull o fyw y brodorion yn fwy mudol ar ôl hynny a rhoddid pwyslais ar hela'r wanaco a'r estrys. Gan i hyn fynd yn agwedd bwysig ar eu bywyd economaidd, dechreusant ddilyn patrymau mudo'r anifeiliaid a'r adar o'r gorllewin i'r dwyrain. Daeth yn arfer ganddynt dreulio Ebrill tan Orffennaf yng nghyffiniau'r arfordir, mewn mannau ar hyd afon Camwy a'i genau. Pwy oedd y brodorion fu'n gyfarwydd i'r Cymry yn nyddiau cynnar y sefydliad yn y 1860au? Ceid y Tehweltsiaid crwydrol i'r de o afon Camwy heb eu cymysgu â thylwythau eraill, sef yr Aónikenk a grwydrai hyd a lled deheubarth Patagonia mor bell â Punta Arenas a berthynai i Chile. I ogledd yr afon, ceid cryn dipyn mwy o gymysgwch. Erbyn cyfnod y trafodaethau i greu sefydliad Cymreig ar lannau Camwy, roedd tref Patagones wedi tyfu'n ganolfan fasnach rhwng yr Hisbaeniaid (*Cristianos*) a'r brodorion. Daeth y fasnach, oedd yn seiliedig ar y wanaco a'r estrys (a'r eitemau a wneid o'r rhain), yn bwysig i'r ddwy ochr. Fodd bynnag, un o sgil-effeithiau'r fasnach hon oedd cyflwyno'r ddiod feddwol i'r brodorion a daethant yn gwbl ddibynnol arni'n fuan iawn. Ond bu hefyd yn fodd i'r brodorion brynu ceffylau a gwartheg a yrrid bob cam yn ôl i'r gorllewin neu i'r de. Roedd hyn yn fwy manteisiol i frodorion y gorllewin gan na fyddai'r deheuwyr yn dod i Batagones fwy nag unwaith bob tair blynedd.

Daeth y sefydliad newydd wrth enau Camwy yn newyddion da i'r brodorion yn y de, a hefyd yn y gorllewin, yn yr ystyr y caent fasnachu yn nes i'w cartrefi yn hytrach na theithio'r holl ffordd i afon Negro yn y gogledd. Er eu bod yn colli tiriogaeth wrth ganiatáu i'r Cymry ymsefydlu yn y dyffryn yn 1865, roeddent ar y pryd o'r farn mai mantais iddynt fyddai hynny o ran masnach. Gwnaed ymdrech i sicrhau fod y brodorion yn cytuno i'r sefydlwyr ddod i'r ardal, a threfnid y byddai rhai yn cysylltu â'r gwahanol benaethiaid (*caciques*) i sicrhau hynny. Er bod digon o dystiolaeth fod mintai'r *Mimosa* yn dychryn wrth feddwl am ymosodiad posibl gan y brodorion ('yr Indiaid'), cafwyd ambell ddatganiad gan y brodorion eu hunain i'r perwyl nad oeddent yn elyniaethus a'u bod yn dymuno i'r Cymry (sef Lewis Jones) drafod telerau â hwy. Fel mae llythyrau'r pennaeth Antonio, er enghraifft, yn dangos yng nghyfrol Lewis Jones (*Hanes y Wladva Gymreig,* 1898), roedd y brodorion yn heddychlon ac yn hynod o haelionus tuag at y sefydlwyr newydd. Ymddengys fod cytundeb rhwng yr awdurdodau Archentaidd a'r brodorion y byddent yn cael eu talu i amddiffyn y sefydliad newydd.

Cafodd y Cymry ymweliad gan finteiau o frodorion yn fuan iawn ar ôl i'r sefydliad gael ei draed dano o amgylch Caer Antur. Bu'r ymweliad cyntaf ym mis Mehefin 1866. O fewn ychydig wythnosau daeth tipyn mwy ohonynt dan arweiniad y gwahanol benaethiaid, Francisco, Chiquichano a Galats. Sonnir am Galats yn arbennig yn hunangofiant John Evans. Mae'r rhan fwyaf o'r adroddiadau am berthynas y Cymry a'r brodorion yn deillio o'r cyfnod hanner-ofnus hanner-croesawus hwn, pan ddaeth pawb i adnabod ei gilydd, neu geisio o leiaf. Ceir llawer o anecdotau am yr ymweliadau mynych hyn yn ystod y degawd cyntaf. Roedd tuedd yn y brodorion i ddwyn ceffylau weithiau ond caent eu dychwelyd weithiau hefyd gan benaethiaid a welai'r pwysigrwydd o gadw perthynas dda â'r Cymry (neu'r *Galianos* fel y byddent hwy'n galw'r Cymry weithiau, gan eu cyferbynnu â'r *Cristianos* Sbaenaidd). Pan gododd awydd yn y Gwladfawyr i adael y dyffryn ar ôl i'r cynhaeaf fethu, sylweddolodd y brodorion fod perygl i'r ganolfan newydd hon ddiflannu, a chododd eu gwrychyn fel y dangosir yn glir gan JDE pan sonia am y pennaeth Galats, a oedd wedi meddwi, yn bygwth John Jones. Wedi deall y byddai'r Cymry am roi cynnig arall arni wedi'r cwbl cawsant gymorth gan Chiquichano, un o'r penaethiaid mwyaf cyfarwydd i'r Cymry wedyn, ac un a fu'n gyfeillgar iawn tuag atynt. Bu llawer o'r masnachwyr ym Mhatagones wrthi'n ennill bywoliaeth dda drwy ddarparu diodydd meddwol i'r brodorion a chael crwyn y wanaco yn gyfnewid am hyn. Dechreuodd y fasnach hon ymwreiddio yn y Wladfa hefyd er bod rhai fel Michael D. Jones ei hun yn teimlo y byddai'r fasnach yn ddinistriol i'r Wladfa.

Does dim dwywaith mai yn ystod y cyfnod hwn y dechreuodd y Cymry ifainc ymgynefino â ffyrdd y brodorion, yn arbennig wrth iddynt ddysgu sut i hela ar gefn ceffyl a dod i adnabod rhai o'r ffyrdd a'r llwybrau brodorol o fewn cyrraedd hawdd i'r sefydliad. Economi ymgynhaliol yn unig a fodolai yn ystod y degawd cyntaf a bu hela yn y modd hwn yn gymorth pendant. Dyma'r cyfnod y daeth y Cymry i ddibynnu ar gymorth y brodorion, ac mae'r cyfeillgarwch digamsyniol rhyngddynt yn dyddio o'r cyfnod hwn. Daeth y brodorion hefyd i alw'r Cymry yn *hermanos* (brodyr), a hynny ar ôl y cam-drin a ddioddefwyd ganddynt dan law'r *Cristianos*. Roedd y fasnach yn seiliedig ar 'ffeirio', gan nad oedd arian ar gael yn gyffredinol yn y sefydliad eto. Ceir cyfeiriad at hyn gan JDE ar ddechrau ei adroddiad am y daith i Batagones yn 1888, wrth iddo sôn am y modd y bargeinid am geffylau. Mynd yn ôl i hen ddull o fargeinio oedd hyn wrth gwrs a dyna pam y tynnir sylw ato.

Nid oedd y Cymry yn fodlon ar y tir a gawsant ar lannau Camwy, yn enwedig o gofio fod problemau ynglŷn â dyfrio. Mae'n glir fod awydd i chwilio am dir gwell, yn enwedig bod ardal debycach i hinsawdd Cymru wedi bod yn rhan o'r bwriad o'r cychwyn cyntaf. Gyda chymorth y brodorion y daethant i ddeall mai'r gobaith gorau am borfa well oedd y gorllewin, neu 'Wlad yr Afalau' wrth droed yr Andes, ond ardal lle na fu ond ychydig o deithwyr Ewropeaidd hyd hynny. Lewis Jones oedd y cyntaf i ddechrau mentro ar y llwybrau hyn tua'r gorllewin ym 1870; teithiodd yng nghwmni nifer o frodorion ond bu raid iddo roi'r gorau i'r daith. Roedd y *baqueano* Pablo yn un o'r brodorion hyn a soniodd am y daith gyda Lewis Jones wrth deithio, flynyddoedd ar ôl hynny, gyda John Evans a Llwyd ap Iwan yn 1888. Pe bai pethau wedi parhau fel hyn, mae'n debyg y byddai'r Cymry a'r brodorion wedi gallu cyd-dynnu'n weddol heddychlon. Ond rhaid cyfaddef mai'r tebygrwydd yw y byddai gwrthdaro a chynnen wedi digwydd yn y pen draw pe llwyddid i ddenu niferoedd mawr o Gymry i Batagonia ac ymsefydlu fwyfwy yn y mannau lle ceid y brodorion. Os 20,000 o Gymry oedd y nod er mwyn sicrhau tiriogaeth led annibynnol, buan y byddai'r brodorion wedi bod yn lleiafrif, a phrin y digwyddasai hynny heb frwydr. Ni lwyddodd Lewis Jones a'r pwyllgor ymfudo i ddenu nifer fawr iawn o Gymry i'r fenter newydd, ac yn y cyfamser daeth newid mawr yn y berthynas rhwng y wladwriaeth a'r brodorion a elwir gan haneswyr 'La Conquista del Desierto' (Concwest y Paith).

Erbyn canol y 1870au bu trobwynt yn hanes economaidd y sefydliad. Daeth ansawdd gwych y gwenith a dyfid yn Chubut i ddenu sylw'r awdurdodau yn Buenos Aires, a dechreuodd gwŷr busnes fel John Murray Thomas ddatblygu masnach rhwng y sefydliad a'r brifddinas. Roedd llewyrch ar bethau tua'r Wladfa, a daeth cannoedd o ymfudwyr newydd o Gymru i estyn ffiniau'r sefydliad. Roedd y llywodraeth eisoes yn mynd i'r afael â 'phroblem' y brodorion i'r gogledd o afon Negro gan eu bod yn ymosod ar yr *estancias* mawr ac yn codi braw ar y rheiny yn Ewrop oedd yn ystyried ymfudo i'r wlad. Rhaid cofio hefyd fod tri degawd olaf y bedwaredd ganrif ar bymtheg yn Ariannin yn gyfnod a welodd lifeiriad o ymfudwyr newydd o Ewrop. Ond hefyd o dan arweiniad rhai fel Julio Roca, yr arlywydd, penderfynwyd bod rhaid i Ariannin feddiannu'r diriogaeth genedlaethol i gyd, yn enwedig i'r de o afon Negro, a dechreuwyd ar ymgyrch greulon yn erbyn poblogaeth frodorol y wlad yn 1879.

Bwriad y llywodraeth oedd ailgartrefu holl boblogaeth Patagonia mewn mannau pwrpasol, weithiau gyda chydweithrediad y penaethiaid. Mewn llythyr a ysgrifennwyd gan un o'r penaethiaid amlycaf, Valentín Saihueque (Shaiweke), yn Ebrill 1881 at Lewis Jones ceir sôn am ei ddryswch wrth weld polisi'r llywodraeth tuag at ei bobl a'r brodorion Patagonaidd eraill a cheir adroddiad ganddo am yr anfadwaith a gyflawnwyd gan y fyddin Archentaidd yn erbyn ei bobl. 'Nid troseddwr ydwyf,' meddai, 'ond *criollo* pendefigaidd, nid dieithryn mohonof o wlad arall, ond un a aned ac a faged ar y tir ac yn Archentinwr ffyddlon i'r llywodraeth.' Disgwylid i'r penaethiaid i gyd 'ildio' i'r llywodraeth a derbyn cael eu hail-leoli i'r fan a fynnai'r llywodraeth. O blith y brodorion yn yr Andes, penderfynodd y penaethiaid Saihueque, Inakayal a Foyel, sefyll eu tir gyda'u rhyfelwyr er gwaethaf y ffaith nad oedd ganddynt, yn y pen draw, obaith o ennill.

Bu amryw o achosion o anfadwaith yn erbyn y brodorion ar ôl 1881 a cheir adlais o rai ohonynt yn ysgrifau'r Cymry yn ystod y blynyddoedd nesaf. Dyma gefndir gwleidyddol y gyflafan yn Nyffryn y Merthyron pan laddwyd y tri Chymro, cyfnod pan gefnwyd am y tro ar y berthynas o ffydd ac ymddiriedaeth rhwng y Cymry a'r brodorion yn hinsawdd y drychineb a wynebai brodorion Patagonia. Dechreuodd yr ymgyrch yn erbyn y tri phennaeth yn 1883 dan y Cadfridog Wintter. Yn dilyn brwydr, ildiodd Inakayal, ac aethpwyd â rhai o'i bobl hyd at ddyffryn Camwy. Ar y ffordd cyfarfuont â mintai fechan John Daniel Evans oedd ar ei ffordd i'r gogledd i chwilio am aur. Gyda'r rhan honno o'r fyddin a deithiai dan arweiniad Lino Roa roedd Sais o'r enw Williams. Siaradodd hwnnw a Roa â JDE am y wlad wrth odrau'r Andes a'r ffaith y dylent gadw'n glir o'r fforestydd lle roedd Indiaid o hyd. Fel y dywedwyd, roedd nifer o frodorion yn cael eu cludo i'r dwyrain gan y fyddin ar y pryd. Cafodd tair gwraig eu lladd mewn ffordd ysgeler (gweler nodiadau pennod Dyffryn y Merthyron), ac yn ddiweddarach ysgrifennodd Lewis Jones lythyr deifiol am hyn i bapur newydd Saesneg Buenos Aires. Hyd yn oed os oedd Lewis Jones yn cydweithio â'r llywodraeth i raddau, roedd yn gyfaill cywir i'r brodorion er fod ei agwedd braidd yn nawddoglyd. Cafodd y Cymry yn y Dyffryn eu gwylltio gan y driniaeth a dderbyniai'r brodorion ac anfonwyd llythyr yn enw'r Gwladfawyr i gyd at y Cyrnol Villegas, a oedd yn gyfrifol am yr ymgyrch filwrol, yn gofyn am drin y brodorion yn well o gofio am y caredigrwydd a gawsant hwy'r Cymry ar ddechrau eu hanes fel sefydliad. Prin bod angen dweud i'r erfyniad hwn syrthio ar glustiau byddar. Rhaid dweud er hynny y ceid llawer o erthyglau yn y wasg Saesneg yn Buenos Aires yn protestio yn erbyn y driniaeth a ddioddefai'r brodorion. Bu llythyr Lewis Jones am yr anfadwaith a gyflawnwyd gan y fyddin ger Dyffryn William yn 1883 yn sicr wedi cynhyrfu'r dyfroedd. Fodd bynnag, daeth diwedd swta i'r erthyglau gan Williams pan oedd yn ohebydd i'r *Buenos Aires Standard,* papur a fu'n canu clodydd llwyddiannau Roa a'r fyddin.

Daeth yr ymgyrch waedlyd i ben ym mis Chwefror 1885 a channoedd o'r brodorion wedi cael eu cludo'n bell o'u tiroedd i fod yn gaethweision, yn ddynion ac yn ferched, yng nghartrefi'r dosbarth canol yn Buenos Aires. Aeth llawer o'r dynion yn aelodau o'r fyddin neu'r llynges am gyfnod a hynny drwy orfodaeth. Cafodd rhai gadw rhyw lun ar eu bywyd brodorol o gwmpas gwersylloedd mawr fel Valcheta cyn dychwelyd, fel y gwnaeth y pennaeth Foyel, i fyw yn y gorllewin o fewn rhanbarthau cyfyngedig. Daeth diwedd ar yr hen fasnach a fu rhwng y Dyffryn a'r brodorion rhydd, ac o ganlyniad daeth diwedd ar yr hen berthynas rhwng y Cymry a'r brodorion. Yn y cyfnod ar ôl gorchfygiad y brodorion yn y gorllewin, dechreuodd cyfnod y teithiau swyddogol dan adain rhai fel y rhaglaw Luis Jorge Fontana. Bellach roedd y wlad yn ddiogel, a'r bwriad yn awr oedd paratoi'r diriogaeth eang o eiddo Ariannin ar gyfer sefydliadau newydd, megis Cwm Hyfryd a gwladfeydd Ewropeaidd eraill.[2] Nid meddyliau felly oedd rhai'r Cymry (heblaw am rai fel John Murray Thomas o bosib); dymuniad Cymry'r Dyffryn yn hytrach oedd creu sefydliad newydd iddynt eu hunain yn yr Andes a fyddai'n chwaer-sefydliad economaidd i'r Dyffryn. Roedd hyn yn bwysig erbyn diwedd y 1880au wrth i ragor o Gymry fentro allan i Ariannin. Er mwyn gwireddu'r freuddwyd honno, roedd rhaid i'r Cymry weithio law yn llaw â'r awdurdodau Archentaidd – a fynnai weld sefydliadau newydd ym mhobman yn y de – i ddiogelu eu ffiniau a sicrhau ffyniant y wlad.

Cyfnod y Teithiau Mawr 1885–1895

Yn ystod 1885, yn dilyn cyfarfod cyhoeddus yn y Gaiman, gyda John Daniel Evans a John Murray Thomas yn bresennol, anfonwyd cais at Raglaw cyntaf Chubut yn gofyn iddo drefnu taith i'r ardaloedd wrth odrau'r Andes gyda golwg ar greu sefydliad newydd. Y bwriad oedd cael defnyddiau a nawdd yr awdurdodau ar y daith archwiliadol hon a fyddai'n rhoi cyfle i'r Cymry fanteisio ar gyfraith newydd y wlad a roddai 'lech' o dir i bob teulu fyddai'n ymsefydlu ar y tiroedd oedd bellach ar gael ar ôl clirio'r brodorion oddi arnynt.[3] Fodd bynnag, yn y lle cyntaf nid oedd Luis J. Fontana, y Rhaglaw, yn awyddus iawn i adael i'r Cymry fentro i'r wlad. Er y byddai, maes o law, yn dod i adnabod y Cymry'n dda, a gwerthfawrogi eu diwylliant, ar y pryd roedd yn amheus o'u gallu i ymgymryd â'r fath daith. Gwnaed cais arall felly, y tro hwn yn cynnwys cronfa o arian a gasglwyd gan y sefydlwyr, ac addewid o geffylau i'w defnyddio ar y daith, a derbyniwyd y cais. John Murray Thomas, teithiwr a gŵr busnes a ddaeth ar y *Mimosa*, fu'n bennaf cyfrifol am gael y maen i'r wal gan fod ganddo gysylltiadau agos â'r weinyddiaeth leol yn Nhrerawson. Bu hefyd yn gyfrifol am roi cryn dipyn o arian at y gronfa dan sylw. Mae'n anffodus na chafodd ei gydnabod eto gan haneswyr am ei gyfraniad allweddol i'r cyfnod hwn yn hanes y Wladfa. Cymry oedd y rhan fwyaf o aelodau'r fintai a aeth allan gyda Fontana. Eu bwriad, heblaw am chwilio am le newydd i ymsefydlu, oedd chwilio am fwynau a metalau gwerthfawr fel aur a glo. Hon oedd y daith enwocaf yn hanes cynnar Patagonia, a dewiswyd John Daniel Evans, oherwydd ei wybodaeth am bob llwybr a thrywydd, fel *baqueano*, neu arweinydd. Yn ystod y daith honno y gwelwyd Cwm Hyfryd am y tro cyntaf ac yn y diwedd byddai'r Cymry yn dewis dod i'r rhanbarth hwnnw ar ôl taith arall o dan arweiniad Fontana yn 1888. Fel nifer o aelodau eraill mintai 1885, ysgrifennodd JDE ei atgofion am y daith honno a gâi ei hystyried eisoes yn daith o bwys hanesyddol wrth iddynt wneud cylchdaith ar ffurf triongl ar hyd a lled tiriogaeth Chubut.

Erbyn 1886, roedd JDE nid yn unig yn arweinydd o fri gan iddo gymryd rhan flaenllaw yn nhaith swyddogol gyntaf y wladwriaeth o gwmpas tiriogaeth Chubut yn 1885, ond yr oedd hefyd yn dirfeddiannwr yn y gorllewin er nad oedd ef na neb arall eto yn gwybod ble yn union fyddai'r tir hwnnw tan ail daith Fontana ym 1888; ar y daith honno ceid cyfle i fesur y wlad o gwmpas Cwm Hyfryd, er na fyddent yn cael tirlenni tan 1909 oherwydd ansicrwydd ac anghytundeb ynglŷn â'r ffin rhwng Ariannin a Chile.

Ymadawodd JDE â'r dyffryn am chwe mis ym mis Ebrill 1886 gan fynd i Buenos Aires. Mae'n amlwg fod JDE bellach yn gymharol enwog oherwydd ei ddihangfa ym 1884 a'r ffaith iddo fod yn arweinydd i Fontana ym 1885. Mewn adroddiad yn y *Buenos Aires Standard*, sonnir am y llong *Villarino* yn cyrraedd Buenos Aires ac ar ei bwrdd rai fel Lewis Jones, Azahel P. Bell, Mr Theobald a John Evans. Ceir adroddiad gan JDE ei hun am ei gyfnod yn y brifddinas yn y bennod 'Ail Daith Fontana 1888'. Cafodd ei wahodd i'r brifddinas i gael perffeithio ei Sbaeneg a chael ychydig mwy o addysg. Gan fod byd JDE yn dechrau edrych yn fwy llewyrchus, teimlai y gallai briodi ac ym mis Hydref 1886, yn fuan ar ôl dychwelyd o Buenos Aires, priododd Elizabeth

Richards (1863–1897), merch Dafydd Jones a'i wraig a ddaethai i Batagonia gyda'r Capten Rogers. Elizabeth Richards hefyd oedd enw nain JDE, gwraig John Jones, Aberpennar. Ar yr un pryd roedd JDE yn gweithio fel math o *gaucho* neu borthmon, ar ran Azahel P. Bell a'i gwmni o gwmpas Porth Madryn. Daethai Bell i Batagonia fel gŵr busnes a theithiwr ar ôl cyfarfod â Lewis Jones yng Nghymru. Y flwyddyn wedyn bu farw tad JDE yn ŵr cymharol ifanc 52 oed ar ôl dal y clefyd teiffoid. 'Gwn i sicrwydd fod dioddefaint cyntaf sefydlu'r Wladfa wedi byrhau blynyddoedd ar ei fywyd, fel pan y daeth salwch, nid oedd ganddo nerth i'w ddal,' meddai JDE yn ei hunangofiant. Tua'r un adeg bu farw brawd-yng-nghyfraith JDE, sef Zachariah Jones a fu'n gyddeithiwr ar ran o'r daith dyngedfennol yn 1883. Un o Gymry Gogledd America a ddaethai i Batagonia oedd Zachariah Jones a bu anghydfod rhyngddo a brodor o'r enw Lucats yng ngorllewin y Dyffryn. (Gweler nodiadau'r bennod 'Cyflafan Dyffryn y Merthyron' am ragor o wybodaeth am hyn o safbwynt yr ymosodiad ar y pedwar Cymro.)

Bu 1888 yn flwyddyn eithriadol brysur yn hanes JDE. Ar ddechrau'r flwyddyn bu'n arweinydd unwaith yn rhagor ar yr ail daith gyda Luis Fontana. Un o'r rhesymau pennaf am yr ail daith oedd penderfynu ble'n union y dylid creu'r sefydliad newydd. Bu peth anghydfod ynglŷn â hyn yn y Dyffryn, a chafodd tua hanner dwsin o'r Cymry eu henwebu, gan gynnwys JDE, i benderfynu pa ardal fyddai orau. Y tro hwn roedd Llwyd ap Iwan, mab Michael D. Jones, yn aelod o'r criw fel tirfesurydd, a hefyd John Murray Thomas, fel o'r blaen, yn un o ddirprwyon Fontana. Wedi dychwelyd o'r daith honno tua diwedd Mawrth 1888, daeth hi'n adeg paratoi ar gyfer y daith hanesyddol gyda'r wagenni a'r teuluoedd ar draws y paith i sefydlu Cwm Hyfryd. Ceir hanes JDE am ei daith i Batagones ym Mehefin 1888 mewn llyfr nodiadau a hefyd yn ei bennod 'Y Daith i Batagones'. Bwriad y daith oedd prynu ceffylau a nwyddau ar gyfer y daith arfaethedig gyda'r wageni. Cyrhaeddodd yn ôl yn y Dyffryn erbyn mis Awst. Erbyn Medi, roedd y daith wedi'i threfnu a'r wageni'n barod i ymadael. Y tro hwn, nid oedd unrhyw gynrychiolydd o'r weinyddiaeth Archentaidd yn teithio gyda hwy, a dewiswyd John Murray

Thomas yn 'llywydd' y daith, a John Daniel Evans fel *baqueano*, neu arweinydd. Roedd yn daith lafurus ar draws y paith, a'r trywydd yn dilyn llwybr mwy deheuol a olygai bod rhaid aros bob hyn a hyn i dorri ffordd drwy'r llwybrau cul a charegog. Gellir gweld rhai golygfeydd o'r daith hanesyddol hon o'r lluniau a dynnwyd gan John Murray Thomas ei hun, a oedd yn arloesydd mewn sawl ffordd yn hanes Patagonia, gan gynnwys ei waith fel ffotograffydd. Nid arhosodd pawb yn y Cwm, serch hynny, ar ddiwedd y daith, a dychwelodd JDE ei hun i'r Dyffryn at ei wraig a'i deulu. Y flwyddyn wedyn yn Rhagfyr 1889 bu'n gweithio ar ran y teithiwr enwog Carlos Moyano wrth ei arwain ar hyd y llwybrau, a oedd yn gyfarwydd iddo erbyn hyn, ar hyd de Camwy ac ar draws afon Chico. Nid yw'r pwt o erthygl a ysgrifennodd JDE am y daith honno ac a gyhoeddwyd yn *Y Drafod* yn dweud a fu JDE gyda Moyano yn ystod y daith i gyd ac, er y ceir adroddiad llawn amdani gan Moyano, yn anffodus ni cheir sôn am JDE ynddo. Fodd bynnag, fel y dywedwyd, ym Medi 1888, dechreuodd y teuluoedd groesi'r paith ac ymsefydlu yn y Cwm.

Ym mis Hydref 1891 mudodd JDE a'i deulu i Gwm Hyfryd. Erbyn diwedd y flwyddyn honno ychwanegwyd 35 o bobl at y 12 oedd yno eisoes, a daeth teuluoedd eraill yn grwpiau bach yn ystod y blynyddoedd nesaf. Yn y flwyddyn 1891 hefyd dechreuwn weld gyrfa JDE fel *baqueano* yn dod i derfyn er y byddai'n dal i fod yn deithiwr o fri. Efallai mai un o'r troeon olaf iddo 'arwain' oedd yn sgil ymweliad Lewis Jones â'r Cwm ym 1896. Erbyn hynny roedd Lewis Jones yn drigain mlwydd oed, ac yn edrych yn ôl ar fywyd disglair ond cythryblus fel un o brif arweinwyr y Wladfa ac er ei fod yn dechrau gwaelu, roedd yn dal yn weithgar gan roi papur wythnosol *Y Drafod* ar ei draed yn 1891 a dod yn olygydd arno. Ceir cyfeiriad at yr ymweliad hwn yng ngwaith JDE a hefyd ym mhapurau Tryfan Hughes Cadfan, mab-yng-nghyfraith JDE, lle cofnodir rhai o atgofion JDE am yr ymweliad. Erbyn hynny roedd JDE eisoes wedi dechrau ar ei waith fel melinydd yn y sefydliad newydd ond ar raddfa fach a chyfyngedig. Daeth Lewis Jones i'r ardal gan ddymuno gweld rhai o'r mannau gwych o gwmpas y Cwm ac ar ei gais aeth JDE gydag ef ar daith i'r de o Gwm Hyfryd. Un noson roedd y ddau ohonynt yn eistedd wrth y tân ar gwr y goedwig pan ddechreuodd Lewis Jones siarad â JDE am yr holl fenter Batagonaidd. Er ei fod yn llawenhau wrth feddwl am lwyddiant y Wladfa ar ôl cymaint o ddioddefaint, gallai'r holl fenter fod wedi mynd i'r gwellt, meddai, a'i fai ef fyddai'r cwbl! Cafodd JDE ei dalu am ei waith yn dangos un o dadau'r Wladfa o gwmpas y Cwm a chyda'r arian hwnnw y cafodd brynu melin well ac ar sail hynny wella siawns y Cwm i falu ei wenith ei hun yn hytrach na'i anfon i'r Dyffryn. Roedd hyn yn gam pwysig i'r Cwm. Ceir un arall o atgofion JDE yn yr un ddogfen sy'n sôn am ddiwedd taith Lewis Jones i'r Cwm a sut y bu iddo bron â boddi yn un o gorsydd yr ardal ar ôl iddo grwydro o'r gwersyll wrth iddo fyfyrio'n ddwys ac esgeuluso edrych ble roedd yn cerdded. Mae'r anecdotau hyn yn nodweddiadol o arddull JDE yng ngweddill ei waith.

Bywyd yn y Cwm 1891–1943
Ar ôl dod i fyw yng Nghwm Hyfryd penderfynodd JDE fod angen melin ar y gymdeithas newydd yno gan fod llawer o'r sefydlwyr bellach yn cael cynaeafau da. Angen mawr y ffermwyr oedd malu'r gwenith cyn ei anfon i'r Dyffryn ac ymhellach. Daeth enw JDE a'r felin yn y sefydliad newydd yn gyfystyr yn fuan iawn, nes y meddyliai llawer amdano nid fel John Evans El Baqueano ond fel John Evans Felinydd. Y felin oedd canolbwynt y pentref newydd a ddaeth i fodolaeth o amgylch tir Evans ei hun, a'r enw a roddwyd arno yn y diwedd oedd Trevelin. Mae gan JDE bennod ddiddorol dros ben sydd yn disgrifio'r gwaith o gyflwyno gwahanol fathau o felinau i'r gymdogaeth a sut yn y diwedd yr adeiladwyd y felin a welir hyd heddiw yn Nhrevelin (ac sydd bellach yn amgueddfa), a sut y ffurfiwyd cwmni, yr enwog Molino Andes Juan D. Evans y Cía. Ni welir enw JDE ar yr adeilad erbyn hyn, ond erys yr enw Molino Andes y Cía. Cyn cael melin bwrpasol, byddai ffermwyr y Cwm yn gadael pac o gesig gwylltion i fewn i gorlan lle ceid y gwenith yn fwdwl crwn ac, fel y dywed JDE, 'gyrrid y cesyg yn gyflym dros yr haen o wenith oedd ar y llawr a phan wedi dyrnu y gwenith yn llwyr o'r tywys, teflid y gwellt brasaf y tu allan i'r gorlan, ac yna dodid haen arall o wenith ar y llawr ac felly yn y blaen hyd nes gorffen y das yn y canol'. Ceir llun o JDE yn ei

henaint yn eistedd ar y felin law gyntaf a ddefnyddiwyd ganddo yn y dyddiau cynnar hynny ond gan fod angen dŵr i weithio melin a bod dŵr afon Percy yn torri ei glannau yn aml y pryd hynny, bu raid i JDE dorri ffos o'r afon at ei dŷ. Cafodd lawer o drafferthion oherwydd afon oriog iawn fu'r afon (afon Ffradach oedd un enw arni) a bu raid symud genau'r ffos o'r herwydd. Daeth trobwynt ar ôl 1896 gan i Evans ennill arian yn sgil ymweliad Lewis Jones â'r Cwm a'i galluogodd i brynu melin oddi wrth ei chwaer Elizabeth, gwraig weddw Zachariah Jones. Yn ddiddorol, roedd yr union un felin wedi perthyn i Lewis Jones cyn hynny. Dechreuodd JDE wneud arian da ar gyfrif ei fenter newydd. Yn y diwedd prynodd felin newydd ac iddi feini melin a gwnaeth olwyn ddŵr at eu troi; bu cryn gystadleuaeth mae'n debyg rhwng blawd lleol JDE a'r blawd o Buenos Aires a bu raid gwella'r drefn o hyd! Yn y diwedd prynodd JDE Felinydd beiriant newydd o Lundain a gâi ei yrru gan dyrbein, a wedyn ymhen amser newid hwnnw gan brynu melin newydd sbon o Fanceinion a ddiwallodd anghenion y Cwm am sbel go hir. Cafodd cwmni John Evans, gyda 26 o gyfranddalwyr, ei sefydlu yn 1918 a gellir gweld rhai o gofnodion y cwmni yn Amgueddfa Trevelin heddiw.

Bu farw gwraig JDE ym 1897 yn fuan ar ôl rhoi genedigaeth gan ei adael gyda chwech o blant i ofalu amdanynt. Erbyn yr adeg hon cymerai'r felin lawer o'i amser ond cadwai hefyd ddiadell o ddefaid ar ei dir.

Er bod gennym o hyd adroddiadau am brif deithiau JDE ar draws y paith, nid oedd pall ar y gwahanol deithiau er nad oes bob amser gofnod ohonynt. Nid oes dwywaith na fu JDE yn teithio yn ôl ac ymlaen rhwng y Cwm a'r Dyffryn yn ystod y blynyddoedd ar ôl taith gyntaf Fontana. Cawn gipolwg ar un o'r teithiau hyn yn nyddiadur Evan Jones, Triongl (1845–1930), a ddaeth i Batagonia fel un o fintai'r *Mimosa*. Yn ei ddyddiadur byr, cawn adroddiad amdano ef a'i gwmni rhwng Chwefror ac Ebrill 1891 yn mentro i'r gorllewin ar hyd afon Camwy i chwilio am aur. Ar eu ffordd dyma nhw'n cyfarfod â JDE pan oedd ef ar ei ffordd yn ôl i'r Dyffryn: 'Diwrnod gwyntog iawn drwy'r dydd, cychwynasom ar ein taith dros amryw filltiroedd o gamp anwastad a chyraeddasom ddyffryn cul sydd rhwng Dyffryn Cel-Cein a'r Dyffryn Coediog.

Am hanner dydd, a pan wedi gorffen cinio yn barod i gychwyn eilwaith, er ein mawr syndod pwy ddaeth i'n cyfarfod ond y Bonwyr John Evans a Rhys Thomas yn dyfod lawr o Cwm Hyfryd. Yna gollyngwyd y ceffylau o'r wagenni a gwersyllwyd hyd drannoeth er mwyn cael ymgom â'n gilydd mewn perthynas â'r wlad dda i fyny, a chawsom eglurhad ar lawer o bethau gan y cyfeillion a nodasom.' Rhaid gweld y cyfarfyddiad bach hwn yn erbyn cefndir y llu mawr a aeth i ardal yr Andes yn ystod y degawd hwnnw ac, yn wir, ceir adroddiad yn *Y Drafod* (Mawrth 1891) am John Evans a Rhys Thomas yn cyfarfod â'r menni 'yn mynd i'r aur', a'r awgrym yw y buont hwythau ar yr un hynt: 'Ceir yr hanes fod y dychwelwyr o "Heidio" (Y Cwm), sef Br. Rhys Thomas a John Evans, ar eu ffordd o'r Andes wedi cwrdd y menni yn myned i'r aur ym mhob gwersyllfa agos, o'r Dyffryn Coediog hyd gyfer yr Hirdaith.'

Fel mesur o'r effaith a gafodd Cyflafan Cel-Cein ar JDE am weddill ei fywyd, mae'n ddiddorol gweld yr ymdrech a wnaeth er mwyn tynnu sylw parhaus at y digwyddiad ymhlith ei gyd-Wladfawyr yn y Dyffryn a'r Cwm. Teimlai JDE nad oedd y gofeb syml a godwyd ar fedd y tri Chymro yn ddigonol. Cawsai hon ei dinistrio fwy nag unwaith gan y brodorion, dywedodd, ac felly roedd yn awyddus i sicrhau fod cofeb sylweddol yn cael ei chodi, er gwaethaf y gost. Ym mis Tachwedd 1898, ysgrifennodd JDE lythyr at *Y Drafod* i ddechrau cronfa: 'Yr wyf trwy hyn yn ceisio galw eich sylw at yr hyn a ddylaswn fod wedi ei wneuthur er's blyneddau, oni bai fy mod wedi ymddiried yr achos i ofal un arall, a hwnw yn addaw y buasai yn gweithredu flwyddyn ar ôl blwyddyn, ac eto heb wneuthur dim. Y priodoldeb o gael casgliad gwladfaol o ychydig ganoedd o ddoleri i brynu cofadail deilwng o'r gwroniaid fydd yn gorwedd o tani i'w dodi ar fedd y tri Cymro a gawsant eu lladd gan yr Indiaid yn Nyffryn y Merthyron, y 1af [*sic*] o Fawrth, 1884 yn nghyd a chauad o waith gofaint y Wladfa i'w roddi o amgylch y bedd, tebyg i rai sydd ar feddau ym mynwent Moriah. Credaf yn bendant, y dylem fel Cymry ddangos hynny o barch i'w llwch, pa rhai a syrthiasant yn ebyrth i gynddaredd yr anwariaid yn nglyn ag agoriad y wlad. Mae yn ddiamau na fuasai y wlad ddim wedi ei hagor am amryw flyneddau wedyn, oni bai y daith fyth-gofiadwy hono.' Ymddengys, serch hynny, i'r ymgyrch gymryd cryn amser yn cael ei thraed dani, oherwydd ni cheir adroddiad am yr arian a ddaeth i law a'r gwaith a wnaed i godi'r gofadail tan Hydref 1916. Dyna'r gofadail a welir hyd heddiw yn Nyffryn y Merthyron. Dywedir yn *Y Drafod* mai gwerth y gofadail 'ar ôl cyrraedd Trelew' oedd $400. Cludwyd hi yn rhad ac am ddim i'r Dyffryn gan John Rowlands.

Ystyriaethau yn nes at y Cwm a âi â bryd JDE o'r 1890au tan ei farw yn 1943. Bu bob amser yn frwd iawn ei gefnogaeth i achosion yn ymwneud ag addysg a chrefydd.

Yn 1900 priododd JDE Annie Hughes de Williams o Lanfachrell, Sir Fôn. Roedd hithau wedi colli ei chymar yn y Wladfa, ac roedd ganddi ddau o blant. Cafwyd pump arall o blant o'r briodas hon a gellir gweld llun o'r teulu newydd y tu allan i'w cartref gwreiddiol tua 1900 yn y gyfrol hon. Roedd hyn hefyd yn gyfnod hanesyddol o bwys i Ariannin gan fod anghydfod wedi bod ers cryn amser parthed union leoliad y ffin rhwng Ariannin a Chile. Roedd Sefydliad 16 Hydref, neu Fro Hydref fel enw swyddogol yn Gymraeg ar Gwm Hyfryd, yn digwydd bod yn agos iawn at y ffin ac o fewn yr ardal a hawliai Chile. Arweiniodd yr anghydfod at argyfwng a bu raid chwilio am gyflafareddiad rhyngwladol i ddatrys y broblem. Galwyd ar Syr Thomas Hungerford Holdich o Brydain i arwain tîm a fyddai'n penderfynu ar leoliad cyfreithiol y ffin. Roedd y tîm yn cynnwys rhai arbenigwyr fel Francisco 'Perito' Moreno o Ariannin, Dr Hans Steffen a Don Alejandro Bertrand. Erbyn hynny, roedd JDE yn bugeilio gyrr o wartheg ar ran y sefydliad. Cafwyd pleidlais yn 1902 gan drigolion Bro Hydref (Cwm Hyfryd) i benderfynu a oeddent am aros dan faner Ariannin neu ynteu ymuno â Chile. Penderfynwyd ar Ariannin: 'nid oedd dim yn fwy naturiol i ni wneuthur gan ein bod wedi byw 12 mlynedd dan ei baner', medd JDE. Yn dilyn hyn cyhoeddodd Holdich gyfrol fawr addurnol yn 1904, *The Countries of the King's Award*, yn disgrifio Ariannin a Chile o safbwynt ardaloedd lle ceid anghydfod ynglŷn â'r ffin. Ceir pennod gyfan ar Fro Hydref, ac er ei bod braidd yn nawddoglyd o safbwynt y Cymry, ceir disgrifiad cynnar o'r sefydliad newydd yn ei ddyddiau cynharaf. Sonnir am y ffaith nad oedd gan neb hawl gyfreithiol ar y tir (sef y ffermwyr a'r rhai a gafodd anrheg o lech o dir yn 1886) hyd nes y penderfynwyd ar y ffin. Dyna un o'r rhesymau niferus na chafodd y Cymry eu tirlenni tan 1909.

Yn 1904, aeth JDE i ymweld o'r newydd â'i hen gyfaill Luis Jorge Fontana, y tro hwn yn San Juan yng ngogledd y wlad.

Datblygu'r Cwm

Er i JDE a'i deulu fyw mewn bwthyn eithaf diymhongar ar ôl dod i ymgartrefu yn y Cwm (lleolir y llech, neu'r *legua*, lle bu'n byw yng nghanol Trevelin heddiw ger yr hen Felin), ni fu'n hir cyn iddo ddechrau adeiladu amryw o dai llewyrchus. Saif o leiaf ddau o'r tai hyn yn Nhrevelin hyd heddiw. Yr enwocaf o'r rhain, mae'n siŵr, yw 'Maesymdrech' a godwyd yn 1914. Am y tŷ hwn y mae awdur erthygl yn *Y Gwerinwr* yn sôn ym mis Ionawr 1915: 'Tra yn sôn am dai, rhaid peidio anghofio am y tŷ hardd o bridd-feini llosgedig ac iddo loft, a adeiladir gan y Br. John Evans. Hwn yw'r harddaf yn y Cwm a da gennym weled y Br. John Evans yn parhau i arwain ei gydgenedl i gael gwell tai byw.' Ceir tŷ arall o waith JDE y drws nesaf i Faesymdrech. Mae hwnnw hefyd yn dŷ solet yr olwg o waith brics. Dywedir gan ei berchennog presennol mai o Lerpwl yr archebodd JDE beth o'r defnyddiau at godi'r tŷ braf hwnnw. Mae'r tŷ hwnnw hefyd yn cynnwys ystafell sy'n ymgais i ail-greu awyrgylch cyfnod JDE. Er bod cartref cyntaf JDE a'i deulu wedi diflannu erbyn hyn, codwyd adeilad mor debyg ag sy'n bosibl i hwnnw ar yr hen safle o fewn tafliad carreg i Faesymdrech. Yno y ceir amgueddfa 'Cartref Taid' yn atgof am fywyd a chyfraniad JDE i hanes y Wladfa. Mae'n bosibl y codwyd tŷ arall cyn codi Maesymdrech gan fod adroddiad yn *Y Drafod* ym Medi 1911 sy'n sôn am ymosodiad lladron ar dŷ W. Coslett Thomas, a bod y gwylliaid wedi bygwth mynd draw wedyn at gartref y Br. John D. Evans.

Yn fuan iawn, nid fel John Evans El Baqueano y meddylid amdano mwyach ond, yn sgil ei weithgarwch fel gŵr busnes a hyrwyddwr y gymdeithas newydd yn y Cwm, daeth i gael ei adnabod fel John D. Evans y Felin. Ef, mae'n debyg, oedd y cyntaf yn y Cwm i fod yn berchen ar gar a sonnir am hyn yn ei *Hunangofiant*. Erbyn 1915 roedd yn teithio'r holl ffordd o'r Cwm i'r

Dyffryn, fel y dywedir mewn erthygl yn *Y Drafod*: 'Daeth y Br. J. D. Evans gyda'i fodur i lawr yma ddechrau yr wythnos, a da yw ei weled yn edrych yn gryf ac yn iach.' Rhaid cofio iddo gael ei daro gan niwmonia ym 1914. Yn 1917, mae gan *Y Drafod* adroddiad arall amdano, a'r car newydd: 'Aeth y Bonwyr J. D. Evans, Derfel Roberts a Jones, Glyn, yn eu modur ar ymweliad â'r gwaith glo newydd yn Epuyen, a rhoddent hanes ac adroddiad llewyrchus dros ben am y mwn defnyddiol hwn sydd i'w ganfod mor agos i'r Cwm, a dywed y Br. John D. Evans ei fod am ddyfod â llwythi ohono yn ôl pan anfona flawd eto i fyny i Leluque; mae wedi contractio i'w gael am bum noler y dunell yng ngenau y pwll . . . dywedir fod y wythien lo o'r fath orau i'w chanfod 14 o fydrau i lawr, ac fod y cyfryw yn rhedeg i gyfeiriad Esquel, gorau oll os gwir yw.' Tua 1915 hefyd y ceir hanes JDE yn teithio i'w hen gynefin yn ystod y teithiau hanesyddol, a hynny yn ei gar: 'Y dydd o'r blaen cyrhaeddodd modur John D. Evans hyd Gualjaina, ond bu rhaid iddo aros agos i bythefnos oherwydd fod yr afon yn rhy uchel, ond yn ffodus yr oedd y Dr Clarke [Richard Clarke] yn paratoi cwch er hwyluso trafnidiaeth. Ac felly yn y *Lovely Boy* fel ei gelwir y croeswyd y 'Ford' ac amryw wageni oedd ar eu taith am Chubut.' (*Y Drafod, 1917*)

Yn 1914 bu farw mam JDE, ac yn yr un flwyddyn cafodd ef ei daro'n wael iawn â niwmonia. Gellir awgrymu'n betrus mai dyma'r adeg y dechreuodd JDE ystyried ysgrifennu rhai o'i atgofion am y cyfnodau hanesyddol hyn yn ei fywyd. Yn ei ymdrechion i wella moddau byw ei gyd-sefydlwyr yn y Cwm, cafodd gonsesiwn i osod a gweithio llinell deliffon er mwyn cysylltu Trevelin ac Esquel, sef y ddwy brif dref yn y Cwm. Fel gŵr busnes bellach y dylid edrych ar JDE a ddechreuodd fel melinydd bach ac yna llwyddo, fel y dywed ef ei hun yn fanwl yn y bennod ar Hanes y Felin, i greu melin a fyddai'n cyfateb i ddibenion y Cwm gan ganiatáu i'r gwenith gael ei falu yn y Cwm ei hun ac arbed cryn dipyn o arian. Ym 1918 ffurfiodd gwmni o'r enw Molino Andes Juan D. Evans y Cía Sociedad gan obeithio dod â'r ffermwyr at ei gilydd fel cyfran-ddalwyr. Yn sgil ei enwogrwydd a'i lwyddiant yn y Cwm, byddai teithwyr yn dod i weld JDE ac yn 1920 sonnir am Raglaw Chubut, Franzoni, yn cymryd rhan mewn picnic ar dir JDE: 'Bu gwigwyl groesawl i'r Rhaglaw Franzoni ger palasty J. D. Evans, a deallaf y treuliwyd yno ddiwrnod difyr iawn, ac ymadawodd oddiyno am y gogledd wedi rhoddi ei addewid y geilw yma eto ar ei ffordd yn ôl.' (*Y Drafod*, 1920)

Ceir amryw o gyfeiriadau eraill at JDE yn *Y Drafod* a mannau eraill yn ystod yr ugain mlynedd cyn ei farw. Yn bennaf mae'r cyfeiriadau'n sôn am ei weithgarwch ym myd y capel a'r ysgol Sul ac ambell ymweliad â'r Dyffryn. Fel enghraifft ceir erthygl yn *Y Drafod* (Mai 1920) yn sôn am anerchiad gan JDE yn ystod cwrdd ymadawol y Parch. Morgan Daniel a fu'n gwasanaethu capeli'r Cwm am gyfnod. Mae'n ddiddorol nodi fod Cymry'r Wladfa yn ystod y cyfnod hwnnw yn dal rhywfaint yn amwys o ran eu hymlyniad wrth symbolau Prydain. Yn ystod y Rhyfel Byd Cyntaf yn arbennig gellir gweld ymgais i ddenu'r Cymry ym Mhatagonia i ymdeimlo â'u 'Prydeindod'. Ceir erthyglau yn *Y Drafod* lle cofnodir bod gwahanol gronfeydd wedi eu sefydlu yn y Wladfa i gasglu arian ar gyfer gweddwon a chlwyfedigion y Rhyfel Mawr. Gellir gweld un arwydd fod Cymry Patagonia, neu rai o leiaf, wedi aros yn deyrngar i'r teulu brenhinol mewn dogfen yn Llyfrgell Genedlaethol Cymru (LLGC 7265B), dyddiedig 1931, yn dwyn y teitl, 'I'w Urddas Tywysog Cymru fel arwydd o barch ac edmygedd Cymry godre'r Andes, Archentina'. Anerchiad yw'r ddogfen hon ac arni lofnodion rhai fel Mihangel ap Iwan a John Daniel Evans, 'Arloesydd', a gyflwynwyd i Dywysog Cymru ym Mawrth 1931, yn ystod ei ymweliad ag Ariannin, gan 'The Pioneers of Cwm Hyfryd' (Colonia 16 de Octubre).

Teithio Tramor

Erbyn dechrau'r 1920au, roedd JDE yn ŵr trigain oed ac yn agos at oed ymddeol, ac eto nid oedd wedi colli'r awydd am deithio. Am y tro cyntaf ers 1865, pan gafodd ei gludo yn blentyn tair blwydd oed o Aberpennar i Batagonia, dychwelodd i Gymru i ymweld â gwlad na chofiai amdani, ond gwlad er hynny y byddai wedi clywed cryn sôn amdani gan ei deulu. Gadawodd Batagonia ym mis Mawrth 1923 a dychwelyd ddiwedd Awst yr un flwyddyn. Cadwai ddyddiadur yn ystod y daith sy'n cofnodi'r rhan fwyaf o'r lleoedd y bu'n ymweld â hwy yn Llundain, Cymru (gogledd a de), a Ffrainc. Bwriadai ymweld â Phalesteina, gan fod mynd i'r wlad honno'n hen freuddwyd ganddo, ond aeth y cyfan i'r gwellt pan welodd y llong oedd i'w gludo yno. Roedd y daith yn un fythgofiadwy iddo serch hynny a cheir disgrifiadau trawiadol ganddo am ffosydd y Rhyfel Byd Cyntaf lle bu ar ymweliad wedyn. Bu'n ymweld â chestyll a henebion Cymru, gan ymweld hefyd â rhai fu'n byw yn y Wladfa yn yr 'hen ddyddiau', rhai fel William Meloch Hughes a William Casnodyn Rhys. Cafodd ysgwyd llaw â David Lloyd George yn Eisteddfod yr Wyddgrug, a theithiodd i ardal ei febyd, er mai dibris braidd yw ei sylwadau o'r dref enedigol a welodd rhwng cwsg ac effro. Nid oedd cyflafan Cel-Cein yn bell o'i feddwl byth, a phan ddaeth i Lanelli, ceisiodd weld a oedd rhywun yn cofio gwraig Richard B. Davies, un o'r rhai a laddwyd, ond yn aflwyddiannus, gwaetha'r modd. Aethai ar y daith gyntaf gyda'i wraig Annie a Milton y mab. Ond nid felly yr ail dro pan ddychwelodd i Gymru gyda chyfeillion. Nid yw'r dyddiadur y tro hwn yn cynnwys llawer o wybodaeth am Gymru ond yn hytrach am ei daith i'r Eidal a'r Aifft. Gwyddom iddo fynd yn ei flaen wedyn i 'Wlad yr Addewid', sef Palesteina ar y pryd, ond, yn anffodus iawn, o gofio ei ddiddordeb ysol ym mhob agwedd ar grefydd, nid yw'n ymddangos iddo gadw dyddiadur am ran olaf y daith gan fod ei ddyddiadur yn gorffen yn swta iawn ar ôl sôn am ei ymweliad â stafell Twtencamwn yn amgueddfa henebion Cairo.

Un daith arall a gofnodwyd gan JDE yw'r daith honno i Chile yn 1934. Erbyn hyn roedd JDE tua 72 oed. Ymddengys iddo gael ei siarsio i drafod gyda chynrychiolwyr y llywodraeth yn Santiago, prifddinas Chile, y posibilrwydd o wella'r ffordd drwy'r Andes o Fro Hydref i Chile. Mae hyn o leiaf yn awgrym o'r broblem oesol a wynebai trigolion y sefydliad, sef eu bod yn bell iawn o brif ganolfannau Ariannin, ac yn nes i Chile. Fodd bynnag, ychydig iawn o drafod sydd ar hyn yn ei ysgrif ddiddorol am y daith i Puerto Montt a rhannau hardd o Chile i'r gogledd yn Santiago. Dyna'r ysgrif olaf o bwys o blith dogfennau JDE. Anerchodd bobl Trevelin yn 1940 a chedwir yr araith ar ffurf teipysgrif. Ambell waith ceir cyfeiriad at JDE fel rhan o ddathliad fel 'dathlu pen-blwydd darganfod Cwm Hyfryd'. 'Rhoddwyd lle anrhydeddus a sylw neilltuol i'r hynafgwyr John D. Evans ac Antonio Miguens fel yr unig ddau sy'n sefyll yma o'r fintai honno'. Bu farw ym 1943 yn ei gartref yn Nhrevelin.

Barn W. Freeman am John Daniel Evans

Pan fu farw JDE yn 1943, cafwyd teyrngedau lu iddo ym mhapurau Sbaeneg a Chymraeg yr Ariannin. Bu erthygl arno yn y *Buenos Aires Herald* yn Ebrill 1943. Cafwyd llun o'r angladd yn *Y Cymro* ddydd Sadwrn, 4 Medi 1943. Ond mae'n debyg mai'r erthygl fwyaf diddorol i ymddangos oedd un Tomas Freeman yn *Y Drafod* a ymddangosodd dipyn yn ddiweddarach yn Ionawr 1945 a dyna, mewn gwirionedd, yr unig werthfawrogiad o'r cyfnod gan un oedd yn ei adnabod yn dda iawn. Mae ysgrifau gwreiddiol JDE yn agor y drws i'w gymeriad i raddau helaeth, ond mae'n werth ystyried rhai o'r sylwadau oedd gan Tomas Freeman hefyd. Mae'n erthygl bum colofn sy'n rhoi digon o gyfle i fynegi'r da a'r drwg, a chymerodd Tomas Freeman ei amser cyn ysgrifennu er mwyn osgoi rhai o ystrydebau'r areithiau angladdol.

Brawd i William Freeman oedd Tomas a bu'n gydymaith i JDE ar sawl achlysur mewn busnes, ar deithiau ar gefn ceffyl ar hyd a lled y paith, ac yn ddiweddarach mewn car. Bu'n teithio gyda JDE hefyd ar ei deithiau i Gymru a Lloegr yn y 1920au. Daeth i'w adnabod yn dda, mae'n debyg, boed ar y camp neu o fewn terfynau cyfarwydd capel a thre. Roedd Freeman, er ei fod yn 'edmygydd ohono mewn llawer o bethau', yn ddi-flewyn-ar-dafod wrth ymdrin â'i hen gyfaill heb ofni dweud y gwir plaen yn ôl fel y'i gwelai. Nid oedd o'r farn fod JDE wedi etifeddu unrhyw dalentau mawr iawn, ac eto roedd yn meddu ar reddfau cryf a naturiol, a'r amlycaf o'r rhain oedd ei ysbryd anturiaethus, a'i awydd cryf i ddeall y byd o'i amgylch, a hynny drwy weld drosto ei hun heb orfod dibynnu ar neb arall. 'Dyna,' meddai, 'wraidd a sylfaen ei fywyd, o ba rai y tyfodd gwahanol ganghennau drwy ddyfal a diwyd waith ei oes.' Yn rhyfedd braidd, honnai Freeman nad oedd JDE yn weithiwr caled, er ei fod yn ddyfal, diwyd a di-ildio, ac 'o roi y cwbl wrth ei gilydd yn weithiwr mawr'. Sylw anodd ei ddeall efallai, ond ar ôl dod o hyd i'r ychydig bobl sy'n weddill a gafodd adnabod JDE pan oeddent yn ifainc, mae'n ddiddorol fod un yn y Gaiman wedi gwneud y sylw fod gan JDE yr enw am fod yn weithiwr da wrth gychwyn rhywbeth, ond yn dueddol o golli diddordeb yn fuan. I Freeman roedd 'Juan Baqueano' yn arweinydd mewn mwy nag un ystyr; nid un a fu'n arwain ar draws y paith yn unig oedd ond un oedd hefyd yn arweinydd cymdeithasol yn y Cwm. Dôi hyn i'r amlwg yn arbennig o safbwynt bywyd crefyddol y Cwm. (Ni ellir dweud iddo chwarae rhan allweddol o gwbl yn y byd gwleidyddol; nid oedd yn wleidydd o gwbl fel yr oedd Lewis Jones neu John Murray Thomas er enghraifft.) Yn ei gartref ei hun, meddai Freeman, y cynhelid yr Ysgol Sul i ddechrau ond er gwaethaf y diddordeb crefyddol, roedd yn glir mai'r cyfraniad i fywyd economaidd Trevelin a'r cylch oedd ei weithgarwch pwysicaf wrth i'r sefydliad newydd dyfu. Cofiai Freeman gyd-deithio ag ef bob cam o Drelew pan oedd yn dod â meini melin ei ddiweddar frawd-yng-nghyfraith Zachariah Jones yn ei wagen ei hun. Roedd yn cofio hefyd gweld JDE yn gwneud ffos i gario dŵr i droi'r felin, a'i waith yn gwneud yr hen olwyn, a rhoi'r felin at ei gilydd. Teimlai'n bendant nad hunan-les oedd wrth wraidd gweithgarwch JDE, gan ei fod nid yn unig wedi manteisio ei hun ar y gwaith yn y diwedd, ond hefyd wedi helpu i sicrhau fod Cwm Hyfryd yn fenter economaidd lwyddiannus. Er hynny i gyd, dau beth sy'n dod i'r meddwl wrth ystyried JDE, ar wahân i'r teithiau mawr a'i waith fel melinydd, sef crefydd a'i gysylltiad â'r bobloedd brodorol. Yn ei ysgrif goffa, mae Freeman yn rhoi darlun eithaf clir inni o JDE fel capelwr a phroffeswr crefydd. Tueddai JDE i gofio'r hen syniadau crefyddol a llyncu llawer o'r syniadau newydd 'yn gymaint felly fel nad oedd bob amser yn hawdd ei ddeall, ond credaf yn ddiddadl ei fod o gwmpas ei bethau yn gadarn a di-ysig'. Efallai, o ganlyniad i'r dyddiau cynnar yn y Dyffryn, nad oedd JDE yn enwadwr mawr mewn cyfnod a ddaliai i roi pwys ar enwadaeth. Gallai fod yn eithaf swrth yn ôl y ffordd y disgrifir ef gan Freeman pan oeddent ar ymweliad â Chymru a rhywun yn ddigon ffôl i geisio cael gwybod i ba enwad yr oedd JDE yn perthyn.

Nid oedd Freeman yn teimlo fod JDE bob amser yn gywir yn ei syniadau na'i weithredoedd, na'i ddywediadau. Meddai: ' . . . ond credaf ei fod yn ceisio bod yn gywir o ran ei amcan, ond yr oedd

35

yn anodd ei ddeall, ac yn anodd ei argyhoeddi. Byddai yn hoffi cael meddwl a chwilio drosto ei hun a oedd y pethau hyn felly, a phan gai ei argyhoeddi ei fod yn cyfeiliorni, byddai yn barod i gydnabod hynny, a'r modd gorau gydag ef dan amgylchiadau felly fyddai gadael amser i chwilio a phrofi drosto ei hunan. Ni fyddai yn dal dig mewn unrhyw anghydwelediad.' Rhaid bod sawl un wedi nodi'r tueddiad hwn yn natur JDE gan i un a gofiai amdano yn ei hieuenctid yn Nhrevelin ddweud fod rhai, o ran hwyl, wedi cerfio'r gair 'mul' ar y sêt lle byddai'n arfer eistedd yng nghapel Bethel.

Er na chadwodd JDE ddyddiadur am ei daith i Balesteina yn ôl pob sôn, mae Freeman yn cyfeirio at y ffaith fod JDE wedi sôn droeon am ei ddymuniad i fynd yno gan ei fod yn teimlo 'y buaswn yn deall fy Meibl yn well pe buaswn yn cael mynd yno'. Ar ôl iddo ddychwelyd yn 1928, mae Freeman yn cofnodi'r geiriau canlynol o eiddo'r *baqueano*: 'Wel, mae rhai o'r pethau y gellir eu galw yn bwysig wedi mynd i raddau yn ddibwys yn fy ngolwg, ond y mae y gwirionedd ei hunan yn fwy ac ardderchocach nac erioed i mi, ac yr wyf yn gadarnach o'r herwydd.' Fel un a gafodd ei adnabod yn *baqueano* ar ddechrau ei oes, medrai Freeman dystio bod adnabyddiaeth JDE o leoedd a'u pobl o'r pwys mwyaf. Mae Freeman hefyd yn dangos na chollodd JDE ei gynysgaeth ryfeddol, hyd yn oed ar ôl rhoi'r ffidil yn y to fel petai. Ar eu teithiau yng Nghymru, meddai JDE ar wybodaeth ehangach na'r cyffredin am leoedd, y pellter rhyngddynt, rhif poblogaeth y gwahanol leoedd a'u hanes. Mae'n werth sylwi hefyd fod JDE, mewn oes lle nad oedd llawer o bobl yn berchen ar gar, wedi prynu un yn ystod ei ymweliad cyntaf â Chymru a gyrru i bob man ynddo.

O safbwynt perthynas JDE â'r brodorion, mae gan Freeman hanes hynod ddiddorol sy'n ychwanegu at y darlun o JDE ac yn cyflwyno cwestiynau na ellir eu hateb yn hawdd. Wrth nodi fod JDE yn ŵr dewr, mae Freeman yn cofio un digwyddiad o bwys i ddangos hyn. Mae'r stori yn perthyn i'r cyfnod cynharach yn hanes Cwm Hyfryd, felly tua dechrau'r 1890au o bosibl neu hyd yn oed cyn hynny. Dywed fod cwmni bychan o'r Cymry yn teithio o'r Wladfa i gyfeiriad y Cwm ac wedi aros yn Citsawra lle roedd rhai cannoedd o'r brodorion yn gwersylla. Wedi holi pwy oedd yn y cwmni a chael deall fod Juan Baqueano (JDE) yn un o'r Cymry, daeth tua deg neu ddeuddeg o'r brodorion atynt a gofyn am gael siarad ag ef. 'Aethant ag ef o'r neilltu a chyhuddent o roddi camdystiolaeth ynglyn ag un o'r Indiaid oedd wedi ymosod arno ef a'i gwmni pan laddwyd ei gymdeithion yn Nyffryn William.' Daeth i'r amlwg fod yr Indiaid hyn yn perthyn i bennaeth y llwyth oedd yn gwersylla yn y fan honno ar y pryd. Yn ôl Freeman, roedd yn edrych yn debyg fod y brodorion ar fin ymosod ar JDE, ond llwyddodd i'w perswadio nad oedd yn euog o'r cyhuddiad ac nad oedd ganddo ddrwgdeimlad tuag at neb o'r Indiaid. Penderfynodd y brodorion beidio â dadlau ymhellach. Cofnododd Freeman eiriau JDE ar y pryd: 'dan amgylchiadau o'r fath yma, peidiwch byth â sôn amdanaf fel Juan Baqueano'. Dywed Freeman fod JDE wedi cynnal perthynas heddychlon a chyfeillgar â'r brodorion byth oddi ar hynny, ac fel Juan Evans Molinero (John Evans Felinydd) y byddai'n cael ei adnabod ganddynt. Erys cwestiynau er hynny am y cyhuddiad a wnaed yn ei erbyn. Ai sôn yr oeddent am Juan Salvo, yr Indiad a geisiodd ddenu JDE a'i gymdeithion i wersyll ei bennaeth (Foyel?) yn 1883 ac a gymerodd ran yn yr ymosodiad arnynt wedyn yn ôl JDE? Ynteu ai cyfeiriad sydd yma at Lucats, y brodor o waed cymysg, a gyhuddwyd o fod wedi dweud celwyddau am y Cymry wrth Juan Salvo yn 1883?

Wrth orffen ei ysgrif goffa, pwysleisiodd Freeman sut y gallai JDE fod yn gyfaill ac yn athro da iddo. Er ei fod yn gallu bod yn eithaf dieithr ei ffordd wrth siarad, 'wrth ffarwelio â'n gilidd, meddai yn ddigon swrth ei ffordd, "cawn gwrdd eto os na chawn, cofia fod yno". Tro arall, "gobeithio y cawn gwrdd, ond os na chawn gofala fod oil yn dy lamp".' Mae'r dull hwn o siarad yn dwyn ar gof arddull JDE ar ddiwedd ei hunangofiant. Mae Freeman yn crynhoi ar ddiwedd ei ysgrif drwy ddweud am y Baqueano mai 'dyn ydoedd ar ei daith mewn ymchwil am fwy o oleuni, ac am fwy o Dduw'.

Arddull John Daniel Evans
Nid ysgrifennu hanes yw prif ddiddordeb John Daniel Evans wrth gofnodi'r digwyddiadau y bu ef yn rhan ohonynt rhwng 1883 a 1891. Atgofion personol yw'r rhan fwyaf o'i ysgrifau, a dyna eu

swyn i'r darllenydd heddiw. Gellir dweud fod ganddo ddiddordeb mewn troeon trwstan a digwyddiadau digrif ac mae'r rhain yn rhoi bywyd yn sicr i'r adroddiadau. Hen hiwmor y gwerinwr yw hiwmor JDE a gellir ei ddychmygu yn dweud llawer o'r hanesion hyn wrth aelodau'r teulu ac wrth ymwelwyr dros y blynyddoedd cyn eu cofnodi yn ei lyfrau nodiadau yn gynnar yn yr ugeinfed ganrif ac yn wir ar ôl hynny hefyd. Weithiau bydd hoelion wyth yr hen Wladfa dan y lach, fel y tro hwnnw y clywn amdano yn hunangofiant JDE, pan oedd gwraig Lewis Jones (neu Fictoria'r Wladfa fel yr oedd rhai yn ei hadnabod), wedi bod yn rhy ffraeth ei thafod am Edwin Cynrig Roberts wrth siarad â dieithryn ond iddi gael sioc wedyn o ddeall mai ef *oedd* Edwin Cynrig Roberts, un o drefnwyr cyntaf Gwladfa Patagonia. Dywedodd Thomas Freeman, Cwm Hyfryd, unwaith mai un o'r ffyrdd gorau i ddod i adnabod rhywun oedd teithio gydag ef ar y paith. Mae hyn yn cael ei ddangos fwy nag unwaith yn adroddiadau JDE am y teithiau rhwng 1885 a 1888.

Mae'r un adroddiadau hefyd yn dangos nad oedd JDE bob amser ar delerau da â'i gyd-deithwyr. Efallai weithiau iddo deimlo rhyw elfen o gystadleuaeth. Gwelir hyn yn amlwg yn ei adroddiad ar daith 1885 pan haerodd y peiriannydd swyddogol wrth Fontana nad oedd JDE yn gwybod am beth roedd yn sôn wrth honni fod aur yn un o'r hafnau ar y ffordd. Rhaid oedd i JDE fynd ati ar unwaith i achub ei enw da ac enw da ei bobl: 'buodd raid i minnau dynnu fy mysedd o'm blew a chasglu fy ngallu prosbectol at ei gilydd, a phrofi i'r Ellmynwr fod y Cymro distadl yn gystal peiriannydd ac yntau mewn pethau bychain'. Llwyddodd JDE i gael hyd i ychydig ronynnau o aur a phrofi ei oruchafiaeth ar y newydd-ddyfodiad. Ceir awgryn hefyd nad oedd JDE yn cyd-dynnu'n hollol â John Murray Thomas ychwaith. Er mai Cymro oedd Thomas a ddaeth ar y *Mimosa* yn fachgen yn ei arddegau, roedd wedi ymbellhau oddi wrth y Cymry gwerinol drwy dreulio cyfnod ffurfiannol yn Buenos Aires am rai blynyddoedd cyn dychwelyd yn ŵr busnes i'r Wladfa ar ddechrau'r 1870au. Roedd yn briod â merch o'r gymdeithas Eingl-Archentaidd a daeth Saesneg yn iaith y teulu. Medrai Thomas y tair iaith yn hollol rugl ond daeth yn aelod o'r élite newydd a ymgasglai o gwmpas y brwyadfa yn Nhrerawson. Gwelir nifer o gyfeiriadau at Thomas yn ysgrifau JDE, ond ni ellir peidio â theimlo ei fod ychydig bach yn rhy hunangyfiawn wrth ddisgrifio'r helynt a achoswyd gan Thomas (a oedd yn arwain y wageni ar y daith i'r Cwm yn 1888) pan fethodd droi ei wagen yn y man cywir ac o'r herwydd greu tipyn o ddryswch i bawb. Yn y gwersyll mae JDE fel petai'n ceisio achub cam Thomas er ei fod ar yr un pryd yn cael hwyl am y peth. Golygfa gofiadwy arall gan JDE yw honno o'r daith gyda Fontana yn 1888 pan wylltiodd Llwyd ap Iwan wrth swyddog o Archentwr a thynnu ei ddryll, a bu ond y dim iddo saethu, medd JDE. Ond nid hanesion am droeon trwstan pobl eraill a geir yn unig. Roedd yn medru chwerthin amdano ef ei hun fel y tro hwnnw yn 1886 pan gafodd ei wahodd i dreulio chwe mis yn Buenos Aires. Aeth allan un noson ar ôl hebrwng gwraig Fontana i dŷ cymydog a mynd ar goll yn llwyr, ac er y bu merched Fontana yn chwerthin am ei ben wedyn, roedd Fontana'n ddigon hirben i nodi y byddai JDE yn medru dod o hyd i'r llwybr cywir ym mhobman ym Mhatagonia pe bai angen, hyd yn oed os nad oedd yn gallu cael hyd i'w ffordd yn Buenos Aires!

Y Llawysgrifau

Er bod John Daniel Evans wedi cadw cofnod o'i deithiau mewn llyfr nodiadau fel roedd yn gyffredin ymhlith teithwyr Patagonia ar y pryd, nid yw'n ymddangos iddo ddechrau ysgrifennu hanes ei deithiau yn fanwl tan adeg y Rhyfel Byd Cyntaf pan oedd tua hanner cant a phump oed. Bu farw ei fam ym mis Ionawr 1914 ac, yn arwyddocaol, efallai, sonia am gyfnod o salwch difrifol yn yr un flwyddyn ym Mawrth 1914. O bosib iddo fynd ati yn ystod y cyfnod o adferiad ar ôl y salwch hwn i ddechrau ysgrifennu ei atgofion. Ni cheir dyddiad ar y llawysgrifau cynharaf a gedwid mewn llyfrau ysgol ond, ar sail y dystiolaeth fewnol, mae'n eglur mai perthyn i'r cyfnod c. 1914–20 y maent.

Gallwn weld tri chyfnod eithaf gwahanol yng ngwaith ysgrifenedig John Daniel Evans. Yn gyntaf y nodiadau a'r argraffiadau a gofnodwyd yn ystod ei deithiau arloesol i'r gorllewin a'r Andes. Gwaetha'r modd ni oroesodd ond un o'r llyfrau nodiadau, sef yr un sy'n cofnodi'r ail daith gyda Luis

Fontana yn 1888. Nid oes dwywaith nad oedd eraill ar gael ar un adeg fel y dengys yr erthygl a ymddangosodd yn *Y Drafod* yn 1891 sy'n seiliedig ar y daith gyda Moyano yn 1889. Mae'n bosib fod JDE wedi defnyddio'r llyfrau nodiadau ar gyfer ei atgofion gan fod naws ac awyrgylch arddull y llyfrau nodiadau yn brigo i'r wyneb o bryd i'w gilydd yn ei waith diweddarach. Erbyn cyfnod y Rhyfel Byd Cyntaf mae'n amlwg fod awydd i gofnodi'r anturiaethau a'r teithiau wedi ymwreiddio yn yr awdur a chawn fersiynau cyntaf ei hunangofiant hyd at 1918, hanes datblygiad y felin yn yr Andes, ac yna'r teithiau pwysicaf y bu ef yn cymryd rhan ynddynt, sef y teithiau a arweiniwyd gan Luis Fontana yn 1885 ac 1888, a thaith y 'carafan', neu'r wageni, i'r Cwm yn 1888. Mae'n eithaf posib fod JDE wedi bwriadu anfon ei atgofion at *Y Drafod* lle roedd nifer o'r fintai gyntaf wedi cyhoeddi eu hatgofion. Teimlid bod yr hen genhedlaeth, y rhai a ddaethai ar y *Mimosa*, yn dechrau darfod a'i bod yn bwysig eu bod yn gadael rhyw atgof am brofiadau'r cyfnod cyntaf yn hanes y Wladfa. Er hynny, nid yw'n ymddangos fod JDE wedi gwneud ymgais i ddangos ei waith i olygydd *Y Drafod*.

Ar ddechrau'r 1920au priododd Ceridwen, merch JDE, â Tryfan Hughes Cadfan, ŵyr i Hugh Hughes Cadfan, ac un o selogion y syniad Gwladfaol. Roedd gan Tryfan Hughes Cadfan ddiddordeb mawr yn hanes cynnar y sefydliad ac yn sicr yn teimlo parch mawr tuag at ei dad-yng-nghyfraith fel arloeswr ac fel un o golofnau'r gymdeithas Gymraeg a'r achos crefyddol ym Mro Hydref. Medrai T. H. Cadfan ysgrifennu'n llithrig mewn tair iaith ac roedd yn awyddus i'r byd Sbaeneg yn Ariannin fod yn gyfarwydd â chyfraniad y Cymry i hanes y wlad. Yn y diwedd byddai T. H. Cadfan a'i wraig yn symud i Buenos Aires ac yn byw yno tan eu marw. Ymddengys fod T. H. Cadfan a JDE wedi cydweithredu yn ystod y 1930au i olygu llawer o'r atgofion a oedd yn dal mewn llawysgrifen ac yn dyddio o gyfnod y Rhyfel Byd Cyntaf. Efallai mai'r sbarduniad mwyaf i'r cydweithredu hwn oedd hanner canmlwyddiant Cyflafan Cel-Cein yn 1934. Er i'r stori am yr ymosodiad hwn fynd yn rhan o lafar gwlad Patagonia, nid oes dystiolaeth i JDE ysgrifennu ei fersiwn ef o'r ffeithiau yn un man tan 1933 pan gafwyd y stori'n llawn mewn ffurf deipiedig. Erys, er hynny, gwestiwn a fu fersiwn cynharach yn Gymraeg a ddefnyddiodd wrth i'r fersiwn teipiedig gael ei baratoi. Golygai hyn y bu yna ddau fersiwn, un yn llaw JDE a fersiwn wedi'i ddiweddaru gan T. Hughes Cadfan (yn seiliedig ar y llawysgrif wreiddiol) am hanesion y teithiau cynnar a'r 'hunangofiant'.

Golygu'r Llawysgrifau

Wrth baratoi'r testun ar gyfer y gyfrol hon, darllenwyd yr holl lawysgrifau, teipysgrifau ac erthyglau (yn *Y Drafod*) o waith John Daniel Evans. Lle nad oedd ond un fersiwn (er enghraifft Llyfr Nodiadau 1888, neu'r Dyddiaduron ar gyfer teithiau 1923 a 1928), safonwyd yr orgraff ac ychwanegwyd atalnodi. Gan fod llawysgrifen JDE yn gallu bod yn eithriadol anodd i'w darllen ar brydiau, nodir hyn yn y testun pan fo amheuaeth o ran darlleniad. Ar gyfer yr ysgrifau a geir yn llyfrau 'ysgol' JDE a fersiynau diweddarach yn nheipysgrifau Tryfan Hughes Cadfan, cododd nifer o gwestiynau ynglŷn â pha fersiwn i'w ddefnyddio. Fel y dywedwyd eisoes seilir y teipysgrifau ar y gwaith a geir yn y llyfrau 'ysgol', ac roeddent mewn ffordd yn cael eu paratoi, yn ôl pob golwg, ar gyfer eu cyhoeddi. Ond, er gwaethaf hynny, teimlwyd bod union lais JDE weithiau yn cael ei golli er mwyn bod yn safonol gywir a hefyd hepgorwyd rhai ffeithiau. Yn yr achosion hynny, defnyddiwyd y teipysgrifau fel man cychwyn ar gyfer y gyfrol hon, gan ychwanegu yma ac acw frawddegau o'r llawysgrif pan deimlid y byddai'r testun ar ei ennill. Unwaith eto, wrth gymharu'r ddau destun hyn yn agos, cododd bwgan llawysgrifen JDE, ond llwyddwyd yn y rhan fwyaf o'r achosion o amheuaeth i ddatrys y gair dan sylw. Cywirwyd ambell lithriad yn nheipysgrifau T. Hughes Cadfan wrth edrych yn fanwl iawn ar lawysgrif wreiddiol JDE. Yn olaf, ceir rhai testunau sydd yn bodoli ar ffurf erthygl yn *Y Drafod* yn unig ('Taith Moyano'), neu ar ffurf teipysgrif ac erthygl a gyhoeddwyd wedyn yn y papur hwnnw (er enghraifft 'Taith Chile 1934', 'Ysgrif Goffa Richard Jenkins'). Ar y cyfan cadwyd at y deipysgrif er fod golygydd *Y Drafod* wedi newid rhywfaint ar y testun gwreiddiol. Nid oedd hyn yn gwneud unrhyw wahaniaeth i'r ystyr ond cadwyd, er hynny, ambell ffurf nodweddiadol o arddull JDE.

Llenyddiaeth Gofiannol y Wladfa

Mewn canrif, sef y bedwaredd ar bymtheg, lle bu 'darganfod' ac arloesi gwledydd newydd o safbwynt yr Ewropeaid, prin y gellid synnu at y ffaith y byddai'r arloeswyr hyn yn adrodd hanes eu teithiau drwy ardaloedd a rhanbarthau'r byd newydd. Digwyddasai hyn eisoes yn Sbaeneg, Ffrangeg a Saesneg yn y canrifoedd blaenorol. Ym Mhatagonia, rhan o swyddogaeth y gweithgarwch hwn oedd lledaenu gwybodaeth am addasrwydd y fath leoedd ar gyfer ymsefydlu ynddynt. Rheswm arall wrth gwrs oedd darparu gwybodaeth am bosibiliadau mwyngloddio. Ond, o safbwynt gwyddonol hollol, ceid adroddiadau cynhwysfawr am y brodorion a'u moesau yn ogystal â daeareg, planhigion ac anifeiliaid.

Un o'r adroddiadau gwyddonol cyntaf i sôn am Dde America ac Ariannin yw *The Voyage of the Beagle* gan Charles Darwin. Fe'i hysgrifennwyd rhwng 1831 a 1836 yn ystod y fordaith o gwmpas y byd. Ymwelodd â'r holl arfordir o gwmpas Ariannin a Chile, ac felly roedd Darwin ymhlith y gwyddonwyr cyntaf i weld y rhanbarth a elwid Patagonia. Fe'i cyhoeddwyd am y tro cyntaf ym 1839 ac eto ym 1845. Mae Darwin yn galw ei waith yn 'ddyddlyfr' ('journal') a dyna batrwm llawer o'r gweithiau a ysgrifennwyd wedyn gan nifer dda o awduron yn ymdrin â'u hymweliadau â Phatagonia. Yr enwocaf o'r rhain, a'r un a gafodd fwyaf o effaith ar y Cymry a aeth i Batagonia ar ôl 1865, oedd cyfrol Sais arall o'r enw George Chaworth Musters. Bu ef ar ymweliad â'r ardaloedd ar hyd gorllewin Patagonia am flwyddyn gyfan. Rhwng 1869 a 1870 teithiodd Musters o Tierra del Fuego (Punta Arenas) i Santa Cruz ac oddi yno i'r gorllewin gan ddilyn llwybr yr Indiaid i'r gogledd wrth odrau'r Andes drwy'r rhanbarth o amgylch Esquel (Esgel-Kaik) a fyddai'n cael ei bedyddio yn nes ymlaen fel Cwm Hyfryd, ac oddi yno cyn belled â Llyn Nahuel Huapi. Aeth yn ei flaen wedyn i'r dwyrain gan orffen ei daith yn Carmen de Patagones. Mae'r adroddiad a geir yn ei gyfrol o atgofion yn hynod fanwl ac yn cynnwys llawer o wybodaeth ddefnyddiol iawn i deithwyr diweddarach. Ar ben hynny i gyd, mae Musters yn fwynglawdd o wybodaeth am y brodorion, a cheir amryw hanesion a sylwadau treiddgar am eu penaethiaid, yn arbennig Foyel ac Inacayal. Ceir hefyd ffeithiau am blanhigion, anifeiliaid a mwynau yn ogystal. Ni ellir gorbwysleisio pwysigrwydd y gyfrol hon o safbwynt y teithiau diweddarach gan y Cymry eu hunain. Mae JDE yn nodi ei fod wedi defnyddio'r llyfr fel man cychwyn ar gyfer rhai o'i deithiau, er ei fod hefyd wedi gallu manteisio ar wybodaeth uniongyrchol oddi wrth y brodorion a ymwelodd â'r Dyffryn. Cyhoeddwyd cyfrol Musters yn 1871 am y tro cyntaf. Mae'n werth sylwi ei bod yn dal mewn print mewn cyfieithiad Sbaeneg cyfoes.

Ni fu'n rhaid aros yn hir cyn i wyddonwyr ac anturwyr o Ariannin ei hun fentro i'r berfeddwlad yn y de. Cyn 1865, er bod ffiniau Ariannin yn ymestyn i'r de eithaf ac i'r Andes am y pared â Chile, canolbwyntiwyd bywyd Ariannin o amgylch Buenos Aires a gogledd y wlad. Y dref fwyaf deheuol lle gwelid awdurdodau'r wlad yr adeg honno oedd Carmen de Patagones. Naturiol, felly, oedd gweld rhai gwyddonwyr yn dilyn trywydd Musters ac yn mentro i ardaloedd a ddaliai i fod yn gyfan gwbl dan reolaeth y gwahanol lwythau brodorol, yn arbennig y Tehweltsiaid. Er bod diddordeb gwyddonol dilys yn sail i lawer o'r teithiau hyn, daeth awydd y wladwriaeth i gadarnhau ei ffiniau a phoblogi'r de i gymylu llawer ar y gweithgarwch hwn. Bu'r anghydfod rhwng Ariannin a Chile ynglŷn â'u ffin Andeaidd yn ddraenen yn ystlys y ddwy wlad am hanner canrif a mwy, ac felly byddai sicrhau bod dinasyddion Archentaidd yn byw yn y rhanbarth dadleuol hwn yn fantais, meddid. Anfantais i'r wladwriaeth oedd presenoldeb y brodorion, a byddai'r ymgyrch hir a blin yn eu herbyn er mwyn paratoi'r wlad ar gyfer ei sefydlu gan ddinasyddion newydd yn bennod dywyll yn hanes Ariannin. Yn bell iawn oddi wrth y dadleuon gwleidyddol hyn, serch hynny, oedd y gwyddonydd a'r teithiwr di-ball Francisco Perito Moreno. Iddo ef y mae'r clod am ddwyn i sylw ei gydwladwyr yn Ariannin ogoniannau a gwychter Patagonia yn Sbaeneg. Ei waith enwocaf a mwyaf cynhwysfawr am Batagonia yw *Viaje a la Patagonia Austral* a gyhoeddwyd yn 1879. Ei ddisgrifiad ef ei hun o'r gyfrol drwchus yw *diario* (dyddiadur, dyddlyfr), sydd eto'n adlewyrchiad o'r dosbarth hwn o lenyddiaeth 'Batagonaidd'. Dyddiadur, mae'n siŵr, oedd cynsail y gyfrol, ond erbyn ei chyhoeddi roedd wedi cael ei mireinio i fod yn llenyddiaeth 'bur'. Mae'r gyfrol yn disgrifio teithiau Moreno ar hyd a lled Patagonia yn 1875 gan gynnwys llawer o wybodaeth eto am benaethiaid yr Andes, rhai fel Saihueque, Namuncurá, Chacayal, ac arferion brodorol llwythau fel y Walichu ac Illatun. Ef oedd yr Archentwr cyntaf i gyrraedd Llyn Nahuel Huapi.

Cyhoeddwyd cyfrol arall am daith Morens yn 1896, sef *Una Excursión al Neuquen, Rio Negro, Chubut y Santa Cruz*, ac yn y gyfrol honno ceir cyfeiriadau at ei ymweliad â Chwm Hyfryd oedd newydd gael ei sefydlu. Cafodd adroddiadau eraill eu cyhoeddi yn ystod cyfnod y teithio mawr ar draws y Paith. Bu Carlos M. Moyano ar amryw o deithiau ym Mhatagonia, a bu JDE yn aelod o un o'r teithiau hyn ar hyd afon Camwy. Erbyn hynny daethai swyddogion y fyddin Archentaidd yn fwyfwy amlwg fel arweinwyr teithiau darganfod i'r gorllewin a'r de. Aeth yr un Carlos M. Moyano i ddeheubarth Patagonia yn ystod 1883–4, a chyhoeddwyd ei adroddiad/dyddiadur yn Buenos Aires yn 1887 dan yr enw *Exploración de los Rios Gallegos, Coile, Santa Cruz y Canales del Pacífico*. Ond o safbwynt hanes Cymry'r Wladfa, y pwysicaf o'r adroddiadau swyddogol am deithiau i'r berfeddwlad oedd *Viaje de Exploración en la Patagonia Austral* (1886) gan Raglaw newydd y diriogaeth, sef Dr Luis J. Fontana. Mae'n naturiol fod hon yn ddogfen o bwys ac o ddiddordeb i'r sawl sy'n ymddiddori yn y cyfnod gan ei bod yn rhoi adroddiad am y daith swyddogol gyntaf i'r Andes (1885) gan Fontana a'i fintai a gynhwysai Cymry o'r Dyffryn gan mwyaf. Ond beth am weithiau yn Gymraeg yn disgrifio Patagonia? Yn sicr nid oes brinder dyddiaduron a gweithiau hanesyddol yn Gymraeg yn disgrifio profiad y Cymry yn Ariannin yn y cyfnod hwn. Gan nad oedd fawr ddim yn cyfateb yn agos i hyn mewn llenyddiaeth Gymraeg o'r blaen, mae'n bosib y dylem ystyried y gweithiau hyn fel rhan o'r un dosbarth o lenyddiaeth Sbaeneg a Saesneg a esgorodd ar weithiau awduron fel Musters a Moreno. I'r dosbarth hwn y perthyn gwaith John D. Evans ei hun yn ddiamau.

Cafodd y casgliad cyntaf o lythyrau'r Gwladfawyr eu cyhoeddi ym 1866, a gellir dweud mai'r rhain yw'r enghreifftiau cyntaf mewn print o'r awydd i ddisgrifio'r profiad Patagonaidd. Ond ffordd o hybu'r sefydliad newydd oedd y rheswm am eu cyhoeddi, wrth gwrs, ac nid fel ymarferiad llenyddol. Nid yw Patagonia, ei thirwedd na'i phobloedd gwreiddiol yn llefaru yn Gymraeg hyd nes yr eir ati i fynd tu hwnt i ffiniau'r Dyffryn Isaf, hynny yw, hyd nes y penderfynodd rhai o'r Cymry ddilyn llwybrau'r brodorion i chwilio am aur, am ardaloedd newydd i'w sefydlu gan wybod nad oedd sicrwydd y caent ddychwelyd i'r Dyffryn yn iach eu croen. Mae'n syndod cynifer o'r teithwyr hyn a gadwai ddyddiaduron am eu hanturiaethau, ac erys rhai o'r pwysicaf heb eu golygu na'u cyhoeddi. Cadwai John Murray Thomas, er enghraifft, ddyddiaduron am ei deithiau yn y 1870au ar hyd Afon Fach. Yn wahanol i'r rhelyw, cadwai John Murray Thomas ei ddyddiaduron yn Saesneg, ac awgrymir ei fod wedi eu hysgrifennu'n rhannol ar gyfer ei wraig, oedd yn Saesnes o Buenos Aires. Yn y dyddiaduron hyn y dechreuir ymdeimlo ag ansawdd creulon y wlad, ei hindda a'i drycin, ac â chwerylon ymhlith y teithwyr a'r ofn na fyddai'r bwyd yn para'n ddigon hir ac ati. Degawd aur y dyddiaduron taith oedd yr 1880au pan ddechreuodd y wladwriaeth drefnu teithiau swyddogol i'r gorllewin. Rhan o'r cynllun oedd penderfynu ar ranbarth newydd i greu sefydliad Cymreig, a bu'r Cymry'n flaenllaw fel aelodau teithiau Fontana yn 1885 ac 1888. Os ysgrifennodd Fontana ei adroddiad ef am daith 1885 i'r llywodraeth yn Sbaeneg, aeth amryw o aelodau'r daith ati i gadw dyddiaduron manwl iawn o'r daith gan fod gwybodaeth werthfawr ar gael o safbwynt tir addas i'w drin. Yn anorfod, llenwid y dyddiaduron hyn â straeon am y teithwyr eraill, eu hanffodion a'u hanturiaethau.

Mae rhai o'r dyddiaduron Cymraeg wedi goroesi i'n cyfnod ni, yn arbennig dyddiaduron William Jones y Glyn, a Billy Thomas, a dyddiadur Saesneg John Murray Thomas. Mae'n bur debyg fod JDE yntau wedi cadw dyddiadur yn ystod y daith gan mai ef oedd yr arweinydd, neu'r *baqueano*. Ar sail hwnnw o bosibl y lluniodd, tua 1918, ei adroddiad ar y daith hanesyddol hon. Ceir hefyd ddyddiaduron ar gyfer ail daith Fontana (1888), ond y mwyaf diddorol o dipyn yw dyddiadur Llwyd ap Iwan, mab Michael D. Jones. Newydd ddod i'r Wladfa roedd ap Iwan ac wedi cael ei benodi'n dir-fesurydd i'r Cymry a fynnai ddewis rhanbarth newydd yn y gorllewin. Y mae llyfr nodiadau ar sail y daith honno o waith JDE yn rhoi cipolwg ar ei fywyd prysur wrth sicrhau fod y teithwyr yn dilyn y llwybrau cywir. Ond er bod digonedd o ddyddiaduron wedi cael eu cadw am y cyfnod arloesol hwn rhwng 1885 a 1895, nid dyna oedd y pen draw o safbwynt ysgrifennu yn Gymraeg am y teithiau. Fel dyddiaduron Musters a Moreno o'u blaenau, cafodd dyddiaduron y Cymry, mewn rhai achosion, eu paratoi a'u caboli ar gyfer eu cyhoeddi. Ni welodd dyddiaduron John Murray Thomas olau dydd tan iddynt gael eu cyfieithu i'r Sbaeneg a'u cyhoeddi mewn cyfnodolion a chyfrol, ond aeth Llwyd ap Iwan ymhlith eraill ati i roi ei holl ddyddiaduron at ei gilydd gyda hanes y Wladfa i greu un gyfrol. Yn anffodus, ni welodd y gyfrol olau dydd ond cafodd y dyddiaduron eu cyhoeddi er hynny rhwng 1917 a 1919 yn *Y Drafod*, papur wythnosol y Wladfa, wedi eu golygu gan ei frawd Mihangel ap Iwan, yn dilyn llofruddiaeth Llwyd gan wylliaid o Ogledd America.

Erbyn ail ddegawd yr ugeinfed ganrif, dechreuwyd gweld gwerth diamheuol yr adroddiadau am hanes cynnar y Wladfa, y cyfnod cyntaf un, sef y deng mlynedd ar ôl y glaniad ym 1865, a hefyd cyfnod y teithiau arloesol rhwng 1875 a 1890. Cyhoeddwyd llawer o'r deunydd hwn yng ngholofnau'r *Drafod* rhwng tua 1915 a 1930. Erbyn diwedd y bedwaredd ganrif ar bymtheg hefyd cafwyd dau arweinydd blaenllaw yn y mudiad Gwladfaol yn cyhoeddi hanes y sefydliad. Cyhoeddodd y Parch. A. Matthews *Hanes y Wladfa Gymreig yn Patagonia* yn 1894 yn Aberdâr ac mae ei waith yn rhoi cronoleg y prif ddigwyddiadau yn hanes y Wladfa mewn arddull glir a darllenadwy. Cyhoeddodd Lewis Jones ei gyfrol yntau, sef *Hanes y Wladva Gymreig*, yn 1898. Nid yw'r gyfrol honno mor drefnus ond er hynny mae'n cynnwys llawer o gyfieithiadau o lythyrau swyddogol am hanes cynnar y Wladfa (rhai ohonynt bellach wedi diflannu), ac mae hefyd yn adlewyrchu safle arbennig Lewis fel yr unig brwyad o Gymro a fu yn y sefydliad. Gan fod dyddiau cychwyn y sefydliad bellach yn cilio ar y gorwel, cafwyd amryw yn adrodd hanes y dyddiau cynharaf o safbwynt llygad-dyst heb gymryd arnynt eu bod yn bwrw golwg wrthrychol ar yr hanes hwnnw.

Y cyntaf o'r adroddiadau hanesyddol yw *Y Wladfa Gymreig* gan Richard Jones, Glyn Du (ewyrth JDE). Dechreuodd gyhoeddi ei atgofion am y cyfnod 1865–1880 yn hanes y Wladfa yn 1903 yn *Y Drafod* ond cafwyd fersiwn newydd ganddo yng ngholofnau'r un papur yn y blynyddoedd 1919–1920. Ceir fersiwn arall o'r un hanes, yn bennaf am y cyfnod cynharaf, o'r enw *Hanes Cychwyniad y Wladfa ym Mhatagonia* gan Thomas Jones, 'Glan Camwy', a gyhoeddwyd yn *Y Drafod* yn 1926. Erbyn hyn gwelwn gyfuno hanes a phrofiad personol gan fod yr awduron yn aml wedi bod yn llygad-dystion a hefyd wedi chwarae rhan flaenllaw yn y digwyddiadau a ddisgrifir. Mae'r cyfuniad diddorol hwn yn amlwg mewn gweithiau eraill lle mae hunangofiant hefyd yn gyfraniad at ein dealltwriaeth o hanes y Wladfa. Yn y dosbarth hwn wrth gwrs mae gwaith JDE, ond rhaid cymharu'r corff hwn o ddogfennau â gweithiau eraill o'r cyfnod. Un o'r cyfrolau mwyaf adnabyddus a threiddgar o atgofion gwladfaol yw *Ar Lannau'r Gamwy ym Mhatagonia* gan William Meloch Hughes sy'n disgrifio'r cyfnod a dreuliodd yn y Wladfa rhwng 1881 a 1910; bu JDE yn ymweld ag ef pan ddaeth yntau i Gymru ar ymweliad yn 1923. Ond er gwyched gwaith yr awdur hwnnw, rhaid crybwyll hefyd un o'r casgliadau gorau o atgofion/hanes a gafwyd o'r Wladfa, sef *Hunangofiant* John Coslett Thomas a ddaeth i Batagonia yn 1875 ac a adawodd y wlad am Ganada yn 1902. Gan ei fod wedi byw yn y Dyffryn ar adeg mor dyngedfennol yn hanes y Wladfa, ceir ganddo wybodaeth hynod werthfawr am Gyflafan Cel-Cein er enghraifft, y rhuthr am aur yn y 1890au, argyfwng y drilio, y llifogydd a'r gwrthdaro rhwng y Cymry a'r awdurdodau ar fater yr ysgolion Cymraeg. Bu yntau'n cymryd rhan yn y rhan fwyaf o'r digwyddiadau a fowldiodd y Wladfa cyn diwedd y bedwaredd ganrif ar bymtheg.

Rhaid crybwyll hefyd cyfieithiad o waith William Casnodyn Rhys, a fu'n weinidog yn y Dyffryn, a gyhoeddwyd yn Buenos Aires yn 2000, unwaith eto'n cynnwys atgofion am gyfnod y 1890au. Gellir dadlau hefyd fod llawer o waith Eluned (1870–1938) ar ffurf teithiau i'r Andes, er enghraifft, ac mewn dull llenyddol iawn, yn perthyn i'r un dosbarth o ysgrifennu y gellid ei alw'n ddosbarth cwbl Batagonaidd. Rhaid gweld gwaith JDE yn y llawysgrifau sydd wedi dod i lawr inni fel adlewyrchiad o nifer o'r tueddiadau hyn yn hanes llenyddiaeth Gymraeg y Wladfa. Gan fod JDE ymhlith y rhai a ddaeth ar y *Mimosa* ac a chwaraeodd ran bwysig wrth arloesi'r gorllewin yn yr 1880au, rhaid ei fod wedi meddwl y dylai yntau gyhoeddi peth o'r hanes fel yr oedd ef wedi ei fyw. Cododd yr awydd hwn, mae'n debyg, wrth iddo weld nifer o'r erthyglau a gyhoeddwyd yn *Y Drafod* gan rai fel Richard Jones, Glyn Du, Llwyd ap Iwan ac eraill. Aeth ati, felly, i ysgrifennu cyfuniad o hanes y dyddiau cynharaf yn y Wladfa a'i hanes yntau fel arweinydd ar rai o'r teithiau pwysicaf yn hanes deheubarth Ariannin.

John Daniel Evans mewn Llenyddiaeth
Gallwn weld y modd yr aeth rhai llenorion ati i dynnu ar rai agweddau ar fywyd John Evans fel rhan o'r broses o fytholeiddio hanes cynnar y Wladfa. Y digwyddiad canolog yn y chwedl am El Baqueano yn naturiol yw ei ddihangfa ryfeddol oddi wrth fintai o frodorion ym mis Mawrth 1884. Mae hynny bob amser yn fan cychwyn pob trafodaeth ar fywyd JDE. Er gwaetha'r ffaith na chyhoeddodd John Evans ei hun unrhyw beth am y digwyddiad hwnnw, bu nifer o awduron yn ailadrodd y prif ddigwyddiadau nes i'r digwyddiad, gyda threigl amser, fynd yn chwedl. Bu papurau newydd Cymru yn llawn o'r hanes yn 1884, a chafwyd ambell atsain yn Buenos Aires hefyd. Cyhoeddodd Lewis Jones, Eluned Morgan, William Meloch Hughes a nifer o awduron eraill fersiynau o'r hanes yn seiliedig ar dystiolaeth JDE ei hun. Bu rhai, fel Lewis Jones a John Coslett Thomas, yn rhan o'r fintai a aeth draw i'r fan lle bu'r gyflafan a chawn ganddynt adroddiadau o safbwynt llygad-dystion. Gwyddom i John Evans ei hun ddweud yr hanes am Ddyffryn y Merthyron ar lawer achlysur ac arwain pobl i'r fangre lle lladdwyd ei gyd-deithwyr. Gellir meddwl bod y rhan fwyaf o'r adroddiadau cynnar am y digwyddiad yn seiliedig ar ei dystiolaeth ef ei hun, heblaw am rai fel John Coslett Thomas a Lewis Jones a ysgrifennodd eu fersiynau eu hunain o'r digwyddiad ar ôl gweld lle bu'r gyflafan ychydig ddyddiau yn ddiweddarach pan aeth y Cymry i gladdu'r trueiniaid. Erbyn y 1940au roedd y digwyddiadau hyn ymhell ar y gorwel, er bod John Evans, ac yntau'n oedrannus iawn, yn dal yn fyw. Un llenor a gafodd ei fagu yn y Wladfa ac a drodd at yr hanes am Ddyffryn y

John Daniel Evans, 1900.

John D. Evans a'i wraig Annie Hughes de Williams a'r teulu c. 1900.

Enghraifft o un o lawysgrifau gwreiddiol John D. Evans, c.1918.

Gwersyll Leufu Lepa lle cyfarfyddodd JDE a'i gyd-deithwyr â'r ddau Indiad yn 1884 cyn yr ymosodiad arnynt.

Colofn Luis J. Fontana a'r Rifleros ar Sgwâr Trevelin. Codwyd i gofio taith gyntaf Fontana a'r Cymry i Gwm Hyfryd yn 1885.

Bedd y Tri Chymro, Dyffryn y Merthyron.

Y dibyn lle neidiodd JDE a'i geffyl Malacara yn 1884.

'Gan fy mod wedi fy nghau i fewn fel hyn bu raid i mi wneud i'm ceffyl neidio i'r ffos, dyfnder o tua 4 llath...'

'Yn awr pan welais i sicrwydd nad oedd yr Indiaid yn fy erlid mwyach a min-nau yn agosáu at fryn uchel, a hen ffos sych yr ochr draw iddo, penderfynais ar unwaith newid fy nghyfeiriad...'

John D. Evans a Malacara 1908.

Bedd Malacara, Trevelin. Bu farw'r ceffyl yn 1909 a cherfiwyd y geiriau yn 1927.

Paratoi at daith 1885 dan arweiniad y Rhaglaw Fontana, tu allan i'r hen brwyadfa, Trerawson.

'Teithiasom o'r fan yma i fyny yr afon ar yr ochr ddeheuol heibio i Piedra Parada…' (1885). Adnabyddid hefyd fel 'Y Llaw' gan y Cymry.

Y Felin a adeiladwyd gan JDE yn Nhrevelin.

John D. Evans c 1940.

Capel Bethel, Trevelin.

'Cartref Taid'. Amgueddfa JDE yn Nhrevelin a godwyd ar safle ei gartref cyntaf.

Merthyron oedd y bardd a'r llenor adnabyddus R. Bryn Williams. Yn ei faled arobryn yn Eisteddfod Hen Golwyn yn 1941 dan y ffugenw 'Gaiman', cawn yr hanes yng ngeiriau'r Baqueano ei hun wrth i John Evans ailadrodd yr hyn a ddigwyddodd iddo a hynny ar ffurf sy'n addas iawn i'r math hwn o hanes. Yn ddiddorol, dywed y bardd iddo gael yr hanes nid yn unig gan John Evans ond hefyd mewn llyfrau gan Eluned, William Meloch Hughes a Tschiffely. Fel hyn y sonnir yn y faled am yr ymosodiad gan yr Indiaid:

Croesi pantle caled a sych,
A'r carnau'n tincian arno'n wych:
Sydyn derfysg a bloeddio gwae,
Ai rhuo bwystfil ar wartha'i brae?
Sgrech arswydol ar draws Kel-Ken,
Rhyfelgri Indiaid yn rhwygo'r nen;
Twrf y carnau fel taran o'n hôl,
A mil o saethau yn fellt o'i chôl:
Rhuthr o'n hamgylch fel gwarchae caer:
A ddoi ymwared drwy weddi daer?
Chwilio am adwy â chyflym drem,
Gwanwyd fy ystlys â phicell lem.

Tynnodd R. Bryn Williams ar gyfnod arall yn hanes John Evans yn ei nofel i blant o'r enw *Croesi'r Paith* (1958). Seilir digwyddiadau'r nofel ar y daith hanner dychmygol ar draws y Paith yn 1891 pan aeth nifer o bobl y Dyffryn i fyw yn y sefydliad newydd yng Nghwm Hyfryd. Sonnir yn y nofel am y daith archwiliadol gyda Fontana pan ddarganfuwyd y cwm a gafodd ei fedyddio'n syth â'r enw Cwm Hyfryd. Arhosodd ugain yno dros y gaeaf ac aeth y gweddill yn ôl i'r Dyffryn i geisio defnyddiau at y gwaith o ymsefydlu yno. Seilir y nofel felly ar yr un defnyddiau ag a geir ym mhennod 'Y Daith i Gwm Hyfryd, 1888' o'r gyfrol hon, sef hanes y 'carafan' fel y'i gelwir gan John Evans gyda wageni'n llwythog ac ugain yn rhagor o ddynion wedi ymuno. Er ei bod yn ddigon rhwydd adnabod rhai o'r cymeriadau hanesyddol yn y nofel, ni ddefnyddir eu henwau iawn. Hawdd adnabod John, yr arweinydd; nid oes dwywaith nad John Evans yw. Sonnir am ryw

John Morgan ac mae'n weddol sicr mai ef yw'r John Murray
Thomas a chwaraeodd ran mor bwysig wrth drefnu nifer o'r
teithiau hyn yn yr 80au. Yr hanner Indiad a grybwyllir, ac a gafodd
ei fagu ar aelwyd John Murray Thomas, yw Antonio Miguens yn
ôl y disgrifiad ohono. Disgrifir John Daniel fel un 'synfyfyriol,
tawel ei ysbryd' ac mae hyn yn cyfateb i'r disgrifiad a geir o John
Evans gan rai a oedd yn ei adnabod. Er na ddylid cymryd y nofel
fel dogfen hanesyddol gan ei bod yn glir fod yr awdur wedi creu
nofel antur drwy ddefnyddio nifer o elfennau gwahanol a
gwladfaol, eto ceir ynddi olion darllen un o ddogfennau enwocaf
gwaith John Evans, sef hanes Dyffryn y Merthyron, pan sonnir am
'ddihangfa wyrthiol' rhai o'r Cymry rhag ymosodiad gan yr
Indiaid. Mewn man arall clywir 'sgrech annaearol' gan frodor sydd
ar fin ymosod ar y Cymry. Mae ychydig o ôl cyflafan Cel-Cein i'w
weld drwy'r nofel er na chrybwyllir y digwyddiad hwnnw ei hun.
Mae'n arwyddocaol fod yr awdur yn dweud am ddyffryn Cel-Cein
mai 'coch oedd lliw y graig yn y ceunant, a disgleiriai'r machlud
arno yn awr nes ei fod fel pe'n llifo gan waed'. Er y dywedir ar
glawr y nofel mai disgrifiad o ddigwyddiadau dychmygol 1891 a
geir, mae'n weddol glir fod rhannau o'r nofel yn seiliedig ar
ddogfennau John Evans, yn bennaf Hanes Cyflafan Cel-Cein a
Thaith y Wagenni 1888. Sonnir am gyngor y Wladfa yn dirprwyo'r
hawl iddynt ar y daith i gynnal llys os byddai angen, rhywbeth y
cyfeirir ato'n fanwl gan John Evans yn ei ddisgrifiad o daith 1888.

Lluniodd R. Bryn Williams ddrama radio hefyd o'r enw *Baceano*
sydd yn dychwelyd at hanes Dyffryn y Merthyron. Yn y ddrama
radio hon, adroddir yr hanes gan yr un a gafodd ddianc o'r
gyflafan, ac er ei bod yn eithaf bywiog fel drama, mae'n glir mai ar
ddogfen John Evans am y digwyddiad a gyhoeddir yn y gyfrol hon
y seilir y digwyddiadau. Hynny sy'n egluro'r rhan a chwaraeir yn
y ddrama gan yr Indiad Juan Salvo er enghraifft. Wedi dweud
hynny mae'r awdur wedi tynnu ar ei wybodaeth eang ei hun, yn
arbennig am faterion yn ymwneud ag amgylchiadau'r gyflafan. Er
enghraifft, dywedir mai i John Coslett Thomas y perthynai'r ebol
Malacara yn y lle cyntaf, sef y ceffyl a achubodd fywyd John Evans,
ffaith a grybwyllir gan John Coslett Thomas yn ei hunangofiant.
Mae'n amlwg fod gan R. Bryn Williams ran bwysig yn y broses o

greu'r hanes epig am ddyddiau cynnar y Wladfa, ac yn y broses honno, mae'n rhoddi i John Evans le blaenllaw iawn. Crëir y *baqueano* fel ffigur chwedlonol yn ailadrodd y digwyddiadau hyn a berthyn i gyfnod 1884–8; ni sonnir am y John Evans arall, John Evans y Felin, a fu fyw'n dawel ond yn fawr ei barch yn Nhrevelin wrth odrau'r Andes tan ei farw yn 1943. Hyd yn oed os na chafodd geiriau John Daniel Evans eu cyhoeddi tan heddiw, cafwyd dylanwad ei eiriau a'i lawysgrifau mewn llên Gymraeg. Mae R. Bryn Williams yn ei ragymadrodd i *Straeon Patagonia* (1946) yn dweud fod yr hanes am 'Baceano' yn seiliedig ar yr hanes fel yr ysgrifennwyd ef gan John D. Evans ei hun.

Fel awdur enwog *How Green Was My Valley* yr adwaenwn Richard Llewellyn (1906–83) wrth gwrs. Ond dim ond ei ddarllenwyr mwyaf brwd efallai sy'n gwybod iddo dreulio peth amser yng Nghwm Hyfryd yn gweithio ar ddwy nofel 'Wladfaol', y naill, *Up, Into the Singing Mountain,* yn 1960 (yn yr Unol Daleithiau) a'r llall, *Down Where the Moon is Small,* wedi'i chyhoeddi yn 1966. Prin fod y rhain, fel y rhan fwyaf o'i nofelau diweddarach, yn fawr mwy na 'nofelau difyr', ac eto mae'r naill fel y llall yn cynnwys llu o gymeriadau y seilir hwy'n fras neu'n fanwl ar gymeriadau hanesyddol o'r Wladfa ac yn arbennig rhai o'r Cwm. Ceir ambell gyfeiriad at John D. Evans yn y ddwy nofel, weithiau wrth ei enw ac ambell waith ar ffurf cymeriad sydd efallai'n seiliedig arno. Gan fod *Up, Into the Singing Mountain* yn olrhain hanes Huw Morgan, prif gymeriad *How Green Was My Valley,* ceir peth o hanes y Dyffryn yn y 1890au ac yn arbennig taith y wageni ar draws y Paith i'r Cwm lle bwriedid creu sefydliad newydd. Un o'r cymeriadau yn ystod y rhan hon o'r nofel yw un o'r enw Idwyn Thomas sy'n rhyw fath o arweinydd, a gallai fod yn seiliedig ar gymeriad John Evans. Mae'r nofel yn frith o gymeriadau wedi'u lled-seilio ar gymeriadau hanesyddol fel Eiluned Morris (Eluned Morgan), Enid Freeman Mathias (teulu'r Freeman, a ymfudodd i'r Cwm yn y 1890au), ac o bosibl fod hyn yn wir am Idwyn Thomas ei hun. Mae diwedd y nofel yn rhoi disgrifiad dramatig o'r daith yn y wageni ar draws y Paith. Maent hefyd yn croesi ardal ar eu ffordd o'r enw Hirdraeth Idwyn (sef Hirdaith Edwin) ac yn y diwedd yn cyrraedd 'the City of the Mill'

(Trevelin) dan ganu. Mae hyn yn awgrymu mai ar Edwin Cynrig Roberts y seiliwyd enw Idwyn Thomas yn y nofel er ei fod yn debycach i John Evans ymhob peth ond ei enw.

Mae'r nofel nesaf, *Down Where the Moon is Small*, yn parhau hanes y Cwm. Clywn ragor o hanes Idwyn Thomas. Ond, yn y nofel hon, cyflwynir John Evans ei hun i'r hanes, gan ddechrau hanes y ffin a'r bleidlais yn 1902. Erbyn hyn mae John Evans yn chwarae ei rôl ei hun yn yr hanes: 'This village is called in Cambrian Trevelin, City of the Mill, because John Evans, him over there, worked years of his life almost single-handed to dig and bank miles of canal to make the mill wheel work and grind flour ...' Mae'n ymddangos er hynny nad oes modd datgysylltu Idwyn a John Evans yn y nofel gan fod cyfeiriad at ddyfodiad y car i fywyd Trevelin: 'Mog, Moke and Idwyn worked the cars by then'. Mae Idwyn yn cael ei ddisgrifio hefyd fel dyn crefyddol, yn hoff o weddïo'n gyhoeddus ac mae hyn hefyd yn cyfateb i'r darlun o JDE y gwyddom andano. Mae rhan olaf y nofel yn cynnwys nifer gynyddol o gymeriadau o gig a gwaed. Daw'r pennaeth Foyel (a fu'n byw yn y Cwm ar ddiwedd ei oes) i'r stori a meibion John Evans, ac enwir yr ifancaf fel Plethin (ai Plennydd y cyfeirir ato yma?). Ceir cyfeiriad yn y nofel at farw JDE mewn brawddeg sy'n llawn o'r ymdeimlad sy'n gyfarwydd i'r sawl a fu yn y Wladfa: 'John Evans, the Mill, had joined his mare, Malacara, and many more of the oldest pioneers were gone to their fathers, though the very air seemed to breathe their names.'

Cyhoeddodd Carlos Dante Ferrari ei nofel *El Riflero de Ffos Halen* yn Sbaeneg yn Ariannin yn 2001. Y flwyddyn honno daeth yn un o bum nofel (o blith 455) a gyrhaeddodd rownd derfynol cystadleuaeth i ddewis nofel gyntaf orau'r flwyddyn. Mae'n nofel am yr anturwyr cyntaf yn hwylio ar y *Mimosa* ac mae J. Daniel Evans yn ymddangos yng nghefndir y fforio cynharaf ar draws y paith am ddyffrynnoedd yr Andes. Addaswyd y nofel o'r Gymraeg gan Gareth Miles ac ymddangosodd *Y Gaucho o'r Ffos Halen* yn 2004.

Yna, nofel Sbaeneg a gafodd beth sylw yn y Wladfa oedd *El Evangelio y Don Eduardo* gan Roy Centano (2001). Ceir amlinelliad o brif ddigwyddiadau'r Wladfa yn y cyfnod cynnar yn y nofel fer hon gan gynnwys elfennau hanesyddol ac ambell elfen hollol ddychmygol. Ceir rhai pethau cwbl anhanesyddol megis awgrymu mai eiddo Aaron Jenkins oedd Malacara, ceffyl JDE, er enghraifft. Yn naturiol felly mae John D. Evans yn ymddangos yn y stori gan mai stori'r Wladfa sy'n cael ei hadrodd. Ceir cefndir taith John Evans a'i griw i'r gorllewin i chwilio am aur yn 1883, hanes Malacara yn ei achub a'r awgrym tra hysbys fod y brodorion yn meddwl mai ysbiwyr oedd y Cymry a fentrodd i ardal yr Andes yn 1883. Mae John Evans yn ailymddangos yn y nofel yn ddiweddarach gyda disgrifiad ohono'n teithio yn ei Ffordyn o gwmpas Trevelin lle adeiladwyd y felin wenith. Disgrifir JDE ar ben-blwydd y Gyflafan yn mynd am dro ac yn ymroi i fyfyrdod wrth fedd y ceffyl Malacara. Crëir awyrgylch boenus yr atgofion hyn i gyd mewn sgwrs ddychmygol rhwng John Evans ac Antonio Miguens, gŵr o dras cymysg a fu ar y teithiau cyntaf i Gwm Hyfryd ac a ymsefydlodd yno gyda'i deulu.

Rhai Anecdotau

Yn ei gyfrol *This Way Southward* (1940), sy'n adrodd hanes ei ymweliad â Chwm Hyfryd, mae A. F. Tshiffely yn datgan mai un o'r prif resymau iddo ddod i'r Cwm oedd cael cyfarfod â John Daniel Evans. Ar ddiwedd y 1930au pan ymwelodd â Threvelin, roedd y pentref yn dal yn wasgarog iawn, gydag ond ychydig o dai yma ac acw, dwy neu dair o siopau a'r felin yn ganolog iawn gan mai ar ei hôl hi y cafodd y pentref ei enwi. Roedd yn amlwg fod Tshiffely am glywed hanes Cel-Cein a Malacara, y ceffyl a achubodd fywyd Evans yn 1884. Cyrhaeddodd Tshiffely y pentref ar fore Sul a phawb yn y capel, sef Capel Bethel. Cafodd wybod y byddai modd iddo gyfarfod â John Evans ar ôl y gwasanaeth yn y capel mewn tŷ bychan dan gysgod y coed heb fod yn bell o'r felin. Ychydig amser ar ôl hyn, aeth Tshiffely at y tŷ, a chafodd y drws ei agor gan hen wraig, meddai, sef gwraig JDE. Cafodd ei wahodd wedyn i gyfarfod â'r hen arwr mewn parlwr bach diddos lle gwelid hen luniau, a llenni les. Ceir disgrifiad o JDE sy'n cyfateb i'r portreadau ohono sydd ar gael o'r cyfnod olaf hwn: gŵr bonheddig byr a thenau a chanddo fwstás gwyn fel D. Lloyd George. Dywed Tshiffely fod JDE, fel ei wraig, yn medru Saesneg ond gyda llediaith Gymreig. Cafodd glywed hanes Malacara a'i ddihangfa wyrthiol wrth sefyll ger bedd y ceffyl ar y tir yn agos i'r tŷ. Ceir y fersiwn hwn ar yr hanes yng nghyfrol Tshiffely ac mae'n seiliedig ar y sgwrs a gafodd gydag Evans y pnawn Sul hwnnw. Er bod y fersiwn cryno hwn yn cyfateb ym mhob ffordd i bob traethiad arall ar y stori a gafwyd, ychwanegir dau fanylyn diddorol y tro hwn: fod y pedwar Cymro, ar ôl gadael yr Indiaid yng ngwersyll Gualjaina, wedi penderfynu anelu am wersyll y milwyr 'gwynion', a'r ail fanylyn yn adlewyrchu barn Evans nad oedd yr Indiaid yr adeg honno wedi symud o'u gwersyll yn Leufu Lepa lle cawsant eu gadael ond yn hytrach eu bod wedi dod i sbio arnynt hwy a sylwi eu bod wedi rhoi eu harfau yn eu pac yn hytrach na'u cadw wrth law.

Un arall a ymwelodd â chartref enwog JDE oedd y teithiwr o fri, Bruce Chatwin. Yn ei lyfr *In Patagonia* (1977), clywn am ei sgwrs fywiog gyda mab JDE, sef Milton Evans. Nid yw'r ffordd y disgrifir Milton yn cyfateb o gwbl i'r darlun a erys amdano ymhlith trigolion Trevelin; gellir honni'n weddol ddiogel fod Chatwin wedi lliwio'r testun i greu golygfa egsotig. Mae Chatwin hefyd yn ail-adrodd hanes Cel-Cein a Malacara; mae'n anghywir mewn rhai manylion ond, er hynny, o bosib ei fod yn cynnwys gwybodaeth newydd, yn arbennig yr olygfa frawychus pan ddaeth y fintai o'r Dyffryn i'r fan lle digwyddodd y gyflafan lle gwelwyd cyrff darniog y tri Chymro. Diddorol yw nodi fod Clery Evans, merch Milton, wedi dweud mewn cyfweliad yng nghyfrol ddifyr Adrian Gimenez Hutton, *La Patagonia de Chatwin* (1999), nad yw'n cofio unrhyw hanes am ei thad yn pysgota o bont Ffestiniog (fel y dywedir yng nghyfrol Chatwin), ac mae amheuaeth am rai o'r manylion am ei ddisgrifiad o gyflwr y cyrff ar ôl cyflafan Cel-Cein. Er hynny, yn yr un gyfrol, dywed Clery Evans fod llyfr Chatwin wedi bod yn fodd i ddenu llawer o bobl o Ewrop a gwledydd eraill i ymweld â Threvelin, a hen gartref JDE. Un manylyn am fywyd JDE a ychwanegir gan Chatwin yw'r hanes am Martin Sheffield. Dywed Chatwin iddo ymddangos ym Mhatagonia o gwmpas y flwyddyn 1900 fel 'rhyw fath o Ernest Hemingway' ar gefn ei gaseg wen, a'i gi defaid fel unig gwmpeini. Fel sawl un o'i flaen bu'n chwilio am aur ar hyd yr afonydd. Treuliodd rai gaeafau gyda

John Evans yn Nhrevelin gan gyfnewid *pepitas* budr am wenith.

O gofio am gyfraniad gwych John Daniel Evans wrth i'r Cymry greu sefydliad newydd yn y Cwm, a'i waith fel *baqueano* ifanc yn arwain ar hyd llwybrau'r brodorion ar y Paith ac ar hyd hafnau a throfeydd afonydd Patagonia, ni ellir ond gobeithio y bydd modd parhau i ddatblygu'r cof amdano yn ei fro ei hun. Erys nifer o luniau o John Daniel Evans, a llawer ohonynt yn perthyn i'r cyfnod olaf yn ei fywyd, ond un o'r rhai cynharaf sy'n rhoi argraff y *baqueano* ar ei orau yw un a dynnwyd tua 1898 pan oedd JDE ar ymweliad â Phlas Hedd, cartref Lewis Jones. Gwelir y llun yng nghyfieithiad Sbaeneg cyfrol Lewis Jones, *Hanes y Wladva Gymreig*. Gwelwn JDE yn eistedd gyda nifer o wladfawyr eraill y cyfnod, yn ogystal â Lewis Jones ei hun. Yn ei law dde mae'n dal *mate* a *bombilla*, mae ei goesau ar led fel un cyfarwydd â marchogaeth. Mae'n gwisgo het a dillad y Paith a bwtsias pen-glin; mae ei ymarweddiad yn hyderus a chadarn fel rhywun sy'n barod i godi ar amrantiad a mentro o'r newydd i'r Paith.

[1]Glyn Williams: 'Welsh Settlers and Native Americans in Patagonia', *Journal of Latin American Studies 11*, 1979, tt. 41–66

[2]Ramón Gutiérrez et al, *Hábitat e Inmigración* (Nordeste y Patagonia), Buenos Aires, 1998

[3]Glyn Williams, *The Desert and the Dream*, Gwasg Prifysgol Cymru, 1975, t. 105

Hunangofiant

Deuthum i'r Wladfa yn y flwyddyn 1865 gyda'm rhieni Daniel a Mary Evans yn un o ddau o blant, sef awdur yr hunangofiant bychan hwn, yn dair blwydd oed a dau fis ac Elizabeth fy chwaer yn bump a hanner blwydd oed. Hannai fy nhad[1] o Bont Henry Sir Gaerfyrddin, Deheudir Cymru a fy mam Mary Evans[2] o Aberdâr, Sir Forgannwg.

Cychwynasom o Liverpool y 25ain o Fai 1865 a chyraeddasom i Borth Madryn y 28 o Orffennaf yr un flwyddyn yn gant pum deg dau o eneidiau ar fwrdd y *Mimosa*. Yr oedd y fintai hon yn ffrwyth areithiau y Parch. Michael D. Jones o'r Bala a'i gydwladwyr pybyr, pa rai gawsont gan lywodraeth Ariannin freinlen ar ddarn anferth o wlad yn Nhiriogaeth Chubut i'w sefydlu gyda Phrydeinwyr,[3] a methasant ddyfod i fyny â'r telerau, a'r canlyniad fu ceisio adeiladu castell gwladfaol a chenedlaethol o adfeilion y freinlen. Syrthiodd hwnnw drwodd ac i'w fedd am byth mewn ychydig flwyddi. Daeth y Br Lewis Jones[4] Plas Hedd a'r Br Edwin C. Roberts[5] fy ewyrth yma tua chwe mis neu flwyddyn o flaen y fintai oeddis i'w disgwyl yn ddi-oed ar eu holau.

Bu'r Br Lewis Jones yn brysur iawn tra'r arhosodd yma yn teithio yn ôl a blaen cydrhwng Madryn a Patagones, gyda'i long fechan o'r enw *Juno*[6] yn cario gwartheg, defaid a cheffylau ar gyfer y fintai, a chan na ddaeth y llong fel yr oeddid wedi disgwyl, yn fuan, dychwelodd y Br Lewis Jones yn ei ôl i Patagones i aros y fintai, gan adael y Br Edwin Roberts ei hunan ym Madryn, gyda phump neu chwech o Ysbaeniaid o Patagones a pharatoi ar gyfer y fintai, pa un a gyrhaeddodd fisoedd yn ddiweddarach nag oeddid yn ei disgwyl.

Cloddiodd Edwin Roberts a'i wŷr ffynnon ym Madryn er cael dwfr gan fod Madryn heb ddŵr i ddyn nac anifail, oddigerth pwll neu ddau o ddŵr glaw a waddodai mewn ffos a ddeuai o'r bryniau ac a âi i'r môr y fan lle saif gorsaf y rheilffordd yn bresennol, ac un diwrnod pan oedd ef (E. Roberts) yn gweithio ar waelod y ffynnon, aeth y rhai oedd ar enau'r ffynnon yn tynnu y pridd i fyny i ffwrdd â'r rhaff gyda hwy a gadawyd ef yn y ffynnon am dri deg awr, ond dychwelodd y tyneraf ei galon a chododd ef allan. Cafodd ddŵr yn y ffynnon ond dŵr hallt ydoedd a galwyd y ffynnon yn 'Ffynnon y Dŵr Hallt'. Mawr y dioddef a'r crwydro fu, pan yn byw ym Madryn i chwilio am ddŵr, a thyna y brofedigaeth gyntaf a oddiweddodd y fintai y noson gyntaf ar ôl glanio, oedd i ddyn o'r enw David Williams[7] fyned gydag eraill i ymofyn dwfr o'r pyllau dywededig. Aeth yn ei flaen dros y bryniau am gyfeiriad 'Tŵr Joseph'[8] i chwilio am yr 'afon', mae'n bur debyg, a bu farw yn yr ymdrech. Cafwyd ei weddillion mewn blynyddoedd wedi hynny, ychydig filltiroedd i'r gogledd o Trelew, ond nis gwyddis pa un a'i dychwelyd oddi wrth yr afon yr ydoedd neu heb ei chyrraedd. Awd ati cyn gynted ag y gallwyd wedi hyn i drefnu mintai i fyned i chwilio am yr afon, a danfonwyd pymtheg o ddynion ieuanc cryfion i fyned am y Dyffryn, a chychwynwyd hwy o Borth Madryn yn sŵn magnel ac o dan olau llachar y lleuad gan ei bod yn oerach i deithio y nos nac yn y dydd, a chan mai gwneuthurwr priddfeini oedd fy nhad rhoddwyd iddo ef ferfa olwyn, rhawiau a mowldiau at wneuthur priddfeini pan gyrhaeddai y Dyffryn ond, er dyled y cyfrifwyd yr 'hen Wladfawyr', nid oeddynt mor ddwl â hyn chwaith. Gadawyd y ferfa a'i chynnwys wrth y 'Ffynnon Dŵr Hallt'. Yr oedd ganddynt ychydig botelau o ddŵr a dywedwyd wrthynt y cyrhaeddent y Dyffryn yn gynnar prydnawn drannoeth, pellter o dros ddeugain milltir.

I ymdroelli rhwng y drain
Heb un heol, clawdd na gwrych
Ond cyfeiriad ar yr awyr
I ymlwybro'r peithdir sych.[9]

Mae'n debyg eu bod wedi teithio i'r cyfeiriad priodol a phan yn agosáu at y fan lle y dylai y Dyffryn fod, gwelent fwg mawr yn codi o'r Dyffryn a barnasant yn sicr mai Indiaid oedd yno, a gwnaethant dro am y môr i gyfeiriad y Dwyrain gan feddwl os Indiaid oedd yn gwneuthur y mwg y caent y môr fel diogelwch ar yr ochr chwith iddynt, a'r afon hefyd yr un modd tra y teithient i fyny y Dyffryn. Dywedodd fy nhad wrthyf ar ôl hyn eu bod wedi dioddef syched angheuol bron y tro hwnnw. Yfodd amryw ohonynt ddwfr y môr a chawsant y rhyddni nes eu hanalluogi i gerdded bron, eraill wedi rhoddi eu hunain i lawr i farw. Cariodd un o'r fintai ei wely gwellt gydag ef bob cam o'r ffordd a gorweddodd o'r diwedd o dan dwmpath drain ar y gwely hwnnw i farw, a dyna oedd ei ddiben yn ei gludo gydag ef, cael marw arno, a buasai amryw feirw yn sicr oni bai fod y rhai cryfaf ar y blaen ac wedi dod o hyd i'r afon, a myned â dwfr ohoni yn ôl i'r lleill. Cyraeddasant oll yr afon yn y diwedd heb i un bywyd gael ei golli. Daethant i wybod ar ôl hyn mai llwch a welsent cyn cyrraedd y Dyffryn ac nid mwg fel y tybient. Pan chwythai yn gryf ar y Dyffryn, codai cymylau anferth o lwch yn uchel i'r awyr oddi ar welyau sychion y llynnoedd priddlyd rhwng Rawson a'r paith. Daeth yr holl fintai o Madryn i'r Dyffryn yn fuan ar ôl hyn. Rhan dros y tir, a'r rhan luosocaf dros y môr; dioddefodd y rhai aeth dros y môr yn fawr iawn; chwythodd y gwynt y llong i'r De am yn agos i bythefnos. Enw y llong oedd *Mary Ellen*.[10] Gorffennodd y dŵr ar y llong ddyddiau cyn cyrraedd yr afon a bu un neu ddau o'r babanod farw. Merched oedd y rhan fwyaf o fintai y llong, ond daeth ein teulu ni dros y paith[11] gyda'u hwch a'u cŵn defaid yn canlyn, a chyraeddasom yn ddiogel mewn rhyw bedwar neu bum diwrnod heb golli dim, tra bod eraill tua 20 diwrnod wedi dioddef llawer a cholli eu babanod. Tua chanol haf 1866 aeth amryw o'r dynion cryfaf i fyny i'r wlad i edrych ei hansawdd ac aethant mor bell â dyffryn 'Yr Hen Eglwys'[12] a thyna y pryd y galwyd y talp tosca sydd yno yn 'eglwys' a phan ddaeth yr archwilwyr hyn gartref, rhoddasant anair mawr i'r wlad fel lle i sefydlu gwladfa ynddi, ond sicrhaent bawb na ddeuai yr un Indian byth i lawr atom, dros y creigiau cochion mawrion oedd yn cau am dop y Dyffryn i fyny ac ein bod yn berffaith ddiogel rhag yr Indiaid beth bynnag.

Ond cododd anesmwythder mawr o'r wybodaeth hon a phenderfynwyd fod y Wladfa i'w thorri i fyny unwaith ac am byth o'u rhan hwy, sef y gwladfawyr. Ac erbyn Gŵyl y Glaniad 1867 yr oedd bron bawb o'r gwladfawyr ym Mhorth Madryn er ys rhai misoedd yn disgwyl llong i'w nôl, canys yr oeddynt wedi danfon dirprwywr i ffwrdd i Batagones i chwilio am foddion i'w cludo i ffwrdd. Penderfynodd rhan o'r fintai droi yn ôl am y Dyffryn i roddi un flwyddyn arall o brawf ar y Wladfa. Ac aeth dau ddeg un i ffwrdd, rhai i Santa Fe ac eraill i Batagones, ac wedi cadw Gŵyl y

Glaniad 1867 ar draeth Porth Madryn gyda'r Indiaid oedd wedi dyfod atom o Patagones, hwn oedd Gŵyl y Glaniad cyntaf a gynhaliwyd. Mae yn bur debyg, am fod anesmwythder oherwydd adroddiad y rhai aethant i fyny'r wlad i archwilio a methiant yr amaethu ar y Dyffryn, ni chynhaliwyd Gŵyl y Glaniad 1866.

Yma ym Mhorth Madryn yr wyf yn cofio drosof fy hunan am y tro cyntaf. Fy rhieni adroddodd y rhan flaenaf o'm hunangofiant wrthyf. Cofiaf yn bur dda pan oeddym ym Madryn y tro yma, fod yr Indiaid yn ein plith ac yn anfodlon iawn i ni i fynd i ffwrdd o'r wlad, am na fyddai ganddynt neb i fasnachu â hwy wedi ein hymadawiad, a daeth pennaeth llwyth sef Galats[13] a safodd ar ddrws tŷ Taid a dagr fawr yn ei law, gan fygwth ein lladd bawb oedd i fewn yno, a daeth Robert Davies, tad Henry Davies Canada[14] yn bresennol, yr hwn oedd o'r tu allan i'r tŷ a denodd yr Indian i ffwrdd i weled y gaseg oedd ganddo a dyna'r ffordd y cawsom ddihangfa. Mae'n debyg ei fod wedi meddwi. Tyllau wedi eu torri yn y dosca wen sydd i'r dwyrain o orsaf y rheilffordd bresennol oedd y rhan fwyaf o'r tai byw oedd gennym, gan mai yno yr oeddis wedi glanio, ac erbyn diwedd Awst 1867 yr oedd bron bawb yn eu holau ar y Dyffryn unwaith yn ychwaneg, a chawsant fod eu tai oeddynt wedi gadael ar ôl yn y Dyffryn wedi eu llosgi gan yr Indiaid, a bu raid iddynt adeiladu bythod rhag blaen,[15] a dododd amryw do dros ffosydd yr hen 'Amddiffynfa' oedd yno fel ac o'r blaen a daeth yn law mawr a llanwyd y ffosydd â dwfr nes oedd eu celfi yn nofio ar wyneb y lli a gorfodwyd i'r trigianwyr ddianc allan i ganol y ddrycin. Mewn dwy fasged, un o bob tu i'r ceffyl, y deuthum i a'm chwaer i'r Dyffryn y tro hwn, a'n pennau allan yn gwylio ardderchowgrwydd y paith.

Bu'r Indiaid yn llawer iawn o gynorthwy i'r fintai i ddyfod yn eu holau y tro hwn, trwy roddi benthyg eu ceffylau[16] iddynt. Aeth fy nhad yn ei ôl i'r tyddyn sef y 'Glyn Du' lle yr oeddis wedi gadael buwch foel o gyrn ac o ddannedd pan yn ymadael am Madryn, a chawsom hi yn yr un drofa ac yr oeddis wedi ei gadael. Lladdwyd hi i gael bwyd, ac yr oedd yn eithriadol o dew. Bu'n gynorthwy mawr i ni tuag at fyw pan yn ailgychwyn ar y Dyffryn. (Daethom ni yn ein holau i'r un fan a'r tro cyntaf sef ar ein ffarm yn y Glyn Du). A dyma y fan y treuliais fore fy oes, mewn llafur a phrinder mawr. Heuem y naill dymor ar ôl y llall a deuai yn gnwd lond y ddaear, ond yn marw o dan ein dwylo o eisiau y dwfr diweddaf. Byddai rhaid dyfrhau'r tir hwnnw bedair gwaith i gael cnwd da, felly flwyddyn ar ôl blwyddyn, caem un cynhaeaf da allan o bob tri a blinais ar weithio felly, a dywedais wrth fy nhad na heuwn ddim ychwaneg yn y 'Llwyn Glas' sef enw yr hen gartref yn y 'Glyn Du'. Ni heuais byth mwy yno. Euthum i'r Drofa Fresych i hau ac weithiau i'r Bryn Gwyn.

A'r flwyddyn yma sef haf 1867, cafwyd hyd i agoriad i ddyfrhau. Roedd gan fy ewyrth Aaron Jenkins ddarn bychan o wenith wedi ei hau ar ei ffarm sef Neuadd Wen yn ymyl Glandwrlwyd. Cychwynodd y gwenith gan y glaw yn foddhaol iawn ond daeth yn wres mawr a dim dŵr i'w roddi iddo a dechreuodd sychu i fyny, a fy ewyrth a modryb yn cerdded o gwmpas y cae gwenith. Un nawn, dywedodd fy modryb: 'Wel, Aaron, ydych chwi ddim yn meddwl y deuai dŵr o'r afon i'r fan yma ond torri pwt o ffos gyda'r bâl?' Yr oedd yr afon yn uchel iawn y pryd hynny ac yn parhau yn uchel pob haf ar ôl hynny felly am flynyddoedd. Torrodd fy ewyrth y ffos o'r afon hyd at y cae gwenith a chawsant gnwd toreithiog ar ei ganfed, a dyna ddirgelwch mawr llwyddiant y Wladfa wedi ei gael. Aeth pawb a fwriadai hau o hyn allan ar eu ffermydd, a thorasant amryw ffosydd yng ngheulannau'r afon, ond nid cyn pen dwy flynedd wedi y darganfyddiad, gan nad oedd dim hadyd i'w gael yn y wlad eto.

Ac arhosodd y rhan fwyaf o'r fintai yn Rawson, a chafodd eu gwŷr ieuanc gynorthwy mawr gan yr Indiaid trwy roddi benthyg eu ceffylau iddynt a'u dysgu i amgylchu y gwanacod a'r estrysod i'w hela, a chawsant hwy felly yn Rawson ddigonedd o gigfwyd tra ninnau dri neu bedwar o deuluoedd ar y ffermydd yn dioddef yn fawr. Dioddefasom ni fel teulu yn ddychrynllyd iawn, gan nad oedd fy nhad yn farchogwr na saethwr o fath yn y byd. Yr oedd yn rhaid i ni fyw ar laeth a dail tafol a bresych[17] bychain bob yn ail. Yr oedd gennym un fuwch felen yr hon a roddai ddigon o laeth i ni i gyd fel teulu, ac yr oedd gennym gaseg fechan dawel yr hon a alwem yn Llonddu, ac elai fy mam a minnau ar gefn y gaseg fach unwaith bob dydd am tua dau fis o amser i nôl pwn o'r dail tafol i'r ffosydd oedd y pryd hwnnw ymhen draw tyddyn Elizabeth Hughes a John S. Hughes. Ni welais na chynt na chwedyn, ddail tafol tebyg i'r rhai hynny o ran maint; yr oeddynt fel riwbob mawrion. Berwai fy mam y dail a gwasgai y dwfr ohonynt gyda hidlan dun ac yr wyf yn cofio gweled yr hen hidlan[18] ymhen amser maith wedi hynny yn dal ei lliw yn wyrdd o hyd fel yr oedd wedi cael stiwio prydau dail. Daeth fy ewyrth Edwin Roberts atom unwaith o Rawson yr adeg hon a gwnaeth ef a fy nhad rafft o goed glan yr afon ac aethant i'r ochr ddeheuol gyn belled â'r bryniau sydd yn ochr y Dyffryn. Saethasant ddwy wanaco. Yr oedd fy ewyrth yn saethwr penigamp cyn dyfod erioed i'r Wladfa. Dodasant y ddwy wanaco ar y rafft a chlymasant un chwarter wrth un o goed y rafft a chychwynasant am y lan ogleddol a chyn cyrraedd aeth y rafft i lawr odanynt, a chollwyd y cyfan o'r cig oddieithr y chwarter oedd wedi ei chlymu wrth y coed a bu agos iddynt hwythau golli eu bywydau, ond fel y bu orau cawsant eu traed ar y gwaelod ond y dŵr hyd at eu hysgwyddau a mawr y siomedigaeth a gafwyd wedi bod trwy'r dydd yn ceisio yn galed y gwanacod, ac wedi cael toreth lled dda a cholli'r cyfan bron.

Dro arall, a hi yn ddydd Sul, heb ddim ond y dail i'w bwyta, gwelodd fy nhad greyr glas yn sefyll ar draeth yr afon a daeth i'r tŷ a dywedodd, 'Beth ydych *chwi* yn feddwl Mari, a bechaf i lawer wrth drio saethu y creyr glas sydd ar y traeth?' Dywedodd fy mam ei bod yn meddwl nad oedd yn meddwl ei fod yn bechod o gwbl yn y byd, a hwythau heb ddim ond y dail yn fwyd. Casglodd fy nhad ychydig gerrig mân yn lle 'hails' (shots) a lodiodd y gwn mawr oedd ganddo, a bu mor lwcus â saethu y creyr glas a thyna oedd ein cinio, bump ohonom y Sul hwnnw. Tro arall a gofiaf yn iawn yng nghorff y ddwy flynedd hynny, pan oeddem heb hadyd. Cododd bonheddwr ger Rawson yn nhrofeydd yr afon, tua tunnell o wenith, ac aeth Nain a Mam i lawr ato i grefu am ddim ond cwpanaid fechan o wenith ganddo i ddyfod ag ef yn eu holau i ni blant oedd ar ein cythlwng er ys rhai misoedd. Nacaodd ei roddi iddynt, a safem ninnau ar ben y drws yn eu gwylied yn dod yn eu holau, gan feddwl yn sicr gael ychydig o ronynau gwenith i'w cnoi rhwng ein dannedd, ond torrodd y ddwy hen wraig annwyl i wylo dagrau yn hidl, a wylais innau ar ôl hynny pan ddeuthum i'r oed i sylweddoli eu teimladau hwy.

Anodd oedd ymlwybro yn erbyn y gwynt yr adeg yma. Cludai ni amryw lathenni o'n cyfeiriad gan mor wan oeddem o ddiffyg bwyd, a phan symudem weithiau i lawr i Rawson, a'r Indiaid heb fod yno, aem yn fintai o fechgyn tua'r un oed allan o'r dre am dro am gyfeiriad Plas Hedd yn awr yn dwr i gasglu'r deiliach hallt oedd yn tyfu y ffordd honno, ac wedi digoni ein stumogau, troem adref gyda'r nos a thyna ein cinio a'n swper am y diwrnod. Weithiau deuai'r Indiaid i lawr yn gynnar ddiwedd yr haf a'n gweled yn pori, meddent hwy, a dywedent yn Patagones fod plant y Chubut yn myned allan i bori fel trwp o ddefaid, ond fel rheol i fwrw y gaeaf y deuai'r Indiaid i lawr i'r Dyffryn, ac yr wyf yn cofio unwaith tua phymtheg o babellau o bob tu i'r afon yn Rawson oll yn ddynion cryfion a thal tua dwy feter o daldra. Tehuelchiaid o Diriogaeth Santa Cruz[19] oedd y rhai hyn, a ninnau ond dyrnaid bychan yn y canol rhyngddynt, ond ni wnaethant niwed i neb ohonom, ac os digwyddai un ladrata ceffyl pan yn cychwyn i'w taith yn ôl, ond dywedyd wrth eu pennaeth, yn sicr fe'i dygid yn ôl yn bur fuan.

Haf 1869 cawsai'r Wladfa hadyd o'r diwedd a heuwyd amryw lanerchau pur helaeth o wenith yn ardal Glyn Du, sef ar ffarmydd Elizabeth Hughes ac Edward Price a heuodd fy nhad lanerchau lled helaeth o wenith ac ystyried yr adeg honno ar y byd amaethyddol ac aeddfedodd yn gynnar ddechrau Ionawr 1869, ac yr oedd bron bawb wedi torri a 'stwcio' y gwenith. Yr oedd fy nhad wedi cario das lled fawr ond heb ei gorffen a daeth y llif dros yr holl wlad. Symudwyd y das dair gwaith o flaen y dŵr o foncyn i foncyn ond gwlychwyd ei hanner yn yr ymdrech. Daethom ni allan o lan yr afon yn y nos i ben 'Boncyn[20] Betsi Huws[21]' a gwaith mawr gafwyd i groesi dros ffos y 'Glyn Du' o'r hon yr oedd bron bawb yn cael dŵr y flwyddyn honno. Yr oedd y dynion hyd eu hysgwyddau yn y dŵr yn ein cario drwodd ac oni bai i ni fyned yr adeg honno ni buasem wedi medru myned bore trannoeth gan fod y llif yn rhy uchel. Cafwyd dwy fuwch a gwenith drosodd i'r boncyn dywededig a thyna y fan y buwyd yn byw ar laeth a gwenith wedi eu berwi am tua chwech wythnos cyn medru mynd yn ein holau i'r tŷ ar lan yr afon. Gan fod y llif wedi dyfod hyd at y tai a thrwyddynt, fe daflwyd rhannau ohonynt i lawr.

Tua'r flwyddyn 1870, os wyf yn cofio yn iawn, daeth y ddau Chileno cyntaf i'r Wladfa. Daethant ar ochr ddeheuol yr afon ar gyfer ein tŷ ni yn y Glyn Du ac i'r Drofa y mae Mrs Walker yn byw ynddi yn bresennol, a gwaeddasant ar draws yr afon am gyfarwyddiadau i groesi ond nid oedd neb ohonom yn eu deall am nad oeddym yn medru Ysbaeneg a rhedwyd i fyny i'r Cefn Gwyn i nôl Mrs Rhys Williams. Yr oedd hi yn medru ychydig o Ysbaeneg a llawer o Portuguese, a chydrhwng y ddwy iaith yn groes i'r afon medrodd yr hen wraig roddi ar ddeall i'r ddau Chileno fod yn rhaid iddynt fyned i lawr i Rawson i groesi, am mai yno yr oedd yr unig gwch ar yr afon y pryd hwnnw.

Aeth y ddau Chileno i lawr i Rawson a chroesasant yr afon i'r ochr ogleddol ac yn ôl hir a hwyr daethant i fyny i ardal y Glyn Du. Aeth Daniel i ddyrnu at Williams America i'r Cefn Gwyn i ymyl Rhys Williams a phan yn gyrru y ceffylau yn y gorlan ddyrnu cafodd gic gan un o'r ceffylau yn ei ystumog a lladdwyd ef yn uniongyrchol. Cofiaf fel petai ddoe amdanaf fi a Thomas Jones a Fewyrth Richard Jones Glyn Du yn myned i fyny i'w gladdu. Aethom hyd at dŷ Rhys Williams yr hwn oedd yn byw ymhen draw y drofa lle y mae hen dŷ Cefn Gwyn yn bresennol a phan welodd merched Rhys Williams ni yn dyfod am y tŷ rhedasant oll allan i'r hesg i ymguddio namyn un sef Rachel y ferch hynaf, sef Mrs David Jones Maes Comet wedi hynny. A chan fod Benjamin y Chileno arall yn awr wrtho ei hunan, cyflogodd gyda Thomas Davies Morfa Mawr i wneuthur sebon, a llosgodd *wiwil*[22] oedd yn tyfu yn ddigonedd yn nhrofeydd glannau'r afon i gael potash (gwygnur) i wneuthur sebon, a galwyd y gwiail hynny wedi hyn yn 'wiail sebon'.

Yr oedd gan fy nhad yr adeg honno ddwy gaseg ddof i'w marchogaeth, un goch ac un ddu, ond y ddu oedd yr orau o ddigon, yr hon alwasom yn 'Llonddu' a'r diwedd fu blinodd y Chileno ar y ffatri sebon a chollwyd ef yn sydyn o'r ardal a chollodd fy nhad y gaseg ddu yr un adeg. Gwyddai pawb mai Benjamin oedd wedi ei lladrata, ond nid oedd neb yn ddigon cyfarwydd â'r paith i fyned i chwilio amdano a dilyn ei ôl, ac felly cafodd bob rhwyddineb i fyned yn ei flaen, ac ymhen y flwyddyn union wedi i'r Chileno ddwyn y gaseg, dyma'r llwyth Indiaid Tehuelchos[23] i lawr i aeafu fel arfer, ac yn eu plith yr hen 'Wistl',[24] cyfaill mawr i fy nhad, a'r gaseg ddu ganddo, a mawr oedd y llawenydd pan y gwelsom hi. Adroddodd yr Indiaid pa sut y cafodd hi. Cyfarfyddodd, meddai, â Benjamin, rhywle i fyny yn ardal yr Andes, ac adnabu ef y gaseg, a gofynnodd i Benjamin lle y cafodd hi. Dywedodd yntau ei fod wedi ei phrynu gan fy nhad. "Naddo," meddai yr Indian, "dy anwiredd yw, nid oedd gan y dyn hwnnw ddim ond dwy gaseg, un goch ac un ddu. Tyrd i lawr ar dy union oddi ar gefn y gaseg," meddai yr Indian wrth y Chileno. Rhoddodd y gaseg i fyny i'r Indian, yr hyn oedd ei fawr angen yntau gan ei fod yn brin o geffylau. Rhoddodd yr Indian y gaseg yn ôl i fy nhad, ar yr amod ei fod i gael torth o fara bob blwyddyn pan y deuai i lawr tra y byddai fyw, yr hyn a gafodd, er fod y blawd yn brin iawn ambell i flwyddyn. Gwnelai fy mam yr adeg honno deisen lechfaen denau o amgylchedd mawr a byddai yr hen Indian yn berffaith foddlon, a'r tro diweddaf y bu i lawr daeth heibio am ei dorth, ond ar ei orwedd ar war ei geffyl y tro hwnnw. Mae'n debyg iddo fod ar ei sbri tua'r Morfa Mawr,[25] ac i ryw un o'r Indiaid ei drywanu o'r tu ôl nes ei analluogi i farchogaeth, a chlywais wedi hynny fod yr Indiaid wedi ei fygu tua Tŵr Michael[26] a'i gladdu yno.

Tri theulu oeddem ar y ffermydd yr adeg honno, sef Taid, John Jones, Mountain Ash a'n teulu ninnau ac Evan Davies yr hwn oedd yn byw yn uwch i fyny ar y Dyffryn o tua tair ffarm oddi wrthym ni ar foncyn bychan iawn ar lan yr afon, dim ond union maint ei fwthyn. Nis gallai ef ddod atom ni na ninnau ato ef gan nad oedd cwch i'w gael na choed i wneud rafft a phan y canai y ceiliog ag y gwelem fwg yn codi o'r fan barnem oddi wrth yr arwyddion eu bod yn fyw, ac ar nawn Sul gwelem gwch bychan yn dyfod o gyfeiriad Rawson yn union am y boncyn lle yr oeddym yn aros i chwilio amdanom sef Mr Mathews,[27] Edward Price[28] a John Moelwyn Roberts[29] yn yr unig gwch oedd i'w gael yr adeg honno yn y sefydliad, perchenog yr hwn oedd J. Moelwyn Roberts. Hwn oedd y llif cyntaf i ni ei weled er pan oeddem yn y wlad a chawsom brofiad chwerw ohono trwy golli bron yr oll o'r cynhaeaf y flwyddyn honno. Torcalonus iawn oedd gweled y cnwd euraidd yn myned ar gefn y lli tua'r môr a phawb mor brin o fwyd, a bu'r Wladfa yn dihoeni yn hir ar ôl hyn. Yr oedd y llif hwn mor uchel ag unrhyw lif sydd wedi digwydd ar ei ôl.

Yr oedd y dyffryn yn naturiol agored heb na chloddiau na ffosydd o bwys yr adeg honno a chawsai'r lli ei gwrs naturiol a bûm wrth y lanfa ar yr hen 'Foncyn' yn 1899 yn edrych uchder y llif hwnnw ac nid oedd fymryn uwch na'r llif cyntaf. A thua blynyddoedd 1875-76-77 gostyngai yr hen afon yn fwy isel mae'n rhaid ac o'r diwedd aeth yr holl ffosydd yn hesb, a phenderfynodd pobl gwaelod y dyffryn isaf, ardaloedd Moriah, Glyndu a Rawson fynd gyn belled â'r Gaiman i nôl dŵr, sef torri genau o'r afon i'r hen wely naturiol ac ymarllwysa yn ôl drachefn i'r afon yn ymyl Rawson. Yr oedd hwn yn ffafriol iawn, gallaswn feddwl, a thua blynyddoedd 1880, '81 a '82 buwyd yn gweithio yn galed ar y gamles yma. Bob gaeaf fel rheol am y blynyddoedd yna yr oeddym allan yn y barrug a'r rhew gyda'r gaib a'r rhaw gan nad oedd y march-rawiau wedi cyrraedd y Wladfa eto. Bywoliaeth galed a chynnil fu yma gan fod diffyg dŵr y blynyddoedd blaenorol wedi achosi prinder mawr yn swm y gwenith ar hyd a lled y dyffryn, ac hefyd dyfodiad minteioedd mawr 1875.[30] Gan mai gwenith oedd yr unig nwydd gwerthadwy i gael tipyn rheidiau byw i'r tai, nid oedd eto fawr o fynd ar wartheg ac ychain ac yn wir credai yr hen wladfawyr yr adeg honno ac ymhell ar ôl hynny mai diogwyr yn unig a gadwai anifeiliaid, a bu'r syniad cyfeiliornus hwnnw yn golled fawr iddynt fagu eu plant a byw ychydig mwy cysurus; mae'n debyg eu bod wedi byw yn rhy hir yn ymyl Gwlad yr Aifft a bod bugeiliaid yn ffiaidd ganddynt.

Dyma'r adeg y daeth y Parch. M. D. Jones o'r Bala a Rhys Capel Mawr[31] sef 1882 ac y cadwasant gyfarfodydd yma a thraw ar hyd y Dyffryn i'r amcan o ystyried y priodoldeb o estyn cortynnau y Wladfa ac i'r perwyl hwnnw y rhoddodd 5 ohonom ein henwau i fyned i chwilio ansawdd y wlad i'r tu dehau i'r dyffryn gyda glan y môr cyn belled â Comodoro Rivadavia,[32] ond yn fuan aeth y syniad gwladfaol yn yfflon *er* ein bod wedi paratoi, sef William J. Hughes, Griffith Hughes, David Hughes, Meurig Hughes a minnau J. D. Evans, yr unig un sydd wedi goroesi yn bresennol.

Aethom yn ein blaenau ar wibdaith i'r De gyda glan yr afon gyn belled a'r fan lle mae Comodoro yn bresennol am yr ysbaid o ddau fis a hanner ynghanol y gaeaf sef Mai, Mehefin a rhan o Orffennaf. Cawsom dywydd caled iawn yma, rhew ac eira mawr; gorfodwyd ni i aros mewn un man ar gyfer Comodoro am 11 diwrnod yn ein pabelli bychain pa rai oeddynt wedi eu cuddio gan eira ond y tyllau i fyned i mewn iddynt a'r man lle y gwnaed y tân rhyngddynt yn y canol. Yma y cefais i fy mhen-blwydd yn 20 oed[33] ac y cychwynais ar fy nheithiau archwiliadol fyth ar ôl hynny hyd yr adeg y rhoddais i lawr yma ym Mro Hydref i fyw yn dawel yn 1891.

Bu raid i ni ar y daith yma ddefnyddio saim llew[34] i goginio ein bwyd gan fod cig gwanacod yn galed a di-saim, sef yr unig helwriaeth bron oedd i'w cael y ffordd honno. Ni fyddai yn rhyfeddod gweled gyrroedd o wanaco yn rhifo o 500 i fil yn aml iawn y ffordd hon. Un yn unig a ddaliwyd yn ystod y daith a saim arni. Mae'r hafnau a redant am y môr y ffordd hon yn borfaog iawn a digonedd o ddŵr codi ynddynt ymhob man yn rhedeg yn fân ffrydiau ar eu gwaelod a llawer iawn o lewod. Yr oedd yn rhaid i ni fod yn wyliadwrus iawn gyda'r ceffylau rhag iddynt gael eu dychryn gan y llewod a'n gadael ar ein traed. Mae hynny wedi digwydd i amryw pan yn teithio peithdiroedd Patagonia a phan yn croniclo yn derfynol yr hanes presennol, mae 4 o'r 5 wedi mynd i ffordd yr holl ddaear ac eraill yn tynnu am y terfyn a'r wlad wedi ei sefydlu a miloedd o ddefaid er ys amryw flynyddoedd bellach, a phan ar y daith hon bu farw fy nhaid John Jones[35] Mountain Ash yn 84 mlwydd oed.

Yn y flwyddyn 1877 cododd y *guardia nacional* yn benderfynol yn erbyn y dref a lladdwyd llawer o'r trigolion a dinistriwyd y *banco* oedd yna a dygwyd yr aur oedd ynddo a diangasant am y gogledd gan feddwl gwneud yr un peth i ninnau yn Chubut ond siomwyd hwy ym mhellter y ffordd ac ymranasant yn fân lotiau a cyrhaeddodd rhai gyda glan y môr yn barotach i farw nac i ymladd, a'r lot arall gyda glan yr afon ond yn flin iawn a dim perygl oddi wrthynt ac ymhen hir a hwyr cyrhaeddodd y rhan o'r cwbl (tua 16 o ddynion ac un ddynes) gyda'i gilydd yn arfog, a phur galonnog. Roedd hyn yn '78, gwnawd cylch amdanynt cyn gynted ac ni [*aneglur*] gan fod y Wladfa yn eu disgwyl ac yn gwylio y cylchynion yn barhaus er ys amryw fisoedd canys yr oedd y llywodraeth o Buenos Aires wedi gyrru i'n hysbysu ohonynt a phan oeddis wedi eu cylchu fel hyn, gofynasant i'r Cymry roi'r haels oedd ganddynt yn eu gynau. Ie meddai'r Cymro, a dangosodd y fwled iddynt a gorchmynwyd iddynt roddi eu hunain i fyny yn uniongyrchol neu yr oeddis yn tanio arnynt a phan ddaeth i'r gongl arnynt, rhoddasant eu hunain i fyny i'r Cymry a gwnaed troliau i'w cyrchu i lawr i Rawson lle oedd y Prwyad yn byw, a phan yn mynd i lawr drwy'r dyffryn a'r troliau yn galw mewn ambell dŷ ffarm ar y ffordd, rhoddai'r Chilenos sofren am gwpanaid o laeth. Dodwyd hwy yn Rawson mewn ysgoldy gwag oedd yn digwydd bod yno ac fe'u gwyswyd gan y Cyngor Gwladfaol, a phan ddaeth llong, danfonwyd hwy i Patagones a chyn iddynt roddi eu traed ar y tir y fan honno awd â phopeth a feddent oddi arnynt a chafwyd gannoedd o bunnoedd yn eu meddiant a hwythau wedi cael eu cadw yn y Wladfa mor hir ac wedi peri cymaint o drafferth mawr i ni.

Cymerwyd arfau oddi arnynt; nid ydynt hwythau yn dal at lythyren gonestrwydd bob amser ac o dan bob amgylchiad, a phan y flwyddyn union wedi hyn, sef 1879 daeth un arall o'r un fintai i lawr i ganol y Dyffryn Uchaf at feibion Jenkin Richards i Tres Casas a phan ddeuwyd i wybod yn Rawson amdano danfonwyd heddgeidwad i'w nôl ac Aaron Jenkins[36] fy ewythr oedd hwnnw. Aeth fy ewyrth i'r fan lle yr oedd a gorchmynodd iddo ddyfod gydag ef. Aeth y Chileno yn berffaith ufudd a theithiodd felly nes y daethant i olwg Plas Hedd, y fan lle yr oedd y Prwyad yn byw, a baner Argentina yn chwifio yn y gwynt a phan welodd y faner, drwgdybiodd mae'n debyg ei fod yn mynd i'r ddalfa a daliodd yn ôl nes yr oedd fy ewythr yn awr o'i flaen a rhedodd i'r tu cefn iddo a thrywanodd ef gyda'r gyllell yn ei feingefn nes syrthio ohono i'r llawr a thrywanodd ef wedyn 15 o weithiau a thorrodd ei dafod ac aeth â'i hat a'i geffyl a phopeth oedd o werth gydag ef a gadawodd ei hen geffyl ef yno.

Dihangodd i'r paith i'r ochr ogleddol canys ar yr ochr hon y deuai fy ewythr i lawr a phan yn pasio y Bedol, gwelodd rai o'r plant ryw ddyn yn brysio am y paith gyda'r nos a phan ddaeth y wybodaeth ledled y fan fod fy ewythr wedi ei ladd, aeth hen ŵr y

Bedol, sef William Jones, yn union ar ei ôl a thraciodd ef nes yr aeth yn nos ac yr oedd ar ei warthaf a gadawodd arwydd ar dwmpath o ddrain yn y fan yr oedd wedi gadael ei drac y noson honno a chyda'r wawr bore drannoeth yr oedd tua dau ddeg ohonom[37] wrth y twmpath drain yn disgwyl iddi oleuo a dilynwyd ei drac drwy'r dydd dros y Paith oer i lawr tua'r Dyffryn ar gyfer tŷ Jenkin Richards ac i'r trwp ceffylau, a daliodd y ceffyl gorau oedd yno gan ei fod yn adnabod yn dda o'r blaen pan yn Tres Casas gyda Richards, a phan yn dracio i mewn i'r Gaiman cyfarfuom a John Defis yr hwn oedd yn fachgen ieuanc iawn y pryd hwnnw a dywedodd wrthym ei fod, pan yn hôl y gwartheg godro y bore hwnnw, wedi gweled dyn yn pasio ar geffyl a darluniodd ef yn fanwl i ni, sef yr hwn yr oeddem yn chwilio amdano drwy'r dydd. Aethom ar ein hunion am Dres Casas a chawsom ei fod wedi bod i mewn yn y tŷ.

Aeth â hynny o fara a gafodd a phopeth arall o fudd iddo yn y tŷ gydag ef ac aeth yn groes i'r afon ar yr ochr ddeheuol a chuddiodd mewn hesg mawr yn y drofa honno a chafwyd trafferth mawr i ddod o hyd iddo. Caem ei drac yn dyfod i'r drofa ar yr ochr ogleddol a methu a chael ei drac yn myned allan o'r drofa ac felly yr oeddem yn siwr ei fod yn yr hesg yn ymguddio yn rhywle. Aethom drwy'r drofa amryw weithiau ac aeth y rhan bwysicaf ohonom allan i enau'r drofa i chwilio a thorri traciau y fan honno, ond methu a chael dim a phan oeddis yn chwilio yn ddyfal felly am drac, clywem ergyd gwn ymhen draw'r drofa. Mae'n debyg fod yr hen ŵr William R. Jones Bedol wedi troi yn ei ôl o enau'r drofa i wneud un archwiliad wedyn o'r drofa ac mae'n debyg y dywedodd pe nas caffai ef y tro hwnnw . . . ond daeth ar ei draws dan yr hesg mawr a'r foment honno neidiodd ar ei geffyl yr ochr chwith a rhoddodd un tro â'r *boleadoras* ynghylch ei ben a phan yn yr ystum hwnnw troeodd Jones arno a llwyddodd i'w lorio i'r llawr ond nid yn farw eto a daeth yr holl growd o gylch y fan yno mewn munud a saethodd pawb ef a dodwyd y drofa ar dân i alw y rhai pellaf ar y paith gartref ac yn arwydd fod y llofrudd wedi ei ddal a chafwyd dan fonion y twmpathau hesg wedi eu clymu mewn croen ceffyl amryw dorthau o fara a chyllell neu ddwy wedi eu blaenllymu fel myniawyd. Gadawyd ei gelain ar y ddaear y fan honno a daeth Dafydd Bowen ar ochr bellaf i'r afon ac fe'i claddwyd yno. Claddwyd fy ewythr ar ei ffarm sef Bwlch y Ddôl, ger Rawson, ar y tir deheuol i'r afon Camwy a chodwyd maen gwyn uwch man fechan ei fedd.

Cododd yr antur hon dipyn o ddychryn ym mynwesau amryw ddrwgweithredwyr ac yna trodd y Prwyad, sef Adolfo P. Morat, yn ei ôl am Blas Hedd pan welodd fod y Cymry fel gwaetgwn ar ei drac ac yn glos ar ei sawr pe caem hyd iddo ac ef gyda ni ni fyddai'n caniatáu i neb ei ladd ac felly trodd yn ei ôl a gadawodd i ni wneuthur fel pe mynnwn ac ef.

* * *

Ysgoldy Glyn Du.
Hen ardal anwylaf i mi
Yw ardal ysgoldy Glyn Du[38]
Ar geulan frau hen Gamwy lefn
Lle cefais i fy magu.

Adeiladwyd yr ysgoldy hwn tua'r flwyddyn 1873 neu 1874 gan un yn bencampwr fel saer maen, sef y Br. James Berry Rhys[39] yr hwn a ddaeth allan i'r Wladfa yn y *Mimosa* yn y flwyddyn 1865. Priddfeini wedi'u llosgi oedd defnydd y muriau a'r to o helyg gwellt a mwd a'i lawr o bridd a meinciau o goed helyg crynion (cylindrical) wedi eu plannu yn y ddaear. Ac yn lle pwlpud gosodwyd bocs mawr (packing box) ar ei ben, ac un arall llai i'r Gweinidog i eistedd arno. Mesurai yr ysgoldy saith mydr o hyd wrth bedair o led; yr oedd drws a ffenestr fechan ar ei dalcen gogleddol, lle tân yn ei dalcen dwyreiniol a ffenestr fechan ar y talcen gorllewinol yn ymyl y pwlpud. Daeth Dalar Evans[40] i'r Wladfa gyda minteioedd 1875 a bu wael ei iechyd am oddeutu blwyddyn, ac ar ôl iddo wella ymaelododd yn eglwys fechan Glyn Du. Dychmygaf ei weled y munud yma yn sefyll ar ei draed yn ochr y pwlpud diaddurn a'r Parch. Abraham Mathews yn rhoddi dŵr ar ei dalcen a rhoddi iddo ddeheulaw cymdeithas yn Eglwys Crist yng Nglyn Du.

Tua'r flwyddyn 1877 cymerodd Dalar at gadw'r ysgol yma. Holl lyfrau yr athro at wasanaeth yr ysgol oedd: Y Beibl, Llyfr Berwyn

a Pugh, Sŵn y Jubili, Tonau Sankey a Moody a phan y caffem ni y
bechgyn hynaf gefn yr athro, neidiem yn ôl a blaen dros y feinciau
ar ôl ein gilydd, gan godi cwmwl o lwch dros yr holl fan a
datgymalu llawer o'r meinciau, ac yna byddai helynt fawr i geisio
eu gosod wrth ei gilydd cyn y deuai'r athraw, ac os na allem mewn
pryd ac iddo yntau ein dal, caem ein galw ymlaen i ymyl y
pwlpud, a thynnai o'i boced chwip ddwygainc wedi eu plethu o
bedair cainc yr un a chyn galeted â gwifren ffens, ac yna deuai y
gorchymyn ar inni ddal allan ein dwylaw, a llawer cynnig a wnâi'r
athraw cyn gallu taro am y tynnem ein dwylo yn ôl, ond yr hwn a
gaffai y fflangell unwaith, ni byddai angen un ddwywaith, gan y
gadawai nod amlwg a dolurus am ddyddiau lawer. Y defnyddiau
tuag at ysgrifennu oedd: darnau o bapur caled (paste board) a
phren wedi llosgi ei flaen yn bwyntil. Yr oedd yn rhaid i'r
ysgolorion ysgrifennu a'r papur ar ei lin neu benlinio yn y llwch a'i
osod ar y fainc. Byddai llechen garreg gan rai ohonom, ond byddai
rhaid chwilio glan yr afon am garreg feddal yn bwyntil ar gyfer
honno.

Yr oeddem lond yr ysgol cydrhwng bechgyn a genethod a'n
hoff chwarae fyddai dal estrysod. A'r ddwy estrys cyflymaf fyddai
Esther Williams ac Elisabeth Williams, Glandwrlwyd.[41] Yr oeddynt
yn gyflym iawn a ninnau fechgyn mawr sef E. Llewelyn Williams,
John P. Williams, Murray Hughes, John J. Hughes, Llewelyn
Hughes Cadvan, John Coslett Thomas, a minnau a Dalar weithiau
yn ein plith fyddai y cŵn a chaem gwrs weithiau allan yn syth o'r
Glyndu ac am y bryniau sef ffarm Edmwnd Prys, ac yn ôl heibio i
Glynllifon i'r ysgoldy ac weithiau y llwyddem i'w nôl cyn
cyrraedd yr ysgol. Rhyfedd fel mae pob gwlad yn creu ei chwarae
ei hunan.

Bu'r ysgoldy bychan hwn yn cymeryd lle capel am flynyddoedd
hyd nes yr adeiladwyd Capel Moriah yn y flwyddyn 1879. Byddid
yn cynnal eisteddfodau yn yr ysgoldy hwn. Yma yr oedd yr hen ŵr
Josiah Williams a fy nhaid, sef John Jones, Mountain Ash, yn
ddiaconiaid, a Thaid oedd y cyhoeddwr a chyhoeddai yn onest bob
nos Sul, fod y cyfarfod y Sul dilynol i ddechrau am chwech o'r
gloch, ond ni byddai neb yn dyfod yn brydlon at yr amser, ac ar un
nos Sul cododd yr hen ŵr ei lais, a dywedodd gydag awdurdod
fod y cwrdd y nos Sul nesaf i ddechrau yn 'exact am wech a

pheidiwch chi â nhynnu i weud celwdd ddim chwaneg'.

Dro arall yr oedd Amos Williams ac Evan Davies yn gweithio y cynhaeaf yn ymyl ei gilydd ar y Glyn Du. Torri â phladuriau a chrymanau oeddid y pryd hynny. Yr oedd Evan Davies yn bladurwr gwych a chadwai bladur dda a chawell ysgafn a chryno, hawdd ei thrin, ac un canol dydd aeth Evans Davies i'w ginio a gadawodd ei bladur yn y gwenith a'r bysedd a'r cawell yn gyfan hyd nes y deuai yn ôl o ginio. Yr oeddwn i yn y fan a'r lle yn gwylio y gwenith nes y delai y dynion yn eu holau i orffen gweithio a chynted y cafodd Amos Williams gefn Davies, aeth a chymerodd ei bladur a chafodd hwyl bur dda ar bladurio am beth amser hyd nes y torrodd un o fysedd y cawell, ac yna fe'i dododd yn ôl yn union yn y fan lle y'i cafodd. Daeth Davies yn ôl o ginio at ei waith a gwelodd fod un o fysedd y bladur wedi ei dorri, ac amheuodd Amos Williams ar unwaith. Aeth yn gecru brwd rhyngddynt a bygythient y naill y llall. Trannoeth aeth Davies i lawr i Rawson i roddi ei gŵyn o flaen y Cyngor a galwyd Amos Williams yno a Taid (John Jones) yn dyst. Dywedai Davies fod Amos Williams wedi ei daro a gofynnwyd i Taid a oedd Amos William wedi taro Davies, 'Wel naddo,' meddai, 'am fwrw, fwrws mog[42] e ond am gitsio fe gitsiws'.

Ac yma yn y Glyn Du y gwnaeth Edwin Roberts dric doniol hefo Mrs Lewis ('Queen'[43] oedd ei llasenw), Brenhines y Dyffryn ar ddydd Gŵyl y Glaniad. Yr oedd y ddau gyda'i gilydd yn cael te yn nhŷ Richard Jones Glyn Du a phan yn cydgerdded tua'r ysgoldy, gofynnodd Mrs Lewis i Edwin Roberts (gan feddwl yn sicr mai Pugh y fferyllydd ydoedd, gan nad oedd yn ei adnabod o'r blaen), "Sut y mae Mrs Pugh a'r Piwiaid bach i gyd, a sut yr hoffant yn yr hen wlad yma?" "Wel," meddai Edwin, "y maent yn hoffi yn bur dda." "A glywsoch chi, Mr Pugh, fod yr hen Edwin Roberts yn dod i areithio ar y Wladfa heno? Mae yn sicr o ddweud digon o gelwyddau fel y mae bob amser, ond yr ydw i am ofyn dau neu dri o gwestiynau reit galed iddo." "Ardderchog," meddai Edwin, a thyna hwy eill dau yn cytuno ar ba gwestiynau i ofyn. Aeth y ddau i mewn i'r ysgoldy ac eisteddasant yn ochr ei gilydd. Pan yn dechrau y cyfarfod, galwyd ar Edwin Roberts ymlaen i roddi darlith ar Batagonia. "Ac yn awr," meddai Edwin wrth orffen ei

ddarlith, "a oes yma rywun yma garai ofyn cwestiwn neu ddau?"
a pherffaith ddistawrwydd a fu. Dyna un o driciau syml yr Hen
Wladfawyr!

I ddod yn ôl at Ysgoldy Glyn Du. Yr ail athraw a fu yno oedd
gŵr ieuanc o'r enw R. J. Powell (Elaig). Sais oedd hwn wedi dysgu
Cymraeg ac Ysbaeneg a bu'n cadw yr ysgol am tua blwyddyn.[44] Yr
oedd yn arfer chwerthin llawer wrtho ei hunan, ac un prydnawn
pan yn myned adref i'w lety o'r ysgoldy, ac yn cerdded yn bur agos
i geulan yr afon, daeth pang o chwerthin arno a syrthiodd dros y
geulan i'r afon ac oni bai fod yno fechgyn mawr yn cydymaith ag
ef o'r ysgol buasai wedi boddi. Hwn oedd athraw trwyddedig
cyntaf y Diriogaeth. Galwodd y Llywodraeth ef i fyny i Buenos
Aires. Nid oedd ganddo ffydd grefyddol a phan yn dyfod yn ei ôl,
bwriadai yrru ymlaen yn ysgol Glyn Du, ond pan yn ceisio glanio
yng ngheg afon Chubut, taflwyd ef a'r Br Lewis Jones Plas Hedd i'r
dŵr gan i'r cwch droi, a bu agos iawn i L. J. foddi. Drannoeth
cafwyd Elaig wedi boddi a'i afael mewn rhwyf. Dywedai Mr Jones
fod Elaig pan yn dyfod yn ôl y tro hwn wedi cofleidio Pabyddiaeth,
a'i fod yn bwriadu dysgu'r plant yn athrawiaeth y grefydd honno.

Y trydydd athraw yno fu dyn ieuanc o'r enw Thomas G.
Pritchard[45] yr hwn oedd fardd a llenor gwych yn cario yr enw
barddonol Glan Tywi. Cyflogedig gan yr ardal oedd Dalar a
Pritchard. Wedi adeiladu Capel Moriah daeth gwasanaeth Ysgoldy
Glyn Du i ben ac yna daeth y gorlif a thaflwyd ef i lawr.

Bildiwyd capel braf ar ffarm Rhydderch Hughes tua dwy filltir
yn uwch i fyny ar y Dyffryn na hwn mewn man mwy cyfleus i ateb
pawb o'r ardaloedd cylchynol ac aeth Glyn Du i lawr, ac aeth
Pritchard yn athro y llywodraeth i Rawson. Moriah oedd enw y
capel hwn a Mr Matthews oedd y gweinidog yma tra y buodd fyw.
Yr oedd ysgoldy Moriah yn fwy cyfleus am ei fod yn fwy canolog,
ac ym Moriah yn y flwyddyn 1880 y cefais innau a Richard Jenkins
ein derbyn yn aelodau o'r Eglwys ac yma y gorffwys hen dadau
ffydd oddi wrth y rhai y cawsom gyfeiriad ein taith yr hon nad
ydym hyd yn hyn wedi ei gadael. Coffa annwyl am y Parch.
Abraham Matthews ym Moriah ac yn Rawson lle y bu yn gweithio
yn galed am ychydig iawn o gyflog ac ym mlynyddoedd cyntaf y
Wladfa ni châi gyflog o gwbl. Cynhaliai ef a'i deulu trwy fyned i'r

paith i ddal helwriaeth a phregethu y Sul, a phan yn mynd adref o'r gwasanaeth daliai aml i estrys, a dywedai heb flew ar ei dafod os byddai rhywun mwy cintachlyd na'i gilydd ynglŷn â chyfrannu ychydig at y weinidogaeth fod ei gŵn ef yn rhoi mwy at y weinidogaeth na llawer un o'r capel. Gellir dweud yr un peth am Mr Evans (Caerennig)[46] y Gaiman a David Lloyd Jones, Mr Humphreys a Jones Niwbwrch oedd[47] wedi dwyn pwys a gwres y dydd, yn y ffosydd a'r argaeon ac ar y Cynghorau.

Ganwyd i fy rhieni bedwar eraill o blant, sef Daniel, Ivor ac Arthur a Gwenllian yr ieuengaf. Yn Hydref y flwyddyn 1886 wedi dod yn ôl o Buenos Aires, priodais ag Elizabeth Richards merch i chwaer Mrs Jones (Y Ffos) a Davydd Jones a ddaethant yma gyda'r Capten Rogers,[48] yr ail waith pan y deuai o Ogledd America. A phan yr oeddwn yn gyrru ceffylau Cwmni Bell, Sylfaenydd Cwmni Tiroedd y De, yr oedd llawer iawn o weithwyr ar y reilwe yn gweithio tua Porth Madryn gan fod y Vesta a'r reilwe wedi cyrraedd yma Gŵyl y Glaniad 1886. Dyma'r pryd y daeth y Vesta yma o Loegr gyda'r gledrffordd gyntaf erioed i Patagonia ynghŷd â digon o ddynion i wneuthur yr holl waith. Angorodd yn Porth Madryn ar ddydd Gŵyl y Glaniad 1886 dau ddeg un blwyddyn nôl y glanio.[49] A phan elai'r gweithwyr reils yn eu holau bore Llun o Drelew am Madryn perent lawer iawn o drafferth i mi os digwyddwn fod i ffwrdd oddi wrth y ceffylau y rhai oeddis yn eu pori tua Llyn Aaron. Dalient gymaint ac y medrent o'r ceffylau a'u marchogaeth o Madryn yna eu gollwng i fyned lle y mynnent a pharai hynny i mi drafferth mawr ac amryw ddyddiau i chwilio amdanynt os na fyddai rhywun wedi eu gweled yn y ddôl a dweud wrthyf amdanynt, a'r adeg yna yn Hydref 1887.

Yn Hydref 1887, bu farw fy nhad yn ŵr cymharol ieuanc, sef 52 mlwydd oed. Cafodd 'typhoid' oddiwrth deulu'r Felin[50] pa rai oeddent wedi marw o dan yr afiechyd rhyw wythnos ynghynt. Bu farw yn dawel a hunanfeddianol heb arswyd angau arno o gwbl. Gofynnais iddo a oedd ef yn gweled y 'glyn' yn dywyll o'i flaen, a dywedodd yn dawel nad oedd, a phan geisiodd fy mam newid ei ddillad, 'mae y rhai hyn yn ddigon da i mi i fynd i'r pridd', meddai, 'cadwch hwy i wneuthur rhywbeth i'r plant'. Nid wyf yn gwybod i fy nhad ymaelodi gyda'r un enwad erioed; cymerai ei ddiferyn pan gâi ei gymell i hynny, ac ni ddaliodd lid at neb a gwell oedd ganddo ddioddef cam na rhoi loes i neb. Ni fyddai yn ffraeo chwaith er i mi weled aml i un yn dyfod ato gyda'r bwriad o ffraeo, ond caent dafodi y pared o'i ran ef. Ni thafodai fy nhad o gwbl nes y blinai yr hwn fyddai yn ei dafodi, byth i ddyfod yn eu holau i gynnig yr un gamp wedyn. Byddai yn gyfaill i bawb a phawb yn gyfaill iddo ef. Hwyliai ei gwch gyda'r lan felly osgoai ystormydd croes. Gwn i sicrwydd fod dioddefaint cyntaf sefydlu'r Wladfa wedi byrhau blynyddoedd ar ei fywyd, fel pan y daeth salwch, nid oedd ganddo nerth i'w ddal. Dyma'r adeg y bu farw Zachariah Jones fy mrawd-yng-nghyfraith; fe fu'n gwylio fy nhad a chafodd yntau yr un clefyd. Bu farw yn ŵr ieuanc deugain oed. Yr oedd ef wedi bod i fyny yn yr Andes yn 1885 a thrwy hyn wedi ennill hawl i lech o dir ym Mro Hydref, sef rhif 8. Yn Ionawr 25 1914 bu farw fy mam yn bedwar ugain mlwydd oed. Dioddefodd lawer ym mlynyddoedd cyntaf y Wladfa, heddwch i'w llwch annwyl ar fryncyn Moriah.

Ionawr 1891 daeth teulu Martin Underwood[51] i fyny i ymsefydlu ym Mro Hydref, pedwar mewn nifer, Martin a'i wraig a dau o blant, Johnie a Lita, ynghŷd â theulu Edward O. Jones a'i wraig Mary Jones, hefyd Robert F. Jones brawd Edward, John Walter Davies a David Griffith.

Yn Hydref yr un flwyddyn euthum i a'm teulu i fyny yn dri mewn nifer; myfi a'r wraig a'm mab Dyfrig. Llewelyn Jenkins yn ŵr dibriod, William Howells (Will o'r Mynydd[52]) dibriod a'i was. Diwedd yr un flwyddyn eto cyrhaeddodd tri o deuluoedd eraill pa rai oeddent wedi cychwyn yr un pryd a minnau o'r Wladfa, ond bu iddynt aros ar ôl oherwydd afiechyd yn 'Y Clafdy'[53] (Hospital). Dyma hwy: teulu James Williams (dau, ef a'i wraig newydd briodi); teulu William J. Jones Kansas, naw mewn nifer, sef Wm Jones a'i wraig, Thomas Davies, Gwilym Jones, James, Arthur, Albert, Davydd, Mary Ann; teulu William J. Freeman, deg mewn nifer – ef a'i wraig ac wyth [sic]o blant, sef Lizzie, Lottie, Maggie, Mary Peithgan pa un a anwyd ar y paith ar y daith honno yn y lle a elwir y 'Clafdy' ar lan afon Chubut, oddeutu can milltir o'r Wladfa. Y bechgyn oeddent, Joseph, John, Thomas, William a Ted. Yr oedd chwech[54] o wŷr dibriod eraill yn cyd-deithio â hwy, sef

Alfred Jones, David Jones, Henry Jones Triongl, David Pugh, Caswallon Jones, Richard H. Williams, pa rai a ddeuent yn yrwyr oddeutu tri neu bedwar cant o dda corniog perthynol i William Jones Kansas y rhan fwyaf a rhai i James Williams a William J. Freeman. Felly ychwanegwyd yn y flwyddyn 1891 dri deg pump o boblogwyr at y deuddeg (12) oedd ym Mro Hydref yn barod, y rhai oeddent, Percy Wharton, Arthur Evans, Thomas Watkin, Bill Bowen, Samuel Jones, Evan Davies Point, Harry Jones (Harri Tom Harry), Edward Jones Bagillt, Antonio Miguens, William Lloyd Jones Glyn ac Einion Berwyn a Thomas Griffiths. Diwedd 1891 y daeth Thomas Griffiths i Fro Hydref, ef fu yr Ynad cyntaf yn y Fro. Dyna gnewyllyn y sefydliad ym Mro Hydref, wedi hynny daethant yn afreolaidd am flynyddoedd.

Cofnodaf y ffeithiau sydd yn canlyn fel pethau a allant fod o ddiddordeb yn y dyfodol i rai fyddo yn chwilio i mewn i hanes Bro Hydref, ac nid i geisio rhoddi yr un pwys ar a wnes i yn bersonol yn y cysylltiad hwn.Yn y flwyddyn 1896 y cafwyd y caniatâd neu'r hawlfraint (concession) cyntaf i ddefnyddio dŵr o'r afon Percy i amcanion diwydiannol sef i droi melin flawd o fy eiddo. Yn ôl y caniatâd hwn y mae yr hawl i barhau tra rhedo dŵr yn afon Percy, ond nid oedd yr hawl gogofer â dyfrhau tir amaethyddol. Yn y flwyddyn 1916 cefais 'concession' i osod a gweithio llinell pellseinydd (telephon) o Esquel i'r Cwm am yr ysbaid o ddeg mlynedd ar hugain.

Dechrau'r flwyddyn 1917 prynais fodur 'Ford' (Model T.). Dyma'r modur cyntaf a berchnogwyd gan un o boblogwyr y Cwm. Yn yr un flwyddyn rhoddais gaead o wifrau am y llech dir Rhif 15 yr oeddwn berchenog arni. Dyma'r llech gyntaf o dir i gael ei chau i mewn fel hyn yn y rhanbarth, a newidiais dô gwellt fy nhŷ a thoais ef a zinc[55] (corrugated iron), y tŷ cyntaf ym Mro Hydref i gael ei doi fel hyn. Lloriais y tŷ hefyd ac ystyllenau (planciau), newyddbeth arall yn y fro. Yn y flwyddyn 1896 talodd y Br Luis Jones[56] Plas Hedd, ymweliad am y tro cyntaf â'r Fro. Buodd yn teithio llawer tua chyrrau allanol y Diriogaeth. Ymwelodd ag afon Senguer flynyddoedd cyn hyn, ond y tro hwn, teithiodd oddi yma i lawr gydag ochr y mynyddoedd trwy Rio Pico hyd nes cyrraedd Llyn Fontana, a rhyfeddai yn ddiddiwedd at fawredd y mynyddoedd. Gyda'r ychydig arian enillais wrth fod yn arweinydd iddo ef, prynais hen feini melin Zachariah, fy mrawd-yng-nghyfraith, y rhai oedd ger Trelew. Dyma feini yr ail felin a ddaeth i'r Wladfa ac wedyn buont feini y felin gyntaf ym Mro Hydref.

Coffa da gweld yr hen ŵr o Blas Hedd yn myned adref ar fore Nadolig ar ben llwyth o wlân o eiddo y Br Rhys Thomas, wedi torri ei galon yn lân am nad oedd bosibl iddo gael aros i dreulio y Nadolig yn y Cwm, gan fod Rhys Thomas wedi penderfynu cychwyn y diwrnod hwnnw ac nid oedd troi yn ôl arno. Teimlodd yr hen ŵr gymaint fel yr aeth yng ngwysg ei drwyn wedi cyrraedd ohonynt i'r ochr draw i Esquel, a bu agos iddo foddi trwy syrthio i 'fenuco'[57] gan mor synfyfyriol yr oedd.

Ym mis Mehefin 1894 daeth teulu T. T. Austin, deuddeg (12) mewn nifer: T. T. Austin a'i wraig, Emmanuel, Ebenezer, Rhonwen, Rosana, Goronwy, Rees, William, George, Eluned, Elizabeth. Teulu Thomas Dalar Evans, wyth mewn nifer. Ef a'i wraig, Brychan, Irfonwy, Blodwen, Elizabeth Jane, Ioan Penri, Briallen. Yr un pryd daeth Sarah Ann Jones yn faban chwe mis oed gyda'i nain Mrs Wm J. Freeman. Hefyd daeth Joseph Williams i fyny ar unwaith â hwy. Chwe deg o eneidiau mwy neu lai oedd sefydlwyr Bro Hydref yn ystod y tair blynedd o Ionawr 1891 hyd ddiwedd 1894.

Yn y flwyddyn 1890, dechreuwyd cynnal yr Ysgol Sul gyntaf ym Mro Hydref, ac y clywyd Gair Duw yn seinio rhwng mynyddoedd yr Andes. Os na fu y fath ddigwyddiad ac i'r hen Jesuitiaid dramwy y ffordd hon cyn hynny i seinio enw Iesu o Nazareth, feallai ganrifoedd o'n blaen ni. Cadwem yr Ysgol Sul o dan gysgod coeden gysgodol o 'chacay' neu 'maiten'[58] os byddai wrth law, hynny ydyw cyn i ni adeiladu tai. Aem o un ardal i'r llall, o ardal Trevelin i ardal Rhyd Llewelyn, sef fferm Edward F. Jones. Wedi i deulu Dalar ac Austin ddyfod yma yn 1894, awd ati i adeiladu ysgoldy bychan, ar lech Antonio Miguens[59] yr ochr ddeheuol i'r Aber Gyrants. Adeiladwyd yr ysgoldy hwn o bolion wedi eu gosod ar eu pennau yn y ddaear. Yma yn yr ardal hon yr oedd y boblogaeth luosocaf yr adeg honno. Dyma'r fan y talodd Gutyn Ebrill[60] ymweliad â ni a Francisco Mulhall.[61]

Yn y flwyddyn 1897 collais fy nghymar hoff a gadawyd fi yn

unig gyda chwech o blant yn amddifaid o fam i ofalu amdanynt, ym mhellter byd ac mewn gwlad newydd, ac yn nechreuad sefydliad o dan anfanteision lawer, y boblogaeth yn ychydig ac yn byw ymhell oddiwrth ei gilydd, ond yr awr dywyllaf yw'r awr agosaf i oleuni yn aml. Daeth Mrs Jones Kansas[62] a chymerodd y newydd-anedig, sef fy mab Benoni i'w gofal, hyd nes y deuai fy chwaer Gwenllian o'r Wladfa[63] i'w nôl, a gwelodd Duw yn dda i roddi yn nghalonau y sefydlwyr i fy nghynorthwyo lawer, yn enwedig Maggie Freeman[64] a'i mam.

Yr oeddwn yn malu y pryd hynny ac yn bugeilio diadell o ddefaid hefyd, ac yn 1900 ail-briodais gydag Annie Hughes de Williams,[65] gweddw a dau o blant iddi. Yn awr felly yr oeddem yn wyth o deulu. Ganwyd i mi o'r briodas hon bump eraill o blant. Dyma enwau y plant o'r briodas gyntaf: Dyfrig, Buddug, sef y cyntafanedig o ferched ym Mro Hydref, Mary, Aneurin a Benoni. O'r ail briodas: Cordelia, Ceinwen, Edith, Emrys a Milton.

Yr oeddwn yn bugeilio gyrr fawr o wartheg i Wladfa Bro Hydref y pryd hwnnw, ac yn 1901 penderfynodd Chile ac Archentina ofyn i frenhines Victoria am gael cyflafareddiad i gytuno ar y ffin gydrhwng y ddwy wlad ac yn Ebrill 1903 daeth Mr Thomas Holdich yma i'r Cwm yng nghwmni Francisco B. Moreno a Doctor Steffen,[66] Chileno, ac ar ben y boncyn ger yr ysgol 18 ar lech 15 y cytunwyd ar fan y terfyn drwy ofyn i ni bawb oedd yn bresennol ar y pryd am ddatgan ein barn o dan ba faner y carem fyw ac atebwyd mai Baner Archentina. Nid oedd dim yn fwy naturiol i ni wneuthur gan ein bod wedi byw 12 mlynedd dan ei baner.

Yr oeddem ni y rhai ymsefydlasom yn Mro Hydref yr adeg hon yn gwneud hynny yn rhinwedd y ddeddf (*decreto*) o eiddo'r Llywodraeth yn y flwyddyn 1886 yn amser yr Arlywydd Roca yn anrhegu llech o dir i bob un o'r sefydlwyr. Gorfu i ni ddisgwyl am dair blynedd ar hugain cyn cael ohonom weithredoedd terfynol!! Sef y rhai a ddaeth yn y flwyddyn 1909.

Ymdrech galed a fu sefydlu Bro Hydref, gan ein bod mor bell o bob cysylltiad â'r byd oddi allan. Nid oedd dim un man y gellid prynu un math o nwydd yn nes na'r Wladfa, agos i bedwar can milltir i ffwrdd. Yr unig gynyrchion a allem anfon i'r farchnad oedd, gwlân a chrŵyn a'r hyn gaffem am y gwlân oedd mwy neu lai rhyw $2.50 i $3.00 m/n y deg kilo, prin ddigon i dalu am ei gludo mor bell. Myfi a Caradog Jones yn y flwyddyn 1898 oedd y rhai cyntaf i yrru gyrr o gant a hanner o ychain i lawr i'r Dyffryn i'w gwerthu.

Ym mis Mawrth 1914 ychydig cyn torri allan o'r Rhyfel Fawr yn Ewrop cefais fy nharo yn wael iawn â'r pneumonia a bu agos iawn i mi fyned dros geulan byd amser, ac mae'n bur debyg mai felly y buasai oni bai gofal a gwydnwch y meddyg yn gofalu amdanaf nos a dydd. Bûm yn wael iawn am rai misoedd cyn gwella ohonof yn iawn. Pan oeddwn yn y man gwaethaf o'm hafiechyd fe basiodd amryw ddyddiau nad oes gennyf gyfrif ohonynt, ac yng nghanol y cyfan teimlwn yn berffaith ddedwydd a diboen yng nghwmni rhyw arweinydd nefol yr hwn a'm harweiniai trwy'r eangderau mawr, ac o'r diwedd gadawodd fi mewn math o oriel fawr ymhlith miliynau o sêr bychain fel fy hunan. Daeth heibio i mi drachefn. 'Dyna dy le,' meddai wrthyf, 'nes gwacáu o'r oriel acw weli o'th flaen a chei fyned yno,' ac felly yn y blaen, 'ac fel y byddi yn datblygu bydd dy orielau yn codi mewn safonau hyd oes oesoedd tragwyddoldeb, i gyfeiriad y goleuni mawr a weli o'th flaen, ond ni ddeui byth hyd ato, a thynnu at y nod fydd dy nefoedd dros byth.' Clywais fy hun yn gofyn i'm harweinydd, beth am y rhan ddrwg oedd yn perthyn i mi. 'Nid yw ddim o bwys i ti,' meddai wrthyf. 'Nid oes ei heisiau arnat, nid oes ond y pur a'r da yn cyrraedd yma ac nid ydys wedi ei fwriadu i ti wybod ond am y pur a'r da.' 'Gwyddost,' meddai wrthyf, 'mewn cymhariaeth am y separators sydd ganddynt ar y ddaear, dyna yw angau mewn cymhariaeth, yn dethol y pur a'r amhur.' Gwelwn filoedd o orielau o'm blaen yn llawn o sêr bychain fel fy hun yn disgwyl eu trosiad i orielau uwch ac y mae arnaf hiraeth calon am fwynhau'r fath hapusrwydd eto. Deffroais o'm llesmair ac wele nis gwn beth ydoedd, ond credaf oddi ar yr adeg honno mai dyna fydd fy nefoedd am byth sef ymdebygu i'm Hiesu annwyl a derbyn yn helaeth o'i ysbryd Ef.

Y Llawysgrifau: Ceir fersiwn yn llaw JDE yn un o'r prif lyfrau nodiadau, a fersiwn diweddarach ar ffurf deipiedig. Mae'r fersiwn teipiedig yn hepgor rhai manylion a gedwir yn y llawysgrif wreiddiol. Mae'r testun uchod wedi adfer y manylion hyn.

[1]Sef Daniel Evans. Dywedir mai o Dŷ'n Waun, Pont Henri, Sir Gaerfyrddin, y dôi tad JDE. Bu wedyn yn rhan o'r criw mawr o Aberpennar a aeth gyda'r *Mimosa* yn 1865. Ymsefydlodd ar ochr ogleddol afon Camwy nid nepell o Drerawson yn ardal Glyn Du (*chacras* 66, 65 gogledd). Aelodau eraill o'r un teulu a ffermiai'n agos ato, sef ei dad-yng-nghyfraith John Jones, Aberdâr (*chacras* 71, 72 gogledd), a Richard Jones ei frawd-yng-nghyfraith (*chacras* 78 gogledd, 79).

[2]Roedd Mary Evans (1836–1914) yn ferch i John Jones, Aberdâr, ac Elizabeth Richards (1810–1869). Priododd Mary â Daniel Evans, a chawsant chwech o blant: Elizabeth (a briododd Zachariah Jones, gw. y bennod ar Gyflafan Dyffryn y Merthyron), John Daniel (El Baqueano), Daniel, Ivor, Arthur a Gwenllian. Bu John Jones, Aberdâr, yntau yn un o fintai'r *Mimosa* a rhoesant yr enw Coed Newydd ar ei fferm yn y dyffryn. Enw fferm Daniel Evans a Mary ei wraig oedd Llwyn Glas, yn ardal Glyn Du. Dylid nodi wrth basio fod nifer o 'enwogion' y cyfnod cynnar wedi dal perthynas â theulu John Jones, Aberdâr. Gellir enwi o leiaf Anne, merch John Jones, a briododd Edwin Cynrig Roberts, Margaret a briododd Aaron Jenkins, a Richard Jones, Glyn Du, un o feibion John Jones, heb anghofio JDE ei hun a oedd yn ŵyr i John Jones.

[3]Bu cryn amheuaeth o du'r Gyngres yn Buenos Aires am y cynllun i greu sefydliad 'Prydeinig' yn neheubarth y wlad. Mae R. Bryn Williams (*Y Wladfa*) yn sôn am erthygl a ymddangosodd yn *La Nación* lle dywedir i'r Gyngres wrthod y cais. Yn arwyddocaol, mae'n debyg, yr unig un o blaid oedd y Dr Rawson. Ymddengys mai poeni yr oedd yr awdurdodau beth a allai ddigwydd i undod y wlad pe ceid sefydliad 'Prydeinig' mor agos at Ynysoedd y Malfinas. Gwrthodwyd y cytundeb cyntaf gan y Gyngres ond caniatawyd i'r Cymry sefydlu ar dir yr Ariannin ar y ddealltwriaeth mai polisi'r Ariannin oedd derbyn unigolion i'r wlad ac nid mudiad trefedigaethol, ac na chaniateid iddynt fod yn genedl ar wahân. Mae'n debyg i Rawson ofyn i Lewis Jones hysbysu'r sefydlwyr o hyn er mwyn osgoi unrhyw gamddealltwriaeth.

[4]Argraffydd oedd Lewis Jones cyn troi'n un o'r rhai amlycaf yn hanes y Wladfa Gymreig. Cydweithiodd â rhai fel Michael D. Jones a Parry Madryn. Bu ymhlith y cyntaf i archwilio'r ardal o amgylch ceg afon Camwy, a bu ef yn gyfrifol am roi'r enw iddi yn Gymraeg. Bu ei drafodaethau gyda Guillermo Rawson yn allweddol wrth ddewis Dyffryn Chubut fel man i'r Cymry ymsefydlu. Cafodd ei benodi'n llywydd y sefydliad nes iddo ymgilio ac aros yn Buenos Aires am bum mlynedd. Roedd yn ddolen gyswllt gyda'r mwyaf dylanwadol rhwng y Cymry a'r awdurdodau yn Buenos Aires. Pan ddychwelodd i'r Wladfa yn 1871, ymsefydlodd ar ddarn o dir yn agos i Drerawson ac adeiladodd dŷ newydd o'r enw Plas Hedd. Bu'n gefnogwr brwd i achos y brodorion drwy ysgrifennu nifer o lythyron i'r wasg Saesneg yn Buenos Aires. Roedd yn rhannol gyfrifol am sicrhau fod rheilffordd wedi cael ei hadeiladu rhwng Porth Madryn a'r dyffryn. Safai'n gadarn o blaid hawliau'r Cymry yn wyneb agwedd rhes o uwch-swyddogion di-amynedd ac anwybodus a weithredai fel llywodraethwyr y sefydliad.

[5]Un o arloeswyr pennaf y Wladfa. Ganed yng Nghilcen, Sir Fflint. Bu rhan bwysig gan Edwin Cynrig Roberts ynghyd â Lewis Jones yn y gwaith o baratoi ar gyfer dyfodiad mintai'r *Mimosa* ym 1865. Bu cysylltiad agos rhyngddo a theulu JDE, gan iddo briodi â merch John Jones, Aberdâr, yn 1866. Mae'n debyg i seremoni'r briodas ddigwydd ym Mhlas Hedd, cartref enwog Lewis Jones. Mae hyn yn rhan o chwedloniaeth y Wladfa gan i nifer o aelodau'r brodorion Tehweltsaidd ymweld â sefydliad y Cymry yr un pryd. Ymsefydlodd Edwin C. Roberts a'i wraig ar dir a elwid ganddynt yn 'Fryn Antur'. Yn agos iawn atynt, roedd Aaron Jenkins a'i wraig yn ffermio hefyd. Cawsant saith o blant. Bu farw Edwin C. Roberts yn sydyn yn ystod ymweliad â Bethesda, Arfon, yn 1893. Mae hanes y ffynnon a geir yma gan JDE yn cael ei adrodd yn llawnach yng ngwaith Richard Jones, Glyn Du, sef brawd-yng-nghyfraith Edwin, un o feibion John Jones, Aberdâr. Ceir yr hanes ym mhennod 5 o'i waith *Hanes y Wladfa* a gyhoeddwyd rhwng 1919 a 1920 yn *Y Drafod*. Roedd Edwin wedi bod

yn gyfrifol am drefnu bod yr anifeiliaid fferm yn cyrraedd yn ddiogel i'r Bae Newydd (ardal Porth Madryn heddiw) o Batagones. Daeth â nifer o *gauchos* gydag ef, a synnodd y Cymry a gyrhaeddodd ar y *Mimosa* wrth eu gweld o amgylch tân ar y traeth. Aethpwyd ati hefyd i gloddio pwll neu ffynnon i gael hyd i ddŵr croyw. Ffynnon Dŵr Hallt oedd enw'r ffynnon oedd tua 8 medr i lawr a thua 600 medr o'r tai a godwyd i fod yn gartrefi dros dro i fintai'r *Mimosa*. Mae JDE yn rhoi'r hanes am Edwin yn cael ei adael ar ei ben ei hun yn y ffynnon, ond gellir ychanegu'r hanesyn a ganlyn o waith Richard Jones, Glyn Du. Mae'n ymddangos i ffrae godi rhwng Edwin a'r gweithwyr a oedd wrthi'n torri'r ffynnon, a dyna benderfynu talu'r pwyth yn ôl i Edwin. Tra oedd Edwin ar ei ben ei hun ar y gwaelod, aethpwyd â'r rhaffau fel na fyddai modd iddo ddianc ac y byddai'n marw yno. Aethpwyd â'r ceffylau a'r bwyd ac i ffwrdd â nhw yn ôl i'r Afon Ddu (rio Negro). Ond roedd gan un o'r gweithwyr *(peones)* gydwybod, ac aeth yn ôl liw nos i achub Edwin. Ei enw oedd Jerry, ac fe'i disgrifir gan Richard Jones fel Gwyddel. Yn ôl Richard Jones, Glyn Du, ei gydymdeimlad â chefnder o dras Geltaidd oedd y sbardun a'i gyrrodd yn ôl i helpu Edwin. Ceir yr un hanes gan Thomas Jones, Glan Camwy, yn *Hanes Cychwyniad y Wladfa ym Mhatagonia* a ymddangosodd yn *Y Drafod* yn 1926. Yn y gwaith hwn, disgrifir Jerry hefyd fel Gwyddel, gan ychwanegu iddo weithio am flynyddoedd ym Mhatagones fel peilot yn aber afon Negro. Roedd wedi dod i lawr i'r Bae Newydd yng nghwmni Lewis Jones ac Edwin Roberts. Yn ôl Thomas Jones, roedd Edwin wedi cael ei adael ar waelod y ffynnon tan y bore, ond gan fod pryder bellach ynglŷn â'i ffawd, aethant yn ôl i'r ffynnon a'i dynnu'n rhydd. Arhosodd Jerry fel cychwr ar afon Chubut ond danfonwyd y gweithwyr eraill yn ôl i Batagones, ar y cyfle cyntaf. Ceir yr hanes llawn am fywyd ym Mhatagonia yng nghyfrol Elvey MacDonald, *Yr Hirdaith* (1999), un o ddisgynyddion Edwin drwy briodas Nest ei ferch ac Ewen MacDonald.

[6]Llogwyd y sgwner *Juno* i Lewis Jones ym 1865 a bu'n fodd i ddod ag anifeiliaid i'r Wladfa. O bryd i'w gilydd fe'i defnyddid i gludo teithwyr.

[7]David Williams, Aberystwyth. Cyfeirir ato fel Dafydd Williams mewn rhai ffynonellau. Ceir yr hanes hefyd gan Richard Jones, Glyn Du, a Thomas Jones, Glan Camwy. Aeth y llanc ar goll y diwrnod cyntaf i'r fintai gyrraedd, a chafwyd ei esgyrn ymhen rhai blynyddoedd wedyn. Mae R. Bryn Williams (1962, tt. 308–9) yn cynnwys mewn atodiad ddau destun ffraeth a gyfansoddwyd gan David Williams. Catecism yw'r naill yn cynnwys Deg Gorchymyn dychanol gan y Saeson at wasanaeth y Cymry ('Na chwyna fod y Saeson wedi goresgyn dy wlad. Canys nid di-euog gan y Saeson y sawl nad yw foddlon i gael ei lywodraethu ganddynt' . . .) a'r llall yn fersiwn dychanol ar Weddi'r Arglwydd ('Sais mawr, yr hwn wyt yn byw yn Llundain . . .'). Yn ôl Richard Jones, Glyn Du, cofiodd un o fintai'r *Mimosa* am David Williams yn dweud mai ef fyddai'r cyntaf i gyrraedd yr afon. Cafwyd hyd i'w esgyrn ym 1867 yn agos i Lyn Mawr, ac roedd yn hawdd adnabod yr esgyrn gan fod copi o'r Catecism gerllaw. Enwyd y man lle cafwyd hyd i'r esgyrn yn Bajo de los Huesos (Richard Jones, 2001, t. 35).

[8]Bryncyn ar y ffordd rhwng Porth Madryn a Threlew. Cafodd y bryncyn hwn ei alw fel hyn ar ôl gŵr o'r enw Joseph Seth Jones. Adroddir yr hanes yn Thomas Jones, Glan Camwy (pennod 5). Gweler hefyd erthyglau Richard Jones, Glyn Du, ar hanes cynnar y Wladfa a gyhoeddwyd yn *Y Drafod*, 1919–20 (pennod 25). Cyhoeddwyd cyfieithiad Sbaeneg gan Fernando Coronato dan yr enw *Del Imperio al Desamparo*, yn 2001.

[9]Cerddi JDE. Gweler yr Atodiad am rai cerddi eraill o waith JDE.

[10]Enw'r cwch yn gywir yw *Mary Helen*. Fe'i defnyddid gan Lewis Jones i gludo da byw o Batagones i Borth Madryn (Bae Newydd). Daeth y *Mary Helen* i'r Bae yn fuan ar ôl y *Mimosa*. Ar fwrdd y *Mary Helen* hefyd yr ymadawodd Lewis Jones â'r sefydliad newydd yn dilyn ei ymddiswyddiad fel 'llywydd' y wladfa newydd. Aeth pump arall gydag ef yn cynnwys unig feddyg y sefydliad, Dr Green, a llanc ifanc o'r enw John Thomas (John Murray Thomas yn ddiweddarach).

[11]Yn fersiwn cynharach yr hunangofiant ceir 'dros y camp'. Ceir yr hanes yn llawn am deulu

88

Daniel Evans, ei wraig a'r plant (yn cynnwys JDE) yn croesi'r paith rhwng y Bae ac afon Chubut yn Richard Jones, Glyn Du (pennod 14). Er bod mintai'r Mimosa wedi glanio yn y Bae Newydd, roedd yn rhaid iddynt groesi tua'r de i gyrraedd afon Chubut lle byddent yn gallu ffermio. Aeth 19 o'r dynion ar y cyntaf o Awst 1865 ar draws y paith sych er mwyn paratoi ychydig ar gyfer dyfodiad y gwragedd a'r plant. Ceir enwau'r rhai a gymerodd ran yn y 'trec' enwog ac arwrol hwn yn F. Coronato (2001) ar sail gwybodaeth gan Elvey MacDonald. Dyma'r enwau: Edwin Roberts (arweinydd), Richard Jones, Thomas Awstin, David Davies, John Davies, Richard Hughes, Thomas Jenkins, William Jenkins, David John, David Jones, Evan Jones, Stephan Jones, William Richards, William Rhys, John M. Roberts, William Roberts, John M. Thomas, Richard H. Williams, William Williams. Daeth 11 yn ôl i'r Bae ar ôl ysbaid. Yn y cyfamser, trefnwyd bod y merched a'r plant i'w cludo yn y *Mary Helen* dan y capten Woods, Americanwr. Roedd yn fordaith eithriadol o hir a barodd bron bythefnos. Cyraeddasant ym Medi 1865. Er hynny i gyd, penderfynodd rhai o'r gwragedd a'r merched ifainc beidio â mynd ar fwrdd y *Mary Helen*, gan eu bod yn well ganddynt fentro eu bywydau ar draws y paith. Un o'r rhain oedd Mary Evans (mam JDE, a'i dau blentyn. Cafodd John Jones, Aberdâr, Daniel Evans, gŵr Mary Evans, a Thomas Awstin eu hawdurdodi i fynd gyda nhw. Yn ogystal â'r rhai a enwyd, roedd y fintai fechan hon yn cynnwys Mrs Davies, Dyffryn Dreiniog, Mrs H. John Jones, Aberdâr, Mrs Cecilia Thomas a phum merch fach.

[12]Hefyd Dyffryn yr Eglwys, Valle de la Iglesia.

[13]Galach. Mae'n debyg fod y 'ts' yn cynrychioli'r sain 'ch' fel yn Sbaeneg. Pennaeth Tehweltsaidd deheuol ydoedd. Roedd rhai o'r Tehweltsiaid a'r Arawcaniaid yn ymweld â'r sefydliad yn rheolaidd dros gyfnod o ryw 15 mlynedd. Byddai'r llwythau'n aros am y ddau neu'r tri mis oeraf o'r gaeaf. Ymhlith y penaethiaid enwocaf roedd Galats, Sacmata, Chiquichán, Foyel a'r enwocaf i gyd, Sayhueque. Yn ardal llyn Fontana ac afon Teca roedd gwersyll Galats a'i bobl. Yng ngaeaf 1881, medd William M. Hughes (1927), 'gwersyllai'r pennaeth Galats a'i lwyth mewn pabelli'n y drofa'r ochr ddeheuol gyferbyn â phentre'r Gaiman. Un noson croesodd amryw ohonom yr afon atynt i'w gwersyll, ac eisteddasom o amgylch y tân oedd o flaen pabell y Pennaeth. Yn sydyn, clywem ysgrechfeydd anaearol yn dyfod o gyfeiriad pabell arall gyfagos, ac yn union wedyn, daeth un o'r gwragedd atom, gan siarad â'r pennaeth yn fân a buan. Ni ynganodd y pennaeth air. Cododd yn hamddenol, cymerodd ddarn o bren yn ei law, ac aeth gyda'r wraig i gyfeiriad ei phabell. Yn uniongyrchol clywem sŵn ffonodio anghyffredin, ac yng ngoleu'r tân gwelem y pennaeth yn llusgo un o'i bobl allan o babell y wraig gerfydd ei draed. Wedi ei gael allan, rhoddodd gurfa ddidrugaredd arall iddo, a gadawodd ef yno ar y ddaear. Wedi cyflawni'r oruchwyliaeth hon, daeth yn ôl atom, ac eisteddodd yn hamddenol yn llewyrch y tân, heb unrhyw arwydd o gyffro, nac yngan gair. Yr hyn gymerasai le oedd i un meddw o'i bobl fynd i babell y wraig, a gwrthod mynd allan oddi yno, a dyna ddull y pennaeth o gosbi'r meddw afreolus.' Dywed W. M. Roberts mai llwyth Galats oedd y mwyaf pur Dehweltsaidd o'r rhai a arferai ymweld â'r Wladfa. Roedd gan y Cymry enw da i Galats a haera Richard Jones, Glyn Du, fod y Cymry a'r Tehweltsiaid wedi dod yn ffrindiau ar ôl yr ofn cychwynnol, yn arbennig Galats a'i Dehweltsiaid. Gweler hefyd R. Bryn Williams (1962, tt. 108, 151, 206).

[14]Ymfudodd 234 o Gymry o'r Wladfa i Ganada yn 1902. Ceir yr hanes yn llawn am gefndir y penderfyniad i adael y Wladfa gan un o'r rhai amlycaf ym Mintai Canada, sef John Coslett Thomas (1863–1936) yn ei *Hunangofiant* sy'n olrhain ei hanes ef yn dod i Batagonia ym 1875, ei fywyd yn ffermio yno a'r sefydliad yn nhalaith Buenos Aires yn Sauce Corto, ei ran yn yr ymchwil am aur yn ardal Teca yng ngorllewin Chubut, ei yrfa fel athro yn y Dyffryn cyn iddo ef a'i deulu symud i Saskatchewan, Canada. Yn y diwedd symudodd John Coslett Thomas unwaith yn rhagor a'r tro hwn aeth i Los Angeles, Califfornia, lle bu farw yn 1936. Cafodd ei gladdu ym Mangor, Saskatchewan. Am fanylion eraill am yr ymudo pwysig hwn

gweler R. Bryn Williams (1962, t. 264); Lewis H. Thomas 'From the Pampas to the Prairies: The Welsh Migration of 1902', *Saskatchewan History*, 1971, Cyfrol XXIV; Robert Owen Jones. 'From Wales to Saskatchewan via Patagonia', *Celtic Languages and Celtic Peoples, Proceedings of the Second North American Congress of Celtic Studies*, Halifax 1992.

[15]Fersiwn cynharaf: 'fildio cysgodion newydd iddynt eu hunain rhag blaen'.

[16]Fersiwn cynharaf: 'roddi ceffylau'

[17]Dail tafol a bresych. Gweler Thomas Jones, Glan Camwy, 'Hanes Cychwyniad y Wladfa ym Mhatagonia', cyfres o erthyglau a ymddangosodd yn *Y Drafod* 1926, pennod XV. Gweler hefyd nodiad diddorol Fernando Coronato yn ei gyfieithiad o waith Thomas Jones, *Historia de los Comienzos de la Colonia en la Patagonia*, 1998. Ymddengys fod Musters hefyd yn cyfeirio at y llysiau hyn a ddefnyddid fel bwyd. Yr enw Lladin yw *rumex crispus*.

[18]'idlen' a geir yn y llawysgrif gynharaf.

[19]Mae talaith Santa Cruz i'r de o dalaith Chubut. Yn ystod y ddeunawfed a'r bedwaredd ganrif ar bymtheg bu'r Tehweltsiaid o Santa Cruz yn symud yn raddol i'r gogledd i dde talaith Buenos Aires. Golygai hyn eu bod yn croesi afon Camwy yn agos i'r Wladfa. Bu hyn yn rhannol yn esgus gan y sefydlwyr o Ewrop yn nhalaith Buenos Aires i ddechrau'r rhyfel yn eu herbyn, rhyfel a elwir Conquista del Desierto yn Sbaeneg.

[20]Bryncyn yn y llawysgrif gynharaf.

[21]Ar fap a gedwir yn Amgueddfa'r Gaiman, gwelir enwau pawb a berchnogai ddarnau o dir ar hyd a lled dyffryn Chubut o Drerawson hyd at Ddolavon a'r Dyffryn Uchaf. Mae enw Betsi Hughes yn ymddangos yno fel 'Isobel Hughes'. Paratowyd y map swyddogol hwn tua diwedd yr 1880au, a gwelir dylanwad digamsyniol y Sbaeneg wrth geisio Cymreigio enwau bedydd. Saif Isobel am Elizabeth, a diau mai Elizabeth Hughes oedd ei henw'n swyddogol. Gwelir ar y map ei bod hi'n berchen ar *chacras* 84 a 85 gogledd. Ei chymdogion agosaf oedd Richard Jones, Glyn Du, a Thomas Jones, ond heb fod yn bell o *chacra* John Jones, Aberdâr. Ceir ambell gyfeiriad at Betsi Hughes yn y ffynonellau eraill. Sonia John Coslett Thomas ati fel Mrs Betsi Hughes, Glyn Llifon, a oedd yn byw mewn tŷ brics gyda phedair ystafell yn cynnwys dwy lofft, gyda'i dau fab, William a John. Rhoddodd Betsi Hughes lety i deulu Coslett Thomas pan gyraeddasant Batagonia yn 1875. Ychwanega J. Coslett Thomas mai hi oedd y ddynes drymaf yn y sefydliad, yn pwyso 225 pwys. Enw ei fferm yn y Glyn Du oedd 'Y Boncyn'. Enw ei gŵr oedd John Hughes. Yn ôl Matthew Henry Jones, cafodd hi ei geni yn Llanuwchllyn, gan briodi yn 1853. Cawsant bedwar o blant, William John, John Samuel, Myfanwy Mary a Henry. Daethant i'r Wladfa ar y *Mimosa* yn 1865, ond bu farw Henry ac yntau ond yn ddeunaw mis oed. Bu farw eu merch Myfanwy hefyd a oedd yn bedair oed yr un flwyddyn. Gan mai'r teulu hwn oedd ymhlith yr ychydig fu'n gyfarwydd â thrin anifeiliaid, cawsant y gwaith o dywys y mil o ddefaid a gafodd eu cludo o Batagones hyd at lannau afon Chubut. Bu'r profiad yn hynod o galed dan yr amgylchiadau nes gwaethygu iechyd John Hughes a fu farw ym Mawrth 1866. Llwyddodd Elizabeth Hughes i fagu'r ddau fab ar eu fferm yn y Glyn Du. Bu farw hithau yn 1894.

[22]Gair brodorol am blanhigyn.

[23]Defnyddir y gair hwn yn gyffredinol bellach i ddynodi'r brodorion, neu amrywiaeth eang o wahanol grwpiau o frodorion a fu'n poblogi'r rhan fwyaf o Batagonia ac i'r gogledd mor bell â chyrion Buenos Aires. Ymddengys mai gair Arawcaneg yw *tehuelcho* er y ceir yn fwy aml ffurfiau fel *chehuelche* a *chehuelcho*. Yn ddiamau, Tehweltsiaid oedd y brodorion y daeth y Cymry cynnar ym Mhatagonia i gysylltiad â nhw ar y dechrau. Mae'n arwyddocaol fod JDE yn defnyddio'r ffurf *Tehuelcho* sy'n cyfateb i ffurf a ddefnyddid gan y brodorion eu hunain.

[24]Y ffurf agosaf at yr ynganiad brodorol yw Wüsül (Casamiquela, 2000b). Ffurf arall a ddefnyddir ar yr enw yw Wisel. Ym mhennod 40 o waith Richard Jones, Glyn Du, a ymddangosodd yn *Y Drafod* yn Awst 1920, ceir ychydig mwy o hanes y pennaeth hwn. Yn

ôl Fernando Coronato (*Del Imperio al Desamparo*), ceir amrywiadau eraill ar yr enw, sef Huisel a Wissael, a cheid mwy nag un yn dwyn yr enw ymhlith Tehweltsiaid y De. Cyhoeddwyd llun o'r pennaeth yn *Y Drafod* ym mis Chwefror 1920. Mae'n debyg fod y ffurf 'Whistle' wedi datblygu ymhlith y Cymry oherwydd ei debygrwydd i'r gair Saesneg. Cafodd y pennaeth yr enw o fod yn lleidr ymhlith y Cymry hefyd, ond er hynny mae'n debyg ei fod yn boblogaidd iawn bob tro y dôi i lawr i'r sefydliad gyda'i bobl.

[25]'Pantano grande' (Casamiquela). Ardal yn rhan isaf afon Camwy, y de-ddwyrain o Drelew (*chacra* 84), yn agos felly i ardal Glyn Du gynt.

[26]Anodd bod yn fanwl gywir ynglŷn â lleoliad y lle hwn heblaw ei fod o fewn tiriogaeth y Dyffryn.

[27]Abraham Matthews (1832–99) Yn wreiddiol o Drefaldwyn, cyrhaeddodd y Parch. Abraham Matthews a Wladfa gyda'i wraig Gwenllian (1842–1922) gyda'r *Mimosa* yn 1865. Roedd Gwenllian Thomas yn chwaer i John Murray Thomas, a daeth yntau gydag Abraham Matthews a'i deulu i Batagonia. Fel llawer o'r gweinidogion cynnar ym Mhatagonia, bu raid i A. Matthews weithio fel amaethwr hefyd. Roedd Matthews yn berchen ar *chacra* rhif 41, a 42 gogledd yn ogystal â llain arall o dir ymhellach i fyny'r Dyffryn, sef *chacra* 143. Roedd felly'n byw'n agos at John Murray Thomas a Lewis Jones. Fel gweinidog gwasanaethai gapel Moriah (Trelew) yn bennaf. Bu'n gefn ac yn ysbrydoliaeth barhaol i'w gynulleidfa ac yr oedd yn awyddus bob amser i hyrwyddo dyfodol y sefydliad. Yn 1873 pan nad oedd nifer yr ymsefydlwyr wedi cyrraedd ond nifer eithaf isel, aeth ati i ddenu ymfudwyr o Gymru ac o blith y Cymry a aethai eisoes i'r Unol Daleithiau. Cyhoeddodd gyfrol yn olrhain hanes cynnar y Wladfa yn 1898 o'r enw *Hanes y Wladfa Gymreig yn Patagonia*. Ceir hanes ei fywyd yn llawn gan ei ŵyr Matthew Henry Jones yn Trelew: *Un Desafío Patagónico* (1981, cyfrol 1, tt. 112–18). Gweler hefyd Elvey MacDonald (1999), pennod 7.

[28]Cymerodd Edward Price ran bwysig yn nheithiau cynnar Lewis Jones rhwng 1870 a 1871.

[29]Mae'n bosibl mai'r un John Roberts yw hwn â'r sawl a grybwyllir gan Thomas Jones, Glan Camwy, yn ei hanes am ddyddiau cynnar y Wladfa. Gweler Pennod 8 o'i waith.

[30]Mintai 1875. Bu amryw o longau'n dod ag ymfudwyr newydd i'r Wladfa yn y cyfnod 1875–6. Daeth teulu John Coslett Thomas, er enghraifft, o Lerpwl i Buenos Aires ac wedyn i'r Wladfa yn hydref y flwyddyn 1875. Daeth William Freeman a ddaeth yn un o ffrindiau pennaf JDE ar long y *Lucerne* gyda 46 o ymfudwyr a chyrraedd Buenos Aires yn Ionawr 1875.

[31]Daeth y Parch. David Rhys, Capel Mawr, Ynys Môn, yng nghwmni Michael D. Jones yn ystod ei ymweliad â'r Wladfa ym Mawrth, 1882. Aeth Michael D., Rhys Capel Mawr, Lewis Jones, Griffith Huws, W. T. Williams ac R. O. Jones ar wibdaith wedyn i'r Gorllewin, hynny yw, mor bell â Dyffryn yr Eglwys, a chyffiniau *Hirdaith* Edwin.

[32]Taith gyntaf JDE?

[33]Hynny yw, yn 1882.

[34]Llew yw'r gair Cymraeg a ddefnyddir yn y Wladfa i ddynodi'r piwma neu'r *león americano*. Mae gan y piwma Archentinaidd saith o is-rywogaethau.

[35]John Jones (1798–1882), taid JDE.

[36]Cyrhaeddodd Aaron Jenkins ar y *Mimosa* yn 1865. Ei wraig gyntaf oedd Rachel Evans a'i ail wraig oedd Margaret Jones, chwaer Richard Jones, Glyn Du. Un o Droedyrhiw, Merthyr Tudful, oedd Aaron Jones yn wreiddiol. Gweithiau *chacra* yn agos i ble saif capel Moriah, Trelew, heddiw. Yn ôl yr hanes, cafodd Aaron awgrym gan Rachel ym mis Tachwedd 1867 i dorri ffos i ddyfrhau'r cnydau ar y tir yno. Ar sail hynny, meddir, y mabwysiadwyd y syniad o greu rhwydwaith o ffosydd a fu'n allweddol i sicrhau llwyddiant y Wladfa. Bu farw Rachel yn 1868, ŷn 35 oed. Bu Aaron Jenkins ymhlith y rhai cyntaf i fentro i'r berfeddwlad, fel, er enghraifft, ym 1871 yng nghwmni Lewis Jones a Richard Jones. Roedd hefyd yn un o'r rhai cyntaf i farddoni yn y Wladfa. Fel hyn y soniodd R. Bryn Williams amdano yn ei

gyfrol *Awen Ariannin*: 'Gŵr eithriadol ydoedd, yn amryddawn mewn dyfais, caniadaeth, helwriaeth a phrydyddiaeth'. Ynghanol y cyffro a'r dychryn a ddilynodd y newyddion am ddyfodiad y gwylliad o Punta Arenas yn 1878, gofynnwyd iddo ddod i'r Gaiman a hebrwng un ohonynt i Drerawson, ond cafodd ei lofruddio ganddo ar y daith. Claddwyd Aaron Jenkins ar ei dyddyn. Dywedai Abraham Matthews amdano: 'Dyn hynod barod a chymwynasgar i wneud unrhyw beth a allai mewn ffordd o wasanaethu y cyhoedd, a phawb arall a fyddai mewn angen.' Ysgrifennodd un o feirdd amlycaf y Wladfa yn yr ugeinfed ganrif, sef Morris ap Hughes, faled i goffáu'r llofruddiaeth yn nhraddodiad hen faledi'r ddeunawfed ganrif. Gweler Atodiad 2 am fersiwn gyfoes o'r hanes.

[37]Awgrym o bosibl fod JDE wedi ymuno yn y criw a erlidiodd y troseddwr.

[38]Defnyddid y term Glyn Du yn gyffredin yn ystod y cyfnod cynnar yn y Wladfa. Saif yr ardal tua 15 cilomedr i'r gogledd-orllewin o Drerawson ar ochr ogleddol yr afon.

[39]Llywydd Cyngor y Wladfa.

[40]Ceir adroddiad llawn am fywyd T. Dalar Evans y *Y Drafod*, 25 Ebrill, 1941, seiliedig ar ysgrif a luniodd Dalar ei hun yn 1924. Ganed yn 1847 yn Llanfechan, Cantref Buallt, Sir Frycheiniog. Roedd ei dad Morgan Evans yn grydd a'u heglwys yn Nhroedrhiwdalar. Enw ei fam oedd Jane Samuel a hithau'n wreiddiol o Droedrhiwdalar. Roeddent yn deulu diwylliedig yn ôl y sôn a Dalar yn un o saith o blant. Aeth y rhan fwyaf o'r plant dramor i Batagonia, Awstralia a Chalifornia. Cafodd Dalar ei fabwysiadu gan ei fam-gu a'i ewythrod pan oedd yn dal yn ddwyflwydd oed a hynny am 14 blynedd. Ar ôl cyfnod yn byw yn Nhafechan ger Dowlais, penderfynodd yn 1875 fynd i Batagonia. Fel y dywedir gan JDE yn ei hunangofiant, cafodd Dalar waith fel athro ysgol yn y Glyn Du ond fel arweinydd côr yr enillodd fri yn y Wladfa yn y blynyddoedd ar ôl hynny. Roedd ei wraig Esther wedi cael ei eni yn nyffryn y Rio Grande, Brazil, yn 1868. Ond fel un o athrawon ysgol cyntaf y Wladfa mae'n ddiddorol clywed ei ddisgrifiad ei hun o'r cyfnod hwnnw pan oedd JDE a John Coslett Thomas ymhlith ei ddisgyblion. 'Roedd genyf tua 40 o blant mewn 'stafell tua 8x6 llath, llawr pridd, meinciau digefn a'u coesau wedi eu sicrhau yn y ddaear, bron yr oll o'r plant yn droednoeth, ac mor ddiwyd a lleuen mewn cragen, fel dywedir, yn "'tyllu'r llawr a'u carnau ol", chwedl T. Parri, coffa da amdano. Roedd cwmwl o lwch yn y 'stafell bob nawn, a fy mhen innau ar hollti. Pa ryfedd? Cadwem tua chwarter awr o ysgol gân yn ddyddiol ar ôl yr ysgol, a dyma'r cychwyniad gafodd amryw sydd yn gantorion gwych heddiw, megys Llewelyn Williams, Richard Jenkins, Alun M. Williams a Caradog Jones. Cefais ganmoliaeth gampus gan y Pwyllgor am yr addysg gyfrennais yn y trichwarter blwyddyn hwnnw i gario'r ysgol yn mhellach. Cymraeg oedd yr addysg i gyd, a dyna pam taw yn Gymraeg y mae llawer o'r disgyblion yn rhifyddu eto'. Tra oedd yn byw yn y Dyffryn cynullodd Dalar gôr yn ardal Glyn Du a chystadleuai â chôr Esau Evans yn y Gaiman. Pan symudodd i dyddyn arall tua 1870 ochr draw'r afon, roedd rhaid i aelodau'r côr groesi'r afon, 'gwyr a gwragedd a phlant yn myned ar gefnau ceffylau, mewn gwageni a throliau yn cyrchu ym selog i'r côr ar nawn Sadwrn'. Cafodd lech o dir yn 1894 ym Mro Hydref lle adeiladodd ffermdy a elwid Bod Eglur, ond wedi symud i fyw wrth odrau'r Andes roedd wedi dal i drefnu côr, yn gyntaf yn eglwys Bethel, 'adeilad o logs', a bu'n drefnydd cymanfa ganu yn 1903. Enillodd fri hefyd fel cyfansoddwr a chyhoeddwyd peth o'i waith yn *Cymru'r Plant*.

[41]Sonia J. Coslett Thomas am Gwilym Williams, Glandwrlwyd, sef mab John Williams (1829–1903) ac Elizabeth Williams (1831–1909). Roedd Glandwrlwyd ar safle *chacra* rhif 102 de), gerllaw capel Moriah. Priododd Gwilym Williams â Sarah Janes Coslett Thomas, chwaer John.

[42]Ffurf dafodieithol a glywir o hyd mewn rhannau o Forgannwg. Datblygodd o'r ffurf 'ddim o'. Cofnodir dwy enghraifft yng nghyfrol Beth Thomas a Peter Wynn Thomas (1989). 'Tasa fa'n gwed, ni chretswn i ddim og e', o ardal Llantrisant, a 'gwelas i mog e', o ardal Llangynwyd. Cofier mai un o Aberdâr oedd John Jones, taid JDE.

[43]Llysenw a roddwyd ar Ellen Griffith Jones, gwraig Lewis Jones. Ceir llun yn yr argraffiad diweddaraf o *Dringo'r Andes a Gwymon y Môr*, gan Eluned ei merch (2001), t. 1.

[44]Ceir hanes Elaig, neu R. J. Powel yn llawn, gan R. Bryn Williams (1962, tt. 155–8). Cychwynnodd ar ei swydd fel athro ym mis Mawrth 1878. Mae'n ymddangos iddo droi at Gatholigrwydd, ac yr oedd hyn a'r ffaith ei fod eisiau hybu'r Sbaeneg yn yr ysgol yn bryder mawr i'r rhieni. Cafodd ei benodi i'r swydd gan yr awdurdodau er mwyn cyflwyno'r Sbaeneg ymhlith plant y Wladfa. Ceir yr hanes amdano hefyd gan Richard Jones, Glyn Du (pennod 37), yn enwedig sut y cafodd ei foddi wrth gyrraedd yn ôl o Buenos Aires yng nghwmni Lewis Jones yn 1880. Mae gan John Coslett Thomas rai sylwadau diddorol am Elaig, gan iddo ef a'i frawd William fynychu un o ddosbarthiadau nos Elaig er mwyn dysgu Sbaeneg. Cyfeiria at fagwraeth Elaig yn Ffrainc a'r ffaith ei fod yn siarad llawer o ieithoedd. Haera hefyd i Elaig fod yn ysbrydegwr, ac nad oedd pobl yr ardal yn hoff o hynny: 'ond ei ddiffyg yng ngolwg y sefydlwyr oedd ei fod yn Ysbrydegwr, a chanddo ddylanwad digyfrwng ar feddyliau dynion a chymundeb ag ysbrydion'.

[45]Mae Richard Jones, Glyn Du (pennod 37), yn rhoi enwau rhai o'r athrawon a fu'n gwasanaethu yn ysgolion cynnar y Wladfa, sef R. G. Berwyn, Thomas Pugh, Rhys Thomas a T. G. Pritchard. Ceir peth o hanes T. G. Pritchard (neu 'Glan Tywi') gan Osian Hughes (1993). Cafodd Pritchard ei eni yn Sir Gaerfyrddin yn 1846 a symudodd i'r Unol Daleithiau (Pittsburg) pan oedd yn 16 oed. Daeth i fyw i'r Wladfa yn 1875, blwyddyn a welodd fwy na 500 o ymsefydlwyr yn cyrraedd y sefydliad. Roedd yn fardd, er na cheir llawer o'i waith ar glawr erbyn hyn. Daeth yn athro ysgol, ac un o'i ddisgyblion oedd Eluned (merch Lewis Jones). Bu hefyd yn gyfrifydd. Enillodd yn Eisteddfod 1880 yn ardal Treorcki (ger y Gaiman), a'r beirniad oedd y Parch. W. Casnodyn Rhys. Ceir un gerdd o'i waith yng nghyfrol R. Bryn Williams (1960) yn ogystal â gwybodaeth bellach am ei yrfa fel bardd yn y rhagymadrodd.

[46]Daeth John Caerennig Evans (1837–1913) i'r Wladfa gyda'i wraig Hannah Harries yn y flwyddyn 1874. Roedd ei deulu ymhlith y cyntaf i fyw ym mhentref y Gaiman. Ei ferch Edith Mary oedd y ferch gyntaf o Gymraes i gael ei geni yn y Gaiman. Daeth i Batagonia o Gwm Aman lle buasai'n weinidog, a bu'n weinidog wedyn hyd ei farw yn y Gaiman. Bu hefyd yn Ynad Hedd yn y pentref a rhoddodd ddarn o dir lle adeiladwyd ysbyty sy'n dwyn ei enw (A. Jones de Zampini, 1995, t. 67).

[47]Mewn pensil: 'oeddynt'

[48]Un o Ben-bre, de Cymru, oedd Capten Rogers a aned ym 1827. Cafodd yrfa filwrol i ddechrau yn y Crimea. Treuliodd 35 mlynedd yn y Wladfa lle bu farw ym 1909. Gellir gweld ei fedd ym mynwent y Gaiman. Bu'n gyfrifol am ddod â nifer o ymfudwyr i'r Wladfa gan gynnwys taith y *Lucerne* a ddaeth ag ymfudwyr ym 1876.

[49]Hynny yw, glanio'r *Mimosa* yn 1865.

[50]Teulu'r felin. Anodd bod yn sicr at ba deulu y cyfeirir ato.

[51]Ganed yn nhalaith Buenos Aires yn 1863 yn fab i John Daniel Underwood ac Emelia Scott. Dôi teulu'r Underwoods yn wreiddiol o Birmingham. Daeth Martin Underwood i'r dyffryn yn 1880, o bosibl oherwydd i'w frawd-yng-nghyfraith John Murray Thomas symud yn ôl i'r Wladfa ychydig flynyddoedd cyn hynny. Priododd Martin Underwood yn 1886 â Sarah Ann Griffiths, o Gwm Aman yn wreiddiol. Symudodd Martin a'i wraig i Fro Hydref ym mis Hydref 1891. Cafodd yrfa fel swyddog y llywodraeth, fel prwyad ac ynad hedd. Ceir disgynyddion y teulu yn ardal Trevelin hyd heddiw.

[52]Anodd bod yn sicr pwy oedd hwn. Mae John Coslett Thomas yn ei Hunangofiant yn cyfeirio at un o'r enw W. B. Howells, mab i Hopkin Howells.

[53]Mae R. Bryn Williams (1962, t. 231) yn dweud am y Clafdy mai yno y ganed merch i wraig Freeman ar ei ffordd i Fro Hydref, 'mewn man a alwyd yn ddiweddarach yn Clafdy'. Bedyddiwyd y ferch â'r enw Peithgan.

[54]Cywirir i chwech yn y llawysgrif.

[55]Gwelir toeon sinc yn gyffredin hyd heddiw yng Nghwm Hyfryd a'r ardaloedd cyfagos.

[56]Lewis Jones. Mewn ysgrifen bensil: 'yr oedd tua 60 oed yr adeg honno'.

[57]*Menuco*: gair Arawcaneg yn wreiddiol a fenthyciwyd i'r Sbaeneg yn golygu cors, mignen. Yn ôl Rodolfo Casamiquela (2000b), daw'r gair o'r ffurf *menoko* yn wreiddiol.

[58]*Maiten* (*Maitenus boaria*): coeden gyffredin a geid yn ardal yr Andes Patagonaidd yn mynd o dde Neuquen hyd at ogledd Chubut. Coeden braf, ddeiliog iawn yw'r *Maiten*, a'r canghennau yn tyfu'n agos at y gwaelod. Gan ei bod mor ddeiliog, gall roi digon o gysgod ar ddiwrnod poeth.

[59]'Dyn du' yw disgrifiad R. Bryn Williams ohono, ond ymddengys mai gŵr o dras frodorol oedd ef, ac efallai yn ddisgynydd i sefydlwyr Sbaenig. Chwaraeodd ran bwysig yn hanes sefydlu Cwm Hyfryd lle cafodd lain o dir fel pawb a gymerodd ran yn nhaith gyntaf Luis Fontana, llywodraethwr cyntaf tiriogaeth Chubut, i archwilio ffiniau gorllewinol Patagonia. Siaradai Gymraeg yn rhugl, yn bennaf mae'n siŵr oherwydd iddo gael ei fabwysiadu'n gynnar gan John Murray Thomas. Crybwyllir ei enw yn aml yn nyddiaduron John Murray Thomas ar gyfer y teithiau cynnar yn 1871. Roedd gan John Daniel Evans feddwl mawr o Antonio Miguens, a byddai'n deg dweud bod Miguens yn meddwl amdano'i hun fel Cymro. Bu farw yn Nhrevelin tua 1944.

[60]Gutyn Ebrill (1829–1909). Hanai'n wreiddiol o ardal Brithdir, ger Dolgellau. Ymddengys iddo fod yn arolygydd chwarel yn Ffestiniog am rai blynyddoedd cyn penderfynu ymfudo i'r Wladfa yn 1882. Ef oedd archdderwydd cyntaf y Wladfa, a bu'n amlwg fel bardd a llenor. Mae ei erthyglau ar y wasg yn hynod ddefnyddiol fel ffynhonnell rhai o ddigwyddiadau pwysicaf y Wladfa rhwng 1884 a 1900. Yn Gymraeg y sgrifennai bob amser at *Faner ac Amserau Cymru*, yn ogystal â'r *Dydd*. Yn Saesneg ceir adroddiadau difyr ganddo yn *The Standard* yn sôn am fywyd yn y sefydliad newydd yn Sauce Corto lle bu am rai blynyddoedd (fel John Coslett Thomas), cyn dychwelyd i'r Wladfa. Er ei fod yn Gymro i'r carn ac yn 'un o gewri brigâd wladfaol Michael D. Jones' yng ngeiriau Meloch Hughes, roedd tuedd gyfoes ynddo i fod yn falch o'i Brydeindod a cheir ambell erthygl yn *Y Drafod* lle lleisir ei farn am hyn.

[61]Aelod o deulu enwog Mulhall. Roeddent o dras Gwyddelig ac wedi ymsefydlu yn Buenos Aires yn gynnar yn y bedwaredd ganrif ar bymtheg, lle sefydlwyd y papur Saesneg *The Standard* ganddynt. Hwn oedd un o'r ddau bapur newydd dylanwadol yn y gymdeithas Eingl-Archentinaidd er bod peth gogwydd tuag at bethau Gwyddelig hefyd. Pan ymadawodd Lewis Jones â'r Wladfa am sbel yn dilyn ffrwgwd rhyngddo a'r Gwladfawyr eraill yn 1865, cafodd waith fel argraffydd gan Edward Mulhall. Rywsut aeth y teulu ynghlwm wrth rai o ddeuluoedd y Wladfa, yn enwedig yn dilyn priodas chwaer John Murray Thomas â Michael G. Mulhall. Daeth y ddau frawd Mulhall, Michael a Francisco, i fyw i'r Wladfa, ac aeth Francisco i fyw i'r sefydliad ym Mro Hydref.

[62]Roedd fferm William Jones Kansas y nesaf at Glyn Llifon (Betsi Hughes) a'r ffos fawr. Aeth teulu'r Freeman draw i Fro Hydref yn Awst 1891.

[63]Y duedd ar y cyntaf oedd cyfeirio at y Dyffryn fel y Wladfa, a'r ardal wrth odrau'r Andes fel y Cwm. Sonnid weithiau yn y Cwm am fynd i'r Wladfa, sef Dyffryn isaf Camwy.

[64]Chwaer John Freeman?

[65]Ganed Annie Hughes yn 1873 yn Llanfechell, Môn. Priododd Robert Charles Williams yng Nghymru a chawsant ddau o blant, Plennydd a Gwyddonydd. Ar ôl dod i'r Wladfa, cafodd ei gŵr ei foddi yn yr afon. Priododd John Daniel Evans yn 1900 a chawsant saith o blant. Mae Clery Evans, ceidwad archif John Daniel Evans yn Nhrevelin, yn ferch i Milton Evans, plentyn olaf JDE ac Annie Hughes. Bu farw Annie Hughes yn 1950.

[66]Am yr holl gefndir i'r bleidlais dyngedfennol yn 1902, gweler *1902: El protagonismo de los colonos galeses en la frontera argentino-chilena*, Jorge Fiori a Gustavo De Vera, 2002, Trevelin.

Hanes y Felin yn Nhrevelin, 1889–1918

Yn 1889 daeth Thomas Morgan Clydfan, Percy Wharton, Benjamin P. Roberts, Samuel Davies, Thomas Jones (Morwr) i fyny i'r Andes, Bro Hydref, gyda gwagen, dros ben 'Fwlch y Gwynt', sef mynyddoedd Quichaura[1] a chawsant drafferth mawr i groesi'r 'bwlch' gan fod lluwchfeydd eira mewn cilfachau ar y mynydd yn croesi'r llwybr. Yr oedd hyn yn nechrau Awst y flwyddyn honno. Daeth Thomas Morgan â melin fechan gydag ef at wneuthur blawd, yn malu ac yn peillio, yr hon a ddaethai y Br Robert Roberts gydag ef o Gymru ychydig flynyddoedd yn flaenorol. Yr oedd hon wedi ei bwriadu i droi gyda nerth dyn, ond pan wnaeth Wharton brawf arni, taflodd y gwaith i fyny yn 'bad job' a dywedai ei fod yn well ganddo fyw ar wenith wedi ei ferwi na'i falu â'r felin honno, a chafodd y felin berffaith lonyddwch tan y flwyddyn 1891 pan y deuthum i â'r teulu i fyny. Derbyniais y felin drosodd oddi wrth Percy[2] Wharton gydag awdurdod i hynny oddiwrth y Br Thomas Morgan a threiais innau yr un gamp â Wharton o geisio malu â'r felin falu gyda'r felin yr hon oedd rhy drom i unrhyw Gristion ei throi, a byw wedi hynny i fwynhau ffrwyth ei lafur. Felly, wedi blino ar droi'r felin, a byw yn hir heb fara, euthum i'r ochr orllewin i'r afon Percy at nant a ddeuai allan o lyn ar lech No. 20 perthynol i Rhys Thomas[3] a gwelais yn union y medrwn ei gweithio gyda dŵr y nant ond fod yn rhaid i mi wneuthur olwyn ddŵr yr hyn nad oeddwn wedi cael y fraint o weled erioed[4] a llai fyth weled gwneud un, ond yr oedd gennyf luniau olwynion dŵr mewn llyfr o'r eiddof, fel y bu orau fy ffawd, a chyda'r fwyall, y llif a'r morthwyl ac ychydig hoelion, gwneuthum yr olwyn ddŵr gyntaf yn fy mywyd, ac atebodd y diben cystal ag olwyn orau y byd.[5] Troi'r felin oedd gennyf eisiau yr hyn a wnaeth yn ardderchog. Malwn a pheilliwn bum sached o wenith y dydd yr hyn oedd orchest tu hwnt i allu dynol bron yn y cyfnod hwnnw ar ein byd newydd ni, Gwladfa yr Andes.

Codai llawer o'r sefydlwyr gynaeafau pur dda yr adeg honno. Chwilient am lanerchau coediog, ond heb fod yn goed rhy fawr. Rhoddent y llannerch ar dân ac yna caeent hi i mewn gyda chledrau coed ac wedi i'r lludw oeri, heuent y gwenith yn y lludw

95

a throid haid o gesyg gwylltion i mewn i'r gorlan a sathrent y darn llosgedig yn dda, a dyna'r hau drosodd, tan y medi a'r dyrnu. Dull Chilenaidd oedd hwn – angen yw mam pob dyfais – pan nad oedd aradr i'w chael. Medem y cynhaeaf gyda chrymanau ac yna chwiliem am lannerch o fân frwyn yn tyfu, ac wedi cael y lle pwrpasol gwnaem gorlan gron o ddeuddeg mydr o drawsfesur ac yna caeem y lle i mewn gyda phump neu chwech o gledrau y naill uwch y llall o fwy neu lai ddwylath o uchter. Cariem y gwenith i'r canol yn fwdwl crwn a dodem un haen drwchus o'r gwenith i'r llawr i gychwyn, a chaeid haid o gesig gwylltion i mewn yn y gorlan. Gyrrid y cesyg yn gyflym dros yr haen o wenith oedd ar y llawr a phan wedi dyrnu y gwenith yn llwyr o'r tywys, teflid y gwellt brasaf y tu allan i'r gorlan, ac yna dodid haen arall o wenith ar y llawr ac felly yn y blaen hyd nes gorffen y dâs oedd yn y canol.

Nithid y gwenith yn y gorlan trwy adael i'r gwynt chwythu yr us a'r gwellt ymaith oddi ar y rhawiau pren a ddefnyddid at yr oruchwyliaeth ac yna gyrrid y grawn trwy ograu er dal y pennau tywys brasaf a dyna'r medi a'r dyrnu drosodd. Cludid y grawn i'r felin mewn bagiau o grŵyn anifeiliaid, gan nad oedd modd cael bagiau lliain y rhai oeddynt brinion iawn yr adeg honno. Dyrnai rhai amaethwyr yma ym Mro Hydref gymaint â thri deg neu ddeugain tunnell o wenith yn y dull yma, a dyna'r dull hefyd a ddefnyddid am flynyddoedd pan sefydlwyd ar y cyntaf ar lannau'r Camwy, a dyna eu dull yn y dwyrain hyd y dydd heddiw, ond mai gydag ych y byddant yn dyrnu yno. 'Na chaea safn yr ych tra byddo yn dyrnu,' meddent hwy. 'Na chaea safn y gaseg pan fyddo yn dyrnu,' meddem ninnau, ac i ddod yn ôl at y felin, aeth y felin gyntaf yn rhy fach yn fuan iawn ac yn rhy anghyfleus yn y fan y gosodwyd hi gyntaf gan fod yr afon Percy yn codi llawer yn ystod y blynyddoedd yma, a thrwy hyn yn peri trafferth mawr i mi i fyned gartref y nos, ac i gludo[6]'r gwenith i'r felin, ac yn wir bu raid i mi aros lawer noswaith gyda'r felin, gan nas gallwn groesi gartref i'r ochr ddwyreiniol i'r afon. Cydrhwng y naill beth a'r llall, penderfynais symud y felin o ochr orllewinol yr afon i ymyl fy nhŷ yr ochr ddwyreiniol i'r afon, a gwneuthum ffôs o afon Percy i gario dwfr i weithio'r felin. Bu raid i mi symud genau'r ffôs lawer gwaith i ddilyn cwrs yr afon yr hon sydd yn newid ei chwrs a'i gwely yn aml iawn, gan ei bod yn rhedeg ar y wyneb heb ffurfio gwely sefydlog iddi ei hunan. Ar lawogydd trymion ac eira bydd yn gorlifo ac yn lledu amryw gannoedd o lathenni o led. Galwodd un bardd[7] hi yn 'Afon Ffradach', ac yr wyf yn barnu nas gallasai gael gwell enw arni, ond ei henw ar lenni'r Llywodraeth yw 'Afon Percy' er cof am Percy Wharton fu'n trigiannu ar ei glan ym mlynyddoedd cyntaf sefydlu Bro Hydref.

Yn y fl. 1896 daeth y Br Lewis Jones,[8] Plas Hedd, i'r amcan o chwilio am ddarn da o dir i Gwmni y Gledrffordd Chubut (F.C.C. Chubut), a chyflogodd fi i fyned gydag ef i lawr cyn belled â Llyn Fontana am y de, ac enillais arian pur dda gyda Mr Jones, a chyda'r arian hynny euthum i lawr i Drelew at fy chwaer,[9] gweddw y diweddar Zachariah Jones, i brynu y felin oedd ganddi. Prynasai ef gyda'r Br Lewis Jones, Plas Hedd, ail felin flawd y Wladfa. Melin yn cael ei gweithio gyda mul oedd melin gyntaf y Wladfa, ac yn malu dau cant o bwysi (*libras*) o wenith y dydd. Rhennid y gwenith yn ôl 25 pwys gogyfer â phob un âi â gwenith i'w falu yno. Perchennog y gwenith oedd yn rhoddi'r mul (neu geffyl) ar gyfer troi'r felin. Gweithid y felin gan gogen fawr ar ei fflat oddeutu llath a hanner o drawsfesur; ohoni o'r canol yr oedd paladr praff ac o hwnnw fraich wrth yr hon y gosodid yr ysgrublyn.[10] Gweithiai'r gogen fawr un arall fechan o bedwar dant o hon yr âi'r echel a droai'r maen uchaf; yr oedd y maen arall yn sefydlog. Dibynnai cyflymder y gwaith ar gyflymder yr ysgrublyn, felly os diog a fyddai cymerai amser hir. Toll a delid am falu, a dyna dâl y melinydd; mwy neu lai pum pwys allan o'r 25 ydoedd y doll. Newidiwyd perchennog y felin amryw weithiau, ac yr oedd cryn wahaniaeth yn y drefn arni gyda'r gwahanol berchenogion; byddai rhai yn ofalus ac yn ei chadw mewn trefn dda, eraill yn ddigon diofal. Dyma rai o'r rhai fu yn berchenogion arni: R. J. Berwyn, Lewis Davies Aberystwyth, William Jones Bedol. Yn Rawson yr oedd y felin hon hyd nes y symudwyd hi i'r 'Gelli', ffarm Thomas Harris, pan ddaeth y felin ager o eiddo Lewis Jones i fod. Mae'r hen felin gyntaf heddiw (1939) wedi ei chladdu o dan y tywod yn Nhrofa'r 'Gelli' ar lan afon Chubut.

Yr oedd yr ail felin yn cael ei throi ag ager, a chan fod y felin gyda fy chwaer ar sefyll, gwerthodd hi i mi a deuthum â'r meini i fyny yma. Meini Ffrengig oedd y meini hyn, a gwneuthum olwyn ddŵr bur dda at droi hon. Malu drwodd oedd yr arferiad yn y Wladfa gyda hon, a phawb a'i ogor gartref i ogrwn y blawd yn frâs neu yn fân fel y byddai'r angen, ac felly y malwn yma gyda hi. Malwn tua thair tunnell yn y dydd o wenith a byddai pawb yn berffaith foddlawn ar eu blawd cartref. A'r diwedd fu i rywun ddod â sachaid o flawd peilliad o Drelew o Felin Bryn Gwyn, a daeth sachaid arall yn ei thro o Buenos Aires. Y canlyniad i hyn oedd, daeth y merched i benderfyniad nad oedd melin John Evans yn dda i ddim ond i falu bwyd moch!

Euthum innau, wedi clywed y dyfarniad caled yna, ar fy union i Drelew a phrynais beilliwr bychan penigamp gyda'r Br. Edward Owen, Maes Llaned a buwyd yn malu ac yn peillio am flynyddoedd a phawb wrth ei fodd ac yn dweud nad oedd eisiau gwell blawd o gwbl ar neb. A'r canlyniad eto i mi fu ddarfod i flawd gorau Buenos Aires ddod yma, a chondemniwyd y felin eto yr ail waith. Yna gwneuthum bartneriaeth â William C. Thomas[11] ac anfonasom am felin o Lundain oddi wrth Alfred R. Tattersall yr hon oedd yn ofynnol iddi wneud blawd fyddai'n safonol yn Llundain. Derbyniwyd y felin ac fe falai saith deg o gilos o flawd o'r ansawdd orau yr awr ac yn cael ei gyrru â 'turbine' (Empire turbine) nerth deg ceffyl (10 H.P.). Bûm yn malu gyda hon am flynyddau eto ond tueddai i fyned yn rhy fechan ar gyfer cyfanswm y gwenith a gynhyrchid ar raddfa fwy y naill flwyddyn ar ôl y llall, a'r canlyniad fu i mi brynu William C. Thomas allan, a gyrrais eto at Tattersall am felin arall o'r un faint â'r un flaenorol, ac hefyd 'turbino' mawr fwy neu lai nerth hanner can ceffyl (50 H.P.) a chyda'r felin hon bûm yn malu am lawer o amser, ac yn y fl. 1918 gwnes dro a ystyriaf fu yn anffodus ar lawer ystyr, trwy ffurfio cwmni mawr o holl amaethwyr Bro Hydref, gan feddwl fy mod yn gwneuthur tro da â'r sefydliad yn gyffredinol. Nid oedd angenrhaid arnaf i wneud hyn, ond yr ystyriaeth a nodais a'm cymhellodd. Ffurfiwyd y Cwmni ac anfonwyd at Henry Simon Manchester a phrynwyd ganddynt felin abl i falu can sach chwe deg kilo yr un o flawd peilliad y dydd, a chyn gorffen gosod y felin newydd i fyny, yr oedd hanner tanysgrifwyr y Cwmni newydd wedi tynnu eu henwau yn ôl a golchi eu dwylo yn lân o bob cyfrifoldeb yn eu meddwl hwy, ac arhosodd dau ddeg chwech yn Gwmni a rhestrwyd y felin newydd o dan yr enw Molino Andes Juan D. Evans y Cía Sociedad en Comandita, a dyna fraslun o hanes y felin ym Mro Hydref a pha fodd y mae i ddynoliaeth yn coethi ac yn codi megis ar flaenau eu traed i ganlyn cwrs y byd.[12]

Llawysgrifau: Fersiwn yn llaw JDE a fersiwn teipiedig â'r dyddiad 1939 a gedwir yn Nhrevelin.

[1]Ceir amryw ffurfiau ar yr enw hwn yng ngwaith y teithwyr cynnar. Y ffurf frodorol, yn iaith y Tehweltsiaid mae'n debyg, yw *Kichawer* neu *Kechawer* (*Toponomia Indígena del Chubut*, R. Casamiquela, 2000b) am drafodaeth am ei ystyr. Citsawra yw'r ffurf a geir ar fap Llwyd ap Iwan a gyhoeddwyd yn 1888. Saif ar y ffordd sy'n arwain i Tecka.

[2]Percy a geir yn y llawysgrif, er mai Percey a dderbynnir yn gyffredinol. Rhoddwyd ei enw i'r afon sy'n rhedeg drwy'r gymdogaeth.

[3]Yn ôl erthygl a ymddangosodd yn *El Regional* Mehefin 1980 (di-enw), roedd Rhys Thomas yn gyfrifol am greu melin seml a oedd yn cael ei gweithio gan ddirwynlath yn y cyfnod cyn i JDE fynd ati i adeiladu ei felin ei hun.

[4]Dilëwyd 'un llai' yn y gwreiddiol.

[5]Mae William Freeman yn ei ysgrif goffa i JDE yn *Y Drafod*, 12 Ionawr 1945, yn dweud am y cyfnod hwnnw: 'Gwelodd y byddai angen melin yno, ac anturiodd ar y gwaith. Cof gennyf cyd-deithio ag ef pan oedd yn dod â meini hen felin Zacarias [*sic*] ger Trelew, i fyny yn ei wagen ei hun, a'i waith a'i ymdrech yn gwneud ffos i gario dŵr i droi'r felin, ei waith yn gwneud yr hen olwyn ddur fawr, a gosod yr hen felin fach wrth ei gilydd a'i chael i weithio i ddod i gyfarfod ag angen y sefydliad y pryd hwnnw, daliodd i weithio ymlaen gyda'r gwaith yma nes cael sydd yno yn bresennol, melin fawr, adnabyddus, John D. Evans & Cía.'

[6]Amrywiad: 'dyfod a'

[7]Mewn sgwrs â'r diweddar Fred Green, Trevelin, ym mis Ebrill 2000, awgrymwyd i mi mai T. Dalar Evans oedd yn gyfrifol am roi enwau i rai o'r nentydd lleol, gan gynnwys nant Tir Irfon ac afon Ffradach.

[8]Chwaraeodd Lewis Jones ran arloesol wrth ddod â'r rheilffordd i ddyffryn Camwy. Ffurfiwyd cwmni i'r pwrpas o'r enw Ferrocarril Central Chubut. Am ragor o fanylion gweler R. Bryn Williams (1962), tt. 189–195. Gweler hefyd *El Ferrocarril del Chubut* gan Clemento I. Dumrauf, 1993.

[9]Elizabeth Evans, chwaer JDE, merch i Mary a Daniel Evans. Priododd chwaer Mary, sef Margaret, ag Aaron Jenkins.

[10]Gair a ddefnyddir gan JDE ac a welir o bryd i'w gilydd yng ngwaith awduron eraill o'r cyfnod. Yn ôl Geiriadur Prifysgol Cymru, bachigyn y gair 'ysgrubl' ydyw, yn golygu anifail (gwaith).

[11]William Coslett Thomas (1861–1939), sef mab i Dafydd Coslett Thomas (1836–1923) ac Eleanor Thomas (1835–1915). Ganed William yn Rhymni, de Cymru, a phriododd Elizabeth Elen Thomas. Ymsefydlasant ym Mro Hydref yn 1889, a chawsant deulu o naw o blant. Gellir gweld y bedd ym mynwent Trevelin. Yn ôl erthygl a ymddangosodd yn *El Regional*, Mehefin 1980, ar sail melin Coslett a JDE yr adeiladwyd y syniad o gael melin fwy o lawer. Fel llawer o'r Cymry a ddaeth i'r Wladfa yn y cyfnod cynnar, pan gyrhaeddodd Dafydd Coslett Thomas yn 1875, cawsant fferm yn ardal Tair Helygen ger Trerawson, gan symud

wedyn i Drelew. Aeth rhai o blant Dafydd i bedwar ban byd fel John Coslett Thomas a symudodd i Saskatchewan yn 1902, ac aeth Joseph i Awstralia (A. Jones de Zampini, 1995). Gweler hefyd hunangofiant John Coslett Thomas.

[12]Nodyn cyffredinol. Ceir rhai dogfennau yn Amgueddfa Trevelin (sef hen Felin John Daniel Evans & Cía), yn sôn am hanes y felin yn y cyfnod cynnar. Ceir cofnod yn cyfeirio at y peirianwaith gwreiddiol a ddaeth o gwmni Henry Simons [sic], Manceinion, a'r tyrbin wedi dod o British Engineering, Llundain. Ceir hefyd daflen yn rhoi peth o hanes y felin gan Mervyn Evans, un o ddisgynyddion Dalar Evans. Yno sonnir am y cynlluniau ar gyfer y felin yn dyddio o Fehefin 1916. Ar sail hyn, meddir, gellir gweld y gorffennwyd yr adeiladau yn 1917. Dechreuwyd â chyfalaf o 100,000 *peso* ond yn fuan cododd hyn i 400,000 *peso*.

Ceir dogfennau hefyd yn yr Amgueddfa yn olrhain (yn fylchog) hanes cynnar y felin a fu, am ychydig, fe ymddengys, dan reolaeth JDE ei hun, er mai ef oedd y sefydlydd. Ceir er enghraifft enwau'r rhai a gymerodd gyfranddaliadau yn y cwmni newydd, yn cynnwys William Ll. Jones, Glyn, JDE, Cwmni Masnachol y Camwy, Antonio Miguens, a T. Dalar Evans. Ceir hefyd Cyfansoddiad y Cwmni mewn Sbaeneg. Yn ddiddorol hefyd ceir cofnodion Cwmni'r Felin ar ôl 1922. Yn Sbaeneg y cawsant eu hysgrifennu heblaw am ryw dri thudalen yn y canol yn Gymraeg (*Actas de la reunión de la Junta Administradora*). Erbyn 1918, bu raid ffurfio cwmni newydd y sonnir amdano gan JDE ei hun, a cheir dogfen yn Gymraeg o'r enw 'Rhag-Gynllun o'r rheolau yn ol pa un y ffurfier Cwmni Melin Newydd-Bro Hydref'. Mae'r ddogfen yn dwyn y dyddiad 28 Chwefror 1918 ac yn cynnwys y geiriau canlynol: 'Yr ydym ni y rhai sydd au henwau isod yn ymffurfio yn gwmni, gyda'r amcan o brynu hawliau y Br. John D. Evans, yn y Felin bresennol, ac hefyd i adeiladu melin newydd, a chael peiriannau o'r gwneuthuriad goreu a diweddaraf, yn gymwys i falu holl gynyrch gwenith y sefydliad'. Ymddengys nad oedd yr holl amaethwyr wedi prynu cyfranddaliadau, ond parhaodd y Cwmni er hynny dan yr enw John Daniel Evans & Cía, a dyna'r enw a welir hyd heddiw ar yr hen Felin. Yn ôl yr erthygl yn *El Regional*, JDE oedd y rheolwr yn 1925; Tryfan Hughes Cadfan (ei fab-yng-nghyfraith) oedd y cyfrifydd.

Yn ôl Mervyn Evans, roedd y felin erbyn 1918 yn medru cynhyrchu 20,000 cilo o wenith grawn mewn pedair awr ar hugain. Dywedir bod Otto Shinsky a dau Almaenwr, y brodyr Pablo a Francisco Alder, wedi rhedeg y felin o safbwynt y peiriannau. Fel yr awgrymir gan JDE ei hun, defnyddiai afon Percey i redeg yr olwynion. O 1925, y melinydd oedd un o'r enw Luis Weber tan 1930, ac ar ôl hyn Robert (Bob) Roberts oedd melinydd y dre. Yn ôl *El Regional* (Mehefin, 1980), roedd Luis Weber yn dal yn fyw ar ddechrau'r 80au ac yn cofio'r cyfnod cynnar hwn. Ymddengys mai ym mis Medi 1953 y gweithiodd y felin am y tro olaf a chafodd y peiriannau eu gwerthu yn 1959 i gwmni o'r enw Molinos Concepción yn Bahía Blanca. Roedd cau'r felin yn adlewyrchu polisi newydd y llywodraeth o ganoli cynhyrchiad gwenith nid yn nhalaith Chubut ond yng nghanol y Wlad. Bu hyn yn ergyd ddifrifol iawn i lwyddiant economaidd Patagonia a'r Wladfa yn arbennig. Daeth y generadur i'w ddefnyddio gan gwmni lleol Trevelin Ltda i gynhyrchu trydan.

Hanes Cyflafan Dyffryn y Merthyron, 1884

Tad y syniad am archwilio'r berfeddwlad am aur ydoedd Capten Richards[1] yr hwn ddaeth i Batagonia o Awstralia yn y flwyddyn 1882 gyda'i deulu. Yr oedd y Bonwr hwn wedi bod ddwywaith yn filiwnydd ac oherwydd rhyw amryfusedd fe gollodd yr oll oedd ganddo. Yr oedd brwdfrydedd y Capten mor fawr fel yr enynnodd dân anturiaethus ym mynwesoedd amryw o'r gwladfawyr ar lannau'r Camwy. Dyma'r pryd y trawyd finnau â'r ysfa o fyned gyda chyfeillion eraill i geisio am fan darddiad yr aur. Yr oeddwn i megis fel arweinydd i'r fintai, oherwydd fy adnabyddiaeth o'r paith ac arferion y brodorion.

Yn y flwyddyn 1883 gwnaethom wibdeithiau i fyny glannau'r Camwy gan samplu aur ymysg y tywod ar ein teithiau. Caem lwch aur mewn amryw fannau, ond bychan ydoedd y swm fel nad oedd o werth masnachol. Nid aethom ymhell yr adegau hyn a throesom yn ôl a'n golygon drachefn am y dyffryn. Fodd bynnag, yn niwedd Tachwedd 1883, penderfynodd pedwar ohonom wneud taith hirfaith i ganolbarth y wlad, a pharatowyd yn ofalus popeth allem feddwl fyddai angen arnom i daith mor hir. Y pedwar archwilwr ydoedd: Richard B. Davies, Zacharia Jones, John Parry,[2] John D. Evans. Newydd-ddyfodiad ydoedd y Bonwr Richard B. Davies ac yn frodor o Lanelli, Sir Gaerfyrddin.[3]

Wedi cychwyn ohonom ar fore teg, a phan oeddem wedi teithio rhai milltiroedd, cyraeddasom le a elwir hyd heddiw yn Ddyffryn Santa Cruz[4] – cyfarfuom â dau o frodorion y paith – dau Indian – pa rai oeddent yn dyfod i'r Wladfa i farchnata. Yr oedd y ddau frodor hyn yn aros yn Santa Cruz gan na allent deithio i'r dyffryn y pryd hwnnw gan fod llywodraeth Argentina wedi rhoddi gorchymyn i'w swyddogion ddwyn yn garcharor i Rio Negro bob Indian welsid.[5]

Bu i ni fel Cymry aros ddeuddydd a dwynos yn y dyffryn hwn, a cheisiai'r Indiaid am gyfle diogel i lithro i'r Wladfa i farchnata, canys marsiandwyr oeddynt. Deallasom mai ysbiwyr yr Indiaid – *chasquis*[6] – oeddynt hefyd yn ogystal â marsiandwyr. Cychwynasom o'r fangre hon gan adael y ddau frodor yn y wersyllfa, a theithiem ddyddiau lawer i fyny'r afon gan archwilio'r tywod am aur ddwy neu deirgwaith y dydd. Deuai aur i'r golwg ymhob archwiliad a'n bwriad ydoedd ceisio dilyn cwrs y golchiadau aur ar hyd y llifeiriant i'w fan tarddiad.

Teithiasom fel hyn yn araf nes y cyraeddasom fangre alwasom yn Hafn yr Aur.[7] Yr oedd yn fis Rhagfyr erbyn i ni gyrraedd y fan hon, ac yr oedd y tywydd yn eithriadol boeth. Saif Hafn yr Aur 18 *leagues* neu 54 milltir y tu uchaf i le elwir yn Rhyd yr Indiaid.[8] Yr oedd ein hymborth erbyn hyn ar ddarfod a ninnau eto heb deithio dwy ran o dair o'r daith, gan y bwriadem gyrraedd cyn belled â godrau mynyddoedd aruchel yr Andes. Yr oeddwn i wedi bwriadu myned gyda dau Indian fy hunan yn 1882[9] i archwilio'r wlad, ond gan i lywodraeth Argentina benderfynu caethiwo'r Indiaid er eu rhestru fel deiliaid y wlad, methais â sylweddoli fy mwriad y pryd hwnnw.

Yn y fan hon, Hafn yr Aur, gadewais John Parry a Richard Davies ac euthum i â'm brawd-yng-nghyfraith, sef Zacharia Jones, yn ôl i'r Wladfa er cyrchu ychwaneg o ddarbodion ar gyfer parhau'r archwil hyd yr Andes. Cyraeddasom y dyffryn yn ddiogel, paciwyd ein pynnau yn llawn o wahanol angenrheidiau a chychwynasom drachefn i'n taith. Yr ydoedd yn awr yn nechrau 1884, a'r tro hwn daeth pump gwladfawr arall gyda ni, gan i'r ysbryd anturiaethus eu meddiannu hwythau hefyd pan welsont ni. Yr oeddem yn awr yn saith yn ailgychwyn tua'r paith, sef: John Harris, Wm Thos Williams, John Hughes, Lemuel Aston, Benjamin Williams, Zacharia Jones a minnau.

Teithiasom yn gysurus a diofn hyd fangre elwir heddiw yn Ddyffryn y Merthyron. Yn y fan hon cyfarfuom â swyddog milwrol yn perthyn i lywodraeth Argentina o'r enw Comandante Roa[10] gyda'r hwn yr oedd cwmni o filwyr. Deuai'r Comandante â llu o Indiaid yn garcharorion i lawr am brifddinas y diriogaeth, sef Rawson. Daliodd ef yr Indiaid hyn oddeutu ardal Sunica a deuai â hwynt i'w rhestru yn ddeiliaid y weriniaeth. Wedi peth ymddiddan â'r Comandante, gofynnais iddo gyflwr y wlad yn uwch i fyny. Sicrhaodd y Comandante fi a'm cyfeillion fod y paith yn glir o Indiaid hyd at yr Andes, ond am i ni beidio mentro i'r coedwigoedd, gan fod y lle hwnnw yn heigio o Indiaid. Dywedais wrtho nad oedd ein bwriad i fyned i'r coedwigoedd ond yn unig hyd at y fangre honno.

Aeth y Comandante a'i gwmni i'w ffordd ac aethom ninnau ymlaen hyd le elwir heddiw yn Media Luna (Hanner Lleuad) gan fod yr afon yn rhoi tro sydyn ac felly yn ffurfio cylch fel hanner lleuad yn y fan hon. Yr oeddym yn awr ar yr ochr ogleddol i'r afon, ac yna cwrddasom â'n dau gyfaill adawsom amser yn ôl yn Hafn yr Aur, sef Richard Davies a John Parry. Yr oedd ein dau gyfaill wedi blino â disgwyl am ein dychweliad ac wedi penderfynu troi yn ôl am y Wladfa. Teimlent yn isel-ysbryd pan gwrddasom â hwynt, gan fod eu holl frwdfrydedd wedi ei anelu at gyrraedd eu nod, ond pan welsont ni mawr fu'r llawenydd gan y gwelent yn awr obaith am barhau ymlaen.

O Media Luna teithiem yn awr yn 9 o nifer, ac ni fu digwyddiad gwerth ei grybwyll nes y cyraeddasom daith ddiwrnod ymhellach na Hafn yr Aur. Yn y fan hon un o'r pethau cyntaf welsom ydoedd arwyddion gwersyllfa Indiaidd. Tystiai rhai o'm cyfeillion fod yr arwyddion hyn yn ddiweddar; credwn innau eu bod yn fisoedd oed, felly ni allem ddod i benderfyniad ar y mater. Ar ôl peth amser daeth rhai o'r cwmni i'r penderfyniad eu bod hwy am droi yn ôl o'r fan hon, ac na ddeuent ymhellach. Felly cymerodd ymraniad le. Daeth pump i'r penderfyniad mai'n ôl i'r Wladfa yr oeddent hwy am fynd. Ar hyn enciliodd y rhai canlynol o'n cwmni: Br Zacharia Jones, Br Lemuel Aston, Br John Harris, Br Wm Thos Williams, Br Benjamin Williams, a dychwelasont yn ôl i ddyffryn y Camwy yn uniongyrchol. Yr oeddem yn awr yn 4 yn dal at ein penderfyniad i gyrraedd ein nod, sef Richard B. Davies, John Parry, John Hughes a minnau.

Dilynasom yn awr gwrs yr afon gan ddal i archwilio tywod yr afon o ddydd i ddydd. Gwyddwn am le a elwid yn Tecka,[11] a daethom i'r penderfyniad o fyned cyn belled â'r ardal hon; os y 'credem', gwelem y gallem fyned cyn belled heb berygl oddi wrth Indiaid, gan y gwyddwn y byddem yn y rhan hon o'r wlad yn agos iawn i wersyllfa'r Indiaid. Wedi teithio dyddiau lawer heb anffawd na chynnwrf o fath yn y byd, cyraeddasom hyd lannau'r afon elwir gan yr Indiaid yn Leufu-Leppa.[12] Yn y fan hon, wedi lludded a blinder y dydd, codasom ein gwersyll a phenderfynasom gael ychydig o seibiant a gorffwysfa i'n ceffylau.

Chwefror 1884.[13] Campio wrth enau'r afon Leppa.[14] Tri ohonom, sef Richard B. Davies yn aros yn y camping, John D. Evans, John Hughes a John Parry, yn myned allan i chwilio am aur. Pan yn dychwelyd o'r daith gyda'r nos, a chyn croesi'r afon Gualchaina,[15] gwelsom dri yn y gwersyll, un oeddem wedi adael yno yn y bore, ond adnabuais y ddau arall hwynt fel y ddau Indian oeddem wedi adael yn y creigiau yn nhop dyffryn Camwy pan yn cychwyn i fyny diwedd y flwyddyn flaenorol, sef Tachwedd 1883, ac ar unwaith clywais Juan Salvo[16] sef un o'r Indiaid yn gwaeddi arnaf, 'Sut y mae hi gyfaill ers llawer dydd?' Ac ar hynny yr oeddem yn y gwersyll ac ar ôl gollwng y ceffylau, adroddai R. B. Davies i mi sut yr oeddent wedi dyfod i mewn i'r gwersyll.

Daeth un o'r ddau Indiad i'r golwg i ddechrau, a phan welodd hwn ein ceffylau yn y drofa oddi tanodd, dihangodd yn ei ôl hynny fedrai traed ei geffyl ei gario, ac ymhen ychydig amser daeth dau Indiad i'r golwg gan edrych yn llechwraidd ac ofnus rhwng y twmpathau drain oedd o amgylch y drofa, a phan welodd Davies hwynt felly, yn edrych yn llechwraidd, gwnaeth arwydd iddynt ddod i'r gwersyll, yr hyn a wnaethant ond buont yn ofnus iawn am beth amser. Ni fedrai Davies yr un gair o *Spanish*, ac ychydig o Sbanaeg fedrai yr Indiaid hefyd. Iaith arwyddion oedd ganddynt nes i ni ddod yn ôl i'r gwersyll. Nid oedd y ddau frodor hyn wedi bwyta ers rhai diwrnodau, gallwn feddwl. Rhoed ysgyfarnog gyfan iddynt, a berwyd hi mewn crochan oedd ganddynt. Bwytwyd hi i gyd ganddynt gydag awch. Dyma ddull yr anwar ymhob gwlad, sef byw fel y condor a'r llew[17] heddiw a gadael yfory i ofalu amdano ei hun. Byddent weithiau gymaint â thri a phedwar diwrnod heb fwyta dim os byddent yn aflwyddiannus i ddal y guanaco[18] neu'r estrys. Adroddai'r brodorion wrthym y drafferth gawsant wedi i ni eu gadael yng nghreigiau'r dyffryn i allu cael cyfle i fasnachu yn y dyffryn heb i'r milwyr eu gweled a'u dal yn garcharorion, canys yr oedd yn awr yn 4 mis o amser ers pan welsom hwynt ddiweddaf. (Yr oedd milwyr wedi eu rhoddi i wylied y 'chasquis' (ysbiwyr yr Indiaid) gan lywodraeth Ariannin yn uchter y dyffryn, a *chasquis* oedd y ddau frodor hyn).

Bu'r ddau hyn yn daer iawn trwy gyda'r nos a bore trannoeth yn ceisio gennym addo myned gyda hwynt i'w gwersyll yng nghwr y coed o dan y mynyddoedd mawr, sef yr Andes. Enwyd y lle hwn gennym ar ôl hyn yn Pico Thomas er ·cof am un o fintai archwiliadol Fontana yn 1885 (J. M. Thomas[19]). Adwaenir yr ardal hon heddiw yn Sunica[20] (Tsunica-Parria – Gwraidd Brwyn), cartref Mr Richard Clark[21] yn bresennol. Ymhlith yr holl bethau a ddywedodd yr Indiaid wrthym y noson fythgofiadwy honno, dywedodd yn anfwriadol iddo ef ei hun, 'Os gwelai ei lywyddion (*cacique*[22]) ef ni, na welem mo'r Wladfa mwyach'. 'Ond,' meddai ar drawiad ar ôl iddo sylweddoli beth a ddywedodd, 'peidiwch ag ofni gyfaill,' gan daro ei law ar fy ysgwydd, 'mi a ofalaf amdanoch, a chewch ddigonedd o bob math o gig ar gyfer y daith pan fyddwch yn dychwelyd yn eich holau i'r Wladfa.' Ond yr oedd yr hyn ddywedodd wrthym yn anfwriadol ychydig ynghynt wedi ein gosod ar ein gwyliadwriaeth, a phenderfynasom ein pedwar fod dau ohonom yn myned y bore trannoeth i'w danfon hwynt i'w taith gyda'r amcan o gadw cyfeillgarwch â hwynt.

Bore trannoeth aeth John Hughes a minnau i'w danfon, gan eu hysbysu yn y bore ein bod yn bwriadu dychwelyd yn y prydnawn. Llwythasom ein llawddrylliau a dodasom hwynt yn ein *'tiradores'* (gwregysau) yn eu gŵydd, a phan yn dal ceffyl i Hughes, dywedodd y pen brodor wrthyf, na chyrhaeddai hwnnw, sef y ceffyl, byth yn ôl i'r gwersyll, gan y byddai iddo ffaelu. Dywedais wrtho yr ail waith na fwriadem fyned cyn belled â'u gwersyll, ond yn unig eu danfon am ysbaid ran o'r ffordd. Felly a fu. Cychwynasom i'r daith a chyn pen ychydig amser aeth yn garlamu, a charlamu di-ddiwedd a fu. Meddyliais wrth weled y fath garlamu, fod bradwriaeth ar droed, a'u bod yn bwriadu ein cael yn rhy agos i'w gwersyll i droi yn ôl at y ddau Gymro adawsom yn ein camping. Dywedais wrth Hughes y byddai'n well iddo arafu ei garlamiad, gan gymeryd arno fod ei geffyl wedi ffaelu. Felly y gwnaeth.

Ymhen peth amser, trodd yr Indiaid a minnau ein golygon yn ôl i edrych am Hughes. 'Dyna,' meddai y brodor wrthyf, 'onid oeddwn wedi dweud wrthyt yn y bore y byddai i'r hen geffyl yna ffaelu cyn cyrraedd ohono ein gwersyll, ond ni chredaist ti mohonof.' Ac ar hynny o siarad tynnodd ei laso o ochr ei gyfrwy, a daliodd un o'r ceffylau oedd ganddo ef ei hun, ac erbyn i Hughes gyrraedd hyd atom, yr oedd gan yr Indian geffyl arall yn barod iddo, ond dywedais wrth y pen brodor ein bod wedi addo troi yn ôl o'r fan hyn pan adawsom ein camping yn y bore (yr oeddem yn awr mewn trofa yn is i'r Camwy na lle Hallafeld yn bresennol). Deallasom yn union ar eu ffyrdd a'u dull siarad, oni bai eu bod yn gwybod ein bod yn arfog, ac nad oedd ganddynt hwy ond dau ddarn o gyllell, y byddai iddynt ymosod arnom yn y fan. Nis gwyddem ni ein dau beth i'w wneud, dywedasom wrth ein gilydd os gwnawn gynnwrf â hwy a pheidio â'u lladd y buasent[23] yn sicr o ddod ar ein holau, wedi iddynt gyrraedd eu gwersyll, ond daethom ein dau i'r un penderfyniad, os ymrafael rhaid oedd i ni eu lladd, ac os cyfeillgarwch, barnasom na ddeuent ar ein holau. Gwnaem bob ymdrech i ddychwelyd i'r gwersyll Camwy heb dywallt gwaed.

Yr oeddwn wedi rhoddi benthyg bag canfas i un o'r Indiaid pan yn cychwyn y bore hwnnw, ar yr amod fy mod yn ei gael yn ôl pan fyddwn yn dychwelyd, gofynnais iddo am y bag a gwrthododd ef i mi, gan ddweud fy mod wedi ei addo iddo nes cyrraedd gwersyll yr Indiaid. Dywedais innau wrtho: 'Cadw ef yn rhodd fechan oddi wrthyf'. 'Na,' meddai yn sarrug ac yn gas. Ar hyn o siarad ymadawsom, Hughes a minnau, am ein gwersyll yn ôl i gyfeiriad gogledd-ddwyrain lle yr oedd ein dau gyfaill wedi aros y bore. Aethont hwythau y ddau Indian am eu gwersyll i gyfeiriad y gorllewin. Wedi ymadael oddi wrth ein gilydd tua 500 metres carlamodd y pen Indian yn ôl tuag atom gan weiddi arnaf i sefyll, yr hyn a wnaethom. Wedi iddo ddod hyd atom, gofynnodd i mi a wnawn newid carped ag ef oedd ar geffyl Hughes (math o 'rug' oedd hwn, efelychiad o groen tiger). Cafodd ef ar unwaith a rhoddodd ef i ninnau ei garped ef, sef un wedi ei wneud o wlân guanaco (gwaith Indiaid). Cychwynasom eilwaith i'n taith, a phan mwy neu lai oddeutu'r un pellter, carlamodd yn ôl eilwaith gan erfyn arnom i sefyll drachefn, yr hyn a wnaethom fel cynt. Gofynnais iddo beth oedd arno eisiau yn awr. Dywedodd wrthyf fod arno eisiau ysbardun oedd gennyf. Rhoddais ef iddo, gan ddweud wrtho, os y deuai'n ôl y drydedd waith, na welai ef na'i gyfaill eu penaethiaid hwythau chwaith. 'Na, na,' meddai, 'ffarwel gyfaill' (*No, no amigo, no me verás más, adios*[24]), ac ar hyn aeth i'w ffordd ac nis gwelais ef mwyach.

Dychwelasom ar ôl peth teithio yn ôl i'n gwersyll lle'r oedd ein dau gyfaill yn ein disgwyl. Dywedasom wrthynt beth oedd wedi digwydd, a'r casgliad oeddwn i a Hughes wedi dod iddo ar y daith, oedd i ni ddychwelyd os yn bosibl heb dywallt gwaed. Cytunodd ein cyfeillion yn y camping ar yr hyn oeddem wedi benderfynu yn flaenorol. Wedi cael pryd o fwyd, cychwynasom a'n golygon yn ôl am y Camwy tua 3 o'r gloch y pnawn (yr oeddem yn awr tua 300 o filltiroedd o'r Wladfa). Canlynem yr afon yr un ffordd ag y daethom. Trwy'r nawn hwnnw a thrwy'r nos, a thrwy'r dydd trannoeth hyd fachludiad y lleuad ar y bore, heb gymaint ag aros ond i newid ein ceffylau. Ymhell cyn nos yr oedd dau o'n cyfeillion wedi blino ac yn gorwedd ar eu cyfrwyau (John Hughes a John Parry). Yr oeddem ni ein dau Richard Davis a minnau (John Evans) yn gorfod gyrru'r ddau gyfaill ymhysg y trwp ceffylau o'n blaenau.

Ar fachludiad y lleuad rywbryd ar y bore, rhoddasom i lawr mewn trofa; gorfu arnom dynnu'r ddau gyfaill oddi ar eu ceffylau gan gymaint eu lludded a'u gosod i orwedd. Wedi cynnau tân rhoddasom iddynt gwpanaid o goffi cynnes, yr ychydig oedd yn digwydd bod yn weddill gennym, ac erbyn toriad y wawr yr oeddent wedi dod atynt eu hunain yn lled dda, fel y gallem gychwyn eilwaith gyda thoriad y dydd. Y dyddiau canlynol teithiasom yn llythrennol yng ngwely'r afon gan mai ychydig ddwfr oedd yn digwydd bod ynddi yr adeg honno o'r flwyddyn; yr oedd y dwfr y ffordd hon mor loyw nes y gallem deithio yn rhwydd yn y dwfr a gweled y gwaelod, felly arbed myned i dyllau. Pan yn codi o'r afon a myned drachefn yn ôl iddi, byddem yn ofalus i godi lle y byddai cerrig i'r amcan o beidio gadael trac ar ein holau fel na allai'r Indiaid ein tracio a'n goddiweddyd yn rhy fuan gan y credwn i sicrwydd bron y byddai i'r Indiaid ddyfod ar ein holau.

Ac fel y dywedai'r Indiaid wrthyf wedi hyn[25] pan yn cael eu casglu i'r dyffryn Camwy gan y *teniente* Laziar,[26] fod ein cynllun o deithio yng ngwely'r afon wedi peri llawer iawn o drafferth iddynt, oni bai am hyn y buasent wedi ein goddiweddyd lawer yn uwch i fyny yn y wlad, ac y buasai hynny yn peri fy nihangfa yn llawer mwy anodd. Buasai fy nihangfa yn fwy anodd oherwydd fod y pellter yn feithach i'r dyffryn.

Yn Nhachwedd 1883 yr oeddwn wedi bod yn chwilio am aur i'r gogledd ymhell o'r afon tua'r cyffiniau hyn, ac wedi darganfod ffynnon fawr yn llawn o ddŵr cydrhwng dwy graig fawr, a chan fod fy ngheffylau y pryd yma yn dechrau ffaelu a'u traed yn ddolurus iawn trwy ein bod yn teithio gryn lawer ar greigiau, a bod man y ffynnon yn fan cyfleus i amddiffyn ein hunain, penderfynasom droi tua chyfeiriad y ffynnon yr ochr ogleddol i'r afon, a chyraeddasom yno y ffynnon tua 2 o'r gloch y bore wedi teithio drwy'r nos flaenorol, ond er ein blinder a'n lludded a'n siomedigaeth nid oedd dafn o ddwfr ynddi. Nid oedd dim i'w wneud yn awr ond troi am y de-ddwyrain sef yn ôl tua'r afon eto; rhoddais gyfeiriad i'm tri cyfaill, gan ei bod eto yn nos ac yn dywyll ar iddynt hwy a'r trwp deithio i gyfeiriad yr afon ac i minnau aros ar ôl er dod â'r ddau geffyl oedd wedi ffaelu ac yna y buaswn yn eu goddiweddyd tua 10 o'r gloch bore trannoeth ar lan yr afon.

Pan gyrhaeddais hyd atynt tua chanol dydd yr oedd ganddynt fwyd yn barod i mi, ac o! mor flasus ydoedd ar ôl bod mor hired heb damaid ond *charki*[27] sych i'w gnoi am ddyddiau. Gorffwysasom yma tan hyd drannoeth. Wedi hyn cychwynasom yn araf deg i'n taith gan fod ein ceffylau yn methu myned yn gyflymach oherwydd eu blinder; aem ymlaen heb ymdroi dim nes cyrraedd ohonom ardal adnabyddedig iawn i mi sef y lle elwir heddiw yn Hafn Glo. Cyraeddasom Hafn Glo nos Iau, Mawrth 2ail, 1884, a chan nad oeddem wedi gweled yr un arwydd fod yr Indiaid yn dod ar ein holau, penderfynasom aros yma am ddiwrnod i'r amcan o archwilio y lle am y glo. (Gwelir heddiw haenen ddu ar yr ochr ddeheuol i'r hafn yr hyn roddodd i ni y syniad y gallai fod glo yno. Galwyd y lle hwn gennym am hyn yn Hafn y Glo). Gwersyllasom ymhen draw'r drofa sef y rhan ddwyreiniol o Hafn y Glo ar lan yr afon. Dydd Gwener y 3ydd chwiliwyd y glo gennym yn bur fanwl ac mewn llawer hafn yn y cylch, ond ni chawsom lo ond yn unig y garreg ddu sydd o'r un lliw. Nos Wener breuddwydiais fod yr Indiaid yn dod ar ein holau, gwelais hwynt yn myd breuddwyd yn carlamu yn wyllt ar ein holau ac yn ffurfio ar gylch hanner lleuad, ac â chongl fy llygaid gwelwn eu picellau yn disgleirio yn ngolau'r haul. Bore trannoeth cyn codi o'm gwely adroddais i'm cyfeillion fy mreuddwyd, a daethom i'r penderfyniad mai effaith trwbl, gofal a blinder y daith ydoedd achos fy mreuddwyd. Gadawsom bopeth i basio heb feddwl ychwaneg am fy mreuddwyd, ac ar godiad haul Mawrth 4ydd (bore Sadwrn), cyfrwyais fy ngheffyl gorau sef Malacara[28] (ystyr yr enw: wyneb budr), i'r amcan o fyned i drofeydd yr afon i ddal i hela ysgyfarnogod, estrysod neu rhyw anifail arall a roddai gig i ni.

Yr oeddem hyd yn hyn wedi cario ein harfau yn ein dwylo ar hyd y daith, ond yn awr credem na fyddai eu hangen mwyach arnom, felly paciwyd hwy yn y *cargero*[29] oddigerth dwy revolver a chleddyf fel y gallem deithio yn hwylusach. Yr arfau baciwyd ydoedd dwy *rifle* fawr.

Ar ôl croesi'r afon i'r ochr ogleddol euthum drwy'r trofeydd gan adael y tri arall i yrru'r trwp yn araf deg ar hyd llwybr Indiaid yr hwn oedd yn cadw y tu allan i'r trofeydd. Daliais 2 ysgyfarnog braf, ac ar ôl teithio tua 6 milltir yr oeddem yn dod i gwrdd a'n gilydd yn nhro'r afon. Rhoddais y 2 ysgyfarnog ar y pynnau (*cargero*), a theithiem yn dawel a difeddwl-ddrwg gan ymddiddan â'n gilydd am y drofa yr hwn le fwriadem aros dros y Sul tua 6 milltir i lawr yr afon, y fan lle y mae'r *balsa*, cwch[30] croesi, yn awr. Yr oedd traed ein ceffylau yn awr yn tincian ar ddaear galed. Math o lyn oedd y lle hwn lle y deuai dwfr glaw o'r bryniau, ond ar y pryd hyn yn sych ac yn galed iawn. Yr oeddwn i'n gyrru yr ochr dde i'r trwp a John Parry yn agosaf ataf, John Hughes yn y canol a Richard Davies ar y chwith. Ffurfiem fath o hanner lleuad fel hyn, a gyrrem 14 o geffylau o'n blaenau, teithiem heb feddwl am frad na chwaith edrych yn ôl o gwbl y dydd hwnnw.

Yn sydyn ac yn arswydol dyma waedd fawr arswydol sef ysgrech fyddarai ein clyw, dyna waedd ryfel yr Indiaid, a theimlem fod ceffylau'r Indiaid yn rhuthro rhyngom, edrychais drach fy nghefn oddi ar fy ngheffyl a gwelais eu picellau yn disgleirio yn yr haul, ac ar yr un amrantiad teimlwn bicell yn fy nhrywanu ar yr ochr chwith, a chyn i mi allu sylweddoli dim, gwelwn Parry yn disgyn i'r ddaear a'r bicell yn ei ochr, a phicellau yn y ddau eraill, ni wyddwn a ydoedd y ddau gyfaill hyn wedi eu trywanu yn farwol ai peidio canys yr oeddent hwy hyd yn hyn ar eu ceffylau, gwneuthum un neidlam gan blannu fy ysbardynau yn ochr fy Malacara yr hwn ydoedd fel taran o sydyn a llwyddais i dorri trwy gylch yr Indiaid, a phan ar y naid-lam o dorri drwy'r cylch, ceisiodd un o'r Indiaid oedd ar yr ochr dde i mi, gan ymaflyd gyda ei ddwylo yn ei bicell, fy nhrywanu, ond llwyddais i'w thaflu i ffwrdd gyda'm braich nes y plannodd yn ôl i'r ddaear y tu ôl i'm ceffyl, a chyn iddo allu cael ail gynnig arnaf yr oeddwn wedi clirio ar y ddwy naid allan o'u canol, a llamai fy ngheffyl ymlaen nerth carnau ei allu am y gogledd-ddwyrain a llu o'r Indiaid o'm hôl a tua 300 llath o'm blaen yr oedd ffos, sef ffos a gariai ddwfr glaw o'r bryniau, yr hon oedd ddofn a llydan, am yr hon y gwyddai'r Indiaid ac y gwyddwn innau hefyd a phob tro y ceisiwn ddal i'r dde neu i'r aswy croesai'r Indiaid fi gan fwriadu fy nghornelu yn erbyn y ffos ddofn honno ac yn ddiamau folio[31] fy ngheffyl a dyna oedd fy ofn mwyaf innau hefyd. Yr oedd gennyf lawddryll yn barod yn fy llaw ond un wael iawn ydoedd yn yr hon yr oedd 4 bwled; cadwn hon yn barod ar gyfer yr amser yr ofnwn y dalient fi a phe digwyddai hynny byddwn yn sicr o un neu ddau ohonynt beth bynnag.

Gan fy mod wedi fy nghau i fewn fel hyn bu raid i mi wneud i'm ceffyl neidio i'r ffos, dyfnder o tua 4 llath, a chan fod gwaelod y ffos yn swnd meddal, llwyddodd fy ngheffyl i beidio brifo ac er iddo ddisgyn ar ei liniau, cododd ar amrantiad a chliriodd y geulan yr ochr bellaf yr hon oedd dipyn yn is na'r un dros ba un y llamodd fy ngheffyl i lawr. Yr oeddwn yn awr rai cannoedd o lathenni o flaen yr Indiaid, gan iddynt hwy rowndio i groesi'r ffos. Yr oeddwn yn eu gadael wedi crosio fel pe baent yn aros a dim ond fy hunan yn rhedeg, ond erbyn i mi gyrraedd y creigiau yr oedd yr Indiaid oddeutu 1000 o feters ar fy ôl ac yn gweiddi nes yr atseiniai'r creigiau. O'r diwedd gwelwn hwynt yn sefyll ac yn edrych ar eu hysglyfaeth yn dianc o'u gafael; arafais innau ar hyn, a thuthiwn yn awr ymlaen yn lle rhedeg a'r chwys yn disgyn fel yn ewyn gwyn oddi ar fy ngheffyl, minnau hefyd yn chwys ac yn sychedig gan ei bod yn nawn poeth. Yn awr pan welais i sicrwydd nad oedd yr Indiaid yn fy erlid mwyach a minnau yn agosáu at fryn uchel a hen ffos sych yr ochr draw iddo, penderfynais ar unwaith newid fy nghyfeiriad; troais yn syth i'r de sef am gyfeiriad yr afon gan ganlyn y ffos sych a thros ddibyn serth i lawr i afon y Camwy. Canlynais yr afon ar i lawr trwy hesg tewion; cymhellai rywbeth i mi aros ag ymguddio yn yr hesg hyd nes deuai'r nos. 'Na' meddai llais arall mwy penderfynol, 'gwna dy orau o'r dydd sydd gennyt eto o dy flaen' a chyda'r meddwl hwn rhedais a'm ceffyl i'r afon. Cefais draeth i fyned i'r afon, ond ceulan fawr oedd yr ochr ddeheuol lle y byddai raid i mi ddod allan; rhoddodd fy ngheffyl naid o'r dwfr am y geulan, ond disgynnodd ar ei liniau ar y geulan. Neidiais innau i lawr a delais yn ei ben gyda'r *gafestro*[32] a llwyddais i'w dynnu i fyny i'r geulan.

Yr oeddem erbyn hyn tua 4 milltir o'r fan y goddiweddodd yr Indiaid ni. Teithiais yn syth i'r de i gyfeiriad hafn fawr y gwyddwn yn dda amdani, drwy'r hon y rhedai dwfr glaw i'r afon. Yr oedd yn arferol â bod yn yr hafn hon byllau yn dal dwfr arhosol ar ôl y glaw. Adnabyddir yr hafn hon wedi hyn wrth yr enw 'Hafn Harri' gan i ddyn o'r enw Harry Davies golli ei ffordd yma yn y flwyddyn 1888. Cyrhaeddais yr hafn hon pan ddechreuai nosi. Rhoddais ddwfr i'm ceffyl a chymerais innau hefyd yn helaeth ohono, ac yr oedd yn dda hyfryd ei flas ar ôl rhedeg mor ofnadwy dros beithdir crasiog a thywodlyd ac ar ôl y fath ddychryn a'r ymgais ofnadwy am waredigaeth. Rhoddais y ffrwyn eilwaith ymhen fy ngheffyl ac euthum ar ei gefn; teithiwn eilwaith i'r un cyfeiriad nes y codai'r sêr yn y ffurfafen uwchben. Bernwn yn awr fy mod wedi teithio yn ddigon pell i glirio blaenau'r hafnau oedd yn tywallt o'r paith i'r afon. Newidiais fy nghyfeiriad yn awr a chymerais seren yn gyfeiriad yr hon oedd yn y dwyrain. Teithiais drwy'r nos honno, heb i ddim ddigwydd i mi ond yn unig ddychryn haid o wanacod oedd yn cysgu yn dawel ar y paith. Pan oedd y seren ddydd ar godi o'r dwyrain gorwelion teimlwn fy mod yn myned yn ddyfnach i lawr i bantle. Gwyddwn wrth hynny ar unwaith i mi gadw fy nghyfeiriad yn iawn, oni bai hynny fe fuaswn wedi drysu yn yr hafnau yn gynharach yn y nos, ac o ganlyniad fe fuaswn mewn penbleth o'm cyfeiriad, ac feallai mai damwain allasai fod wedi digwydd i mi neu i'r ceffyl, gan fod yn y fan hon greigiau serth a pheryglus iawn.

Pan oedd yr haul yn codi ar fore Sul, Mawrth 5ed yr oeddwn ar lan yr hen Gamwy unwaith yn rhagor, yr hon sydd fel afon paradwys i deithiwr ac anifail blinedig o baith Patagonia. Rhoddais ddwfr drachefn i'm ceffyl ac yfais yn helaeth fy hunan, gan y gwyddwn na fyddai obaith i'r un ohonom am ddwfr ar ôl gadael y fan hon nes cyrraedd yr 'Afon Fach' 21 milltir o'r fan hon trwy baith sych a diddwfr. Yr oedd fel pe bai Rhagluniaeth yn ein harwain gan i mi ddod yn hollol i'r fan y dymunwn gyrraedd. Gwnaeth ddiwrnod hynod boeth, a'm ceffyl yn blino yn gyflym erbyn hyn, a phan nad allai mwyach deithio yn gyflymach na'r hyn allwn gerdded, disgynnwn ac arweiniwn ef wrth ei ffrwyn am amryw filltiroedd, yna marchogwn ef am ysbaid wedyn ac felly bob yn ail nes cyrraedd yr 'Afon Fach' (Enw'r Tehuelchiaid ar yr 'Afon Fach' ydoedd Yamacan.[33] Y mae'r afon hon yn arllwys o Lyn Colhue Huapi a Llyn Musters, pa rai sydd oddeutu 200 milltir i'r de o ddyffryn Camwy.) Yr oedd yn nos erbyn hyn, ac yn yr 'Afon Fach', cymerasom drachefn yn helaeth o ddwfr yr afon.

Ymhen amryw wythnosau wedi cyrraedd i'r dyffryn, ac yn nhŷ un o'm cyfeillion yn Nhir Halen, dywedodd gwraig y tŷ hwnnw wrthyf. 'Y Sul hwnnw oeddech chwi yn teithio am yr 'Afon Fach', yr oedd y Parch. Abraham Matthews yn pregethu yma, ac yn ei weddi gweddiodd yn daer drosoch wrth eich henwau am i Dduw eich cadw a'ch diogelu.' Pwy ond Duw yn unig a ŵyr faint o gynorthwy gefais y Sul hwnnw drwy'r weddi daer honno.

Teithiais yn awr o'r 'Afon Fach' i fyny'r hafn i gyfeiriad y dwyrain (a thrwy yr hafn honno ymhen blynyddoedd wedyn, sef 1888, yr arweiniais naw wagen oedd yn cynnwys y fintai gyntaf wnâi'r daith i Gwm Hyfryd yr hon fintai gyda gwragedd oedd y gyntaf hefyd i agor y llwybr drwy'r wlad anhygyrch ac hollol annhramwyol hyd at odrau'r Andes, yr hon gyrhaeddwyd y pryd hynny mewn dau fis a hanner, sef y pellter o 400 milltir o'r Wladfa.) Pan ydoedd yn tywyllu, deuthum i lwybr yr Indiaid yr hwn oedd yn dyfod o lynnoedd Musters a Colhue Huapi o'r de. Troais fy nghyfeiriad yn awr i ganlyn llwybr yr Indiaid i gyfeiriad y gogledd. Yn y fan hyn drachefn, sef ar nos Sul, marchogwn a cherddwn bob yn ail er dadfliniad i'r ceffyl. Cyrhaeddais trwy flinder a lludded mawr y fan a adwaenir wedi hynny yn Campamento Villegas. Enwyd y lle hwn ar ôl Teniente Villegas[34] yr hwn oedd mewn comisiwn[35] i hel yr Indiaid i ffwrdd o'r Wladfa yn 1884 ar lan afon y Camwy. Bernais mai gwell i mi fyddai peidio myned i'r afon yn y fan hon, am fy mod yn gwybod y byddai gorfod i mi groesi ffyrdd yr Indiaid (croesffordd o Alsina a Colhue Huapi ar 'Hirdaith Edwin') ac y buasai fy erlidwyr, feallai, yn fy aros ar y groesffordd. Anelais am hafn fawr o'r tu isaf i Campamento Villegas ar y dde, a phan tua milltir o'r hafn, gwelwn ddyn ar ei geffyl yn sefyll, ac wedi edrych yn fanwl arno, rhag ofn mai Indian oedd, adnabum ef; fel un o'r gwladfawyr ydoedd ac nid Indian, yr hyn oedd lawenydd nid bychan i mi, gan fod fy ngheffyl bron wedi ffaelu yn llwyr, ac y buasai raid i mi gerdded o hynny ymlaen.

Arhosodd y gŵr hwnnw yn yr un osgo yn edrych ar ddiadell o wanacod yn chwarae ar odrau'r bryn gerllaw wrth ffynnon o ddwfr tardd oedd yn y fan honno, a phe byddai iddo ond symud yn hynod araf nis gallwn ei oddiweddyd oherwydd blinder fy ngheffyl, yr oedd gwaed yn dod o draed fy ngheffyl erbyn hyn gan faint y daith. Arhosodd y dyn hwn yn y fan heb symud nes y deuthum i'w ochr, pan y'm gwelodd, meddai, 'John Evans, o ble yr ydych yn dyfod?' a phan y dywedais yr hanes wrtho, dychrynodd a chrynodd drwyddo. Yr oedd ef wedi bod yn campio yn ngenau llwybr y *travesia* nos y gyflafan. (Dealler fod hyn ymhell o'r fan y cymerodd y gyflafan le). Yr oeddwn i erbyn hyn wedi dod ataf fy hun yn lled dda. Tynnodd y gŵr hwn oddi ar ei geffyl ei bac bwyd, a rhoddodd ef i mi, ond nis gallwn gyffwrdd â thamaid, hefyd cefais ei geffyl ganddo a dywedodd wrthyf, 'Gyrrwch hyd farw os ydych am gyrraedd cartref heno, nac arbedwch ddim o'r ceffyl'. Cymerodd ef fy 'Malacara' i yr hwn oedd yn rhy lluddiedig i symud bron ac wedi newid y cyfrwyau o'r naill geffyl i'r llall, cafodd Richard Davies (canys dyna enw'r gŵr caredig hwn), drafferth garw i gael fy ngheffyl i gyrraedd Tir Halen. Bu ddau ddiwrnod yn gyrru'r ceffyl o'i flaen nes cyrraedd ei gartref yng ngwaelod Tir Halen ar yr ochr ddeheuol i'r afon. Yr oeddwn i ar ôl gadael Richard Davies yn carlamu yn awr ar geffyl Richard Davies canys mawr oedd y cyfnewidiad yn awr gan deimlo oddi tanaf geffyl ffresh. Teimlwn tra ar fy ngheffyl blin, fel pe yn hanner marw, tra yn awr ar geffyl heini, teimlwn fy hun yn bywhau trwof.

Euthum i lawr yn awr gydag ochr ogleddol yr afon ar ôl croesi Rhyd Luis (Abaños), ac euthum heibio i deulu adnabyddus iawn i mi o'r enw Richard Jones 'Pentanc', yr hwn oedd yn byw ar ei fferm wrth Ffynnon Iago. Gwnaethont fwyd i mi yn uniongyrchol ond nis gallwn fwyta dim ond yn unig yfed. Oddi yma cyfeiriais am y Gaiman a phan ger y fan y mae Tŷ Ddewi yn sefyll yn awr, cyfarfyddais â'r hen wraig annwyl, sef Mrs Thomas Morgan Jones, sef Mrs Daniel R. Evans, yr hon oedd yn marchogaeth ar ei cheffyl fel merch ieuanc ar ôl godro ei gwartheg. Dywedais wrthi beth oedd wedi digwydd. Gadawodd y gwartheg yn y fan. Teithiodd yn fy ochr oddi yno i'r Gaiman, a holai lawer arnaf am a ddigwyddodd; cydymdeimlai o eigion ei chalon â mi yn fy ngholled o gyfeillion mewn ffordd mor farbaraidd. Gadewais Mrs Jones wrth ei thŷ ei hun, ac euthum yn fy mlaen i le o'r enw Pentref Sydyn yng ngwaelod y Gaiman, yr hwn le oedd y pryd hynny yn lle poblogaidd. Yma yr oedd y bardd Gutun Ebrill[36] yn byw y pryd hwnnw, a chyfeilles arall o'r enw Elizabeth Hughes, sef mam y Bonwyr William J. Hughes a John S. Hughes. Arhosais yn ei thŷ dros y nos honno drwy fy mod yn ei hadnabod mor dda pan oeddwn yn blentyn yn nyddiau boreaf y Wladfa. Cefais lawer pryd o fwyd yno a llawer bowleniad o bosel. Yma y dadgyfrwyais fy ngheffyl a chlymais ef wrth y *palenque*, sef polyn, yr hwn oedd wedi ei osod o flaen y drws i'r amcan o glymu ceffylau.

Ychydig iawn gysgais y nos honno. Bob tro y dechreuwn gysgu gwelwn yn fy nghwsg yr Indiaid yn dod ac yn dwyn fy ngheffyl oddi wrth y *palenque*, ac ar hynny deffrown. Dywedodd Mrs Hughes wrthyf y bore trannoeth mai yn y ffenestr yr oeddwn wedi bod bron trwy'r nos, canys yr oedd y ffenestr wrth ochr fy ngwely a gwelwn y ceffyl drwyddi. Cefais fenthyg llodrau John Hughes i'w rhoi amdanaf, gan nad oedd gennyf fi hyd yma ddim ond *chiripá*,[37] math o lodrau Indiaid. Yr oedd fy llodrau gorau yn y pynnau pan ddaeth yr Indiaid ar ein gwarthaf; gwisgwn y dillad salaf oedd gennyf ar y camp er cadw'r lleill ar gyfer cyrraedd y dyffryn; yr unig beth o werth ydoedd siaced oedd gennyf amdanaf yr hon oedd wedi ei gwneud o ddefnydd tew ac a elwid y pryd hynny yn *pilot cloth*; y siaced hon fu fy amddiffyniad pan geisiodd yr Indian ŵr blannu ei bicell yn fy ochr o dan fy nghesail. Pan

114

gefais amser i sylwi ar y siaced hon gwelwn rwyg y bicell ynddi ond ni allwyd gwneud niwed i mi. Yr oeddwn lawer gwaith er hynny yn methu deall pam yr oeddwn wedi rhoddi'r siaced hon amdanaf a'r dyddiau hynny mor boeth. Yr oedd dau ohonom yn llewys eu crysau, a Davies a minnau yr un fath siaced amdanom, ac y mae'n sicr pan welais yr arwyddion wedi hynny i Davies roddi mwy o drafferth i'r Indiaid i'w ladd na'r lleill, ei siaced feallai a'i cadwodd rhag y picellau cyntaf fel minnau, hyd nes y llwyddodd i dynnu ei lawddryll allan i amddiffyn ei hun. Yn ôl pob arwyddion gallodd Davies ddefnyddio ei lawddryll gydag effaith farwol, gan fod arwyddion fod dau Indian wedi eu lladd, gan y darganfyddwyd dwy bicell heb gyllell arnynt pan aethpwyd eilwaith i edrych y lle. Credir mai Davies oedd yn gyfrifol am y ddau hyn gyda'i lawddryll.

Llawenydd mawr gan fy rhieni oedd fy ngweled yn ôl yn Nglyn Du fel ysbail o fin bedd. Euthum y nawn hwnnw i lawr i Rawson i ddweud y newydd wrth y prwyad, Juan Finocateau.[38] Dywedodd wrthyf y rhoddai arfau ddigon i fintai elai i fyny i'w claddu. Aeth 43 ohonom i fyny i'w claddu. Bechgyn o'r Wladfa oeddent bron i gyd oddigerth un; yr eithriad ydoedd Indian pur o'r enw Lucach.[39] Dygwyd yr Indian ŵr hwn i fyny ymysg Sbaenwyr Patagones, ond yr oedd ers rhai blynyddoedd yn awr yn byw ymysg y Cymry yn y Camwy. Yn bennaeth ar y fintai hon enwyd y Br Lewis Jones, Plas Hedd, a John Davies y Milwr yn is-swyddog; yr olaf gan ei fod yn hen filwr profiadol. Gwrthodai Br Lewis Jones â chredu y gwelem ddim o'r tri Chymro. Tybiai ef fod yr Indiaid wedi eu dal a myned â hwynt gyda hwynt i fyny'r wlad i'w camping, ac felly dadlau nad oedd eisiau myned â dim gyda'r fintai hon i'w claddu. Felly nid awd gyda ni ond darn o liain gwyn (calico).

Ymhen wyth diwrnod wedi i mi ddianc o afael yr Indiaid yr oeddwn eilwaith yn ôl ym man y gyflafan. Pan gyraeddasom ardal Rhyd y Beddau lle y cymerodd y gyflafan le, gwnaeth law taranau anferth, nes yr oeddem yn wlyb at ein crwyn, a daliai Mr Jones i gredu'r un hen syniad, sef na welem ddim o weddillion fy nghyfeillion, a phan yn agosáu at lannau'r afon tua milltir yn nes i lawr na'r lle y daliodd yr Indiaid ni, gwelwn ar lan yr afon ar yr ochr ogleddol fy nau gi, a gwaeddais arnynt a daethont ataf ar unwaith. Gofynnais ar hyn i'r Br Jones beth oedd hyn yn ei olygu, a methodd â dweud yr un gair. Croesais yr afon gyda'r fintai i drofa ar yr ochr ogleddol, a dywedais wrth Mr Jones nad oeddwn am fyned ymhellach. Dywedais wrtho am fyned tua milltir i fyny'r afon lle y gwelem y barcutod yn hofran ac mai yn y fan honno a gawsai olwg ar y gyflafan ofnadwy oedd wedi cymeryd lle. Aeth amryw o'r fintai gydag ef, ond arhosais i yn y camping, canys gwyddwn beth oeddwn wedi ei weled ac wedi ei deimlo wyth niwrnod yn ôl yn y fan honno. Dychwelodd Mr Jones a golwg ddifrifol arno. 'John bach,' meddai, 'y nefoedd fawr a'ch cadwodd o'r fath ferthyrdod, canys yr oeddynt wedi eu cigyddio y tu hwnt i ddisgrifiad'.[40] Wrth chwilio wrth wreiddiau twmpathau hesg am gamping yr Indiaid, deuthum o hyd i raw a'r gaib oedd gennyf pan oddiweddodd yr Indiaid ni, a chyda hwy torasom fedd i'm cyfeillion a chladdasom y tri yn yr un bedd. Hyd heddiw ni ellwyd gael hyd i holl aelodau eu cyrff. Saif y bedd tua hanner canllath yr ochr ogleddol[41] i'r fan y'u llofruddiwyd.

Oherwydd y gyflafan ofnadwy hon yr enwyd y dyffryn hwn yn Ddyffryn y Merthyron, a'r rhyd ger y fan a enwyd yn Rhyd y Beddau. Darllenwyd gwasanaeth y claddu gan y Br Lewis Jones a chanwyd yr emyn adnabyddus, 'Bydd myrdd o ryfeddodau'. Canwyd yr emyn gyda'r fath arddeliad fel na allai hyd yn oed flynyddoedd amser ddileu'r argraff gawsom y pryd hwnnw ynghanol y peithtir lle y rhoesid cyfeillion merthyredig i orffwys yn yr unigedd mawr.

Nodiad
Dywed Miss Eluned Morgan yn ei llyfr *Dringo'r Andes*[42] mai'r rheswm i'r Indiaid ladd y tri Chymro, ydoedd am fod ganddynt ddillad milwrol amdanynt, y rhai, meddai, a brynasant gan fasnachwr Italaidd a gyfarfuont i fyny yn y wlad, a bod yr Indiaid yn dweud iddynt wneuthur camgymeriad, canys pan glywsont y canu ar lan y bedd, meddai hi, dyna y pryd y deallasont mai Cymry oeddynt wedi eu lladd, ac y dechreuodd y dagrau redeg i lawr eu gruddiau melyn. Canys yr oedd yr Indiaid o fewn clyw y canu, meddai hi. Diamau fod cannoedd yn Nghymru yn ddigon diniwed i gredu'r stori hon yn syml heb feddwl ychwaneg uwch ei

phen. Nid oes liw nac adlewyrchiad gwirionedd yn perthyn i'r darn barddonol hwn, ond cynllwyn [cynllun sic] noeth heb sail gwirionedd iddo i geisio gwneud yr Indiaid yn ddieuog o'r gyflafan erchyll hon. I ddechrau nid oedd yr un masnachwr yn crwydro'r wlad yr adeg honno, yn enwedig yn nhiriogaeth Chubut. Yn ail, nid oedd gennym ond ein dillad syml ein hunain. Yn drydydd, os y bu i'r Indiaid wybod mai Cymry oeddynt wedi eu llofruddio wrth glywed canu'r hen emyn Cymreig, mae'n rhaid fod yr Indiaid hyn yn deall Cymraeg, yr hyn nad oeddynt yn ei deall. Dywed ymhellach fod yr hafnau oddi amgylch yn heigio gan Indiaid. Na, *ni* feiddiai'r un Indian yn agos i'r fan canys gwyddent fod un o'r pedwar wedi dianc o'u gafael ac y byddai i'r Cymry fod yn sicr o ddod ar eu hôl i ddial cam eu brodyr a lladd pob copa ellid gael gafael arno. Dyma'r rheswm iddynt adael y cyrff ar y ddaear noeth. Pe buasent wedi llwyddo i'm lladd innau hefyd, ni fuasai i'r gwladfawyr byth wybod beth ddaeth ohonom, gan y buasai i'r Indiaid losgi ein cyrff a difa pob arwydd. Gwyddent i sicrwydd mai Cymry oeddem, ond ni wyddent i sicrwydd a oeddem yn ysbiwyr dros y llywodraeth ai peidio. Dyna yn ddiamau fu rhan o'r achos i'r Indiaid ddod ar ein holau, ac nid y ffaith iddynt gredu mai milwyr oeddem, canys yr oedd Juan Salvo a'i ffrind wedi gorfod aros mor hir yn ein cwmni ddiwedd y flwyddyn flaenorol fel y gwyddai i sicrwydd mai Cymry oeddem i gyd, gan y gwyddai Juan Salvo ein henwau (cofir i'r ddau hyn ymadael â ni yn nyffryn Gualchaina a myned i wersyll yr Indiaid).

Er profi ymhellach mai nid camgymeriad fel y dywed Eluned ydoedd y gyflafan hon, gwyddys i Juan Salvo groesi'r afon ac aros gydag un o'r enw Lucach ar yr ochr ogleddol i'r afon ac aros yno am rai wythnosau, a diamau i Lucach ddweud llawer o anwireddau amdanom wrth y ddau Indian hyn, ac yn fwy felly am Zacariah Jones fy mrawd-yng-nghyfraith, gan nad ydoedd ar delerau da ag ef. Dywedodd Lucach wrth Griffith Hughes (ieuanc), os y deuai Zacariah Jones i'w dŷ ef drachefn y byddai iddo ei glirio allan â phastwn. Dyma ddigon o eglurhad yn ôl fy marn i y rheswm i'r Indiaid fradgynllunio i'n herbyn.

Fel hyn y claddwyd gweddillion y tri Chymro dewr yn yr un bedd yn ngwaelod Dyffryn y Merthyron, a throdd y fintai yn iselgalon oddi wrth fan fechan eu bedd a dagrau ar eu gruddiau yn ôl am Ddyffryn y Camwy. Cafwyd glaw trwm ar y daith i fyny fel y crybwyllwyd yn flaenorol, a pherodd hynny i ni golli mwy o amser nag a fwriadem, a thrwy hynny aeth ein bwyd yn brin iawn. Cychwynasom o lan y bedd a'n dillad yn wlybion iawn a'r paith yn llynnoedd dwfr. Cyrhaeddasom tua chanol nos at Lyn Gwyn ar y *travesia*, yma y campiwyd am ran o'r nos hon, a chafwyd cwpanaid o ddiod gynnes a chyn dydd trannoeth ail-gychwynasom, a chyn i ni gyrraedd lle a elwir heddiw yn 'Chapas', aeth un o'r fintai ar goll; mae'n debyg iddo gysgu a phan ddeffrodd ni welodd neb felly aeth yn ei flaen tua'r de, theithiai'r fintai tua'r dwyrain. Yn sydyn clywsom weiddi mawr rhyngom â'r afon ar y dde, atebasom y waedd yn ôl, a daeth y gŵr hwn eilwaith i'n plith, canys efe ydoedd yr hwn waeddodd. Cymerodd ofal mawr na chysgai eilwaith ar y daith honno. Bu'r Br hwn ar goll wrth i ni fyned i fyny hefyd, trwy iddo fyned o'n blaenau i lawr i'r hafn sydd yn arwain i le elwir yn 'Hospital', a thrwy drafferth fawr y cafwyd hyd i'w drac y pryd hwnnw ac y deuwyd ag ef drachefn i'n plith. Pan gyrhaeddwyd 'Dyffryn yr Eglwys' ar godiad haul y dydd hwnnw, gwnaethom fargen â'r Indian Lucach am eboles y 'Madrina' oedd ganddo (Madrina – caseg â chloch sydd mewn pob trwp ar y paith) i'w lladd er cael bwyd. Felly y cyrhaeddodd pob un yn ddiogel i'w gartref o'r daith fythgofiadwy honno yn 1884.

Llawysgrifau:
Mae'n peri syndod braidd na cheir yr un ddogfen Gymraeg o eiddo JDE sy'n adrodd y digwyddiad tyngedfennol hwn yn ei fywyd cyn 1932. Mae'n eithaf posibl ei fod wedi cadw nodiadau yn ystod rhannau o'r daith, fel y gwnaeth John Hughes, ac mae arddull y deipysgrif yn awgrymu hyn o bryd i'w gilydd. Nid oes ddwywaith nad ei fab-yng-nghyfraith a ysgogodd JDE i roi'r fersiwn terfynol ar glawr er mwyn cyd-daro â hanner canmlwyddiant y digwyddiad yn 1934. Aeth Tryfan Hughes Cadfan ati'n syth i gyfieithu'r testun gan addasu yma ac acw i gynulleidfa Sbaeneg ei hiaith. Cyhoeddwyd y fersiwn Sbaeneg hwn ym mis Mawrth 1933. Ni chafwyd cyfieithiad newydd tan un Milton Evans ym 1975 a gyhoeddwyd yn *El Regional*, cyfnodolyn a gyhoeddir yn Esquel. Mae'n ymddangos yn rhyfedd na chyhoeddwyd y fersiwn gwreiddiol Cymraeg yn *Y Drafod* er enghraifft. Dywedir nad oedd JDE yn meddu ar ddeipiadur. Mae tudalen flaen y llawsgrif wreiddiol yn cynnwys ychydig o eiriau gan Tryfan Hughes Cadfan lle dywed i'r hanes gael ei arddweud gan JDE (*'dictado en idioma galés por el único sobreviviente John Daniel Evans'*). Os felly, prin y byddem yn disgwyl fersiwn cynharach yn llaw JDE ei hun. Adroddai JDE yr hanes yn aml fel y gellid disgwyl ac yn fuan daeth yr hanes yn rhan o chwedloniaeth y

Wladfa. Cyhoeddwyd hefyd sawl fersiwn o'r ffeithiau er nad ydynt i gyd yn berffaith gywir o'u cymharu â fersiwn JDE ei hun.

[1]Daeth y Capten William Richards, Ynys Môn, i Batagonia yn 1882, a'i deulu o Awstralia lle bu'n cloddio am aur. Yn ôl yr hanes amdano bu'n filiwnydd cyn colli'r cyfan. Er iddo droi ei law at ffermio yn y Wladfa, mae'n amlwg na chiliodd y dwymyn aur yn llwyr o'i gyfansoddiad. Rhaid gofalu peidio â chymysgu'r Capten Richards hwn â Chapten David Richards, Harlech. Bu hwnnw'n ymhel â chloddio aur a mwynau eraill tua degawd ar ôl hyn. Yng Nghymru yr oedd y Capten yn byw fel arfer ond daeth allan ar fwy nag un achlysur pan aeth y si ar led fod aur wedi ei ddarganfod. Yn ôl J. Coslett Thomas (Hunangofiant), bu hefyd yn ymhel â'r ysfa am gloddio aur sy'n sail i hanesion am y 'flying company' yn 90au'r ganrif. Bu'n cloddio ger y Corcavado, ac roedd yn awyddus i fynd â'r hawliau i gloddio o gwmpas Tecka i'w gwerthu ym Mhrydain. Ceir pennod ddifyr iawn gan J. Coslett Thomas am eu hanturiaethau yn Buenos Aires wrth iddynt geisio sicrhau fod ganddynt ganiatâd i werthu'r hawliau am gloddio'r aur. Bu peth anghytundeb ynglŷn â'r modd y gwerthwyd yr hawliau i'r syndicet yng Nghymru yr oedd Lloyd George yn aelod ohoni a danfonwyd ysgrifennydd preifat Lloyd George i'r Wladfa i geisio tawelu'r dyfroedd. Bu farw Richards yn sydyn yn Rhyd yr Indiaid ar daith i'r Andes yn 1894. Gweler hefyd W. M. Hughes (1927, t. 142); R. Bryn Williams (1962; tt. 235–6, 238), Elvey MacDonald (1999, 185).

[2]Yn ôl W. Meloch Hughes, *Ar Lannau'r Gamwy ym Mhatagonia*, 1927, roedd John Parry yn ddyn ifanc o Ruddlan, a phrofiad blynyddoedd fel march-filwr yn y fyddin Brydeinig ganddo. Americanwr, meddai, oedd Zachariah Jones a ddaeth i Batagonia fel un o fintai'r *Electric Spark*. Un o Lanelli oedd Richard B. Davies a ddisgrifir gan Hughes fel 'dyn byr, cydnerth a dewr a llawn asbri ysbryd anturiaeth'. Ceisiodd JDE olrhain teulu Richard Davies pan ddaeth yn ôl i Gymru ym 1923, ond er holi methiant fu'r cais i gael unrhyw hanes y teulu. Ategir y ffaith mai newydd-ddyfodiaid oedd Davies a Parry gan John Coslett Thomas sy'n dweud yn ei hunangofiant nad oedd yn eu hadnabod gan mai newydd gyrraedd y Wladfa yr oeddent. Mae erthygl a gyhoeddwyd yn *Y Dydd* ym Mai 1884 gan Gutyn Ebrill yn ychwanegu rhai ffeithiau pellach. Dywedir yn yr erthygl mai un o gyffiniau Rhuddlan oedd John Parry ac a ddaethai i'r Wladfa o weithfeydd de Cymru. Am John Hughes, meddai, 'masnachydd o Aberangell, heb fod nebpell o Ddinas Mawddwy, rhieni pa un a adwaenwn yn dda er's talm, sef Mr a Mrs H. Hughes, Tyddyndu, Hafodoer, ger Dolgellau. Ym masnachdy ei gefnder ef a minau, Mr D. E. Hughes, o'r dref yna, y gwelswn y cyfaill hwn gyntaf i mi ei gofio.' Dywed ymhellach ei fod wedi dod i'r Wladfa 'yr un pryd â mintai y Parch. H. Davies, yr offeiriad o Gymro. Ceir gwybodaeth hefyd am Richard Davies yn yr erthygl. Dywed ar wahân i'r ffaith mai o Lanelli a daethai'n wreiddiol na fod yn briod a chanddo bedwar o blant. Ymddengys i Davies ymladd gydag arddeliad gan fod 'ôl triniaeth chwerw ar y corff hwn', a'r argoelion, meddid, yn dynodi iddo fod yn ymladd yn ddewr am ei fywyd. Yr oedd darnau o bicellau a fileiniaid o'i gwmpas ef, ac olion ymdrechfa galed'. Mewn erthygl arall a ymddangosodd yn *Baner ac Amserau Cymru*, 14 Mai 1884, dywedir fod Richard Davies yn ŵr priod ond fod ei deulu yn Llanelli o hyd. Er na ellir bod yn sicr am gywirdeb yr honiad, dywedir hefyd iddo fod yn y Wladfa am ddwy flynedd. Dywed awdur yr erthygl fod John Parry o Ruddlan wedi dod tua'r un adeg, a'i fod yn ŵr dibriod. Ar y llaw arall, dywedir yn yr erthygl hon fod John Hughes wedi cyrraedd y Sefydliad dim ond pum mis yn gynharach. Yn ddiddorol iawn, dywedir hefyd fod amryw bapurau wedi cael eu darganfod ar ei gorff yn cynnwys tystysgrif briodas a nodiadau a wnaeth ar y daith.

[3]Yn 1923, ar daith i Gymru, ceisiodd JDE yn aflwyddiannus i gael hyd i berthnasau Richard Davies. Gweler *Dyddiadur 1923*.

[4]Dyffryn Santa Cruz. Ceir yr enw Cymraeg a roddir yma gan JDE, sef Dyffryn Triphysg, ar fap Llwyd ap Iwan (1888). Ni cheir eglurhad ar yr enw, ac nid yw'n ymddangos i'r enw gael cylchrediad eang iawn. Saif y dyffryn ychydig bellter o Ddyffryn yr Eglwys cyn cyrraedd Hirdaith Edwin. Ambell waith ceir y ffurf Hafn Santa Cruz gan rai awduron. Dyma'r ffurf a geir gan W. M. Hughes (1927) ac ychwanega fod y llecyn ger y gamlas, ar ochr ddeheuol yr afon.

[5]Gorchymyn y llywodraeth oedd dwyn pob brodor i Rio Negro. Fel rhan o'r ymgyrch i ddinistrio bywyd y brodorion ym Mhatagonia, aethpwyd â chynifer ag y gellid o'r brodorion o'u bröydd yn y gorllewin i dalaith Rio Negro (i'r gogledd o Chubut) i ganolfan ger tref Valcheta. Rhan o bolisi penodol oedd hyn a elwid gan haneswyr yn 'goncwest y diffeithwch'.

[6]Ysbïwr, neu negesydd.

[7]Sbaeneg: Zanjón de Oro. Ceir yr enw gan nifer o awduron y cyfnod. Mae'n werth nodi fod llawer o'r enwau Cymraeg wedi dod i fodolaeth yn ystod teithiau JDE.

[8]Lleolir Rhyd yr Indiaid heddiw yn bellach i'r gorllewin. Yng nghyfnod JDE, roedd Rhyd yr Indiaid yn nes at afon Camwy.

[9]Awgrym fod JDE â'i fryd ar deithio i'r berfeddwlad yn dyddio o gyfnod cynnar.

[10]Ganed yn Zaragoza, Sbaen yn 1845. Ymunodd â'r fyddin yn 1868 a gwasanaethodd yn Paraguay ac yn ddiweddarach dan y Cadfridog E. Mitre a bu'n gweithredu fel ysgrifennydd iddo am gyfnod. Wedyn bu'n gweithio fel hyfforddwr yn y coleg milwrol ond bu raid iddo ymddiswyddo oherwydd cyflwr ei iechyd. Yn ddiweddarach yn 1880 cafodd ei benodi'n *comisario* y llu arfog a aeth i ranbarth Rio Negro a Neuquen. Daeth o dan orchymyn y Cadfridog Villegas yn ystod yr ymgyrch yn erbyn y brodorion yn ardal Llyn Nahuel Huapi ac am ei wasanaeth yno cafodd ei urddo â medal aur yn 1881. Erbyn 1883 cafodd ei gomisiynu gan y llywodraeth i wasanaethu dan orchymyn y Cadfridog Vintter ac i arwain archwiliad i berfeddwlad Patagonia a gwaelod yr Andes rhwng y 'Rio Negro a Deseado'. Ar ben hynny, cafodd orchymyn i ddarostwng y tylwythau brodorol yn y rhanbarth hyn. Parodd yr archwiliad naw mis ac yn ystod y cyfnod hwn daeth i wrthdrawiad ar sawl achlysur â rhyfelwyr y tylwythau. Teithiodd dros 500 lîg gan fynd â 450 o geffylau at eu cludo a chesig fel cig. Bu un tramorwr o'r enw William Andrews yn teithio gyda nhw, a'i waith ef oedd casglu gwybodaeth fanwl am ddaeareg, blodau ac anifeiliaid yr ardal. Ar ôl dychwelyd o'r daith, cyflwynodd de Roa adroddiad i'r llywodraeth o'r enw *Exploración al interior de la Patagonia Setentrional* a gyhoeddwyd yn 1884. Yn 1903 cafodd de Roa ei benodi'n bennaeth y cabinet milwrol. Ymddeolodd yn 1905 a bu farw yn Buenos Aires yn 1920.

[11]Enw afon yw Tecka. Am yr amrywiadau ar yr enw hwn, gweler Casamiquela (2000b). Mae rhai awduron cynnar yn defnyddio'r ffurf Teckel ac eraill Teca. Ymddengys fod yr amrywiadau hyn yn deillio o'r gwahaniaeth yn y ffurfiau Arawcaneg a Tehweltieg. Erys peth ansicrwydd ynglŷn ag ystyr fanwl y gair. Mae'n debyg mai gair Tehuelche o'r gogledd yw Tecka yn y bôn. Mae Casamiquela (2000) yn cynnig coed, allt o goed (*bosque de hayas*) fel yr ystyr waelodol.

[12]Ystyr *leufü* mewn Arawcaneg yw 'afon'. Mae'n debyg fod y gair *lepá* yn llygriad ar y gair Tehweltseg *dúpa*, llysieuyn, prysglwyn.

[13]Mae'n bosibl fod y rhan hon o'r hanes yn dilyn nodiadau a wnaed yn ystod y daith ond sydd bellach wedi diflannu. Ceir arddull debyg yn llyfr nodiadau JDE o'r flwyddyn 1888.

[14]Rhwng cromfachau: Leufu-Leppa – Afon-eira. Gweler nodyn 12 uchod.

[15](Rhwng cromfachau: Sappo. Rhaid bod hyn yn gyfeiriad at lecyn o'r enw Paso del Sapo gerllaw). Yn gyffredinol erbyn hyn ceir y sillafiad Gualjaina er mai Walchaina yw'r ynganiad yn aml iawn. Awgrymir ffurfiau brodorol eraill megis Wulkein, Vulcan, Wuljain. Yr ystyr yn y bôn yw 'ymwahanu, ymagor'. Yn yr achos arbennig hwn, yn ôl Casamiquela, cyfeirir at Nant y Pysgod (Arroyo Pescado) yn llifo i'r Teca. Ceir cyfeiriad at y fan yng nghyfrol

120

Musters ac yno gelwir y fangre yn Woolkein.

[16]Mae Casamiquela (2000b), mewn trafodaeth ar yr enw lle Cerro Salpú, yn awgrymu tarddiad Tehweltsaidd (dan ddylanwad yr iaith Arawcaneg), er bod yr ystyr yn dywyll. Gwêl debygrwydd posibl i'r enw Sahlki sydd yn bendant o dras Tehweltsaidd gorllewinol. Yn bwysicach o'n safbwynt ni yw'r cyfeiriad ganddo at frodor a elwid yn 'Capitán Salpú'. Awgrymwyd ar sail gwaith P. Vacchina yn 1895 fod Salpú yn un o'r brodorion a ymosododd ar y Cymry ym 1884. Gellir awgrymu'n betrus mai'r un ydyw Juan Salvo a'r Capitán Salpú. Un peth sy'n glir o'r testun yw'r ffaith bod Juan Salvo a JDE yn adnabod ei gilydd yn barod, ac mae hyn yn dileu unrhyw ansicrwydd ynghylch a oedd y brodorion yn sylweddoli pwy oedd y pedwar Cymro wrth iddynt ymosod.

[17]Roedd y condor a'r llew yn gyfarwydd iawn ym Mhatagonia yn ystod y cyfnod hwnnw. Gwelir y condor (*Vultur griphus*) yn bennaf ar ochr orllewinol De America o Golwmbia yn y gogledd hyd at Tierra del Fuego yn y De. O bryd i'w gilydd defnyddiwyd y condor fel symbol o fynyddoedd yr Andes. Defnyddiodd y Cymry y gair 'llew' yn gyffredinol i gyfeirio at y piwma, neu *león americano*, a geir drwy'r Ariannin i gyd. Ceir saith is-rywogaeth. Gellir dod o hyd i enghreifftiau tua 1.50 medr o hyd ac yn pwyso tua 35 cilo. Nid ydynt yn ofni mynd yn uchel ar yr Andes ychwaith gan iddynt gael eu darganfod yno ar uchder o ryw 5,800 medr.

[18]Sef *lama guanicoe*. Ceir cyfeiriadau yn aml at y gwanaco yn ysgrifau'r Cymry wrth iddynt fynd ati i archwilio mewnwlad Patagonia. Perthyn yr anifail hwn i deulu'r lama a cheir amryw is-rywogaethau drwy Dde America o Beriw hyd at Tierra del Fuego. Ym Mhatagonia a Tierra del Fuego ceir is-rywogaeth (*lama guanicoe guanicoe*). Ar sail y disgrifiadau o'r anifail yng ngwaith y teithwyr cynnar, deallir bod y gwanaco ar gael ar un adeg drwy'r Ariannin i gyd. Ym Mhatagonia heddiw fe'u ceir yn bennaf yng nghanol talaith Chubut. Maent yn byw mewn grwpiau bychain erbyn heddiw ond mae'n ymddangos bod heidiau mawr wedi bod ar un adeg.

[19]Chwaraeodd John Murray Thomas (1847–1924) ran eithriadol o bwysig yn hanes y Wladfa Gymreig fel arloeswr, gŵr busnes, gwleidydd lleol a chynrychiolydd y Cymry gerbron yr awdurdodau yn Nhrerawson a Buenos Aires. Ganed ym Mhen-y-bont ar Ogwr a daeth i Batagonia yn llanc 17 oed gyda mintai'r *Mimosa*. Daeth brawd a chwaer arall i'r Wladfa yn ddiweddarach. Roedd yn un o'r 19 a gymerodd ran yn y daith anodd a blinderus ar draws y paith rhwng traeth Madryn a dyffryn Camwy ddiwedd Gorffennaf 1865 (gweler Richard Jones Glyn Du, pennod 6). Roedd ei chwaer Gwenllian yn briod â'r Parchedig Abraham Matthews, a hwy mae'n debyg a drefnodd fod John Thomas, fel yr oedd yr adeg honno, yn mynd i Buenos Aires ym mis Tachwedd 1865 i gael ei hyfforddi fel cyfrifydd. Arhosodd yn y brifddinas rai blynyddoedd lle gweithiodd yn bennaf i J. Younger a'i gwmni a phriodi Harriett Underwood (chwaer Martin Underwood), merch i ŵr busnes blaenllaw yn y gymuned Eingl-Brydeinig. Nid anghofiodd erioed ei gysylltiadau â'r dosbarth hwnnw, a phan ddaeth yn ôl i'r Wladfa yn 1874, daeth yn ŵr busnes blaenllaw a pherchenogi llong o'r enw *Gwenllian* a gariodd nwyddau a phobl o Buenos Aires i Fadryn. Daeth yn arloeswr yn fuan iawn a mentrodd sawl gwaith i'r paith. Gadawodd ddyddiaduron am ei deithiau yn 1877 i'r de-orllewin gyda George Rees a Hugh E. Jones gan fynd mor bell ag Afon Fach a Llyn Colhuapi. Aeth ar daith arall yn 1878 i gyfeiriad y gogledd-orllewin a'r Andes. Aeth mor bell â'r Bannau Beiddio cyn troi'n ôl a theithio drwy Hirdaith Edwin a chyrraedd y Gaiman yn gynnar ym mis Ionawr 1879. Roedd John Murray Thomas yn gyfrifol i raddau helaeth am drefnu ac ariannu un o deithiau mwyaf hanesyddol y cyfnod cynnar, sef y daith archwiliadol gyntaf dan arweinyddiaeth Luis Jorge Fontana a benodwyd yn Rhaglaw cyntaf Talaith Chubut. Roedd hyn yn 1885, a chwaraeodd JDE ran allweddol yn y daith honno. Bu John Murray Thomas hefyd yn gyfrifol am hyrwyddo'r syniad am greu sefydliad newydd ym Mro Hydref (Cwm Hyfryd). Er nad oedd JDE a John Murray Thomas bob amser yn gweld lygad yn llygad, byddai'n deg honni na fyddai'r sefydliad ym Mro Hydref wedi bod

yn bosibl heb y naill neu'r llall. Er iddo ymroi'n bennaf i faterion busnes yn y 90au, parhaodd John Murray Thomas i fynd ar deithiau archwiliadol. Aeth ar daith i'r Andes eto ym 1893 er mwyn ymchwilio i'r posibilrwydd o gloddio am fwynau gwerthfawr. Treuliodd ambell adeg yn y sefydliad newydd, fel Ynad Heddwch er enghraifft yn 1895. Yn ystod y flwyddyn honno, bu'n gyfrifol am drefnu mintai o Gymry i amddiffyn y Rhaglaw ar y pryd, sef Dr Eugenio Tello a oedd yn ymweld â'r Andes, rhag gwrthryfel gan rai brodorion dan arweinyddiaeth proffwyd o'r enw Gabriel Cayupil. Bu fyw'r rhan fwyaf o'i amser ar ôl hyn yn ardal Trerawson mewn plas o'r enw Castell Iwan (a ddinistriwyd gan y llifogydd yn ddiweddarach). Bu'n gadeirydd cyngor Trerawson am rai blynyddoedd ond ar ôl marw ei wraig yn 1917, symudodd i fyw at ei ferch Harriett (a oedd yn briod â Michael G. Mulhall) yn eu fferm 'Bella Vista' yn ardal Bryn Crwn, ger y Gaiman.

[20]Heddiw fe'i hadwaenir fel Súnica Parie. Llyn ac ardal agos at Futa Leufu tua 40 cilomedr i'r de-orllewin o Esquel. Yn ôl T. Harrington a ddyfynnir yn Casamiquela (2000b), mae hwn yn enw Tehweltsiaidd.

[21]Mae'n bur debyg fod cysylltiad â'r un teulu o'r enw Clark a grybwyllir yn aml yng nghyfrol Musters, At Home With the Patagonians 1871.

[22]Gair a ddefnyddir yn yr Ariannin a Chile am bennaeth brodorol.

[23]Amrywiad: byddant

[24]'Na, na, fy ffrind, weli di mohona i mwyach.'

[25]Awgrym bod JDE yn adnabod rhai o'r brodorion a ymosododd arnynt, neu o leiaf wedi bod mewn sefyllfa yn ddiweddarach i drafod yr ymosodiad gyda'r rhai a gymerodd ran.

[26]Cyfeirir ato fel Lassier (neu Laciar) yn P. Meinrado Hux (1991). Mae ef yn sôn yn gryno am yr ymosodiad ar y Cymry gan ryfelwyr Foyel. Awgryma fod gan Foyel, Inacayal a Chagallo tua 350 o ryfelwyr tua Rhagfyr 1883. Dioddefasant ymosodiad gan Roa tua dechrau 1884 a chludwyd llawer ohonynt i ddwyrain y diriogaeth i Valcheta. Oherwydd newyn yn arbennig, meddai, ildiodd Foyel, Inacayal a Chiquichano a 66 rhyfelwyr i'r cyrnol Laziar. Oherwydd anghytundeb am eu statws, bu ymladd pellach a lladdwyd rhagor o'r brodorion. I bob pwrpas roedd y frwydr hon yr olaf yn yr ymgyrch hir yn erbyn y brodorion. Erbyn Ionawr 1885, roedd y penaethiaid yn cynnwys Foyel yn cael eu cludo o Junín de los Andes i Valcheta ac oddi yno, cafodd y penaethiaid eu hunain eu cludo i Buenos Aires. Ymddengys fod JDE yn cyfeirio at y brodorion a ildiodd i Laziar. Rhaid eu bod wedi cael eu cludo i ddyffryn Camwy, a thra oeddent yno, y cafodd JDE gyfle i siarad â nhw. Cafodd milwyr eu hanfon i Chubut yn 1884 dan arweiniad Laziar yn dilyn gorchymyn gan lywodraethwr Patagonia, y Cadfridog Vintter. Erbyn diwedd 1884 roedd Laziar wedi cyflwyno'r penaethiaid Inacayel, Foyel a Chiquichano gerbron y Cadfridog Vintter.

[27]Cig wedi'i sychu.

[28]Mae enw Malacara a JDE ynghlwm wrth ei gilydd bellach yn y chwedloniaeth a dyfodd ar ôl llam gwyrthiol y ceffyl a alluogodd Evans i ddianc rhag ymosodiad y brodorion. Cymaint oedd ymlyniad JDE i'r ceffyl ar ôl hynny nes iddo roi lle anrhydeddus i Falacara ymhlith ceffylau'r fferm. Ceir adroddiad am fywyd y ceffyl a farwolaeth yng nghyfrol Clery A. Evans, wyres JDE, John Daniel Evans, El Molinero, tt. 134–9. Claddwyd y ceffyl ar dir JDE agos i'w dŷ Maesymdrech yn 1909, a chodwyd maen coffa yn dwyn y geiriau Sbaeneg canlynol am y ceffyl a achubodd ei fywyd yn 1884: Aqui yacen los restos de mi caballo el Malacara que me salvó la vida en el ataque de los indios en el valle de los Mártires el 4-3-84 al regresarme de la Cordillera. R.I.P. John D. Evans. (Yma y gorwedd gweddillion fy ngheffyl El Malacara a achubodd fy mywyd yn yr ymosodiad gan yr Indiaid yn Nyffryn y Merthyron, 4 Mawrth 1884, ar fy ffordd yn ôl o'r Andes. R.I.P. John D. Evans.)

Er bod yr enw Malacara wedi ei gysylltu erbyn hyn yn Gymraeg â'r ebol enwog a achubodd fywyd JDE, rhaid cofio mai math o geffyl cyffredin yw'r malacara. Gair nodweddiadol iawn yn iaith Ariannin yw malacara sy'n dyddio o gyfnod y sefydlwyr cyntaf yn y wlad. Gellir cyfieithu'r enw fel 'wyneb budr' ond yn ôl y disgrifiad swyddogol o'r gair, rhaid wrth liw a marciau arbennig cyn gellir galw ceffyl yn 'malacara'. Yn fras, mae'r croen yn winau, gyda smotyn gwyn ar yr wyneb sy'n ymestyn rhwng y llygaid ac yn graddol ddiflannu wrth ddod yn nes at ffroenau yr anifail. Gellir gweld yn glir mewn llun sy'n dyddio o 1908 ac a gyhoeddwyd gan Clery A. Evans (*ibid.* t. 138) fod gan yr enwog Falacara goesau gwynion ac wyneb gwyn iawn yn cynnwys y ffrwyn hefyd. Ceir cyfeiriadau aml at geffylau tebyg yn ysgrifau cynnar y Cymry yn y Wladfa. Er enghraifft, roedd gan William Meloch Hughes, awdur y gyfrol *Ar Lannau'r Gamwy ym Mhatagonia* (1927), geffyl o'r enw Wyneb Budr (sef cyfieithiad o'r enw Malacara). Dywed ef hefyd fod ceffylau o'r fath yn berchen ar smotiau brych ar y talcen. Mae John Coslett Thomas (*Hunangofiant*) yn traethu'n hir ar sut y cafodd JDE yr ebol a'i hachubodd. Mae'n debyg mai ebol a ddaeth i feddiant J. Coslett Thomas oedd Malacara ar yr adeg yr aeth JDE a'r tri Chymro ar eu taith dyngedfennol. Gweler Atodiad 3.

O gofio am y lle anrhydeddus a gafodd Malacara, mae'n arwyddocaol i'r bardd Owen Williams, Bro Hydref, gyhoeddi taflen (1911) yn cynnwys dwy gerdd goffa, un i ferthyron Cel-Cein ac un arall yn dwyn yr enw 'Marwnad Malacara'. Dyma dri phennill o'r ail gerdd:

Fe anwyd Malacara,
Ar baith y Wladfa lon,
Daeth yma, fel y gwyddoch
Yn nghwmni ei feistr John;
Ac wedi'r helynt hwnnw
Yn nyffryn Cil y Cain,
Bu'n ffyddlon byth i'w feistr—
A phwy wahan'sai rhain?

Ni chadd erioed ei ddysgu
Mewn 'cancha', wastad gul;
Ni wyddai am *baradas*
Ei frodyr, mwy na mul;
Os estron fu i *bolla*,
Sortija, a'r helyw gâs.
Fe wyddai beth oedd rhedeg,
Er hyn, ac ennill râs.

[29]Sbaeneg: pac.

[30]Yn ymyl y ddalen ar y llsg. ceir 'Dôl y Plu'.

[31]Bolio: dull a ddyfeisiwyd gan y brodorion ac a fabwysiadwyd gan y *gauchos* a ffermwyr i ddal anifeiliaid fel y gwanaco a cheffylau gwyllt y paith. Daw'r term Cymraeg o'r Sbaeneg *bolear*. Ceir nifer o beli a gysylltir â chortyn a theflir hwn at yr anifail er mwyn clymu'r coesau.

[32]O'r Sbaeneg *cabestro*, penffrwyn, cebystr.

[33]Dywedodd Edwin Roberts yn 1869 i bedwar gŵr ddod o hyd i Afon Fach ym mhen uchaf Dyffryn Camwy. Yn ddiweddarach ym 1877 bu John Murray Thomas, un o arloeswyr pwysicaf y cyfnod cynnar, ar daith i'r de-orllewin gan ddilyn rhai o lwybrau'r brodorion. Daethant o hyd i afon Yamacan fel yr oedd y brodorion yn ei galw. Rhoes John Murray Thomas yr enw afon Younger arni o barch i'w gyfaill a mentor yn Buenos Aires, ond yn fuan wedyn cafodd ei hailenwi fel Afon Fach neu Rio Chico. Aeth yr arloeswyr ar hyd yr afon nes cyrraedd Llyn Colhue Huapi.

[34]Rhoddwyd yr enw hwn i'r llecyn yn ddiweddarach na'r digwyddiadau hyn. Enwyd y lle ar ôl yr Is-gapten Villegas a lwyddodd i hel nifer o'r brodorion i'r lle yn 1884 yn agos i'r afon.

Bu caer filwrol yno o'r enw Fuente Villegas. Yr enw presennol yw Corral Charmata.

[35]Ystyr comisiwn yn y cyswllt hwn yw perwyl, cenhadaeth, mintai. Sbaeneg: *comisión*.

[36]Sef Griffith Griffiths (1828–1909). Ganed yn Cross Foxes, Gwanas, Dolgellau. Ysgrifennai erthyglau i'r wasg Gymraeg yng Nghymru yn rheolaidd. Cafwyd yr adroddiad llawn am ddigwyddiadau Cel-Cein ganddo yn *Y Faner* yn 1884. Yn fuan wedyn penderfynodd Gutyn Ebrill ac eraill yn y Wladfa symud i sefydliad newydd a elwid Sauce Corto ar dir a ddarparwyd gan ŵr busnes dylanwadol o Buenos Aires o'r enw Edward Casey. Roedd y sefydliad newydd yn nhalaith Buenos Aires a cheir amryw gyfeiriadau at Gutyn Ebrill gan J. Coslett Thomas (Hunangofiant a *Camwy: Centenario de Coronel Suarez*) a oedd hefyd wedi mentro i'r sefydliad newydd. Daeth brawd G. Ebrill, Hugh, yno hefyd ond dychwelodd i'r Wladfa ar ôl ysbaid fer. Anfonodd G. Ebrill amryw o erthyglau yn Saesneg at *The Standard* (Buenos Aires) yn clodfori'r sefydliad a'i sylfaenydd. Adeiladwr oedd Gutyn Ebrill, a thra oedd yn byw yn Sauce Corto cyn dychwelyd i'r Wladfa, cododd amryw o dai pren yn y sefydliad.

[37]Trowsus brodorol.

[38]Finocateau yw'r ffurf a geir yn y gwreiddiol. Ni cheir cyfeiriad ato wrth ei enw yn fersiwn Tryfan Hughes Cadfan, ond ceir y ffurf Pinocateau yn fersiwn mab JDE, Milton Evans, a gyhoeddwyd yn 1975 (*El Regional*, Gorffennaf 1975). Nid yw'r F yn glir iawn yn y llawysgrif a gellir ei chamgymryd am P. Er nad oes cysondeb llwyr ynglŷn â'i enw, y ffurf a geir yn bennaf yw Juan Finoquetto. Roedd Finoquetto yn swyddog i lywodraeth ac yn gyfrifol am yr heddlu. Yn 1881 penodwyd Juan Finoquetto fel y prwyad newydd (*comisario*) yn lle Lewis Jones ac Arthur Woodley yn is-brwyad yn lle R. J. Berwyn. Gan y prwyad, cynrychiolydd llywodraeth Ariannin, yr oedd gwir awdurdod yn y Wladfa o safbwynt trefn a chyfraith. Y duedd oedd gadael llawer o'r weinyddiaeth feunyddiol yn nwylo Cyngor y Wladfa dan ei gadeirydd Lewis Jones er mai perthynas anodd fu rhwng y Prwyad a'r Cyngor ar fwy nag un achlysur. Os cafodd y Wladfa lonydd i reoli ei bywyd ei hun am ddeng mlynedd ar ôl 1865, dechreuodd cyfnod newydd ym 1876 pan anfonwyd i lawr y Prwyad Antonio Oneto. Dylid darllen hunangofiant John Coslett Thomas am ddarlun byw iawn o gymeriad Oneto. Bu cryn newid eto pan benodwyd Juan Finoquetto yn 1881. Ato ef yr aeth JDE i adrodd am ddigwyddiadau Cel-Cein ym Mawrth 1884. Roedd gan y Parch. Abraham Matthews y sylwadau canlynol am Finoquetto: 'Cymerodd y prwyad hwn, sef Juan Finoquetto afael eangach a thynach yn ei swydd na'r un a fu o'i flaen, er mai dyn anwybodus ydoedd. Meddai ar lawer o synwyr cyffredin, ond yr oedd yn uchelgeisiol iawn . . . Ar y cychwyn cyntaf meddyliodd y gallai lywodraethu y sefydlwyr â llaw uchaf, fel yr oedd swyddogion o'r fath yn arfer gwneud mewn rhanau ereill o'r weriniaeth, ond bu yn ddigon craff i weled na lwyddai fel hyn gyda'r Cymry a newidiodd ei ddull yn bur fuan. Yn nechreu y brwyadaeth hon o eiddo Mr Finoquetto bu tipyn o annealldwriaeth cydrhyngddo a'r sefydlwyr, ac anfonodd ddau o'r sefydlwyr mwyaf selog wladfaol yn garcharorion i Buenos Aires (Lewis Jones a R. J. Berwyn) am anufuddhau i rai o'i drefniadau.' (*Hanes y Wladfa Gymreig yn Patagonia*, 1894, t. 104). Am ragor o wybodaeth am brwyadaeth Finoquetto yn arbennig o safbwynt carchariad Jones a Berwyn, gweler Clemente I. Dumrauf, *Historia de la Policia del Chubut*, cyfrol 1, 1994, pennod 4. Daw'n weddol eglur fod Finoquetto wedi gorfodi wynebu'r perygl o du'r Indiaid yn ystod cyfnod cynnar ei brwyadaeth. Roedd Lewis Jones o'r farn nad oedd angen anfon catrawd o filwyr i'r ardal i amddiffyn y sefydliad fel y bwriadwyd, gan honni fod y Gwladfawyr yn ddigon abl i'w hamddiffyn eu hunain. Teimlai Lewis Jones y byddent yn medru creu 'byddin' o ryw 200 o ddynion a beth bynnag, meddai, roedd gan y Cymry ddigon o gyfeillion ymhlith y brodorion a fyddai'n barod i rybuddio'r sefydliad o unrhyw ymosodiad. Derbyniodd y llywodraeth y safbwynt hwn i ddechrau ond ar ôl derbyn cais gan Finoquetto, anfonwyd 50 dryll Remington i'w dosbarthu ymhlith y sefydlwyr pe deuai ymosodiad. Cafodd y drylliau hyn eu dosbarthu mewn mannau strategol drwy'r sefydliad. Yn ôl Dumrauf (1994), roedd Finoquetto yn Buenos Aires pan

ddaeth y newyddion am ymosodiad y brodorion ar y pedwar Cymro, ac Arthur Woodley, yr Is-brwyad oedd yn gyfrifol am roi'r gorchymyn i erlid y brodorion ac am ddosbarthu'r drylliau i'r 50 a aeth i Cel-Cein. Mae hyn ychydig yn anghyson â fersiwn JDE. Cafodd Finoquetto y newyddion yn Buenos Aires a rhoddodd adroddiad i'r Gweinidog Cartref ar ddechrau Ebrill 1884. Daeth Finoquetto yn ôl i Drerawson Ebrill 28. Mewn awyrgylch o ddychryn ar ôl yr ymosodiad ar y pedwar Cymro, prin ei bod yn annisgwyl fod Finoquetto wedi pwyso am anfon catrawd o farch-filwyr i'r ardal er mwyn darparu amddiffyniad i'r sefydliad. Danfonodd llywodraethwr Patagonia, y Cadfridog Vintter, 50 o filwyr dan arweiniad Cyrnol Vicente Laziar a chodwyd gwersyll yn Campamento Villegas (Dumrauf, 1994, pennod 4). Daeth prwyadaeth Juan Finoquetto i ben yn 1885 pan benodwyd Luis Jorge Fontana.

[39]Ceir hefyd y ffurfiau Lucats, Lucas, Lucaj. Lucas yw'r ffurf ar yr enw a geir gan W. Meloch Hughes (1927). Mae'n bosib fod y ffurf Lucaj yn ymgais mewn orgraff Sbaeneg i gynrychioli'r ffurf Lucach a geir gan rai awduron. Ar gam, credwyd fod yr 'ch' yn cynrychioli'r sain Gymraeg. Dywed W. Meloch Hughes wrth adrodd am y digwyddiadau a arweiniodd at y gyflafan, fod y ddau Indiad a gyfarfu â JDE a'i gymdeithion yn hytrach na mynd ar hyd yr un llwybr â'r fintai wedi croesi'r afon i'r ochr ogleddol. 'Yno yr arhosasant am ysbaid gydag Indiad dôf o'r enw Lucac, fugeiliai anifeiliaid ymhen uchaf dyffryn y Gamwy. Mae lle i gredu i'r Lucas hwn chwerwi teimladau y ddau negesydd hyn tuag at y Cymry, os nad hefyd eu hargyhoeddi mai ysbiwyr oedd y fintai ar ei thaith i'r fewnwlad.' Diddorol yw sylwi i'r Lucats hwn fod yn aelod o'r fintai o Gymry dan arweiniad Lewis Jones a aeth gyda JDE i gladdu'r tri Chymro. Yn adroddiad John Coslett Thomas, sonia am Lucas fel hanner-Indiad, hanner-Sbaenwr. 'Yr oedd yn ein plith hanner Indian ac Ysbaenwr o'r enw Lucas wyddai'n dda am frodorion y wlad a ddywedodd i gorff Davies gael ei wneud yn gynifer o ddarnau â'r Indiaid a laddodd neu a glwyfodd, a bod cyflwr cyrff y ddau arall yn dynodi na wnaethant unrhyw niwed o bwys i'w herlidwyr.' Ceir cyfeiriad at dras Lucats yn fersiwn Milton Evans lle dywedir iddo fod ymhlith y brodorion a orfodwyd i gerdded o'u tiroedd i Patagones, ond iddo, ers rhai blynyddoedd, ddod i fyw a ffermio yn y Wladfa. Mae'n amlwg i Lucats fod yn bwysig i'r fintai a aeth yn ôl i Gel-Cein, gan fod y sawl a ysgrifennodd erthygl hir ar y digwyddiad i *Baner ac Amserau Cymru* ddweud mai Lewis Jones, John Daniel Evans a Lucas (*sic*) oedd ar y blaen. Sonnir ymhellach am Lucats yn yr un erthygl. Tystiodd Lucats, meddai'r erthygl, na welodd 'hen arweinydd profiadol mor lygadog a medrus' â JDE. Fel hyn y sonnir ymhellach amdano, 'Yr oedd Lucas yn myned gyda hwynt fel yr elai Mamre, Aner ac Escol gydag Abraham i erlid Cedorlaomer – i gynnorthwyo ac i ddangos ei ochr. Hanner brodor yw Lucas – gŵr cyfoethog o dda byw. Preswylia yn sefydlog ar ffin mewnol y Wladfa er's pump neu chwech blynedd; ac fe ddyry ei gymmydogion enw da iawn iddo. Ar ei du yntau, gyda'r Cymry yn unig y teimla yn ddiogel. Y mae ganddo, o bossibl, fil a hanner o wartheg a cheffylau, a chreda efe na phetrusai brodor nac Yspaeniad ddim pe caent gyfle i ddifa perchen deadelloedd o'r fath. Am hyny, glyna wrth y Wladfa. Aeth gyda'r fintai ddiffynol, a bu yn wasanaethgar iddynt, gan ei fod yn deall arwyddion ac olion brodorol yn well na ni.'

[40]Er na cheir cyfeiriad clir at hyn yn fersiwn gwreiddiol JDE, mae cyfieithiad Milton Evans o'r llawysgrif i'r Sbaeneg yn ychwanegu nifer o fanylion y gellir honni eu bod yn ffrwyth trafodaethau â'i dad am y digwyddiadau hyn. Yn fersiwn Milton Evans dywedir ymhellach fod Lucats yn gwybod i Zachariah Jones ymuno â'r fintai wreiddiol a aeth ar drywydd yr aur ond iddo ddweud wrth Juan Salvo, tra oedd yr olaf yn cuddio ar fferm Lucats rhag y fyddin, fod Jones yn ysbïwr ar ran y llywodraeth. Wrth sôn hefyd am y gynnen rhwng Lucats a Zachariah Jones, dywedir yn y fersiwn hon fod Lucats wedi cael ei erlid o dŷ Jones. Cofier fod JDE yn dweud yn y fersiwn Cymraeg 'os y deuai Zachariah Jones i'w dŷ drachefn y byddai iddo ei glirio allan â phastwn'. Yn fersiwn Milton rhoddir y ffaith i *Lucats* gael ei erlid o'r tŷ fel y rheswm y dywedodd Lucats wrth Juan Salvo fod Jones yn gweithio ar ran

y llywodraeth a chreu sefyllfa lle byddai dial ar ôl i Salvo ddychwelyd i wersyll Foyel yn y gorllewin. Felly ymosodwyd ar y Cymry (er bod Zachariah Jones yn absennol erbyn hynny), yn rhannol er mwyn dial cam a wnaed yn erbyn Lucats. Nid yw hyn yn hollol foddhaol fel rheswm, yn arbennig o gofio geiriau JDE ei hun a'r rhan a chwaraewyd gan Lucats yn y cyfnod yn union ar ôl yr ymosodiad. Ymddengys o adroddiad JDE fod y drwg rhwng Lucats a Zachariah Jones yn ymwneud â rhyw gam a ddioddefodd Lucats ac nid fel arall. Awgrym JDE yn ei lawysgrif wreiddiol yw i Lucats ddweud llawer o anwireddau amdanynt. Ac eto, mae'n haws credu fod Lucats wedi dweud ei gŵyn am Zachariah Jones wrth Juan Salvo a'i gydymaith gan feddwl y byddai Jones ymhlith y fintai a fentrodd mor bell â chyrion yr Andes. Beth oedd natur y gŵyn? Ni ellir ond dyfalu erbyn hyn. Ai sail yr anghydfod oedd si fod Zachariah Jones, yn gam neu'n gymwys, yn casglu gwybodaeth ar gyfer swyddfa'r Prwyad? Ai rhywbeth mwy personol oedd asgwrn y gynnen?

[41]Ai camgymeriad am 'ochr ddeheuol'?

[42]Argraffwyd *Dringo'r Andes* am y tro cyntaf yn 1904. Cafwyd argraffiad newydd yn 2001 wedi'i olygu gan Ceridwen Lloyd-Morgan a Kathryn Hughes ac adroddir hanes y gyflafan ym mhennod pump o'r gyfrol honno. Dyma a ddywedir am yr olygfa yn ystod gwasanaeth claddu'r tri Chymro:

'Ffurfiodd y fintai yn gylch o amgylch y bedd. Darllenodd fy nhad (h.y. Lewis Jones) y gwasanaeth claddu o'r Llyfr Gweddi Cyffredin, o dan deimladau llethol, ac yna cafodd y calonnau Cymreig ollyngdod i'w teimladau hiraethus drwy gydganu yr hen emyn gogoneddus, 'Bydd myrdd o ryfeddodau'. Mae'n anodd credu i'r emyn gael ei ganu yn well erioed . . . Canwyd ac ailganwyd yr hen emyn nes atseinio'r creigiau cylchynol, ac yna taniodd pawb ei ddryll dros y gwely pridd mewn ffarwél filwrol . . . Dringodd aml i fachgen hoyw i ben y clogwyni cylchynol mewn gobaith y ceid cip ar rai o'r gelynion, a chyfle i ddial cam eu cydwladwyr; ond unig a distaw fel y bedd newydd islaw ydoedd, dim arwydd fod yna yr un creadur byw o fewn can milltir iddynt.

Ymhen misoedd lawer y gwybuwyd fod yr holl gilfachau cylchynol yn heigio o frodorion, yn barod i ladd a llarpio fel o'r blaen, ond fod y canu rhyfedd hwnnw yng nghanol yr eangderau mawr distaw wedi eu dofi a'u llareiddio. Dywedir hefyd mai dyna pryd y deallasant mai Cymry oeddynt wedi eu lladd, ac nid milwyr Sbaenig, canys dillad milwrol oedd gan y llanciau truain a brynasant gan y masnachwr, a bu galar aml i hen frodor yn ddidwyll ddigon am iddo ladd ei frodyr Cymreig mewn camgymeriad.' (*Dringo'r Andes*, argraffiad newydd 2001, t. 31)

Taith Gyntaf y Rhaglaw L. J. Fontana[1] gyda'r Cymry, 1885

Gwnawd deddf gan Senedd Buenos Aires Hydref 16 1884[2] i greu Rhaglawdai ar hyd ei thiriogaethau ac yn Rhaglaw Tiriogaeth Chubut dewiswyd y Milwriad Luis Jorge Fontana[3] ac yr oedd ganddo ef hawl i bum deg llech o dir fel Rhaglaw cyntaf y diriogaeth, ac i'w gosod allan fel y gwelai orau, a galwodd pawb oedd ag awydd anturiaeth arno i lawr i Rawson a dywedodd ei gynllun wrthynt.

Gofynnodd i bawb a oeddent hwy yn foddlon i fyned gydag ef am daith trwy ei Diriogaeth am yr ysbaid o dri mis mwy neu lai ac y rhoddai iddynt ddeg[4] llech o dir i bob un am ei wasanaeth,[5] fel ag yr oedd y milwyr eraill wedi gael yn y flwyddyn 1883 ac 1884 pan yn casglu yr Indiaid i'w rhestru a dywedodd pawb ohonom yn unfrydol ein bod yn berffaith foddlon, ac felly y bu. Awd ati i drefnu y fintai. Rhoddai'r Rhaglaw 'Remington' ag ergydion i bob un ohonom a bod pob un drosto ei hun i ofalu am ei glud a'i geffylau, ac ymunodd dau ddeg naw yn y fintai, a chyfarfuasom yn y 'Creigiau'[6] sef Estancia y Br J. M. Thomas y pryd hwnnw a rhoddodd y Rhaglaw brawf arnom fel saethwyr[7] at y nod a chafodd allan ein bod yn well nag ef fel saethwyr oddigerth un neu ddau, ac adroddai'r Rhaglaw wrthyf wedi hynny ei fod wedi cychwyn i'r daith honno gydag ofn mawr a phryder meddwl. Yr oedd wedi clywed yn Buenos Aires cyn dyfod i lawr i Chubut, gymeriad ofnadwy i Gymry'r Wladfa, eu bod yn bobl ddychrynllyd ac amhosibl eu llywodraethu ac nad oeddent yn malio dim mwy am ladd dyn nac edrych arno. Yr oeddent yn bob peth ond pobl wareiddiedig ag yntau ei hunan yn mentro i daith fawr gyda phobl felly, ac yn saethwyr penigamp i gyd. Teimlai, meddai ef, ar brydiau yn berffaith ddiogel ymhlith saethwyr mor dda, ond os troent eu gynnau arno ef y byddai ar ben arno ac na ddihangai byth o'u gafael, ond daeth wedi hynny yn berffaith gartrefol yn ein plith a boddlon.

Dosbarthid y fintai yn ôl eu dinasyddiaeth fel y canlyn: saith Argentino, y Rhaglaw Fontana, ei gofnodydd Pedro Derbes,

Ricardo Franco, Ramón Calvo, Antonio Miguens a Gregorio Mayo a Robert Charles Jones, mab cyntafanedig y Wladfa Gymreig. Dau Ellmynwr Guillermo Katerfield[8] a Herman Faesing, un Americanwr James Wagner a'r gweddill genedigol o Gymru oeddent John Murray Thomas, James J. Thomas, John Henry Jones, John Thomas Jones Maes Môn, John Wynn, John Owen, Richard G. Jones, Thomas P. Jones, Edward Jones, Bagillt, David P. Roberts, Jenkin Richards, Evan Davies Point, Henry Davies, Thomas G. Davies, Billie Thomas, Zachariah Jones, John Davies Milwr, William Lloyd Jones Glyn, a John Daniel Evans. Yr oedd gan y fintai ar gyfartaledd bump o geffylau bob un, ac ar Sul 19 o Hydref daeth y Parch. Hugh Davies Tŷ Ddewi Dyffryn Uchaf (a'i deulu ac Amos Williams a'i wraig) i fyny i'r Creigiau i'n danfon i ffwrdd i'r daith gyda phregeth[9] fendithiol[10] iawn ar y testun, 'Awn a meddiannwn y wlad' oddi ar ben twmpath hesg wasanaethai fel pwlpud iddo, ac ar fore Llun yr 20fed codwyd y gwersyll[11] a digon anniben oedd y rhan fwyaf o'r fintai gan nad oeddynt gyfarwydd o roddi pynnau ar eu ceffylau o'r blaen.

Cyntaf y dechreuodd y ceffylau symud ond ychydig iawn, dechreuai'r pynnau hwythau symud hefyd, ond yn groes i gwrs y ceffylau y rhai a roddasant eu traed yn y tir, i'w rhedeg hi yn groes ymgroes i'w gilydd gan neidio a chicio, nes chwalu cynnwys eu pynnau dros yr holl fan, fel petai peiriant hau wedi bod wrthi gyda llaw gelfydd. Casglwyd bagiau siwgr o un cyfeiriad, yerba,[12] te a choffi o gyfeiriadau eraill, a'r biscuits yn glytiau dros y fan, a'r blawd yntau yn lle bod mewn torth wedi ei chwalu dros y fan, gan wyngalchu darnau mawr o'r llwybr, ac ambell i decell a'i big yn eisiau a'i ddolen wedi torri. Ail-godwyd y pynnau ar gefn yr ysgrubliaid ac edrychent yn gilwgus arnom gan feddwl ynddynt eu hunain am *baile*[13] arall cyn bo hir, ond fel y bu orau ni ollyngwyd hwy yn rhyddion y tro yma; arweiniwyd hwy gerfydd y cebystr y tro hwn a chyrhaeddasom y gwersyll y rhan fwyaf ohonom tua machlud haul, ond y pynnau perthynol i'r tri blaenaf sef J. M. Thomas, Fontana a Mayo yr oedd tua hanner nos arnynt hwy yn cyrraedd, wedi lladd eu hunain yn llwyr trwy'r dydd gyda phynnau trymion ac anghelfydd.

Symudwyd trannoeth[14] i fyny i dop Dyffryn yr Hen Eglwys a

rhoddwyd i lawr yma am ddiwrnod o seibiant cyn codi i'r Hirdaith[15] yr hon sydd daith saith deg dau milltir o baith sych heb ddwfr oddigerth yn y gaeaf pan y glawia ac y llanwa'r llynnoedd. Bwriadem y noson gynt gael cychwyn ben bore, ond fe aeth tua deg o'r gloch a'r haul yn awr yn anterth ei nerth. Codwyd i'r paith gwastad uwchlaw'r afon ac euthum i a'r Rhaglaw a'i weinydd Franco ar y blaen a chyraeddasom Ddôl y Plu[16] tua machlud haul, y Rhaglaw wedi blino'n fawr iawn, bron yn rhy flin i ddisgyn oddi ar ei geffyl. Cyneuasom dân a berwasom ddwfr a gwnawd cwpanaid o de i'r Rhaglaw ac wedi'r gwpanaid honno, daeth ychydig ato ei hun.[17] Cariai gydag ef bob amser, decell bach, te a siwgr a *bombilla*[18] a photelaid fechan o frandi. Sipiai y te trwy'r *bombilla* ynghyd a diferyn bach o frandi ynddo. Daeth yr oll fintai i'r gwersyll yn drib-drab tan ganol dydd trannoeth a dwys adroddent y drafferth a gawsant i groesi Dyffryn Baca[19] tua'r wlad. Gwn trwy brofiad eu bod wedi ei chael yn galed wrth groesi'r diwrnod poeth hwnnw, canys anghyfarwydd oeddent bron i gyd o ddeithio'r paith a chario clud.[20] Teithiasom o Ddôl y Plu yr ochr ddeheuol i'r afon a chroeswyd yn ôl i'r ochr ogleddol yn Rhyd y Beddau[21] ac arhoswyd yma ddiwrnod i dacluso'r bedd (Bedd y Merthyron).[22] Cawsom ef wedi ei agor gan yr Indiaid, gan ddyfned ag y medrent a llusgasant yr ystyllen oedd a'r enw i ffwrdd rai cannoedd o lathenni i'r drain. Dyma yr ail waith i mi gael y bedd wedi ei agor. Casglasom gerrig glan yr afon a dodwyd hwy ar eu pennau dros y bedd ar yr un cynllun a phalmantu ffyrdd a cherrig a dyna fel y mae hyd heddiw.[23]

Teithiasom oddi yma ymlaen ar ochr ogleddol i'r afon trwy Ddyffryn y Merthyron,[24] 'Dyffryn Coediog' a'r 'Allorau' hyd at lan yr afon wrth Rhyd yr Indiaid[25] a rhaid oedd croesi'r fan yma am fod yr afon yn rhoi tro am y gogledd-orllewin a ninnau am fyned i'r de-orllewin.[26] Awd i fyny i drofeydd yr afon a gwnawd rafft[27] o goed helyg cryfion a gollyngwyd hi i lawr yr afon a John Henry Jones a minnau arni a daethom i'r lan ar yr ochr ogleddol lle yr oedd y fintai a'r clud a nofiodd John Henry Jones a rhaff gydag ef i'r ochr ddeheuol a sicrhawyd pen y rafft wrth y rhaff a dodwyd rhaff wrthi a dau neu dri o ddynion a pheth o'r clud a thynnodd y Br John Henry Jones hi yn groes i'r ochr ddeheuol, ac felly ac ymlaen weithiau yn llawn ac weithiau yn wag.

Ac ar ôl diwrnod o weithio pur galed, dodasom ein hunain, ein clud a'n ceffylau yn ddiogel ar yr ochr ddeheuol. Gwelsom yma draciau gyrr o wartheg a dilynasom hwy yn codi i fyny i'r paith y fan lle y mae y llwybr yn codi yn bresennol i'r un cyfeiriad ac y bwriadem ninnau fyned pan yn croesi'r afon, ond yma newidiasom ein cyfeiriad. Barnem mai dilyn yr afon fyddai orau i ni gan mai dyna y ffordd yr euthum i i fyny ac y deuthum i lawr y flwyddyn flaenorol.[28] Cyrhaeddasom Graig yr Eryr,[29] man oddeutu deg lig[30] y tu uchaf i Ryd yr Indiaid a phan gyraeddasom yma euthum allan am dro fy hunan, i'r gorllewin o'r gwersyll, ac ar waelod hafn ddofn, deuthum o hyd i arwyddion petroleum pur dda ac euthum â pheth o'r cerrig gyda mi i'r gwersyll a dodais hwy ar y tân ac yr oeddynt yn llosgi'n ardderchog gan adael dim ond carreg lân ar ôl. Mae arwyddion petroleum[31] mewn llawer o fannau yn yr ardal hon, ac mae mwn arian a phlwm ddigonedd i'w gael, ond nid ydys ddim gwell o hynny gan fod y farchnad mor bell a diffyg ffyrdd i'w gludo. Mae'r mynyddoedd sydd ar bob tu i'r afon yn yr ardaloedd yma yn dangos arwyddion cyfoethog iawn. Teithiem o'r fan yma i fyny'r afon am tua tair lig hyd nes daethom at Hafn yr Aur,[32] ar yr ochr ogleddol i'r afon. Rhoddasom i lawr yma am ddau ddiwrnod[33] i chwilio am yr aur yr oeddwn i a'm cyfeillion sydd yn huno yn Nyffryn y Merthyron wedi ei weled flwyddyn yn flaenorol yn y fl. 1884, yng ngenau yr hafn, ac ar ei hyd tua deg lig.

Aeth ein peiriannydd Guillermo Katerfield heb golli dim amser gyda'i gorn bustach mawr i dreio golchi yr aur yng ngenau'r hafn, a methodd pe llwgai ddal yr un gronyn o'r melyn, a dywedodd nerth ei enau wrth y Rhaglaw, fy mod i wedi ei dwyllo, ac na welai neb aur yn y fath le â hwnnw, a buodd raid i minnau dynnu fy mysedd o'm blew a chasglu fy ngallu prosbectol at ei gilydd, a phrofi i'r Ellmynwr fod y Cymro distadl yn gystal peiriannydd ac yntau mewn pethau bychain. Cymerais fy mhadell chwilio yr hon oedd gennyf wrth law ac wedi ei llosgi i'r amcan o rwystro'r aur i lithro i ffwrdd oddi arni. Cymerais badellaid o'r tywod o'r fan y gwyddwn fod aur ynddo. Golchais ef yn ofalus a dangosais i'r Rhaglaw a phawb eraill gylch melyn o amgylch y tywod du oedd yn y badell. Clapiodd y Rhaglaw fy nghefn. 'Dyna i chwi, Katerfield, lle mae eich corn? Treiwch eto.' Treiodd amryw weithiau ond nis gallasai ddal gronyn, pe golchai am dragwyddoldeb nid wyf yn credu y daliai ddim â'r corn hwnnw am y rheswm lle y mae'r mymryn lleiaf o natur seimlyd codai yr aur i wyneb y dŵr a nofiai i ffwrdd yn anweladwy i'r golwg.[34]

Yn y flwyddyn 1883 daeth y Comandante Roa[35] a'r boneddwr Andrews Ysgotyn[36] trwy yr hafn ar lethrau'r mynyddoedd o'r rhai'r rhedai dŵr iddi. Tua pymtheg lig i'r gogledd o'r afon, cododd Andrews ddarn o quartz tua tair modfedd o hyd a'i hanner yn aur pur, dyna fu y rheswm i ni ymdroi cymaint yma. Y mae'r dyn heb ei eni eto i'r hwn y rhydd Duw fenthyg agoriad ei drysorau iddo, bydd ar y byd ei angen y pryd hwnnw.

Teithiasom o'r fan yma i fyny yr afon ar yr ochr ddeheuol heibio i Piedra Parada[37] (carreg ar ei phen) ac at angle (*confluencia*) afon Chubut a Gualchaina[38] ac oddi yma troesom ein gwynebau i'r De ar hyd dyffryn Gualchaina gan gadw ar yr ochr orllewinol i'r afon ac heibio i Nant y Pysgod[39] ac i'r De dros darddiadau'r nant hon i afon Tecka drachefn ar gyfer genau Hafn John Henry, a thyna'r pryd y galwyd yr hafn yn Hafn John Henry,[40] am mai ef fu gyntaf o bawb yng ngenau'r Hafn yn gweled olion hen lwybrau Indiaidd yn myned hyd-ddi. Yr oeddis yn flaenorol wedi bwriadu cymeryd y cyfeiriad hwnnw sef y gorllewin, gan mai dyna'r cyfeiriad oedd y ddau Indian hynny yn y flwyddyn 1884[41] wedi ei ddangos i mi y caem ddarn o wlad fawr y tu fewn i'r mynyddoedd, a thrannoeth dilynasom yr hafn drwyddi ac yn ein blaenau hyd lyn Sunica, ac ar y daith yma collodd Derbes ei wn, a bu allan dros y nos wrtho ei hun. Yma daethom o hyd i gyflawnder o ddail mefus.[42] Yr oeddem wedi gweled ychydig yn flaenorol o'r dail hyn yn aber Gualchaina a'r Chubut ond ychydig mewn cymhariaeth i Sunica. Aethom dros y gorwel ac i lawr i hafn ddofn arweiniai i'r gorllewin, a nant gref o ddŵr ynddi a phan yn gadael y bryniau am y gwastad rhoddasom i lawr y gwersyll yma ar lan y nant, ac fe'i bedyddiwyd ar unwaith yn Aber Gyrants[43] gan fod llawer o goed cyrants yn tyfu ar ei glan, sef yr hon nant a red o ymyl lle Mr Clark trwy Estancia Lahusen[44] yn bresennol a thua mil pum cant o fydrau mwy i'r De, ar yr un gwastad, rhedai afon arall llawer iawn mwy na'r nant yma ac ymuna'r ddwy â'i gilydd yn is i lawr yn y Cwm, ac aent ymlaen trwy Fro Hydref[45] i'r Tawelfor, y canlyniad fu i'r afon fwyaf fyned o dan yr un enw â'r llyn leiaf.

Ail-drannoeth aethom yn ein blaen yn syth am y gorllewin i ben y Graig Goch ger y fan y mae congl Martin Underwood[46] a Llech 18, a phan yn y fan yma ac yn edrych i lawr am y Cwm[47] o danom, gwelem yr holl fro o dan fantell o niwl tew nes peri i'r olygfa fwyaf ramantus a welodd ein llygaid erioed a'r diwrnod yn tynnu at ei derfyn, ac wedi cael lle i fynd i lawr y graig serth yma, teithiasom megis ar ein pennau i lyn mawr o niwl tew yr hwn nid oedd modd gweled ei waelod a phan yn agosáu i'r gwaelod, cododd y niwl ychydig a gwelem yr afon yr hon oeddem wedi ei gadael er y bore yn ardal Sunica. Dilynasom hi i lawr am y gorllewin am tua hanner llech[48] a chroesasom i'r ochr ogleddol i'r afon at dwmpathau mawrion o galaffats[49] oedd yn y fan honno, a rhoesom i lawr i noswylio yn eu cysgod, ger y fan lle y saif tŷ Caswallon Jones[50] yn awr. Yr oedd hyn y 25 o Dachwedd 1885, a chododd pawb ohonom yn weddol fore y 26 a gwelsom y fro dlos odiaeth, pant a bryn dan gwrlid tew o farrug gwyn, a'r Cymro yn gweiddi allan ar dop ei lais, 'Wel, dyma Gwm Hyfryd!' 'Que Valle Hermoso' meddai'r Archentwr yntau, a rhoddwyd genedigaeth anfarwol i'r enw 'Cwm Hyfryd' hyd y dydd heddiw. Arosasom yma ddiwrnod cyfan i'r amcan o wneuthur gwibdeithiau i'r gogledd a'r gorllewin. Aeth rhai cyn belled ag Esquel[51] ac yn eu holau hyd odrau y Mynydd Llwyd[52] a rhoddasant adroddiad ardderchog am ansawdd y wlad y ffordd honno, ac euthum i ac eraill am y gorllewin i gyffiniau'r afon fawr, a daethom ninnau ag adroddiad ardderchog am ansawdd y wlad ac o'r afon fawr a welsom, a thrannoeth symudwyd y gwersyll i lawr at 'Nant Chilenos'[53] a gwnawd yma y gwersyll cyffredinol tra y buom yn y Cwm y tro yma. A chwiliwyd yr holl wlad oddi yma cyn belled â Corcovado.

Aeth deg ohonom â'r Rhaglaw gyda ni ar ein hunion trwy 'Hafn Chilenos'[54] ac am y De heibio i'r moelydd gan eu gadael ar yr ochr ddehau i ni, a chawsom yma fath ar hen wely afon a'n harweiniai ar ein hunion i waelod y 'Dyffryn Oer' a chyraeddasom hyd at 'Lyn Theobald'[55] y diwrnod cyntaf er i ni gael tipyn o drafferth yn croesi trwy'r gors pan yn disgyn i 'Dyffryn Oer'. Euthum i drwodd yn bur llwyddiannus trwy fy mod yn ysgafn a'm ceffyl yn gryf ac heini, a'r agosaf ataf oedd Jones Pant y March[56] ar gefn ei 'gwrlyn'[57] a'i goesau hirion a'i wrthaflau haearn mawrion, a chyn gynted ag y daeth hyd at ei geffyl i'r gors, aeth yn ffast ac yn yr ymdrech i godi cafodd Jones fyned oddi ar ei gyfrwy, a phan wedi cael un droed o'r gwrthaflau cododd y ceffyl ar ei draed a Jones yn hongian wrth un goes a thynwyd ef trwy'r gors gan ei ddwbio yn y mwd hyd nes nas gallasai neb ddweud beth ydoedd pa un dyn ai burgyn ydoedd a phawb ohonom yn chwerthin heb reol, heb wybod eto a oedd wedi ei anafu ai peidio.

Awd ag ef at lan yr afon oedd gerllaw a golchwyd Jones yno a chafwyd allan nad oedd fymryn gwaeth oddieithr ei fod wedi ei faeddu â'r llaid a llysnafedd y gors. Yr ail ddiwrnod teithiasom o Lyn Theobald i gyfeiriad y de-orllewin trwy hafn a'n harweiniai i'r Corcovado. Gwersyllasom yma ar lan yr afon yr hon sydd afon gref iawn yn rhedeg o'r Dwyrain i'r Gorllewin o lyn mawr Corcovado ar du dwyrain yr Andes.

Drannoeth, chwilio am ryd i groesi yr afon, ac wedi ei chael croeswyd i'r tu deheuol i'r afon. Awd cyn belled â brig y mynyddoedd gwynion ar y tu deheuol ac, o mor ardderchog oedd yr olygfa o'r fan yma, pinaclau gwynion yr Andes ddisgleirient yn yr haul, rhai i'r Gogledd, De a Gorllewin a theimlwn yn hiraethus wrth ymadael â'r olygfa. Daethom yn ein holau i'r gwersyll yr ochr ogleddol i'r afon, wedi blino yn fawr yn ddyn ac anifail. Teithiasom o'r fan yma yn ein holau am y Cwm trwy ben uchaf 'Dyffryn Oer' heibio i'r fan y mae *estancia* Gwilym Jones Kansas[58] yn bresennol ac i lawr at 'Nant Chilenos' at weddill y fintai. Ac wedi cael diwrnod o seibiant yno, codasom ein gwersyll a theithiasom allan o'r Cwm am gyfeiriad Sunica,[59] ond ar yr ochr ogleddol i'r Aber Gyrans yn awr, ac nid dros y 'Graig Goch' fel y daethom i mewn, ac yn ein blaenau am Tecka[60] trwy 'Hafn John Henry Jones' a phan ar gyfer genau'r 'Hafn Las' sydd yn arwain o fynyddoedd Quichaura i Tecka, daethom ar draws un deg tri o anifeiliaid corniog yn ddofion berffaith.[61]

Arosasom yma ddiwrnod cyfan i dacluso'r pynnau a threfnu'r cig oeddem wedi ei ladd, sef un o'r eidionau tewion y cyfeiriwyd atynt. Drannoeth cymerwyd yr unarddeg da corniog (yr oeddis

133

wedi lladd un ac yr oedd un arall o'r triarddeg wedi dianc) gyda ni a nawn yr un dydd daethom o hyd i Don. Martin Platero[62] at yr hwn y cyfeiriais o'r blaen yn yr hanes hwn,[63] a phan yn teithio i lawr i'r Senguer o'r tu isaf i 'Choiquinilaue'[64] ar yr ucheldir ac o fewn tua lig i'r drofa ar lan yr afon lle y bwriadem wersyllu dros y nos, collodd Franco[65] ysbienddrych y Rhaglaw a dywedodd y Rhaglaw wrtho am beidio dod oddiyno hyd nes caffai ef. Gofynnodd Franco i mi lle y bwriadem wersyllu. Dangosais iddo y drofa. Daeth yn nos gyda hyn a dim golwg o Franco yn cyrraedd a phen bore trannoeth, euthum i â dau eraill i chwilio amdano, a chawsom ei drac yn bur fuan, lle y croesodd ein traciau ni. Roedd gennym yn cael eu gyrru tua dau gant o anifeiliaid, a chroesodd yr holl draciau heb weled yr un ohonynt ac yn ei flaen i lawr gyda'r afon hynny fedrai traed ei geffyl fyned am tua dwy neu dair[66] llech o ffordd ac yna grwydro yn ei ôl eilwaith bron i'r unfan ar ein cyfer ac i lawr yn ei ôl eilwaith.

Methasom â'i gael y diwrnod cyntaf. Aethom yr ail ddiwrnod ar ei ôl a chafwyd y colledig wedi rhoddi i lawr o dan geulan yr afon, mewn man cyfleus iddo amddiffyn ei hun rhag yr Indiaid. Eisteddai a'i wn yn ei law a'r *cartridges* yn ei ymyl. Yr oedd arno ofn Indiaid yn ddirfawr. Aethom uwch ei ben heb iddo ein gweled a gwaeddasom arno ac adnabu ein llais ar amrantiad a thorrodd allan i wylo fel plentyn o lawenydd. Gofynasom iddo i ba le yr oedd yn bwriadu myned y ffordd honno a dywedodd ei fod wedi fy nghlywed i a'r Rhaglaw yn siarad am ryw fôr yr oeddem yn bwriadu myned ato ar ein taith, a chrwydrodd i chwilio am y ffordd hyd nes collodd ei ffordd a cholli ei ben, ond llwgu fuasai ei dynged yn fuan pe na chawsem hyd iddo. Yr oedd ei geffyl bron wedi ffaelu yn barod ac yntau er ys dau ddiwrnod heb yr un tamaid o fwyd. Aethom â'r colledig yn ei ôl i'r gwersyll a phen bore trannoeth codasom y gwersyll a theithiasom i lawr gyda'r afon Senguer[67] a thros y 'Tro Mawr'[68] ac i'r afon yn ein holau uwchlaw 'Llyn Musters'.[69] Croesasom yr afon yn y fan hon i'r ochr ddwyreiniol a galwyd y rhyd yn 'Rhyd y Cymry'.[70] Yma cyfarfuasom â Castro, Alun Meirion Williams a George Hammond yn myned â gwartheg i'r 'Groes Wen', Santa Cruz.

Yr oedd yn y parthau yma y pryd hwnnw borfa faint a fynnid.

Yma mewn blynyddoedd wedi hynny y sefydlwyd Gwladfa Sarmiento[71] ym mha un y mae llawer o Gymry o'r Wladfa. Caent gan y Llywodraeth chwarter llech o dir bob penteulu a âi yno i ymsefydlu. Aethom o'r fan yma yn ein blaenau i enau'r Iamacan neu yr Afon Fach[72] a redai allan o Lyn Colhuehuapi am y gogledd ac a ymarllwysa i'r Camwy ryw saith deg milltir o'r môr. Rhoddasom i lawr ein gwersyll yn y fan hon ac aeth y Rhaglaw â phedwar ohonom am y môr i ardal Comodoro Rivadavia yn awr ac ymhen tridiau daethom yn ein holau i'r gwersyll drachefn a phan yn cyrraedd i mewn i'r gwersyll, gwelem y Br. David P. Roberts yn sychu ei ddillad wrth danllwyth o dân. Adroddai'r Br. John Henry Jones pa beth a ddigwyddasai. Gwelodd David P. Roberts piwma ar ochr ogleddol yr afon a saethodd ef, ac aeth ar ei union am ei '*alazan*'[73] a neidiodd ar ei gefn ac yna dros y geulan i'r afon gan feddwl fod yr afon yn fas[74] a chan mai dwfr llwyd redai ynddi nis gallai weled ei dyfnder, a'r canlyniad fu iddo groesi o dan y dwfr i'r lan arall a phan gyrhaeddodd y dorlan, gadawodd ei geffyl a gafaelodd yn yr hesg a dyfai hyd y lan, a dim ond ef ei hunan a'r piwma ar yr ochr honno i'r afon.

Tynnwyd y ceffyl i'r lan yn ddiogel ar yr ochr ddwyreiniol a'r *puzzle* yn awr oedd pa fodd i gael David yn ei ôl dros yr afon gan nas gallai nofio llathen. Cafwyd cynllun o'r diwedd, sef lluchio pelen a llinyn ysgafn wrthi yn groes i'r afon, ac yr oedd yntau i dynnu rhaff gryfach gyda'r llinyn yn groes i'r afon, ac felly fu, a gwaeddwyd arno roddi dolen y rhaff o dan ei geseiliau a chydio ynddi a'i ddwy law o'r tu blaen, a phan yn barod ar fin y dŵr, gwaeddai'r criw ar yr ochr ddwyreiniol un, dau tri! a rhoddwyd nerthol blwc i Don David nes ei soddi o dan y dwfr a thynnwyd ef felly. Nid oedd dim arall i'w wneuthur gan nas medrai nofio dim. Cafwyd ef yn ddiogel i'r gwersyll.

Teithiasom o'r fan yma i ganlyn yr afon. Dilynem hen lwybr Indiaid a ddeuai o Colhuehuapi[75] o'r de am y Wladfa ffordd yr arferai'r Indiaid deithio i'r Wladfa i fasnachu. Yr ail ddiwrnod o deithio o'r Afon Fach, cawsom drafferth eto gydag un arall o weision y Rhaglaw sef Pedro Derbes.[76] Rhoddodd y Rhaglaw o dan ei ofal ef pan yn cychwyn o'r Wladfa ei gyfrwy-bwn (pack-saddle), sef y llyfrau a chofnodion o'r daith, a byddai Derbes er ys llawer wythnos cyn hyn yn gadael y mul a'r pwn i ofal yr oll fintai, hynny heb ddywedyd yr un gair wrth neb, ac elai ef ei hunan allan o'r neilltu i'r llwybr yn ddigon pell i chwilio am wyau estrysod neu rywbeth o'r fath a phan yn tynnu at amser gwersyllu, deuai i'r gwersyll ac i blith y pynnau i chwilio am ei ful, a'r tro yma nid oedd yr un mul na phwn i'w gael. Gadawyd ef yn y wersyllfa y bore tuag wyth llech i ffwrdd wrth y twmpath y fan lle yr oedd wedi ei glymu y bore. Pan ddywedodd wrth y Rhaglaw, gorchmynwyd iddo ddychwelyd yn uniongyrchol cyn disgyn ohono oddi ar ei geffyl, a'r noson honno gofynnodd y Rhaglaw i mi fyned ar ei ôl ben bore trannoeth gan y byddai yn sicr o golli ei ffordd os nad awn i'w nôl a chyda'r dydd drannoeth cyfrwyais fy ngheffyl gorau gan y gwyddwn fod gennyf y diwrnod hwnnw dair taith i'w gwneuthur. Yr oedd yn rhaid i'r fintai deithio ymlaen gan nad oedd ganddynt ddim bwyd a minnau yn ôl i'r un fan ag yr oeddis wedi cychwyn y bore cynt. Cyn gynted ag i mi gychwyn o'r gwersyll ar ei drac, cefais ei het wedi ei lluchio, a thua mil o fitars[77] yn nes ymlaen cefais ei gadach gwddf, ac yn nes ymlaen wedyn cefais ei wasgod, ac yn nes ymlaen wedyn cefais ef ei hun newydd gychwyn o'r gwersyll lle y gadawsai'r mul y diwrnod cynt. Gofynnodd yn sarrug i mi, pa le yr oeddwn yn myned. Dywedais wrtho mai dyfod yn gwmni iddo ef yr oeddwn. Llonnodd drwodd pan glywodd hyn a chofiodd yn aml amdanaf wedi hyn yn ystod ei fywyd, a phan yn tywyllu gyda'r nos cyrhaeddasom y gwersyll, wedi teithio dau ddeg pump llech y diwrnod hwnnw, a phan wedi myned allan yn llwyr o fwyd ac yn trefnu i fyned i hela guanacos ac yn teithio trwy un o drofeydd yr Afon Fach trwy ganol y twmpathau hesg mawrion oedd yno, rhedodd buwch a llo blwydd allan o'r drofa, a marc[78] Thomas Morgan Jones arni. Lladdwyd hwy a chafwyd digonedd o gig i'r fintai nes cyrraedd y Wladfa.[79]

Buom dri mis i ffwrdd ar y daith ac amcangyfrifir ddarfod i ni deithio tair mil o filltiroedd gyda cheffylau heb eu pedoli na cherbyd o fath yn y byd ond pynnau ar gefnau'r mulod. Cyrhaeddasom gartref i fynwesau ein teuluoedd oll yn iach a chalonog heb salwch na damwain yn y byd ddigwydd ar y daith fel ag i allu adrodd am ryfeddodau'r daith a'i digwyddiadau a mawr ofal Rhagluniaeth amdanom o ddechrau'r daith hyd ei diwedd.

Y Llawysgrifau:
Ceir fersiwn yn llaw JDE ei hun yn y llyfrau nodiadau a gedwir yn Nhrevelin sy'n dyddio o'r cyfnod *c*. 1918. Ceir fersiwn arall teipiedig a olygwyd gan Tryfan Hughes Cadfan. Nid yw'n ymddangos fod y gwreiddiol Cymraeg wedi cael ei gyhoeddi o'r blaen.

[1]Mae'n siŵr i nifer o'r rhai a gymerodd ran yn y daith hon sylweddoli ei phwysigrwydd. Teimlai'r Cymry gryn falchder yn y ffaith y cawsant eu dewis fel mintai archwiliadol dan arweiniad y Rhaglaw newydd. Hyn sy'n egluro hefyd i nifer o'r rhai a fu ynglŷn â'r daith gadw dyddiaduron. Y dyddiadur pwysicaf o dipyn yn Gymraeg yw un William Lloyd Jones, Glyn, a gyhoeddwyd yn *Y Drafod* yn 1930. Mae'r dyddiadur yn rhoi adroddiad gwrthrychol a manwl o'r daith am bron bob dydd. Ceir hefyd ddyddiadur John Murray Thomas a oedd hefyd yn un o'r prif drefnwyr ac arweinwyr y daith. Roedd John Murray Thomas yn hyddysg yn y tair iaith, ond dewisodd ysgrifennu ei holl ddyddiaduron teithio yn Saesneg, o bosib, meddir, er mwyn i'w wraig gael eu darllen. Mae dyddiadur Thomas eto yn hynod fanwl. Collwyd y gwreiddiol ond yn ffodus gwnaed copi, a chyhoeddwyd hwnnw am y tro cyntaf yn y cylchgrawn *Camwy*. Yn Gymraeg hefyd y cofnododd Billy Thomas brif ddigwyddiadau'r daith, ond mae ei ddyddiadur yn fwy cryno, ond rhydd ambell olwg ar bethau nas ceir yn y gweddill. Bu farw Billy Thomas yn fuan ar ôl y daith hanesyddol hon. Ceir adroddiad swyddogol Fontana hefyd yn Sbaeneg, ond gan mai adroddiad i'r llywodraeth oedd, cedwir at gofnod o'r trywydd a ddilynwyd, daeareg a daearyddiaeth y rhanbarth. Prin iawn yw'r cyfeiriadau at bobl fel y ceir yn y fersiynau 'answyddogol' yn Gymraeg. Mae'n gwestiwn pwysig a gadwodd JDE ei hun ddyddiadur yn ystod taith 1885. Ar sail yr unig lyfr nodiadau yn ei law yn dyddio o 1888, roedd yn arfer ganddo gadw cofnod o bwyntiau ymarferol o bwys. Yma ac acw yn ei adroddiadau am y daith a geir o tua 1918 ymlaen, mae rhywun yn cael yr argraff mai dilyn nodiadau y mae gan ychwanegu ambell atgof a ddaeth iddo ar y pryd. Wedi gweld fersiwn William Lloyd Jones yn *Y Drafod* yn 1930, hwyrach fod JDE wedi penderfynu peidio cyhoeddi ei fersiwn ei hun, ond ceir yr argraff ambell waith nad oedd JDE fel petai'n awyddus iawn i weld ei atgofion mewn print.

Defnyddir gwaith William Lloyd Jones (WLlJ) a John Murray Thomas (JMT) isod er mwyn ceisio rhoi dyddiad penodol i brif gamau'r daith. Yn anffodus methodd William Lloyd Jones â rhoi dydd yr wythnos yn gywir bob tro. Mae ef un dydd ar ei hôl hi yn ystod rhan gyntaf y dyddiadur, er enghraifft am Mawrth 21 Hydref, rhaid darllen Mercher 21 Hydref. Er hwylustod, cywirwyd hyn yn y nodiadau isod.

Gellir olrhain y daith ar fap Llwyd ap Iwan (1888). Nodir llwybrau'r brodorion a'r teithiau a wnaed cyn hynny ar y map hwnnw.

[2]16 Hydref 1884. Galwyd sefydliad newydd Cwm Hyfryd yn Colonia Dieiciseis de Octubre gan y Rhaglaw Luis J. Fontana. Hyn a roddodd y ffurf Bro Hydref a geid fel enw ar y sefydliad newydd yn swyddogol yn Gymraeg i ddechrau tan ei disodli gan yr enw Cwm Hyfryd yn ddiweddarach. Fel Cwm Hyfryd, neu'r Cwm, yr adwaenir y sefydliad erbyn heddiw yn Gymraeg.

[3]Dr L. J. Fontana. Rhaglaw cyntaf Talaith Chubut. Ganed Luis Jorge Fontana yn Buenos Aires yn 1846 yn unig blentyn i Luís María Fontana ac Irene Burgeois. Bu ei dad yn ysgrifennydd i'r Cadfridog Rosas am gyfnod. Pan oedd yn chwe blwydd oed symudodd y teulu i fyw yn Carmen de Patagones, y dref fwyaf deheuol yn Ariannin ar y pryd. Ac yntau'n dal i fod yn llanc 13 oed ymunodd â'r fyddin ac arhosodd yn y lluoedd am ysbaid hir heblaw am gyfnod pan aeth yn fyfyriwr i Buenos Aires lle astudiodd ei hoff bwnc, sef y gwyddorau naturiol, yn y brifysgol. Adlewyrchir ei ddiddordeb ysol yn y pwnc ar hyd ei oes a chyhoeddodd nifer o lyfrau ar y pwnc. Bu'n rhan o fintai ymchwiliadol a gwyddonol a aeth ar hyd afonydd Limay a Neuquén. Yn 1875 fe'i penodwyd yn ysgrifennydd

llywodraeth Chaco. Arhosodd yno tan 1884 ac yn ystod y cyfnod hwnnw bu'n gyfrifol am sawl ymgais i archwilio perfeddwlad Santa Fe a Santiago del Estero. Dywedir mai'r pwysicaf o'r teithiau hyn oedd honno i ganolbarth Chaco ei hun a ddechreuodd yn Ebrill 1880. Yn naturiol roedd y teithiau hyn yn arwain at ymreolaeth ehangach gan Ariannin ar ei thiroedd. Bu aml wrthdrawiad â'r brodorion, a chafodd Fontana ei frifo mewn un ysgarmes nes gadael un fraich bron yn ddiffrwyth am weddill ei fywyd. Roedd ganddo fintai o gant o ddynion ar y daith. Yn ôl Carlos Sarasola, lladdwyd tua 37 o'r brodorion yn y frwydr hon yn Cangayé. Ysgrifennodd Fontana mewn telegram at arlywydd y wlad, 'Rwyf ar hyn o bryd yn Rivadavia. Rydym wedi archwilio Chaco. Collais fy mraich chwith mewn ysgarmes â'r brodorion, ond mae'r llall yn dal yno er mwyn arwyddo map Chaco a orffennais yn ystod y daith hon.'

Penodwyd Fontana yn rhaglaw cyntaf Chubut ym mis Tachwedd 1884, fis ar ôl i'r llywodraeth basio'r ddeddf newydd a grybwyllir gan JDE ar ddechrau'r bennod hon. Un o'i orchwylion pwysicaf, yn ddiamau, oedd sicrhau fod ffiniau Ariannin â Chile yn y gorllewin yn sicr a chadarn, a rhan o'r gwaith hwn ar ôl i'r brodorion annibynnol gael eu gyrru o'r parthau hynny oedd hybu mewnfudo i'r rhannau gorllewinol. Roedd rhai fel John Murray Thomas ac eraill yn dechrau galw am ledu ffiniau'r sefydliad, a daeth penodiad y rhaglaw cyntaf â'r posibilrwydd y byddai hyn yn cael ei wireddu. Gofynnwyd am ganiatâd i fynd i archwilio'r gorllewin. Roedd Fontana yn amheus ar y cychwyn gan ofni y byddai'r Cymry yn ysglyfaeth i ymosodiadau gan y brodorion. Hyd yn oed wedi cael perswâd arno, ni ddechreuodd y daith nes cael ymarfer saethu gan y Cymry, a bu hyn yn fodd i Fontana dawelu ei ofnau am allu'r Cymry i'w hamddiffyn eu hunain y tu hwnt i ffiniau'r Wladfa. Ym mis Hydref 1885 felly, ymgymerodd â thaith hanesyddol i odrau'r Andes gyda mintai a ffurfiwyd yn bennaf o ddynion ifainc o'r Wladfa a alwyd wedyn yn 'Companía de Rifleros'. Dylid cofio hefyd na fyddai'r daith hanesyddol hon wedi gallu digwydd y pryd hwnnw heb gymorth ariannol John Murray Thomas ac eraill, ac yn bendant heb adnabyddiaeth drylwyr JDE o lwybrau'r Indiaid; yn wir, ar ôl y daith honno y daethpwyd i alw JDE yn 'El Baqueano', sef arweinydd, ond gair oedd hwn a arferid yn bennaf am frodorion hyddysg yn llwybrau'r paith, y mynyddoedd a'r afonydd. Ni ddylid ychwaith anghofio rhan Gregorio Mayo wrth drefnu'r daith hon, a'i ran yn perswadio'r Cymry i dderbyn addewid Fontana y câi'r dynion dibriod lech o dir (5 cilomedr wrth 5 cilomedr) bob un, a bod 25 llech i gael eu rhannu yn gyfartal rhwng arweinwyr y fintai, sef Fontana, John Murray Thomas a Gregorio Mayo. Ysgrifennodd Fontana adroddiad swyddogol i'r llywodraeth yn cynnwys cyfoeth o wybodaeth am ddaearyddiaeth y ffordd i'r Andes ar hyd afon Camwy ac i'r de ar hyd afon Senger a'r Rio Chico; cynhwysai hefyd un o'r mapiau cynharaf o'r rhanbarth, er nad yw mor fanwl a chynhwysfawr â map Llwyd ap Iwan a gyhoeddwyd yn 1888. Roedd yr adroddiad hwn yn fodd i'r llywodraeth lunio polisi ar gyfer troi Chubut yn rhan annatod o'r weriniaeth.

Pan ymddeolodd Fontana fel Rhaglaw yn 1894, aeth i fyw yn Desamparados, Talaith San Juan. Cyhoeddodd Fontana nifer sylweddol o lyfrau yn ystod ei yrfa, yn bennaf *El Gran Chaco* (1881); *Viaje de exploración al río Pilcomayo* (1883); *Viaje de Exploración en la Patagonia Austral* (1886). Ar ôl ymddeol cyhoeddodd nifer o lyfrau ar fywyd gwyllt yr Andes a'r cyffiniau.

Pan fu farw yn 1920 cafwyd erthygl goffâd amdano yn *Y Drafod*. Mynegodd yr erthygl y berthynas gynnes a fu rhyngddo a'r Cymry. Mae JDE, er ambell eiliad o anghytuno a dicter, yn edmygu Fontana yn fawr, a bu ar ymweliad â chartref Fontana a'i deulu yn Buenos Aires pan fu JDE yn y ddinas yn ceisio gwella ei addysg mewn Sbaeneg. Sonnir gan JDE ac eraill y diddordeb a fu gan Fontana yn y Cymry – eithriad mawr ymhlith swyddogion cynnar y diriogaeth. Ymddengys fod Fontana wedi cael ei swyno gan y Cymry o safbwynt y math o gymdeithas a grëwyd ganddynt ar lannau Camwy. Arweiniodd hyn at fath o gyddealltwriaeth dda rhwng Fontana a'r sefydliad. Dywedir iddo ef a'i wraig ddechrau dysgu

Cymraeg a bedyddiwyd ei fab â'r enw Llewelyn Taliesin. Fel hyn y soniodd R. Bryn Williams (1962) amdano, 'Fel milwr, hawliai ufudd-dod i'r gyfraith, eithr ni bu'n drahaus a gormesol fel rhai o'r mân swyddogion a'i rhagflaenodd. Cadwodd ei urddas fel dyn a llywodraethwr, ac enillodd barch y Cymry'.

[4]Mae'n debyg i Fontana addo y rhoddai'r llywodraeth lech o dir i bob un o'r fintai. Byddai'r dewis cyntaf yn mynd i'r rhai a fu ar y daith. Byddai rhyw 50 llech ar gael i'r teuluoedd cyntaf i ymsefydlu yno.

[5]Yn ôl WLlJ, roedd y 29 o unigolion a gytunodd i ddod ar y daith yn swyddogol wedi ymuno â'r fyddin: 'Disgwylid i'r gwirfoddolwyr fel unigolion neu gynulliad cyflenwi eu hunain ag ymborth, ceffylau marchogaeth a chario'r clud. Ymlistiwyd i'r fyddin, ac ar y 16 dydd o Hydref 1885, gwelid wedi ymgynull ger Tŵr Michael, terfyn Gorllewinol y Wladfa hon, fintai o 29 o unigolion, a dosbarthio yn ôl eu dinasyddiaeth.'

[6]Sbaeneg: Las Piedras. Dywed JDE mai *estancia* yn perthyn i John Murray Thomas oedd y *Creigiau* yr adeg honno. Ar gopi (mwy neu lai) a wnaed gan Llwyd ap Iwan o ddyddiadur JMT am 1885 ceir y geiriau 'my estancia "The Rocks" '. Gellir gweld Las Piedras ar fap cyfoes sy'n ei lleoli yn agos i Fuerte Villegas neu Wersyll Villegas. Yn ôl JMT ar ochr ddeheuol afon Camwy roedd y Creigiau, ym mhen draw'r dyffryn. Mae JMT yn rhoi'r enw Sbaeneg ar y lle, sef Las Piedras. Dechreuodd pawb ymgynnull yn y Creigiau ar 15 Hydref 1885. Yn adroddiad Billy Thomas awgrymir mai Martin Underwood biau'r tŷ lle roedd pawb wedi ymgynnull a chynnal y gystadleuaeth saethu.

[7]Sadwrn, 17 Hydref. WLlJ: 'Wedi gweld fod y fintai yng ngwersyll y Creigiau yn gryno, a neb o'r gwirfoddolwyr yn eisieu, datganodd y Rhaglaw ei ddymuniad o gael gweld medrusrwydd y fintai fel saethwyr a threfnwyd fod drannoeth Sadwrn 18 i'w neilltuo i hynny.' JMT: 'The Governor very well pleased with the marksmanship, took all the men to the house and regaled them with a feed and drink, had also some singing.' Mae Billy Thomas yn dweud iddynt gael 'shooting match cyn ein bod yn cychwyn i ffwrdd, felly aethom draw a cawsom saethu bawb i dair rownd ac yn wir yr oedd y saethu yn hynod o gywir a ystyried mai rifles dieithr oedd gennym bron i gyd'.

[8]Ceir amrywiaeth o ffurfiau ar ei enw: Katerfeld, Katerfield, Katerfeldt.

[9]Hugh Davies Tŷ Ddewi. WLlJ: Sul, 18 Hydref. 'Oddeutu canol dydd, gwelwyd men yn agosáu i gyfeiriad y gwersyll, gyriedydd y fen ydoedd y gwladfawr William Wm Watkin, a gydag ef yr Offeiriad o Llan Ddewi, Parch. Hugh Davies a'r teulu. Deallwyd cyn hir mae prif amcan ymweliad y cenhadwr o Lan Ddewi ydoedd rhoddi i ni bregeth, ac erfyn ar y Goruchaf ganiatáu i'r fintai rwydd hynt. Darbodwyd twmpath hesg yn bulpud, a darllenodd y cenhadwr y gwasanaeth berthynai i'r Sul hwnnw yn ôl trefn Eglwys Loegr, ac yna traethodd bregeth amserol a tharawiadol ar y geiriau "Awn a meddiannwn y wlad", a therfynwyd yr oedfa wedi canu amryw donau cynulleidfaol gydag awch ac arddeliad allan o'r cyffredin.' Daeth y Parch. Hugh Davies o Fangor ym 1883 yn 50 mlwydd oed gyda'i wraig a'i bedwar o blant. Cawsant *chacra* yn ardal Maes Teg ym mhen draw'r Dyffryn. Cododd yr eglwys Anglicanaidd gyntaf yn y Sefydliad. Bu farw ym 1909. Am ragor o'i hanes gweler R. Bryn Williams (1962, t. 201) ac Edi Dorion Jones (2000).

[10]Yn y llawysgrif wreiddiol ceir 'bwrpasol' uwchben y gair. Yn y fersiwn teipiedig ceir 'cynhwysfawr'.

[11]Llun, 19 Hydref 1885. WLlJ : 'Codwyd y gwersyll a theithiwyd i ben uchaf Hafn Halen, yna hysbyswyd trefniant y gwylio a theithio. Un dyn i gymryd gofal y ceffylau yn ystod y dydd, y gwasanaeth hwn i fod yn ddyddiol. Un dyn i wylio y tanau, hwn i'w newid bob dwy awr.'

[12]Sbaeneg: *yerba mate*, te Paraguay. *Mati* yw'r ffurf yn Gymraeg yn aml.

[13]Sbaeneg: 'dawns'.

[14]Mercher 21, 1885. Dyffryn yr Eglwys. WLlJ: 'Codwyd y gwersyll yn fore, a theithiwyd yn gyson hyd nes y cyrhaeddwyd Dyffryn Triphysg (Alsina), lleolwyd gwersyll mewn man

cyfleus yn wynebu'r hafn drwy'r hon y byddid yn codi i'r peithdir ac Hirdaith Edwin. Mercher 22. Dydd o orffwys ac ymgeledd cyn tirio'r Hirdaith.' Dywed JMT i John Daniel Evans fynd yn ei flaen gyda Katerfeld er mwyn cael golwg fanwl ar y llwybr o'u blaen. Dyffryn yr Eglwys yw'r enw a ddefnyddir gan JMT hefyd am y fan lle roeddent yn gwersyllu.

[15]Gwener 23, 1885. Hirdaith Edwin. Mae'n amlwg iddynt gael cryn darfferth gyda'r pac cyn gallu symud ymlaen at Hirdaith Edwin neu'r 'travesía'. Galwyd Hirdaith Edwin ar y rhan o'r daith wrth fynd i gyfeiriad Dôl yr Ymlid. Saif y ffordd honno i'r gogledd o afon Camwy a chafodd ei enw ar ôl Edwin Cynric Roberts. Fe'i disgrifir fel paith diffaith a di-ddŵr sy'n ymestyn dros bellter o ryw saith deg dau o filltiroedd. Roedd teithio ar draws yr Hirdaith yn her i'r gorau o'r fintai, ac er i rai ei chroesi mewn da bryd, bu amryw gryn amser cyn cyrraedd yr afon ar y pen draw. WLlJ: 'Teithiais yn araf ac yn unig, ac mewn oddeutu dwy awr goddiweddais blaen byddin y fintai, y rhai oeddynt wedi aros i fwyta. Daliais i deithio'n araf ond dygn, a chyrhaeddais yr afon a Dol yr Ymlid oddeutu deg o'r gloch y nos, wedi pedair awr ar ddeg o deithio di-seibiant.' Yr un hanes gan Billy Thomas: 'Cychwynasom tros y *travesía* am 7 o'r gloch y borau a chyraeddasom yr afon tua 8 o'r gloch y nos gan adael 7 o'r cwmni ar ôl. Buom 13 o oriau ar y ffordd ac wedi teithio 75 milltir yr oedd rhai o'r cwmni wedi blino cymaint fel yr aethant i gysgu heb fwyta na dim.' Dywed WLlJ i rai fod ar y ffordd am ddeng awr ar hugain.

[16]24 Hydref 1885, Dôl y Plu. Mae Dôl y Plu (Las Plumas) a Dôl yr Ymlid yn agos i'w gilydd. Dywed JMT eu bod i gyd wedi aros yn Nyffryn Ymlid (*sic*) ar ôl croesi'r Hirdaith. Y ffurf fwy cyffredin yw Dôl yr Ymlid a geir yng ngwaith WLlJ. Am eglurhad ar yr enw Dôl y Plu gw. Casamiquela (2000, t. 28), ac R. Bryn Williams (1962, tt. 140–1). Cafwyd seibiant y diwrnod hwnnw ar ôl croesi'r Hirdaith. Ar y 25ain ni fu unrhyw deithio gan ei bod hi'n ddydd Sul, ac ar y 26ain arhosodd rhai yn y gwersyll. Yn ôl Billy Thomas aeth wyth o'r fintai i fyny Dyffryn William i hela.

[17]Fersiwn gwreiddiol: 'daeth ato ei hun yn bur dda'.

[18]Pibell, rhan o set *mate*.

[19]Dyna'r ffurf yn y llawysgrif wreiddiol a'r deipysgrif. Er y gellid ei ddarllen fel 'Bach', mae'r unig Dyffryn Bach y gwyddys amdano rhwng Porth Madryn a Threrawson.

[20]Clud: pac, baich, pwn y teithwyr. Cafodd y gair gylchrediad eithaf eang ymhlith y Gwladfawyr cynnar. Mae JDE yn dueddol o ddefnyddio'r gair *carguero* yn y fersiwn llawysgrif cyntaf, ac yn wir yn y rhan fwyaf o'i ysgrifau cynharaf.

[21]Yn ôl Casamiquela (2000a), cafodd y rhyd hon ei henw ar ôl i rai aelodau o'r fintai a ddaeth i gladdu'r Tri Merthyr groesi afon Camwy yn agos i'r fan lle bu'r gyflafan. Yn ddiweddarach cafwyd man arall i groesi'r afon yn nes i Ddôl y Plu.

[22]Mawrth, 27 Hydref 1885. WLlJ: 'Gwelwyd bod rhyw ddihiryn wedi bod yn aflonyddu ar y bedd, a chymryd oddi yno yr astell osodwyd wrth ben y bedd gan y fintai a ddaeth i gladdu eu gweddillion marwol yn 1884. Treuliwyd y prynhawn i gario cerrig, hilio y bedd, a gosodwyd astell arall i nodi y man, a cherfiwyd arni lythrenau enw'r tri merthyr.' Fel hyn y sonia Billy Thomas am yr olygfa: 'Aeth rhai ohonom i balmantu y bedd, ar ôl i ni orffen taenwyd y Faner trosti a chawsom ychydig o eiriau gyda'r Governor ar yr amgylchiad, wedi iddo orffen gofynodd ini ganu emyn a chansom yr emyn "Bydd myrdd o ryfeddodau".' Dyna'r emyn wrth gwrs a ganwyd pan gladdwyd y tri yn 1884. JMT: 'Put stones over the graves of the men who were assassinated by the Indians in 1884, after which the Governor made an oration over the grave in Spanish, and the men of the expedition sang a hymn.'

Ymhlith papurau John Murray Thomas mae copïau o'r araith a draddododd Fontana ar lan y bedd. Y tebyg yw i John Murray Thomas lunio'r araith yn Saesneg a'i throsi i'r Sbaeneg er mwyn i Fontana ei darllen. Mae'r syniadau a grybwyllir ynddo yn adlewyrchiad da o agwedd meddwl John Murray Thomas am ei wlad newydd. Gan mai di-Sbaeneg fyddai'r rhan fwyaf o'r fintai Gymreig ar y daith, mae'n bosibl hefyd fod Thomas hefyd wedi darllen ei fersiwn Saesneg. Hyn sy'n sail, gredaf, i'r gred mai Thomas ei hun a ddarllenodd yr araith uwchben y bedd. Dyma'r testun Saesneg: 'Gentlemen, associated in ideas and by the strength of your arms, we have raised this humble monument the which is concecrated by the Argentine flag, being destined to perpetrate the remembrances of three martyrs of civilizacion [sic] and progress, Rd. Davies, J. T. Hughes and John Parry, assassinated and barbourously mutilated by the Indians the 1st of March [sic] 1884 in this spot so dismal and so far. *Welshmen*, that this blood shed so generously for the good of Science, industry and general interests of your adopted country may not be fruitless and that following up the idea that guided Hughes, Davies and Parry to this place in a fatal hour – we'll be able to go without pain, further than they, so as to collect the desired fruit that they with their blood have wetted without getting it at cost of their lives – Companions, it only rests for me to ask that as a sincere expression of our feelings, you sing a hymn that reaching to the divine throne, will be accepted. I have no doubt by the only God, creator of and arbitor of the destinies of Heaven and Earth.'

[23]Awgrym mai yn y cyfnod cyn codi'r gofgolofn yn 1916 y lluniwyd y bennod hon.

[24]Sbaeneg: Valle de los Mártires. Cedwir yr enw hyd heddiw.

[25]Ailddechreuodd y daith ar y 28 Hydref 1885 i ogledd Dyffryn Wiliam yn ôl JMT. Mae WLlW yn disgrifio'r rhan hon o'r daith fel gwastatir coediog, a geilw ef y dyffryn yn Ddyffryn Cel-Cein. Ddydd Iau, 29 Hydref 1885, mae'r fintai yn teithio ar hyd Dyffryn Coediog. Erbyn y pnawn tua 4 o'r gloch maent yn gwersylla ym mhen uchaf Dyffryn Coediog ar lan yr afon. Ceir cyfeiriad gan WLlW at JDE am y diwrnod hwnnw: 'Teithiwyd pedair llech fwy neu lai, dros beithdir creigog heibio i foel bigfain. Oddiar y cefndir, gwelid i'r gorllewin, gadwen o foelydd neu fynyddoedd a'u copau'n wynion. Dywedai ein harweinydd y gelwid y moelydd hyn gan y Tsonecas (tehuelchos) yn Oltel. Gwelir yma gymysgfa o ddaear na welwyd hyd yma ar y daith. Gelwir y fangre "Yr Allorau".' Gwener 30 Hydref 1885. WLlW: 'Dywed ein harweinydd [h.y. JDE] y byddwn yfory yn y man a elwir Rhyd yr Indiaid, lle'r arferai'r brodorion groesi'r Gamwy, ar eu teithiau i'r canolbarthau.' Fel hyn y disgrifiodd Billy Thomas y fangre: 'Aethom i lawr at yr afon mewn lle a elwir Dyffryn yr Allorau; dyffryn bach, tlws iawn yw hon [sic], ac mae pileri uchel pa rai ydynt yn edrych yr un fath a phebaent wedi cael eu bildio ac y maent yn edrych yn dlws iawn i'r golwg.' Sadwrn, 31 Hydref 1885, JMT: 'Took views [h.y. lluniau] of the Pillars [yr Allorau] and part of river and hills on south side of river.' Cyfeirir at hyn gan Billy Thomas a'r oedi a fu oherwydd y tynnu lluniau: 'Yr oedd tua 10 o'r gloch arnom yn cychwyn heddyw oherwydd fod John Thomas eisiau tynu llun y pileri.' Gweler hefyd y nodyn canlynol.

[26]Ymddengys yn ôl adroddiad WLlW fod olion traed wedi cael eu darganfod cyn croesi'r afon: 'Yma yn y llaid ger min y dwfr [h.y. Rhyd yr Indiaid] canfuwyd ôl troed dyn, troednoeth, o faintioli anghyffredin. Parodd y darganfyddiad hwn gynhyrfiad i rai ohonom ond buan y diflanodd pob ofnau wedi i'r cyfarwydd fod yr ôl a welwyd yn fis oed. Hefyd yn uniongyrchol marchogodd ein harweinydd J. D. Evans o gylch ogylch y fangre, er gweled a oedd yno olion eraill yn y cyffiniau, a dychwelodd gan ein sicrhau nad oedd berigl yr aflonyddid arnom.'

[27]Sadwrn, 31 Hydref 1885, oedd hyn. Ymddengys i'r gwaith o gludo pawb a phopeth ar draws yr afon – a oedd yn uchel iawn ar y pryd – gymryd tri diwrnod i'w gyflawni yn ôl WLlW. Yn ôl JMT dechreuwyd ar y gwaith o adeiladu rafft ddydd Mawrth, 3 Tachwedd 1885. Gwnaethpwyd y rafft tua milltir o'r gwersyll. Yn ôl Billy Thomas penderfynodd JMT a Herman Faesing fod yr afon yn rhy ddwfn i'w chroesi, ac aeth 15 ohonynt (gan gynnwys Billy Thomas) i fyny'r afon i wneud y rafft.

[28]Iau, 5 Tachwedd 1885. Nid yw JDE yn sôn yn y fan hon am y modd yr ymosodwyd ar John Murray Thomas pan oedd allan yn marchogaeth. JMT: 'Kept guard from 2am until daylight, had some coffee, then took my rifle and revolver and went to the hills distant some two miles from the river. On my return and at the foot of the hills a puma most unexpectanly

141

jumped on my back and shoulders and threw me down. I in some manner jerked the animal off and got on my feet, I fortunately had the rifle loaded and on full cock and was thus able to shoot the animal . . . The puma of this morning measured 7 feet from tip of tail to tip of nose.'

[29]Sadwrn, 7 Tachwedd 1885. Craig yr Eryr. WLlW: 'Gwersyllwyd mewn trofa eang a gwastad, gyferbyn a craig neu glogwyn onglog a safai ar yr ochr ogleddol i'r Gamwy. Pan oeddym yn lleoli ein gwersyll, gwelid eryr yn gorffwys ar bigwrn y graig, a bedyddiwyd y clogwyn hwnnw yn "Graig yr Eryr".'

[30]Defnyddir y ddwy ffurf, 'lig' a 'llech', gan JDE; S: *league*. Yn gyffredinol gellir dweud bod y ffurf 'lig' ar gael yn y llawysgrif wreiddiol a bod y gair hwn wedi cael ei ddisodli gan 'lech' yn y fersiwn teipiedig gan Tryfan Hughes Cadfan.

[31]Sul, 8 Tachwedd 1885. WLlW: 'Cafodd y cloddwyr aur ychydig lwch, ond nid digon i ddi-sychedu eu hawydd. Ni chafodd yr helwyr ychwaith ffawd mewn helwriaeth, ond cyrchasant gyda hwy i'r gwersyll gerrig, neu math o lech, y rhai wrth eu llosgi a gynhyrchai wres a ffagl ac arogl ail i petrolium.'

[32]Llun, 9 Tachwedd 1885. Hafn yr Aur. Am yr enw dywed WLlW: 'Dengys i'r fangre honno gael yr enw gan ein harweinydd a'i dri chydymaith anffortunus a syrthiodd yn aberth i gynddaredd y brodor a'u harferion barbaraidd yn Nyffryn y Cel-Cein dair blynedd [*sic*] yn ôl.' Enw JMT ar y llecyn yw 'Gold Gully'. Sonia'r un awdur am gyfarfyddiad y pedwar Cymro â'r milwr Archentaidd ac Andrews a adwaenid fel 'Ysgotyn'. Dywedodd iddo weld 'tywod du' wrth iddynt deithio drwy hafn gul, sef Hafn yr Aur. 'Enynodd traethiad yr Ysgotyn awydd yr archwilwyr i chwilio'r fangre, yr hyn a wnaethant, ond ni chafwyd yno aur; ond eto er yr aflwyddiant, enwyd y fangre yn Hafn yr Aur.'

[33]10–11 Tachwedd 1885. Nid pawb oedd â'i fryd ar yr aur; aeth JMT ac eraill allan ymhellach i'r wlad i hela a chwilio am dir addas i'w amaethu.

[34]Er gwaethaf hyn, nid yw'n ymddangos i lawer o aur ddod i'r amlwg yn ôl adroddiad Billy Thomas.

[35]Gweler nodyn yn y bennod ar Gyflafan Dyffryn y Merthyron.

[36]Sef James L. Williams-Andrews. Cyfeirid ato weithiau fel Andrews 'Ysgotyn'. Yng nghyfrol William Meloch Hughes, gelwir ef yn *estanciero* o Dalaith Buenos Aires. Yn ôl y cyfeiriadau eraill ato, roedd yn gyfreithiwr o Lundain a dreuliodd gyfnod yn ne Ariannin. Yn ystod y cyfnod dan sylw bu Andrews yn gweithio fel gohebydd i *The Standard*, Buenos Aires, papur dylanwadol ymhlith yr Eingl-Archentwyr yn y brifddinas. Gyrrodd Andrews nifer o erthyglau at y papur yn y cyfnod 1883–4 tra oedd yn teithio gyda'r fyddin ym Mhatagonia. Bu ar ymweliad â'r Wladfa, yn arbennig pentref y Gaiman. Roedd yr erthygl a ysgrifennodd ar y Wladfa yn Awst, 1883 ('At Last, or Chubut Colony as it is') yn rhagfarnllyd iawn a cheisiodd awgrymu fod yr holl sôn am lwyddiannau'r Wladfa yn Buenos Aires yn hollol ddisail. Mae ei ddisgrifiad o'r Gaiman yn arbennig yn negyddol iawn, a dywed iddo gael ei siomi yn y Wladfa ar ôl yr holl frolio a wnaed yn ei chylch. Atebwyd yr erthygl honno yn rymus iawn gan John Murray Thomas a oedd erbyn hyn yn ŵr busnes o bwys yn y dyffryn ar ôl byw yn Buenos Aires am rai blynyddoedd. Roedd John Murray Thomas gyda Lewis Jones ymhlith yr ychydig rai yn y Wladfa ar y pryd a feithrinodd gysylltiadau agos â'r awdurdodau yn y brifddinas, a gwelir erthyglau gan y ddau yn y *Standard* yn ystod y cyfnod. Yn ei ateb hir a huawdl i'r *Standard*, dywed John Murray Thomas fod argoelion economaidd y Wladfa yn eithriadol o dda ond noda: 'Your correspondant A. may be biassed by motives unknown to me, or has been misled by the remarks of some discontented party, of the kind you may always meet in any camp town.' Ymunodd Andrews â lluoedd y fyddin ac anfonwyd i'r berfeddwlad gan y Cadfridog Vintter (Winter), dan arweiniad Lino Roa. Roeddent ar drywydd y prif benaethiaid brodorol yn y gorllewin, fel Inacayal, Foyel a Saihueque. Bu'n rhan o fyddin Roa a gynhwysai tua chant o filwyr am ryw chwe mis gan ddychwelyd tua diwedd Chwefror 1884.

Yn ystod diwedd eu hymgyrch y daethant ar draws y Cymry ar eu ffordd gwrthwaered afon Camwy, a chawsant rybudd gan Andrews i gadw draw oddi wrth y fforestydd rhag ofn y brodorion, neu weddill y brodorion rhyfelgar na chawsant hyd hynny eu gorchfygu a'u hel i'r dwyrain i fannau megis Valcheta. Yn swyddogol hefyd roedd Roa yn gyfrifol am wneud adroddiad ar ddaeareg a daearyddiaeth y rhanbarth, ac aeth Andrews ati hefyd i gasglu llawer o enghreifftiau o blanhigion Patagonia i'w hanfon i Erddi Kew yn Llundain. Ond mae'n ymddangos mai prif berwyl y daith oedd dod o hyd i'r brodorion a'u hel oddi yno i'r gwersylloedd yn y dwyrain. Yn ystod y daith casglwyd tua 400 o frodorion a hyn a welodd JDE a'i gymdeithion ar y ffordd tua'r Andes. Mae gohebydd *Baner ac Amser Cymru* (Mai, 1884), yn cyfeirio hefyd at Andrews, 'Adroddai Ysgotwr oedd gyda hwynt iddynt groesi llawer o ddyffrynoedd breision, helaeth, afonydd mawrion; a gweled un neu ddau o lynnoedd mawr, na wyddid am danynt, tua godreu yr Andes, o ba rai y llifai afon fawr iawn mwy na'r Gamwy. Iddo weled niferoedd o arwyddion mwnawl, aur, *copr*, arian, *antimony*, a *jet*. Y mae *jet* yn llefaru fod glo yn y fro . . . Nid wyf ddaearegwr na mwnwr, meddai. Gwelodd hefyd lawer o feini creigiog aruthrol, ambell baith crâs diffaith, a chroesodd un a eilw y brodorion, "Tir y Diafol" – paith ofnadwy. Bu yr Ysgotwr yn darlithio ar hanes y wibdaith yn Gaiman, ac yr oedd ei ddisgrifiadau yn swyno ei wrandawyr, ac yn ennyn ysfa i "fyned i fyny" yn mhawb o'r bron.'

Gadawodd byddin Roa gydag Andrews yn Valcheta yn y dwyrain a dilyn y llwybrau Indiaidd cyfarwydd hyd at ardal tarddiad Camwy. Bu un frwydr o bwys i'r gogledd o afon Senguer yn agos i'r fan lle mae'r afon ac afon Genoa (Chenwa ar fap Llwyd ap Iwan, 1888) yn cyfarfod. Ceir disgrifiad lliwgar o'r frwydr yn un o adroddiadau Andrews i'r *Standard*. Ymddengys i'r frwydr ddigwydd ar ddechrau Ionawr 1884, sef ychydig iawn o amser cyn Cyflafan Cel-Cein. Rhaid bod y frwydr yn fyw iawn yng nghof y rhyfelwyr brodorol pan gyrhaeddodd y pedwar Cymro i Gwaljaina ym mis Chwefor 1884. Er bod y brodorion wedi cael eu hel gan fyddin Roa, mae peth tystiolaeth y bu peth anfadwaith yn ystod yr ymdaith hir tua'r dwyrain. Cafwyd llythyr yn y *Standard* ym mis Ebrill 1884 gan Lewis Jones yn cyfeirio at y modd y triniwyd y brodorion. Rhydd Lewis enghraifft o'r hyn a eilw'n enghraifft yn unig o'r anfadwaith a ddioddefodd y brodorion. Honna fod newyddion wedi dod i lawr am dorri pennau tair hen wraig o blith y brodorion am iddynt geisio dianc. Mae Lewis Jones yn cyfeirio at y ffaith fod Andrews, gohebydd y *Standard*, yn teithio gyda byddin Roa. Mae'n arwyddocaol efallai fod erthyglau Andrews yn dod i ben yn swta ar ôl cyhoeddi llythyr Lewis Jones. Un ai oherwydd penderfyniad gan olygydd y *Standard* oedd hyn, neu'r ffaith i Andrews ei hun adael y cylch.

Gyda golwg ar hyn i gyd, cedwir copi o lythyr yn Amgueddfa'r Gaiman at Llwyd ap Iwan oddi wrth William Thomas Williams yn sôn am ei deithiau drwy Batagonia. Bu ef ymhlith y fintai o Gymry a aeth ar drywydd yr aur gyda JDE yn 1883 a bu ef ymhlith y rhai a drodd yn ôl i'r Dyffryn tra parhaodd y pedwar ymlaen i Gwaljaina. Rhydd Williams adroddiad hynod ddiddorol am yr eiliad y daeth byddin Roa i gyfarfod â'r fintai o Gymry yng ngwaelod Dyffryn William. Fel hyn y sonnir am y bennod hon yn ei lythyr, 'Cyfarfuasom â rhyw 80 o filwyr o dan awdurdod rhyw Gomandante Rowa [*sic*] a tua 600 o geffylau ganddynt; gwnaethant ein camgymeryd am Indiaid a gwnaethant gylch o'n cwmpas i'n rhwystro i ddianc, ond siom fu iddynt pan welsant nad Indiaid oeddem, diflannodd eu holl obeithion am ysbail o ddiod feddwol, yerba & fel mwg. Gan nad oedd ganddynt ddim i'w fwyta nag i'w yfed, ond dŵr a chig ceffylau ers chwech wythnos, nid rhyfedd fod golwg sur arnynt pan welsant mai Cymry oeddem. Gyda'r fintai yr oedd dyn o'r enw Andrews yn teithio i ymbleseru lladd Indiaid a'u cymeryd yn garcharorion ag i edrych ansawdd y Wlad. Yr adeg hyn yr oedd ychydig o Indiaid ganddynt yn garcharorion, rhyw hanner dwsin o ddynion, a rhyw dair merch; lladdwyd y tair merch ymhen ychydig ar ôl hyn yng ngwaelod Dyffryn yr Eglwys yn ôl gorchmynion swyddog, a blingwyd un ohonynt gan un heb fod yn perthyn i'r milwyr ond yn perthyn i'r un tylwyth; a'i ymffrost

143

fawr oedd dangos ei chroen am hir ar ôl hynny, enghraifft o elfen giaidd Ysbaeniaid ydoedd fel llawer tro cynt ac eto. Wedi gadael y milwyr ym mhen uchaf Dyffryn William, teithiwyd i fyny gyda'r afon . . . '

Diau fod hyn yn cyfeirio at yr un anfadwaith a grybwyllir gan Lewis Jones. Bu colofnau'r *Standard* yn frith o lythyrau yn sôn yn gyffredinol am y modd y triniwyd y brodorion, a gellir dweud fod hyn yn adlewyrchu safbwynt y golygydd, hen gyfaill i Lewis Jones a John Murray Thomas. Ni cheir gair gan JDE am y digwyddiad, ond ymddengys yn ôl tystiolaeth William Thomas Williams eu bod yn y cyffiniau ar y pryd. Mewn awyrgylch o drais a dial y cafodd y tri Chymro eu lladd ychydig yn ddiweddarach yng Nghel-Cein.

Wedi hynny cafwyd cyfieithiad o ran o adroddiad swyddogol Roa at y Cadfridog Vintter (Awst 1884) yn canmol Andrews: 'I also beg to add a line of just praise to this official document concerning the voluntary service afforded by Mr John L. Williams Andrews, an English [*sic*] barrister-at-law always in the vanguard of the expedition in the most critical moments of the march.'

[37]Iau, 12 Tachwedd 1885. Piedra Parada. Enw'r Cymry ar y graig hon oedd 'Y Llaw'. WLIW: 'Croeswyd nant a ymarllwysai i'r Camwy, ac yna codwyd allan o'r dyffryn i hafn yr hon syrthiai eilwaith i'r dyffryn. Yn y fan hon gwelid ar du gogleddol i'r Camwy graig ar ffurf llaw, yr hon a alwyd yn golofn 'Y Llaw'. Ceir sylw diddorol hefyd gan JMT wrth iddynt wneud gwersyll mewn cysylltiad ag un o'i deithiau cynnar: 'Believe this to be the length of my previous journey with Pritchard, we are opposite a very high rock or rather peak which stands by itself, to verify this when I go home.' Mae'n debyg ei fod yn cyfeirio at daith a wnaed yn 1879. Ger y llecyn hwn, medd WLIW, y safai gwersyll un o'r penaethiaid enwog cyn hynny o'r enw Chiquichano.

[38]Mercher, 18 Tachwedd 1885. Gualjaina. Yma y mae'r afonydd Camwy a Sacamata (ceir y ffurf Sacmate hefyd) yn cyfarfod. WLIW: 'Dywedai ein harweinydd y gelwid yr afon gyntaf Sacamatta, sef enw pennaeth un o'r llwythi brodorol a arferai fynychu'r Wladfa Gymreig.' Sylwai JMT mor rhyfedd oedd edrych ar yr eira ar bennau'r mynyddoedd ac eto gorfod teimlo'r gwres llethol o'u cwmpas. Canlyn afon Sacamata (sy'n llifo i'r De) a wnaethant yn y rhan hon o'r daith tan ddydd Llun 23 Tachwedd 1885 pan adawyd glannau'r afon gan symud ymlaen i'r Gorllewin. Cawsant daith flinderus gan ei bod yn chwythu rhyw eirlaw i'w hwynebau.

[39]Sul, 22 Tachwedd 1885. Sbaeneg: Arroyo del Pescado. Mwy na thebyg mai at Nant y Pysgod y mae WLIW yn cyfeirio yn y rhan hon o'i ddyddiadur: 'Cychwynwyd am y Gorllewin trwy yr hafn, ac yn dilyn y llwybrau ddarganfuwyd gan y cyfaill John Henry ddoe, croeswyd nant fechan rêd o'r De, a deuthum i wastatir, llannerch oddeutu llech o led.'

[40]Sadwrn, 21 Tachwedd 1885. WLIW: 'Aeth John D. Evans i fyny'r dyffryn, er gweled beth fodolai y cyfeiriad hwnnw, sef am y De. Dilynodd eraill yr afon ar i lawr. Aeth John Henry Jones i gyfeiriad hafn welir i'r Gorllewin (gelwir y fan honno hyd heddiw'n Hafn John Henry) a chanfyddodd fod yn yr hafn a gyfeiriai i'r Gorllewin, lwybrau brodorion ac olion iddynt fod yn y gorffennol yn dramwyfa bwysig gan y brodorion i gyfeiriad machlud haul.'

[41]Dyma'r ddau frodor a welwyd gan JDE a'i griw cyn gadael y Dyffryn am y gorllewin yn 1883. Nid yw'n eglur a ddigwyddodd y sgwrs y pryd hwnnw neu yn ddiweddarach ger Gwaljaina. Juan Salvo oedd un o'r ddau frodor.

[42]Sul, 22 Tachwedd 1885. Mwy na thebyg y cyfeirir at y *Frutilla* (*Fragaria chiloensis*). Mae WLIW yn rhoi rhagor o wybodaeth am y cyfoeth o blanhigion a ffrwythau yn yr ardal: 'Gwersyllwyd wrth droed a than gysgod y mynydd, ar lan aber dwy afonig redent yn chwyrn i'r Gorllewin. Gorchuddiwyd y llannerch â mefus yn eu blodau, coed rhufon, ac hefyd math o fwyar duon a riwbob melus.' Mae'r adroddiadau i gyd yn gytûn wrth ganmol harddwch naturiol yr ardal a'r cyflawnder o dyfiant naturiol.

[43]Llun, 23 Tachwedd 1885. Ceir y ffurf Afon Rhufon hefyd. Sbaeneg: Rio Corintos. WLIW: 'Gwelwyd yn y Dwyrain Seren y Bore yn araf godi, ac i'r Gorllewin ciliai y cuwch a'r

cymylau. Clywid sain gyntaf nodau Diana côr y wig. Symudwyd y cysgod a symbylai fantell ddu dros ael y mynydd, gan ddangos cwflen wen o eira mud, a chymrodd goleuni llachar le y caddug a'r tywyllwch; mwynhawyd ardderchedd toriad gwawr am y tro cyntaf gan fintai o Gymry ym mro'r Andes. Aber Cyrrants y galwyd y dyffryn a'r gwersyll hwn.'

[44]Mae'r Mr Clark hwn yn perthyn i'r un teulu â'r Clark a grybwyllir droeon yng nghyfrol George Chaworth Musters, *At Home with the Patagonians*, wrth olrhain taith yn y blynyddoedd 1869–70 o gwmpas gogledd a gorllewin Patagonia mor bell i'r De â Punta Arenas. Mae'r llecyn y cyfeirir ato ger Pico Thomas, mynydd a enwyd gan Fontana ar ôl John Murray Thomas yn ystod y daith hon pan ddringodd Thomas i'w gopa.

[45]Un o'r enwau a roddwyd ar yr ardal a adwaenid yn Sbaeneg fel Colonia 16 Octubre, neu Gwm Hyfryd yn Gymraeg, sef, yn fras, y cwm sy'n ymestyn o Esquel yn y gogledd i Drevelin yn y de.

[46]Ganed yn Burzaco, Talaith Buenos Aires, yn 1863. Bu'n un o'r rhai o ddaeth i Gwm Hyfryd yn 1888. Priododd i fewn i'r gymuned Gymreig a gwasanaethodd fel Prwyad, ac Ynad Heddwch yn y Cwm a'r Dyffryn. Mae ei ddisgynyddion yn dal i fyw ynghylch Trevelin.

[47]Mercher, 25 Tachwedd 1885. Cwm Hyfryd. Dywed JDE mai yn gynnar y bore 26 Tachwedd 1885 y swynwyd y fintai gymaint gan yr olygfa nes gwaeddu, 'Wel dyma gwm hyfryd'. Ymddengys fod y fintai wedi cyrraedd y fan ddydd Mercher. Dywed WLIW: 'Amgylchid y dyffryn â mynyddoedd uchel, ar y rhai y gorffwysa cymylau gwynion, gorchuddid llethrau y mynyddoedd a choedwigoedd, ac yng nghilfach mynydd uchel welid i'r gorllewin, gwelid llyn; i'r de-orllewin gwelid darn helaeth o wlad goediog, ac yn y gorwel fynyddoedd uchel a'u copâu yn wynion. Esgynwyd i'r dyffryn dros y clogwyn, trwy ddilyn llwybr guanaco, galwyd y clogwyn yn "Graig Goch" . . . trefnwyd minteioedd bychain i archwilio i wahanol gyfeiriadau, yr oedd tlysni a ffrwythlondeb y fangre yn swyno pawb ohonom. 'Awgrymir gan ddyddiadur WLIW eto mai yn ddiweddarach, sef Gwener, 4 Rhagfyr 1885, y penderfynwyd gan y Cymry alw Cwm Hyfryd ar yr ardal i gyd. 'Heddiw y mae'r fintai eto'n gryno yn y gwersyll ar lan afon Aber Cyrrants, wedi ohonom ysbio'r cylchynion i'r De, Gogledd a Gorllewin. Awgryma rhai enwi'r fan yn Gwm Hyfryd, eraill Dyffryn y Mefus, ond ein Rhaglaw a Llywydd awgryma, ac yn ddi-os mai ei awgrymiad ef gaiff y flaenoriaeth, enwi'r fan yn "Dieciseis de Octubre", dywed y bydd i'r enw hwnnw gofio dau amgylchiad hapus, sef dydd yr ymgynullodd y fintai hon yn nhop y dyffryn i gychwyn y daith, a'r dydd y bu i Senedd Archentina gadarnhau deddf rheolaeth y tiriogaethau. Enwyd y mynyddoedd uchel welir i'r gorllewin yn "Gorsedd y Cwmwl". Arhosodd y fintai yn y Cwm am ddeng niwrnod, gan godi eu pebyll dydd Llun, 7 Rhagfyr 1885 i fyny afon Cyrants i'r dwyrain.'

[48]Defnyddid y gair 'llech' gan y Gwladfawyr yn y cyfnod cynnar. Awgrymir gan Eiriadur Prifysgol Cymru ei fod o bosibl yn fenthyciad o'r gair Sbaeneg *legua*, sef *league* yn Saesneg. Daw'r enghraifft a roir o gyfrol R. J. Powel (sef Elaig) *Gwerslyfr i Gymro Ddysgu Hispanaeg* (1881). Mae'n bosibl mai Elaig sy'n gyfrifol am y bathiad, ond diddorol yw nodi i'r gair ennill ei blwyf mor dda yn ysgrifau cynnar y Gwladfawyr.

[49]Y gair a ddefnyddir yn Sbaeneg yw *calafate*, gair cyffredinol am rywogaeth y Berberis. Llwyn hardd dreiniog gyda blodau melyn bach yw'r calaffats yn tyfu tua 3–4 troedfedd o uchder. Ceir amrywiaethau drwy gydol Patagonia. Ceir aeron glas-ddu hefyd a dywedir am yr aeron mewn Sbaeneg, '*quien come de sus frutos vuelve inexorablemente a la Patagonia*' (pwy bynnag sy'n blasu o'r aeron hyn, yn anochel fe ddaw'n ôl i Batagonia).

[50]Fe ddaeth yn ŵr di-briod i ymsefydlu yng Nghwm Hyfryd.

[51]Ceir y ffurf Esgel gan Llwyd ap Iwan (map 1888) a hefyd gan JDE yn ei lyfr nodiadau yn dyddio o'r un flwyddyn. 'Esgel-kaik' a geir gan Musters (1871), a'r ffurf 'Hesgel-kaik' gan WLIW wrth gyfeirio yn ei ddyddiadur at hanes cynharach y Tehweltsiaid. Ni cheir cytundeb ar darddiad yr enw, ond ymddengys mai cyfeirio at blanhigyn a wna'r enw.

145

[52]Enwyd ar ôl Llwyd ap Iwan er cof amdano a'i waith arloesol fel tirfesurydd yn ystod ugain mlynedd olaf y bedwaredd ganrif ar bymtheg. Un o feibion Michael D. Jones oedd ef. Cafodd ei lofruddio ar ddiwedd 1909 yn Nant y Pysgod gan wylliaid o Ogledd America.

[53]Llun, 7 Rhagfyr 1885. Dywed WLlW y bu raid rhydio dair gwaith ar ddeg cyn cyrraedd gwersyll ger troed Pico Thomas lle buont ar y 24ain o fis Tachwedd. Yma y gwnaed y gwersyll cyffredinol ac aeth gwahanol finteioedd allan i archwilio. Codwyd y gwersyll ddydd Llun, 14 Rhagfyr 1885. (Yn ôl WLlW bu hyn ar y 12fed.)

[54]Hafn Chilenos. Ar ran o afon Sacamata yn mynd i gyfeiriad Pico Thomas.

[55]Enwyd ar ôl E. B. Theobald, gŵr busnes blaenllaw a chyfaill i John Murray Thomas. Ceir gohebiaeth faith rhwng y ddau ddyn yn ymwneud â materion busnes y Sefydliad rhwng tua 1886 a 1895.

[56]Pant y March yn unig a geir yn y llawysgrif wreiddiol.

[57]Cwrlyn. Nid oes amheuaeth am y ffurf yn y llawysgrif wreiddiol. Gallai fod yn enw ar y ceffyl neu gyfeiriad at fath o geffyl.

[58]William Kansas Jones yw'r ffurf fwy cyfarwydd. Mae nifer o ddisgynyddion teulu Kansas Jones yn byw yn ardal Trevelin.

[59]Súnica Parie. Yn fersiwn wreiddiol JDE, ceir y ffurf Siwnica ac mae'n ddiddorol nodi fod y ffurf Schiuniqueparia yn adroddiad Lino Roa (Casamiquela, 2000). Enw Tehweltseg.

[60]Ceir llawer iawn o amrywiadau ar yr enw hwn, yn cynnwys Teckel, Teca. Tekel yw'r ffurf yng ngwaith WLlW.

[61]Sul, 13 Rhagfyr 1885. 'Cyflawnder o gig' meddai WLlW.

[62]Llun, 14 Rhagfyr 1885. Don Martin Platero. Ceir yr hanes yn llawn gan JDE am y brodor hwn a'i deulu yn y bennod 'Y Daith i Batagones, 1888'.

[63]Ceir y frawddeg hon yn y fersiwn teipiedig yn unig.

[64]23 Rhagfyr 1885. Bwlch Choiquelahué lle mae afonydd Senger a Genoa yn llifo i'w gilydd. Dywed Casamiquela (2000b) mai o'r ffurf choiké-nilawé (Arawcaneg) y daw'r ffurf. Golyga 'Dyffryn yr Estrys'.

[65]Sadwrn, 9 Ionawr 1886. Ricardo Franco. Mae Billy Thomas yn sôn am helynt yr 'opera glasses' hefyd a sut yr aeth Antonio Miguens a Derbes allan i chwilio am Franco ond methu â'i gael. Daethpwyd o hyd iddo a'r lleill a aeth ar ei drywydd ar y 12fed o Ionawr. Yn ei ddyddiadur am 26 Rhagfyr 1885 mae WLlW yn sôn am yr angen am nofio ar draws afon Senger ac i Franco fod yn agos at gael ei foddi yn yr ymgais.

[66]Llawysgrif wreiddiol: 'tair neu bedair'.

[67]Afon Senguer. Yn y llawysgrif wreiddiol, ceir y ffurf Singer. Dyry WLlW y ddwy ffurf gyffredin ar y pryd, sef Sengel a Senger. Yn ôl adroddiad Fontana (1886), Senquerr oedd yr ynganiad brodorol. O gofio ffurf llawysgrif JDE mae'n ddiddorol fod Casamiquela (1987) yn rhoi'r ynganiad cyfoes gan frodor fel 'Singerr'.

[68]Ni chofnodir yr enw hwn yn yr adroddiadau eraill.

[69]1 Ionawr 1886. Enwyd y llyn ar ôl George Chaworth Musters (1841–79), sy'n adnabyddus am ei daith arloesol yn neheubarth Archentina 1869–70, a fu'n gynsail i'w gyfrol *At Home with the Patagonians*. Roedd y gyfrol yn ddylanwadol iawn yn ei dydd gan ei bod yn gyforiog o wybodaeth am ogledd a gorllewin Patagonia, a hefyd yn rhoi darlun bywiog iawn o fywyd y brodorion, yn arbennig y Tehweltsiaid yn y cyfnod cyn iddynt gael eu goresgyn gan fyddin y wlad. Mae JDE ei hun yn tystio iddo ddarllen y gyfrol a bu hyn yn rhan o'r ysbrydoliaeth am iddo fentro allan i'r gorllewin o'r Dyffryn. Cyrhaeddwyd y llyn ar yr 28ain o Ragfyr yn ôl Billy Thomas. JMT sy'n rhoi'r dyddiad y bedyddiwyd y Llyn. Codwyd baner Archentina a thraddododd JMT araith. Wedyn traddododd Fontana ei hun araith. Mae'r llyn yn agos iawn i'r ffin â Chile.

[70]2–5 Ionawr 1886. Mae WLlW hefyd yn cyfeirio at yr enw. Ceir yr enw ar fap Llwyd ap Iwan (1888) ychydig bellter ar ôl i afon Senger droi i gyfeiriad y gogledd-ddwyrain a llifo i

lyn Otron a Colwapi (Colhue Huapi).

[71]Fe'i lleolir yn ardal Colwapi.

[72]Afon Fach, Rio Chico. Fel y gwelir ar fap Llwyd ap Iwan ceid hefyd y ffurf frodorol, sef afon Yamacan. Dyna'r ffurf gan WLlW a JMT.

[73]Sbaeneg: *Alazán dorado* neu *Alazán tostado*: math o geffyl gwineugoch.

[74]Yn y llawysgrif ceir 'faes', sef ffurf dafodieithol ar y gair 'bas'. Yn y llawysgrif wreiddiol ceir mewn pensil y ffurf 'Falacara', sef math arall o geffyl, ond tebyg o ran ei liwiau.

[75]Sef Colhue Huapi, llyn.

[76]Ymddengys i Derbes fynd ar goll am ddiwrnod ar ddiwedd Tachwedd tra oedd ar y daith. Dywed WLlW: 'Canfyddwyd fod Don Pedro Derbes, arfgludydd a chofnodydd y Rhaglaw, heb gyrraedd, ond ni chynhyrfwyd ar yr adeg, yn gymaint gan y cyfrifid Don Pedro yn rheng y *gauchos parejos*, ac nad oedd berigl iddo golli'r ffordd, ei fod yn un o blant y paith, yn meddu ar y deheurwydd a'r gallu i ddilyn olion ac i gadw cyfeiriad, pe bae angen nod yn uwch y nos.' Mae'n debyg fod yr helynt hwn wedi digwydd ddydd Mawrth 26 Ionawr 1886 ar sail dyddiadur JMT. Ymddengys i JDE fynd allan i chwilio am Derbes ben bore Mercher 27 Ionawr a dychwelyd tua 3 o'r gloch y prynhawn. Cafwyd y papurau a'r pac yn ddiogel yn y man lle cawsant eu gadael yn y gwersyll blaenorol.

[77]Mitars, sef metr(au), un o ffurfiau llafar y Wladfa.

[78]Dywedir mai Billy Thomas a adnabu'r marc neu'r nod.

[79]Er bod y rhan fwyaf o'r fintai wedi dilyn yr Afon Fach yn ôl i'r Dyffryn, penderfynodd John Murray Thomas anfon rhai o blith y fintai, yn cynnwys JDE, Billy Thomas a WLlW, at y môr i weld faint o bellter oedd rhwng y llyn a'r môr. Cyraeddasant y môr ddydd Mercher 20 Ionawr 1886. Ar ôl hyn dychwelasant at weddill y fintai. Cyrhaeddwyd yn ôl i Ddyffryn Triphysg (Campamento Villegas), cwr gorllewinol y Dyffryn, ddydd Sadwrn 30 Ionawr 1886. Cymerodd y daith 106 o ddyddiau. Cafodd y Rhaglaw gysgu yn y Creigiau.

Yr Ail Daith[1] i'r Andes gyda'r Rhaglaw L. J. Fontana, 1888

Ionawr y bumed, 1888.[2] Gyda'r Rhaglaw Fontana ac yn y cwmni, John Henry Jones, Richard Jones Pant y March, William Jones y Bedol, Edward Jones y Bedol, James Wagner, Thomas Griffiths, Llwyd ap Iwan, Percy Wharton, Jenkin Richards, Evan Davies Point, Teniente Montiel, Teniente Silveyra, ac amryw eraill o filwyr.[3]

Aethom i'r gogledd o Ddyffryn y Camwy y tro yma[4] tros yr Hirlam Ffyrnig,[5] sef *travesia*, Ffynnon yr Allwedd[6] a thrwy Rankilhuau,[7] Bannau Beiddio:[8] hoff lanerchau archwiliadol y Br Lewis Jones Plas Hedd, Aaron Jenkins a Richard Jones Glyn Du, yng ngwawr bore'r Wladfa Gymreig[9] ar lannau'r Camwy a phan y deuent yn eu holau o'u gwibdeithiau, ac adrodd beth a welsont yr oedd rhyw ysfa yn rhedeg trwof i gyd am fyned i fyny'r wlad, a gweled mynyddoedd mawrion yr Andes, ei dyffrynnoedd a'i hafonydd a'i llynnoedd mawrion, fel ac yr adroddai'r Indiaid wrthyf lawer tro, a'r hyn a fawr wyddwn amdano a ddaeth, a bu bron â throi yn angau i mi.

Aethom yn ein blaenau ar ôl croesi'r Bannau, trwy Sacanana[10] trwy Kytshakl[11] ac ymlaen[12] ac yna i lawr trwy Rio Chico Norte (yr afon fach ogleddol) i lawr i afon Chubut. Gwlad uchel a phur wael ar gyfartaledd sydd y ffordd hon, rhai llanerchau pur dda am borfa, digonedd o ddŵr. Mynyddig ac anwastad a'i chymeryd at ei gilydd yw'r wlad o Rankilhuau hyd afon Chubut. Yma mae'r Dyffryn braf a llydan y Fofo Cahuel,[13] pa un sydd yn bresennol ym meddiant Cwmni Tir y De.[14] Buodd y ddau *teniente*[15] yn daer iawn ar y Rhaglaw yn ceisio ei ddarbwyllo i ddylanwadu arnom i gymeryd y Dyffryn hwn yn lle gwneuthur y sefydliad sydd yn bresennol ym Mro Hydref.

Roedd pump ohonom yn gyflogedig gan weddill y fintai fawr archwiliadol y tro cyntaf yn y flwyddyn 1885, yn hytrach na bod yr holl fintai yn myned i fyny i ddewis y tir y bwriadent ymsefydlu arno.[16] Enwyd y pump yn gynrychiolwyr drostynt. Y mae'n amlwg nad oedd y ddau *teniente* yn gwybod dim am yr hyn y siaradent yn ei gylch. Buasai raid dyfrhau'r Fofo Cahuel yn uniongyrchol ar ôl pori'r borfa oedd arno, a gwyddem ninnau trwy brofiad beth a olygai hynny, tra ar yr un pryd yn gwybod am le nad oedd angen dyfrhau arno o gwbl, gan ei bod yn glawio digon yno, heb angen cloddio na gwneud ffosydd fel yn y Wladfa. Ni fynnem wrando arnynt a dewisasom y lle a fynnem ein hunain, ac nid hwy. Ffromodd y ddau *teniente* wrthym am hyn ac effeithiodd dipyn ar y Rhaglaw hefyd, canys daeth yr effaith i'r golwg yn nes ymlaen ar y daith fel y ceir egluro eto. Teithiasom i fyny i'r Dyffryn hwn at nant o ddŵr gloyw rhyfeddol a ddeuai o'r mynydd ar yr ochr dde-orllewinol yn nhop y dyffryn hwn o'r enw Maihinuau.[17] Gwnaethom wersyll cyffredinol yma, gan fod lle mor dda i'r anifeiliaid ac i ninnau hefyd, porfa ddigonedd a thanwydd yn helaeth.

Chwefror 7 1888.[18] Cychwyn am Nahuel Huapi,[19] gadael Jones Pant y March, Jenkin Richards a James Wagner ar ôl yn y gwersyll i wylio'r clud a'r ceffylau gan na chymerem gyda ni ond ychydig geffylau at ein gwasanaeth. Yn y cwmni hwn yr oedd y Rhaglaw Fontana, y ddau *teniente*, Llwyd ap Iwan, John Henry Jones, Edward Jones Bedol, William Jones Bedol, Percy Wharton,[20] Evan Davies Point, Thomas Griffiths a minnau a saith neu wyth o filwyr. Aethom trwy Cushamen ac yn ein blaenau i dop Nant Ñorquincó[21] ac yn y fan hon, daeth rhyw ddryswch ar ben Pablo[22] gan mai ef oedd yn arwain y dyddiau hynny. Collodd ei ffordd, mae'n debygol, a gwnaeth esgusawd i'r Rhaglaw fod y llyn yn rhy bell ac nad oeddem wedi darparu digon o ymborth i'r daith, a rhoddasom dro crwn yn ein holau heb weled y llyn mawr yr oeddem wedi bod yn siarad cymaint amdano ar hyd y daith. Y mae'r llyn hwn[23] y mwyaf yn Argentina; mesura tuag wyth deg o lechau ysgwâr ac yn brif borthladd ac arno agerlongau bychain yn awr yn croesi hyd-ddo hyd ran o'r ffordd sydd rhwng Chile ac Argentina yma. Y mae'r llyn hwn tua saith deg llech o sefydliad Bro Hydref i'r gogledd.

Teithiasom yn ein holau trwy fwlch mawr yn yr Andes o'r enw Portezuelo at afon Chubut yn y Maiten. Yna troesom eto am y gorllewin trwy fwlch yn yr Ail Andes (*pre-cordillera*),[24] y rhanbarth wrth odrau'r Andes, trwy ba un y rhedai'r afon Maiten i afon

Chubut a chawsom ein hunain ar ochr orllewinol y ddwy Andes yn awr mewn cwm braf a chysgodol o'r enw Bolson. Teithiasom oddi yma i'r gogledd yn erbyn y dŵr trwy leoedd geirwon a chethinog[25] iawn hyd at afon y Gwartheg Duon,[26] yr hon a redai i'r gorllewin. Yma, pan geisiodd Evan Davies Point[27] gyda'i gaseg (*madrina*) a'i *carguero*[28] ddringo i fyny i fryn serth hyd lwybr cul oedd wedi ei dorri trwy'r coed a'r prysglwyni tewion, rhuthrodd y *teniente* Montiel[29] ar ei draws gan erchi iddo glirio o'r ffordd iddo ef gael myned i fyny yr hyn na fedrai Evan Davies ei wneuthur, gan nas gallai fyned allan yr un o'r ddwy ochr nac yn ei ôl gan fod y *teniente* a'i geffyl yn llenwi'r llwybr. Gwylltiodd y *teniente* Montiel gymaint nes y tynnodd ei gleddyf a'i chwarae ar fron Evan Davies. Ac ar yr eiliad gynhyrfus honno aeth Llwyd ap Iwan ymlaen a'i lawddryll yn ei law a buasai wedi tanio ar y *teniente* y munud hwnw oni bai ein bod ni rai o'r criw yn ei rwystro. Dyna'n ddiamau a fu'n angau i Llwyd ap Iwan,[30] gormod o'r llew a rhy fach o allu ymresymol.

Cof gennyf amdano wedi hyn ar yr un daith,[31] pelennodd un o'r milwyr oedd gyda ni wanaco, am ei gwddf gyda tair pelen. Neidiai'r wanaco i fyny ac i lawr a'r pelenni'n chwifio o'i chwmpas. Gwelodd Llwyd hi a neidiodd oddi ar ei geffyl i geisio gafael yn y wanaco, a phan yn rhuthro amdani trawyd ef ag un o'r pelenni yng nghanol ei dalcen, nes ei lorio ar ei hyd, ac ymhen dau funud cododd lwmp mawr ar ei dalcen a phawb ohonom yn chwerthin heb fedru peidio. A thrwy'r dydd hwnnw os edrychem ar Llwyd nis gallem beidio â chwerthin. Yr oedd y fath lwmp wedi codi ar ei dalcen a pharodd boen iddo am ddyddiau lawer. Cyfaill cywir oedd Llwyd i'r sawl a fyddai'n cyd-deithio ag ef ar y paith. Yr oedd wedi dysgu'n fuan sut i drin taclau teithio, ac i beidio â bod yn flin ei dymer, pan y digwyddai rhwystrau ar ei draws. Teithiodd lawer ar hyd ac ar draws tiriogaeth Chubut. Heddwch i'w lwch annwyl.

Daliodd Evan Davies yn ei lwybr ac aeth i fyny i ben bryn lle'r oedd Fontana yn aros, a phenderfynodd peidio â sôn gair wrtho am yr hyn ddigwyddodd sef helynt godrau'r bryn, ac y mae'n sicr gennyf na ddywedodd Montiel chwaith wrth Fontana, gan na chlywyd byth ragor o sôn am y peth. Aethom yn ein blaenau'n awr trwy fangoed a chorsydd am amryw lechau i gyfeiriad y gogledd ac o'r diwedd daethom at olion corral mawr wedi bod rhyw dro gan yr Indiad Foyel[32] i ddal gwartheg gwylltion, gan fod digonedd o'r cyfryw yn y parthau yma. Yr oedd hyn cyn i'r llywodraeth eu casglu i mewn i'w rhestru. Yma y ceisiodd fy nghyfeillion gennyf ofyn i'r Rhaglaw a gaem ni'r Cymry droi'n ein holau am Fro Hydref i'r amcan o fesur a lleoli'n iawn y darn tir[33] oeddym am ei gymeryd i wneuthur sefydliad yno, gan fod yr amser yn myned heibio a'n moddion byw'n lleihau'n brysur. Digiodd y Rhaglaw'n fawr wrthyf am i ni ofyn iddo y fath beth a dywedodd mai cenedl grintachlyd a blin oeddym ni'r Cymry ac na fyddai iddo fod yn Rhaglaw yn ychwaneg arnom. Bu'r ffafr a wneuthum â'm cyfeillion yn golled sylweddol i mi, o amryw filoedd o ddoleri, canys yr oeddwn yn gyflogedig gydag ef ers llawer o amser, a phan yr aethom i'r Wladfa ni welais fy nghyflog byth mwy.

Daethom yn ffrindiau mynwesol wedi hyn, ac yn y flwyddyn 1904[34] euthum i fyny bob cam i'w gartref yn nhalaith San Juan. Taith oddeutu dau gan *league* o Buenos Aires i'r gogledd-orllewin a mawr oedd ei lawenydd ef a'i ferched o'm gweled ac nis gwyddent pa garedigrwydd i wneuthur â mi. Dywedodd ef a'i wraig wrthyf, 'mae fy nhŷ at eich gwasanaeth' fel ac yr oedd o'r blaen yn y flwyddyn 1886 pan y bûm yn treulio chwe mis o dan ei ofal ef ac yn ei dŷ. Aeth â mi i fyny'r tro hwnnw ar ei gyfrifoldeb ef ei hun, i'r amcan o roddi cwrs o addysg i mi yn yr Ysbaeneg yr hyn beth a wyddwn yn fawr amdano. Yr oeddwn yn ieuanc 24 ml oed ac yn llawn asbri am ddysgu, ond nid eiddo gŵr ei ffordd yn aml, fel y bu er gwaethaf y modd i mi. Pan yr oeddwn ar ein taith tua godrau'r Andes y tro cyntaf yn y fl. 1885 bu farw gwraig gyntaf Fontana, a phan gyrhaeddodd ef gartref i Buenos Aires, Mai 1886, dechreuodd aros i mewn fel y mae arfer yr Eglwys[35] Babaidd ar amgylchiadau o'r fath, a phasiodd mis ar ôl mis heibio a minnau'n dymuno gweled y dydd yn dod i fyned i'r ysgol.

Aeth chwe mis heibio gan fyw ar yr addewidion, *mañana* o hyd, a'r diwedd fu i mi ddweud wrth Fontana fy mod am fyned gartref gan nad oedd obaith i mi gael ysgol a dywedodd wrthyf ei fod o'r un farn, gan fod yr amser wedi llithro ymhell ac yntau eisiau brysio i ddod yn ôl i Chubut i wneuthur ei ail daith i'r Andes. Y bore cyntaf y cyraeddasom Buenos Aires daeth y cyfaill ffyddlon D. M. Davies[36] at Fontana a gofynnodd iddo a gelai ef fyned â mi i'r ysgol ar fy union, ond dywedodd ef wrth Davies, "Na," meddai, "yr wyf fi am yr anrhydedd o fyned â Don Juan fy hun i'r ysgol a thyna ben ar y busnes; yma y ganwyd ac yma y bu farw. Pe buaswn i wedi torri fy nghysylltiad â Fontana y bore hwnnw buasai wedi bod o fantais i mi. Cefais gartref da a chysurus cydrhwng yr hen wraig mam Fontana ag ef ei hun a'i dair merch garedig. Cof gennyf yr ail noswaith wedi i mi gyrraedd B.A., ceisiodd yr hen wraig gennyf ei danfon sgwâr neu ddwy i dŷ rhyw gyfeilles iddi a dyfod yn ôl ymhen yr awr i'w nhôl. Sylwais pan aeth yr hen wraig i mewn i'r tŷ fod post teliffon wrth y drws a dim ond hwnnw'n unig a welwn, ac ymhen yr awr euthum allan i chwilio am yr hen wraig i'r tŷ lle yr oedd y post teliffon wrth y drws, ac er fy mawr syndod pan euthum allan yr ail waith, doedd dim i'w weled ond pyst teliffon ymhob man hyd ochr yr heol. Cerddais lawer a holais lawer am fam Fontana, ond yr un ateb oedd a gawn ymhob man, nad oeddent yn ei hadnabod nac yn gwybod dim am yr enw. Synnwn yn fawr cydrhyngwyf a mi fy hun mor dwp oedd pobl Buenos Aires ddim yn gwybod am fam Fontana, ond y diwedd fu bu raid i'r heddgeidwad fyned â mi'n ôl gartref i ddrws y tŷ a methais ac adnabod y tŷ nes yr oeddwn yn myned i mewn iddo ar ôl bod yn crwydro am tua tair awr. Mawr oedd difyrrwch y merched pan ddeallasant i mi golli'r ffordd ac i'r heddgeidwad ddyfod â mi gartref. Cododd eu tad i'm hamddiffyn gan ddweud wrth y merched, "Pe câi Don Juan[37] chwi ar ganol y paith mawr llydan, heb lwybr na nodau ffin yn unman, ei dro ef fyddai chwerthin y tro hwnnw, a chael difyrrwch am eich pennau chwi."

Wedi i ni ddod yn ein holau o'r Bolson a chorral Foyel[38] i'r gwersyll cyffredinol yn Maichinwau,[39] y darganfyddiad cyntaf a gafodd John Henry Jones a minnau oedd, fod ein siwgr wedi gorffen. Pan aethom i ffwrdd wyth neu ddeg niwrnod ynghynt, gadawsom o dan ofal Jones Pant y March tua deg cilo o siwgr gwyn clapiog ac yn awr nid oedd i'w gael ond y cwdyn lle y buodd. Mae'n debyg fod Jones yn ei gario'n ei logellau i'w fwyta trwy'r dydd tra y parhaodd. Dyna'r oedd Jones yn ei gredu'n onest, na ofala dros drannoeth, bwyta'r cyfan mewn un diwrnod os medrai, a gadael yfory i ofalu amdano ei hun. Dyn mawr blysiog dros ddwy lath o daldra a'i dduw oedd ei fol.

Aethom am wib arall o'r gwersyll am y gorllewin i le o'r enw Cholila,[40] math o agorfa'n rhedeg i'r gorllewin i'r Andes, a llawer o fân lynnoedd hyd-ddo; porfa dda a gweryd rhesymol ond nid yn ateb ein dewisiad ni o le i wneuthur sefydliad ynddo, a phan yma aeth yn gwrs ar ôl haid o estrysod a'r hen wladfawr William Jones y Bedol,[41] teiliwr wrth ei alwedigaeth, wedi dod allan gyda'r fintai gyntaf yn y *Mimosa* yn y fl. 1865 o ardal y Bala. Marchogai Jones y diwrnod hwn gaseg ddu hynod am ei chyflymder a'i bywiogrwydd ac ar y cwrs deuai Jones bron o fewn gafael i wddf un o'r estrysod, a'r peth cyntaf a welsom wedyn yn lle cydio'n ngwddf yr estrys, gwelem Jones yn ehedeg i ffwrdd fel barcutan papur am ddegau o lathenni i un cyfeiriad a'r gaseg i gyfeiriad arall nes bod y fan yn un cwmwl o lwch. Byddai Jones ar ein gwarthaf yn llusgo rhaff oddeutu deuddeg mydr o hyd wrth wddf y gaseg yn feunyddiol, a chwlwm mawr ar y pen fyddai'n llusgo, a'r hyn a ddigwyddodd oedd pan ar gydio'n yr estrys i'r cwlwm ar ben y rhaff, fachu o dan wreiddiau un o'r mangoed a pheri i'r gaseg gael plwc mor sydyn nes chwyrnellu Jones fel pelen un ffordd a'r gaseg hyd ei thennyn y ffordd arall. Drannoeth y digwyddiad yma yr oedd Jones yn marchogaeth y gaseg ddu eto a'r rhaff yn llusgo fel arfer ar ei ôl ac ar y blaen y tro yma ynghanol y trwp mulod a phan yn ymyl ffos tua dwy lath o led a dofn neidiai'r mulod drosodd a phan yr oedd y gaseg yn codi i'w naid i glirio'r ffos sathrodd un o'r mulod ar ben y rhaff nes dymchwel y gaseg a'i marchogwr ar wastad eu cefnau i ganol y ffos hyd nes oeddynt wlyb diferol. Dyna ddwy enghraifft fechan o'r hen wron dewr a'r gwladfawr pybyr. Bod yn ei gwmni byddai'n wellhad hollol i neb a'r pruddglwyf arno; ymdrechodd yn galed a gweithiodd yn ddiwyd ym more cyntaf sefydlu'r Wladfa. Adeiladodd amryw dai o briddfeini llosgedig o'i wneuthuriad ef ei hun. Buodd am flynyddoedd ar bwyllgorau cwmnïau'r ffosydd dyfrhau, ac ar y cynghorau Gwladfaol a chyda'r Achos yn Tair Helygen[42] gwnaeth ei orau, er mai di-bryder oedd o bethau'r byd.[43] Er y cyfan credaf fod ynddo graig i adeiladu arni fel yr hen Bedr gynt.

Codwyd y gwersyll cyffredinol a theithiwyd am y de. Cyrraedd Bro Hydref[44] a rhoddi i lawr a gwersyllu ar lan afon Percy y fan lle y mae Trevelin yn awr ac euthum ar fy nhraed trwy'r afon heb fyned dros fy modasau i fyny i'r bryn oedd ar ein cyfer yr ochr orllewinol i'r afon a deuthum o hyd i dwmpath o riwbob gwyllt[45] a thorrais un o'i ddail ac euthum â hi i'r gwersyll ac o gywreinrwydd mesurodd Fontana y ddeilen, ac yr oedd yn wyth troedfedd o hyd, a chymaint a hynny o led ar draws a'r goes o ddeg i ddeuddeg modfedd o amgylchedd; gwnelai babell ardderchog ar law. Nid oeddwn erioed wedi gweled y fath ddeilen cyn hynny, ond gwelais amryw wedi hynny pan yn teithio trwy gymoedd yr Andes fawreddog. Galwai'r Indiaid y dail hyn yn *analca*. Gwnaethom ein gwersyll cyffredinol tra yma ym Mro Hydref y tro hwn i lawr pen gorllewinol Cwm Hyfryd ar ochr nant gref, ffrwd loyw redegog ac o dan fryn crwn a alwyd wedi hynny yn Bryn Hyfryd.[46] Ar un o'r Suliau pan oeddym yma, aeth un o'r fintai ar ei geffyl i lawr i lan yr Afon Fawr yr hon nid oedd bell oddi wrthym a daeth ar draws tarw gwyllt yn y coed ar fin yr afon a rhedodd y tarw o'i flaen allan am gyfeiriad ein gwersyll. Gwaeddodd y dyn nerth esgyrn ei ben a chlywsom y gweiddi o'r gwersyll a rhedasom oll i ben y bryn a'r gynau'n ein dwylo a thaniasom bawb ergyd at y tarw, ond dianc a wnaeth, ac yn olaf o bawb cyrhaeddodd Wm Jones Bedol i ben y bryn wedi colli ei anadl yn llwyr, a gofynnodd Jones Pant y March iddo, "Wm Jones, lle y buoch mor hir yn dod i fyny?" Atebodd Jones ef ei fod wedi cofio pan ar y ffordd i fyny mai dydd Sul oedd hi. "Asyn tân, colli eich gwynt a wnaethoch" meddai Pant wrtho yr hyn yn sicr oedd y gwir. Yn y fan yma, aeth tri ohonom i lawr i'r Afon Fawr mewn cwch canfas,[47] sef Llwyd ap Iwan, Percy Wharton a minnau.

Credem bron i sicrwydd y pryd hwnnw fod y Tawelfor heb fod ymhell iawn oddi wrthym a phenderfynodd wneuthur prawf ar yr afon gyda'r cwch canfas, ac wedi teithio tua pedair llech o ffordd daethom at grych mawr yn yr afon ac yn gul iawn a rhedfa eithriadol o gyflym yno, a gwelsom ar unwaith os cai'r crych hwnnw afael ar ein cwch mai dyna fyddai ei ddiwedd ac feallai ninnau hefyd. Daethom i'r penderfyniad o'i dynnu i dir a'i grogi cydrhwng dwy goeden fawr oedd ar lan yr afon, a'i waelod i fyny, ac yno o dan un o'r coed y mae darnau ohono hyd heddiw, yn gof byw o'r cwch cyntaf fu'n nofio ar ddyfroedd y Caranleufu[48] sef yr Afon Fawr. Ac y mae rhai o'i rwyfau gennyf fi ynghadw mewn diogelwch er Chwefror 1888. Pan yr oeddem ni ein tri'n y cwch deuai eraill dros y tir i'n canlyn gyda cheffylau i'n dwyn yn ôl i'r gwersyll, canys gwyddem pan yn cychwyn na ddeuem yn ein holau gyda'r cwch.

Mesurai'r Afon Fawr yn y fan yma o gant a hanner o lathenni o led a rhedai'n chwyrn am y gorllewin trwy'r Andes a phan yn teithio'n ein holau gyda'r criw oedd ar y tir, bu i Llwyd a Percy dreio'r gamp o dorri tro i fynd o flaen y fintai'n hytrach na chanlyn torlannau'r afon fel ac yr oeddem ni'n wneuthur a'r canlyniad fu iddynt fod ddiwrnod a noson ar ein holau ni'n cyrraedd i'r gwersyll, wedi ffaelu'n lân gan fod rhaid iddynt dorri eu llwybr bob llathen trwy'r coed nes dod yn eu holau i'n trac ni ar lan yr afon.[49]

Chwefror, Dydd Mawrth (y 5ed). Dechrau o ddifrif ar fesur Cwm Hyfryd i'r diben o wneuthur map ohono wedi i ni fyned yn ein holau i'r Wladfa. Aeth Fontana a'i griw yn eu blaenau i'r pen dwyreiniol i'r Cwm i'n haros yno, meddai ef, ond er ein mawr siomedigaeth pan gyraeddasom[50] y fan a'r lle y disgwyliem gael Fontana nid oedd yno neb i'w gael ond nodyn yn ein hysbysu i ganlyn ei drac ef. Aeth â holl glud Llwyd a'i geffylau ac eithrio'r ceffyl yr oedd yn ei farchogaeth ar y pryd a rhan o geffylau Thomas Griffiths hefyd, a bu raid gadael y mesur ar ddwy linell yn unig, un o Bryn Hyfryd i'r fan lle mae Trevelin yn bresennol, a'r llall am lig i gyfeiriad y de-ddwyrain ac i fyny am gyfeiriad lle y mae M. Underwood[51] yn awr, a phan yma yn mesur, cawsom draciau Fontana a'i griw'n myned allan am gyfeiriad Sunica ac nid trwy fwlch Esquel fel y dywedai yn y nodyn adawodd ar ôl i ni. Aethom oll allan i gyfeiriad y Wladfa a chawsom hyd i'r fintai'n gwersyllu[52] ar lan afon Tecka ar gyfer Hafn John Henry Jones. Torasom gyfeiriad unionsyth dros fynyddoedd Tecka trwy Bwlch y Gwynt nes cyrraedd Pant y Gwaed ac yno y bu raid i ni Gymry oll aros hefo'r hen frawd William Jones Bedol. Mae'n debyg pan yr oedd ef yn y Cwm ei fod wedi myned i saethu dyfrgwn ac wrth ymwthio trwy ddrain *calafates* i bigyn *calafate* fyned i dorr ei law ac erbyn cyrraedd y fan yma yr oedd ei fraich wedi chwyddo hyd ei gesail ac wedi ei baddio â dwfr poeth am tua diwrnod a noswaith daeth yn well ac aethom yn ein blaenau a daethom o hyd i'r lleill wedi aros ar lan afon Chubut yn Rhyd yr Indiaid.[53] Aeth Fontana'n gyflym yn ei flaen o'r fan yma tua Rawson a chyraeddasom yno i ben ein taith yn llwyddiannus a digolled i fynwesau ein teuluoedd yn y Wladfa Gymreig.

Llawysgrifau:

Ceir llawysgrif wreiddiol gan JDE yn y llyfrau nodiadau ac yna fersiwn newydd teipiedig gan Tryfan Hughes Cadfan o'r 1930au. Ceir hefyd y llyfr nodiadau a gedwid gan JDE yn ystod y daith (Atodiad Un) yn 1888.

Ceir dau adroddiad hefyd gan Llwyd ap Iwan, y naill yn Gymraeg a'r llall yn Saesneg, gan ei fod yn aelod o'r fintai archwiliadol. Mae'n debygol fod y fersiwn Cymraeg wedi cael ei ysgrifennu yn ystod y daith, a'r fersiwn Saesneg rywbryd wedyn gan fod Llwyd yn paratoi cyfrol ar ei wahanol deithiau ym Mhatagonia. Ceir nodiadau golygyddol ei frawd Mihangel dros y rhain wrth iddo yntau, ar ôl marw Llwyd, barhau i baratoi'r gyfrol arfaethedig. Cafodd cyfieithiad o'r testun hwn a thestunau eraill Saesneg eu cyhoeddi yn *Y Drafod*. Gwnaed y cyfieithiad gan Mihangel ap Iwan.

Yn y nodiadau isod cyfeirir at fersiwn Cymraeg Llwyd fel LlC a'r fersiwn Saesneg fel LlS.

[1]Yr Ail Daith. Dywed Llwyd ap Iwan (LlS) ar ddechrau ei adroddiad am y daith fod gwahanol farn ymhlith y sefydlwyr ar ôl dychwelyd o'r daith gyntaf yn 1885–6 o safbwynt pa ardal yn union i'w sefydlu yn y gorllewin. Tueddai llawer, meddai, i ffafrio Cwm Hyfryd ond tybiai rhai mai gwell fyddai creu'r sefydliad newydd yng nghyffiniau hen wersyll Foyel yn Genoa yn nes i'r de (Chenwa ar fap ap Iwan). Roedd rhai hefyd o'r farn y dylent anelu am yr ardal o gwmpas llyn Colhue Huapi. Er mwyn cael torri'r ddadl penderfynwyd y dylai criw fynd eto i'r gorllewin i archwilio o amgylch Cwm Hyfryd a'r ardal i'r gogledd.

[2]Mae'n debyg na chychwynnodd y daith yn iawn tan ddydd Iau 12 Ionawr 1888 yn ôl Llwyd (LlS). Dywed mai'r bwriad oedd cychwyn wythnos ynghynt, sef y 5ed, ond ni ddaethai mintai'r Rhaglaw o Cel-Cein.

[3]Ceir yr un enwau gan Llwyd ap Iwan. Mae ef yn ychwanegu fod pymtheg milwr o'r fyddin Archentaidd wedi ymuno, a dau is-gapten. Dywed Llwyd mai Pablo Silveira oedd yr arweinydd, ond mae'n amlwg mai camgymeriad yw hyn. Un o'r is-gapteiniaid oedd Silveira, a'r arweinydd o frodor oedd Pablo Cachaperra. Dywed hefyd y câi'r 50 llech o dir eu dosbarthu cyn gynted ag y byddai cytundeb am yr ardal yr oedd y sefydlwyr am fynd iddi. Mae'n glir o adroddiad Llwyd fod Pablo wedi chwarae rhan bwysig iawn fel *baqueano* (arweinydd). Er hynny mae'n amlwg fod JDE hefyd yn ei ystyried ei hun yn arweinydd, a dyna sut y caiff ei ddisgrifio yn nogfen Llwyd (LlS).

Daw'r dyddiadau a geir isod o waith Llwyd ap Iwan (LlS yn bennaf).

[4]Daeth y fintai i baratoi at y daith i Ddyffryn Triphysg ym mhen ucha'r Dyffryn (LlS). Roedd hyn yn agos at y Creigiau, a dywed Llwyd fod Cadwaladr Evans yn cadw trwp o wartheg gerllaw ar gyfer John Murray Thomas.

[5]12 Ionawr 1888. Ceir hwn yn glir ar fap ap Iwan, 1888. Fe'i disgrifir gan JDE fel *travesia*. Ystyr y gair Sbaeneg hwn ym Mhatagonia yw llwybr eithaf hir lle mae prinder dŵr. Ond

ffurf gynnar ar yr enw oedd Hirlam Uffernol, sy'n awgrym o'r caledi a ddioddefai'r hen Wladfawyr wrth iddynt groesi'r 90 cilomedr.

[6]12 Ionawr 1888. Ar y ffordd rhwng Dolavon a Chasicó heddiw. Ymddengys fod yr enw ar gael ers cyfnod teithiau Lewis Jones. Paham allwedd? Yn ôl Casamiquela (2000) oherwydd mai'r ffynnon hon neu bwll dŵr oedd yr 'allwedd' i'r llwybr i'r gorllewin ar ôl craster yr hirdaith. Sbaeneg: Los Pozos. Mae Llwyd ap Iwan (LlS) yn dweud mai ffynnon o ddŵr lled hallt yw Ffynnon Allwedd ac ychwanega Llwyd mai enw'r brodorion ar y lle oedd Cengan. Ymddengys hefyd mai gair Arawcaneg yw hwn.

[7]14 Ionawr 1888. Yn fersiwn Tryfan Hughes Cadfan y ceir y ffurf Ranquilhuah. Yn y llawysgrif wreiddiol gan JDE ffurf lafar a geir, sef Rhancw(i?)law. Yn LlC y ffurf yw Rancylwau ond ar ei fap (1888) y ffurf yw Rangylwaw. Mae Casamiquela (2000b) yn dehongli'r ffurf fwy swyddogol Ranquilhuau fel enw Arawcaneg, Rankül Wau, yn golygu 'pant yr hesg'. Mae Llwyd hefyd yn cyfeirio at wely afon a elwir ganddo'n Chathicó. Ar ei fap fe'i Cymreigir i Tsathico. Ceir yr enw lle hyd heddiw, sef Estancia Chasicó. Daw o'r Arawcaneg Chadi Ko yn golygu dŵr hallt. Mae Llwyd hefyd (LlS) yn cyfeirio at y ffaith i Fontana gael ei ddiddanu gan ganu'r Cymry yn ei wersyll y noson honno.

[8]16 Ionawr 1888. Cadwyn o fynyddoedd a bryniau serth yn rhedeg yn orllewinol-ddwyreiniol ar y ffordd rhwng Chasicó a Gangan yw'r Bannau hyn. Mae'r ffordd yn eithriadol serth nes peri fod teithwyr yn gorfod bod yn fentrus wrth deithio ar hyd-ddi. Wrth basio'r Bannau rhaid teithio ar hyd Ceunant Cethin, enw a geir gan Llwyd (LlS, ar map 1888).

[9]Gwener, 20 Ionawr 1888. Yn dilyn teithiau Lewis Jones, Aaron Jenkins a Richard Jones, Glyndu, aeth Lewis Jones, David Williams, Oneida ac Edward Price ar daith ar hyd yr un llwybr yn 1870–1. Ceir peth o'r hanes yn R. Bryn Williams (1962, tt. 203–4). Mae Llwyd (LlS a LlC) yn sôn amdanynt yn cael eu gwahodd i wersyll a phabell y pennaeth enwog Chiquichano yn Kytsacl; ymddengys fod Pablo a *baqueano* yno ar y pryd. Bu Chiquichano yn gyfaill i'r Cymry ac roeddent hwy'n ei ystyried yn Dehweltsiad. Siaradai amryw o'r ieithoedd brodorol. Bu farw tua 1886. Dyna'r pryd y cafwyd rhai o'r enwau lleoedd Cymraeg am y tro cyntaf, fel Hirlam Ffyrnig, Ffynnon Allwedd, Bannau Beiddio a Cheunant Cethin, a mynd mor bell â Kytsacl. At daith 1871 y cyfeiria JDE yn y rhan hon o'r bennod serch hynny, pan aeth Lewis Jones yng nghwmni Aaron Jenkins a Richard Jones. Gan eu bod hwy fel pawb yn dilyn llwybrau Indiaidd mae'n debyg iddynt ddilyn yr un llwybr â Thaith Fontana yn 1888 ond yn hytrach na dilyn Ceunant Cethin, troi i'r gogledd-ddwyrain am Telsyn.

[10]Sadwrn, 21 Ionawr 1888. Sacanana. Mae Llwyd ap Iwan yn rhoi'r enwau'r lleoedd eraill yr aethant drwyddynt, sef Tatynwe (18 Ionawr 1888), heddiw Tatinhue, Tromen, sef Ffynnon Bwrlwm, bathiad gan Lewis Jones. Erbyn 21 Ionawr 1888, cyrhaeddwyd bryn a llyn bychan o'r enw Sacanana er mai'r ffurf a geir gan Llwyd (LlS, a map 1888) yw Suganana. Am drafodaeth lawn am yr enw gweler Casamiquela (2000b) tt. 92–3. Y ffurf a geir gan T. Harrington (1968) yw Tsugunana.

[11]Kytsacl. Y ffurf a geir ar yr enw hwn gan Llwyd (LlS) yw Kichacle ond ar ei fap ceir Citsagyle. Këchakl yw'r ffurf 'swyddogol' yn cyfateb i ffonoleg yr Arawcaneg. Ceir ffurfiau eithaf llwgr hefyd fel Chaquel a Quichacle, ond mae'n bosibl fod peth dryswch yma. Ceir enw lle ar fap Llwyd o'r enw Tsagyl (sef, mae'n debyg, y ffurf Gymraeg ar Chaquel). Mae Chaquel ar y ffordd cyn cyrraedd Suganana (neu Sacanana), ac ar ôl hyn y deuir at Citsagyle. Mae adroddiad JDE (y fersiwn gwreiddiol) fel petai'n ategu hyn (gweler hefyd nodyn 12 isod).

[12]Ceir fersiwn ychydig yn wahanol yn y llawysgrif wreiddiol, lle dywedir: 'aethom yn ein blaen nol croesi y Banau drwy Kichala a Sacannana ac i lawr i afon Chubut'. Rhaid eu bod wedi mynd drwy Sacanana cyn mynd ymlaen am Kytsakl. Y mae'n ymddangos fod ymgais wedi bod yn y fersiwn teipiedig o waith JDE i gywiro'r testun ond, mewn gwirionedd, bu

cymysgu rhwng y ddau enw Tsagyl (Chaquel) a Citsagyle.

Dywed Llwyd (LlS, 23 Ionawr 1888) eu bod wedi anelu am fwlch yn y mynyddoedd i'r gogledd a gwersylla mewn llecyn o'r enw Sepawcal (Sepaucal). Gwelir yr enw ar fap Llwyd. Dywed fod y tir yn dywodlyd iawn yn y cyffiniau. Cyrhaeddodd y fintai fryn bach o'r enw Gastruc. Er mai'r ffurf yw Gastre heddiw (a Gastyr ar fap Llwyd yn 1888), y ffurf wreiddiol yw Gáhtrëk yn ôl Casamiquela (2000b). Ystyr yr enw yw 'taran'. Mae'n bosibl fod orgraff Llwyd gyda'r 'u' yn cynrychioli'r sain Gymraeg. Erbyn 25 Ionawr 1888 daethpwyd i fryn pigfain a elwir Numucu (neu Nwmwcw ar fap Llwyd). Nos Iau, 26 Ionawr, roedd y gwersyll mewn lle o'r enw Iwyncetsyg yn ôl orgraff map Llwyd. Yn ei adroddiad (LlS) y ffurf yw Iwngkechuck (?). Yn ffodus ceir eglurhad gan R. Casamiquela sy'n adfer y ffurf frodorol, sef Iwenkechek. Heddiw yr enw yw Sierra Huancache.

[13]Llun, 30 Ionawr 1888. Mae'r enw Fofo Kawel yn addasiad Arawcaneg o eiriau Sbaeneg yn golygu 'ceffyl gwallgof'. Mae Llwyd ap Iwan hefyd yn rhoi'r enw brodorol; ar ei fap y ffurf yw Cwtranel Cawelwe. Mae Casamiquela yn adfer y ffurf i 'Ketranel-kawel-we' ('Lle ceir ceffyl wedi trengi'). Ond yn ei adroddiad ar ei daith (LlS), rhydd Llwyd y ffurf 'Ktranelcawelwe' sydd fel petai'n ategu ffonoleg y ffurf frodorol a roddir gan Casamiquela. Mae Llwyd yn bendant mai'r un yw Fofo Cawel a Cwtranel Cawelwe. Nid oes sôn o gwbl yn fersiynau Llwyd ap Iwan am ymgais yr is-gapteiniaid i ddwyn perswâd ar Fontana i bwyso ar y Cymry i ymsefydlu yn Nyffryn Fofo Cahuel. Yn hytrach mae Llwyd yn sôn droeon er 25 Ionawr am yr is-gapteiniaid yn awchu am gael erlid yr Indiaid. Mae hyn yn gwylltio Llwyd gan y bydd rhaid newid cyfeiriad y daith yn fwy i'r gogledd ar hyd yr Afon Fach (Gogledd). Yn ei gofnod am 30 Ionawr 1888, mynega Llwyd ei atgasedd at y milwyr am y modd y byddent yn trin yr Indiaid, yn ddynion a merched.

[14]Yn Saesneg fe'i hadwaenid fel The Southern Land Company.

[15]Sef yr is-gapteiniaid Montiel a Sylveira.

[16]Cyfeirir at hyn hefyd gan Llwyd ap Iwan (LlS). Dywed Llwyd fod chwech o'r fintai, ynghyd â thirfesurydd (sef Llwyd ei hun), wedi cael eu henwebu i fynd ar ran y lleill i benderfynu ar ardal addas ac i ddechrau'r gwaith o fesur. Yr enwau a roddir gan Llwyd yw: John Henry Jones (Gwyndy), Richard Jones (Pant y March), Evan Davies (Pwynt y Byrddau, neu 'Point'), Jenkin Richards (Tres Casas), J. D. Evans (a oedd hefyd yn arweinydd), James Wagner.

[17]Maihinuau. Gweler nodyn 39 ynghylch yr enw.

[18]Mawrth, 7 Chwefror 1888. Dywed Llwyd ap Iwan eu bod yn nyffryn Cwshramyn.

[19]Nid ydynt yn mynd mor bell â'r llyn hwn, er ei bod yn fwriad yn wreiddiol, mae'n amlwg.

[20]Yn ôl Llwyd, (LlS), arhosodd Percy Wharton yn y gwersyll.

[21]Mercher, 8 Chwefror 1888. Ymddengys fod gan y lle ddau enw Arawcaneg; rhoddir y naill gan JDE (sy'n gyffredin hyd heddiw) tra bod Llwyd ap Iwan yn rhoi Phitatymen (Feta Temen) ar ei fap ac yn ei adroddiadau.

[22]Sef cyfeiriad at y baqueano Pablo 'Cachaperro' fel y gelwir ef gan Llwyd ap Iwan. Ymddengys fod JDE a Pablo wedi rhannu'r gwaith o fod yn 'faceano'.

[23]Cyfeiriad at lyn Nahuel Huapi.

[24]Y rhanbarth wrth odrau'r Andes, fel yr eglura JDE ei hun.

[25]Mae'n ddiddorol fod JDE yn defnyddio'r gair 'cethinog' yma, gan fod Llwyd wedi bathu'r enw Ceunant Cethin am yr ardal er bod hwn yn enw eisoes ar geunant yn y dwyrain.

[26]Dydd Llun, 13 Chwefror 1888. Gwelir ardal afon y Gwartheg Duon yn eglur ar fap Llwyd ap Iwan (1888). Dywed Llwyd ymhellach y byddai'r pennaeth Foyel yn arfer hela gwartheg duon yno. Gwelodd y fintai lanerchau yn y fforest o boptu'r afon lle cynheuodd y brodorion dân er mwyn denu'r gwartheg gwylltion o'r goedwig.

[27]Ar ddechrau adroddiad Llwyd ap Iwan am y daith (LlS), rhestrir Evan Davies Point, ond golygir 'Point' gan Mihangel ap Iwan (yn y cyfnod ar ôl 1909) i 'Pwynt y Byrddau', sef enw

158

lle ar yr arfordir. Mae'n debyg na ellir cyfiawnhau'r newid hwn gan fod y Point yn cyfeirio at enw cartref Evan Davies a'i wraig. Ai'r un Evan Davies yw hwn â'r un y sonnir amdano gan Albina Jones de Zampini (1995)? Collodd Evan E. Davies (Aberdâr gynt) a'i wraig Mary Evans bedwar o'u plant bach yn Awstralia cyn dod i'r Wladfa yn 1875. Bu farw un ferch o'r enw Gwenllian mewn man o'r enw Golden Point, Awstralia, yn 1861. Roedd John Coslett Thomas yn ei *Hunangofiant* yn cofio teithio i Batagonia gydag Evan Davies a'i deulu yn 1875 er ei fod ef yn dweud mai o Dreorci y daethai'n wreiddiol.

[28]Sef pac, pwn.

[29]Dydd Llun, 13 Chwefror 1888. Mae Llwyd ap Iwan ei hun yn cyfeirio at y digwyddiad diflas hwn yn ei ddau fersiwn, Cymraeg a Saesneg: 'Dilyn hen lwybr yr Indiaid, Ceunant Cethin, afon y Gwartheg Duon, ac yna i Gorlan Foyel. Y coral i lawr. Teniente Montiel yn tynu ei gleddyf ar Evan Davies yn y Ceunant Cethin; y llywydd [h.y. Fontana], yn rhoddi ateb diflas i John Evans ychydig cyn hyny. Y Cymry yn bobl rwgnachlyd, meddai, nid oedd am fod yn llywydd arnynt mwyach.' Yn ei fersiwn Saesneg, meddai: 'A rather unpleasant incident occurred here which was quite as well that it did happen, as it convinced a lieutenant who figured in it that his overbearing ways were not to be extended to the Colonists in the expedition. The officer in question for some paltry reason was quarrelling with one Evan Davies, and as long as there was nothing more serious than high flown language flying about nobody interfered or took much notice of them but when the lieutenant drew his sword and pointed it to the other breast, two of the colonists immediately closed on the other and obliged him in a quiet but effective manner to sheath his weapon.' Dywed wedyn ei fod yn poeni braidd sut y byddai'r Rhaglaw yn ymateb i'r digwyddiad. Mae'n bur debyg fod Fontana wedi cael clywed am y digwyddiad gan i Llwyd ddweud yn LlS: 'Nobody referred to the incident but the conversation during lunch was most formal [and] it was very evident that everybody knew about it'. Mewn nodyn ar ymyl y ddalen, dywed Llwyd ymhellach: 'Later in the day, however, the Governor, without referring to the incident, clearly showed his disapproval of the officer's conduct.'

Fel hyn y soniodd Tryfan Hughes Cadfan yn ei ddyddiadur am 1922 ar ôl trafod y digwyddiad gyda JDE: 'Gwylltiodd Montiel a disgynnodd gan dynnu ei gleddyf a'i roi ar frest E.D. Gwelodd ap Iwan ef a chredodd yn ddiamau ei fod am ei drywanu yn y fan, berwodd ei waed ar unwaith a rhuthrodd a'i lawddryll yn ei law, a chrêd J.E. y buasai Montiel wedi cael ei saethu yn y fan oni bai iddo ef a Jones Pant y March alw arno i gymryd pwyll, na wnâi Montiel ond rhoi tipyn o 'show off'. Beth bynnag, pan welodd Montiel ap Iwan yn barod i'w saethu, ymdawelodd a rhoddodd ei gleddyf yn ei wain. Yr oedd Fontana y tu arall i'r bryn fel na welodd hyn, ac ni chafodd wybod am y digwyddiad oddieithr i Montiel ddweud wrtho. O leiaf ni soniodd fyth am y peth, er y lled-amheua J.E. ei fod yn gwybod am y peth.'

[30]Awgrym clir mai ar ôl marw Llwyd ap Iwan (1909) y sgrifennwyd hyn.

[31]Digwyddodd hyn ddydd Sadwrn 18 Chwefor yng nghyffiniau Coral Foyel a Llyn y Tarw yn ôl adroddiad Llwyd ei hun (LlS).

[32]Dywedir i Foyel gael ei eni yn 1825. Yr oedd yn bennaeth Huilliche o Neuquen ac yn fab hynaf i'r pennaeth Paillacán. Roedd yn un o brif benaethiaid y brodorion yng 'Ngwlad yr Afalau', sef yr holl ardal o Gwm Hyfryd i'r gogledd. Roedd yn adnabyddus i nifer o'r teithwyr a fu ar grwydr yno cyn cyfnod yr ymlid mawr yn y 1880au gan fyddin Ariannin. Mae G. Cox yn sôn amdano am y cyfnod tua 1862. Mae George Chaworth Musters yn sôn am gyfarfyddiad â'r pennaeth yn ei gyfrol am ei deithiau ym Mhatagonia yn 1869. Cafodd Musters hyd iddo ef a'i deulu ger Llyn Nahuel Huapi. Erbyn 1875 roedd Foyel a'i bobl yn byw ar lannau gogleddol Camwy tua 50 milltir o wersyll Chiquichano, cyfaill mawr y Cymry. Roedd Foyel yn gyfarwydd â chysylltu â'r awdurdodau Archentaidd. Roedd ganddo ysgrifennydd o frodor o Chile a fedrai ysgrifennu yn Sbaeneg. Llwyddodd i gael cytundeb heddwch rhyngddo a'r awdurdodau ym Mhatagones. Pan aeth yn bolisi'r wlad i

orchfygu y de drwy ymlid y brodorion, eu casglu ynghyd a'u herlid o'u tiriogaethau, cytunodd Foyel gyda phenaethiaid eraill i uno gyda'r pennaeth Sayhueque er mwyn gwrthwynebu lluoedd y llywodraeth. Dyma'r cyfnod y daeth enwau fel Sayhueque, Inacayal, Foyel, Chagallo ac eraill yn enwau cyfarwydd iawn ym mhapurau newydd y dydd wrth i'r ymgyrch i orchfygu'r brodor ym Mhatagonia ddod i uchafbwynt ar ddechrau'r 1880au. Tua diwedd 1883 bu o leiaf 35 o frwydrau wrth i'r brodorion sylweddoli o dipyn i beth ei bod ar ben arnynt. Sefydlodd Foyel ei wersyll yn agos i afon Teca. Ar yr 8fed o Hydref 1884, nid oedd yn barod i ildio ac aeth y penaethiaid Foyel, Inacayal a Chiquichano gerbron y Cyrnol Laziar gan ofyn am drugaredd. Aethpwyd â rhai o'r penaethiaid, gan gynnwys Foyel, ar y daith hir i Batagones yn 1885 ac oddi yno i Buenos Aires. Ymladdwyd y frwydr olaf 18 Hydref 1884. Yn Buenos Aires y cafodd Foyel a'i deulu hiraethu am y Paith. Yn y diwedd cawsant ddychwelyd i ardal Teca; ceir disgrifiad manwl o'r pennaeth nad oedd yn bennaeth mwyach gan Francisco Moreno yn 1896 yn un o'i lyfrau ar ei deithiau drwy Batagonia.

Yn ôl Llwyd mae'n ymddangos i'r fintai weld corlan Foyel (13 Chwefror) a hefyd gwersyll Foyel (17 Chwefror).

[33]Dechreuodd y gwaith mesur Sadwrn, 3 Mawrth 1888, a gorffen Gwener, 9 Mawrth 1888.

[34]Symudodd Fontana i San Juan yn y Gogledd.

[35]Dywedir fod Fontana yn ŵr hynod grefyddol, ac yntau'n aelod o'r eglwys Gatholig ac yn Rhaglaw ar boblogaeth Gymreig Brotestannaidd. Ychydig amser ar ôl dychwelyd o'r daith archwiliadol yn 1886, bu'n gyfrifol am osod sylfaen yr eglwys Gatholig yn Nherawson. Cefnogai hefyd ddyfodiad y caplan D. Francisco de Vivaldi a fu'n weithgar fel cenhadwr ar y Paith.

[36]'Y Conswl Cymreig'. Peiriannydd morwrol a dyn busnes ydoedd a weithiai yn Buenos Aires gyda chysylltiadau agos iawn â'r llywodraeth. Dôi o Gastell-nedd yn wreiddiol, a gweithiai fel peiriannydd y llong *Choel-e Choel*. Fel Cymro a Gwladfäwr cadarn roedd yn barod iawn i helpu'r rhai o'r Wladfa a ddôi ato yn ei swyddfa yn y ddinas. Roedd yn un o sylfaenwyr Cwmni Masnachol Camwy a gwystlodd ei holl eiddo i gael arian i'r achos. Mae John Coslett Thomas (*Hunangofiant*) yn rhoi darlun byw iawn ohono yn ystod y cyfnod ar ddechrau'r 1890au pan ddechreuwyd chwilio am aur o ddifrif yn y gorllewin a bod angen *cateos* neu ganiatâd i redeg mwynglawdd aur. Cynrychiolodd y Cymry ar sawl adeg yn ystod yr 1880au a'r 90au gerbron y llywodraeth ffederal yn Buenos Aires.

[37]Ffordd barchus o gyfeirio at JDE, tra ar yr un pryd yn defnyddio'r enw cyntaf.

[38]Dydd Llun, 13 Chwefror 1888. Corral Foyel. Yn ôl Llwyd (LlC): 'drwy le ofnadwy a anawdd, ond yn ceisio dilyn hen lwybr yr Indiaid, Ceunant Cethin, Afon y Gwartheg Duon ac yna i Gorlan Foyel'.

[39]Machinihau a geir ddwywaith yn fersiwn teipiedig Tryfan Hughes Cadfan ar sail darlleniad anodd yn fersiwn gwreiddiol JDE. Mae ysgrifen JDE yn anodd ar brydiau ond edrycha'r enw lle yn y fersiwn gwreiddiol fel Ma(i?)chinwau. Dywed Casamiquela (1987) fod y ffurf 'wau' yn golygu *bajo, valle cañadón* (pant, dyffryn). Ond yn LlS ceir yr enw Maichin am y llecyn hwn, ac mae map ap Iwan, er yn aneglur iawn, yn rhoi'r ffurf Maitsingwan. Awgryma Casamiquela (2000b) fod yr elfen olaf 'wan' yn gamgymeriad am 'wau'. Am weddill yr enw awgryma'n betrus iawn mai'r ffurf i'w hadfer yw Maichinwau, dyffryn y *molle* (math o goeden).

[40]Sul, 19 Chwefror 1888. Tsolile yw ffurf yr enw ar fap Llwyd ap Iwan, ond Cholila yw'r ffurf yn LlS. Ceir amrywiadau eraill ar yr enw gan Casamiquela (2000b), sef Cholula, a Chulila. Math o goeden o'r teulu Schinus yw ystyr y gair, meddir.

[41]Sef William Richard Jones 'Y Bedol' (1834–1901).

[42]Mae ardal Tair Helygen (Sbaeneg: Tres Sauces) i'r gorllewin o Drerawson yn agos i hen diroedd a ffermydd John Murray Thomas a Robert Jones 'Y Bedol', a'r tŷ enwocaf yn y

160

Wladfa, sef 'Plas Hedd' a berthynai i Lewis Jones. Yng nghyfnod mintai'r *Mimosa*, roedd y tair helygen a welid wrth ddod i olwg y dyffryn yn adnabyddus iawn. Cafodd y capel ei hun ei ddymchwel yn y 1960au. Yn ôl Edi Dorian Jones (2000), codwyd y capel gwreiddiol yn 1883 a chafodd wedyn ei ddinistrio yn y llifogydd mawr yn 1899. Cafodd yr ail gapel ei godi ar dir yn perthyn i John Murray Thomas (*chacra* 50 De). Yn ôl Albina Jones de Zampini (1995), bu William Robert Jones 'Y Bedol' yn un o sylfaenwyr yr hen gapel gan wasanaethu fel blaenor. Cymerodd y mab Robert Charles Jones ran yn nhaith gyntaf L. J. Fontana.

[43]'er mai ail-fyw yr hen Bedr o bethau'r byd ydoedd' yw'r darlleniad dyrys braidd yn y fersiwn teipiedig, ond mae modd gweld y darlleniad a geir yn y testun yn weddol glir ar y llawysgrif wreiddiol.

[44]Sadwrn, 25 Chwefror 1888. Llwyd ap Iwan (LlS).

[45]Sadwrn, 25 Chwefror 1888. Ceir y gair *Analca* yn fersiwn teipiedig Tryfan Hughes Cadfan. Fel arfer *Nalca* yw'r gair brodorol am y *Gunnera scabra* neu *chilensis*, a adwaenir yn Sbaeneg fel *Pangue*. Fel arfer nid yw'r dail yn tyfu'n fwy na thair troedfedd ar eu traws. Mae'n tyfu mewn mannau llaith yn y Parciau Cenedlaethol, fel Lanín, Nahuel Huapi a Los Alerces. Roedd y Mapuche yn arfer defnyddio'r dail ar gyfer eu coginio. Y ffurf frodorol ar y gair yn iaith y Mapuche yw *Ngalca*.

[46]Ceir yr enw hefyd gan Llwyd ap Iwan (LlS).

[47]Llun, 27 Chwefror 1888. Mae'n debyg i'r cwch fod yn anrheg i Fontana gan yr arloeswr A. Bell yn ôl Llwyd (LlS). Doedd dim ffydd gan Fontana yn y cwch hwn.

[48]Carren Leufú: mae Afon Werdd yn gyfieithiad mwy cywir.

[49]Yn ôl Llwyd (LlS) daeth y daith ar y cwch i ben 1 Mawrth 1888.

[50]Mawrth, 6 Mawrth 1888.

[51]Martin Underwood. Ynad Heddwch cyntaf Cwm Hyfryd.

[52]Dydd Llun, 12 Mawrth 1888. Roedd Llwyd yn gandryll o weld y driniaeth a gafodd ei geffylau gan y milwyr: 'golwg ddrwg iawn ar fy ngheffylau'.

[53]Dechreuwyd ar y daith yn ôl ddydd Mawrth, 13 Mawrth 1888, a chyrraedd y Dyffryn o fewn 15 diwrnod. Ymwahanodd mintai Fontana a mintai'r sefydlwyr cyn diwedd y daith. Rhydd Llwyd yr enwau canlynol fel rhan o'r daith: Aliwphgo, Langiengew, Caltrawna, Kiche, Tromenwphgo, Kewpwngew, Trapalaw. Erbyn 19 Mawrth roeddent wedi cyrraedd Rhyd yr Indiaid. Erbyn 26 Mawrth roedd JDE gartref yn ôl LlC.

Y Daith i Gwm Hyfryd gyda'r Wagenni, 1888

Yn 1888, arweiniais y naw[1] gwagen gyntaf i'r Andes, Bro Hydref, i'r amcan o wneuthur ffordd dramwyol, yr hyn nad oedd mewn bod cyn hynny.[2] Yr oeddis wedi paratoi popeth y gellid meddwl fyddai angen. At groesi'r afonydd gwnawd dwy gist wagen ar gynllun neu ffurf hanner cwch, ac ond dodi'r ddwy gist ochr yn ochr a'u bowltio gyda boltiau pwrpasol i'r perwyl, dyna i ni gwch pur fawr digon cryf i gario tunnell os byddai angen. Yr oedd gennym lo, haearn, megin, ac eingan, dwy chwerfan (tackles) ddwbl yn ddigon cryfion i godi tair tunnell os byddai angen. Can mydr o raff, trosolion cryfion, rhawiau a cheibiau, morthwylion a chynion at dorri creigiau, a chist fawr o feddygyniaeth at wasanaeth y fintai. Ond fel y bu orau'r ffawd, nid oedd ddim gwacach yn dod i lawr na phan yn myned i fyny. Yn awyr iach y paith a'r mynyddoedd ni bu arnom ei hangen.

Yn Nyffryn Santa Cruz[3] neu Triphysg gwnawd rheolau gogyfer â'r daith. Dewiswyd y Br J. M. Thomas[4] yn llywydd y fintai a thri eraill gydag ef yn ffurfio Llys Athrywyn[5] i benderfynu a gwastatáu cwerylon allasai godi ar daith o'r fath. Y rheolau oeddynt fel y canlyn: fod y wagen flaenaf i ddilyn cyfarwyddyd yr arweinydd, ac i aros i gau ffos neu dorri twmpathau drain pan fyddai angen ar archiad yr arweinydd, a bod pob gwagen a throl ddeuai ar ei hôl i ddilyn yn llythrennol yr un trac i'r diben o ffurfio llwybr, a bod yr oll i sefyll lle safai'r wagen flaenaf, canys yr oedd yn ddealledig lle pasiai'r flaenaf fod y ffordd yn aros i bawb basio hyd-ddi, y wagen flaenaf heddiw i fod yn olaf yfory, ac felly câi pawb ran o'r da a'r drwg ar y ffordd. Rhif y fintai hon oedd tri deg naw, oll yn Gymry glân gloyw oddigerth saith. Yr oedd ganddynt at eu gwasanaeth tua cant chwe deg o geffylau a chŵn lawer iawn at ddal helwriaeth, ac arfau tân lawer. Ar deithiau o'r fath yr adeg honno, pan wedi gadael y Dyffryn, h.y. y Sefydliad ar lannau'r Camwy, yr oedd yn rhaid byw ar gig anifeiliaid gwylltion, y wanaco, yr estrys, yr ysgyfarnog, a'r llew os byddai angen, am y rheswm nad oedd anifeiliaid dof i'w cael oddieithr lladd caseg neu ful, ac yn wir y mae cig mul yn well na dim anifail gwyllt ellir gael. Yr arferiad fyddai, wrth deithio i fyny ym mlynyddoedd cyntaf sefydlu yr

Andes, na fyddai i neb deithio ar y Sul. Gorffwys fel rheol a wnelai pawb, a byddai'n nod gennym i gael trofa[6] dda am borfa, a lle hwylus i'r anifeiliaid gael dwfr.

Teithiasom yn bur hwylus wedi gadael Dyffryn Triphysg, a chefnu ar y glaw mawr gawsom yno, ac aros diwrnodau i'n llywydd wella,[7] canys bu raid i'r Parch. D. Lloyd Jones ddod i fyny atom a gwneuthur llwyr ymwrthodwr ohono.[8] Teithiasom yr ochr ddeheuol i'r afon Camwy,[9] ar hyd yr un trac ac y deuthum i lawr yn y flwyddyn 1884 i'r amcan o beidio croesi'n Nôl y Plu er mwyn osgoi Hirdaith Edwin,[10] yr hon sydd baith sych oddeutu saith deg milltir heb ddwfr. Cyraeddasom yr Iamacan[11] sef yr Afon Fach, a gwnaethom gwch o'r ddwy gist wagen a thynnwyd ef ôl a blaen gyda rhaff un ffordd yn llawn a'r ffordd arall yn wag, ac yn bur ddidrafferth gosodasom ein hunain ar ochr orllewinol yr Iamacan. Nid yw'r Dyffryn yn y fan hon ond hafn gul ac wedi ei thyllu gan lifogydd ac ychydig borfa ac hesg ynddi. Cawsom dipyn o drafferth i weithio'r llefydd culion cydrhwng yr Iamacan ac Hafn y Mynach[12] ond nid yn ddianaf.

Cafodd y Br William J. Hughes yr hwn oedd yn gyrru cerbyd dwy olwyn a sbrings odano ei daflu'n bendramwnwgl a bu agos iddo syrthio i'r afon, a thorwyd y llorpiau a'r cerbyd wyneb i waered a'i olwynion yn troi'n y gwynt. Dyna ddechrau ar achos i siarad llawer. Nid oedd y mwyafrif o bobl y gwagenni a'r cerbydau'n foddlon i'r idea o fyned gyda'r wagenni er cychwyniad y daith. Gyda phynnau ar geffylau yr oeddynt hwy eisiau myned, ond fod amryw ohonom ni'r blaenoriaid ac yn enwedig Mr. Thomas [*aneglur*];[13] yr oedd ef yn benderfynol o fyned pe na buasai ond ei wagen ef ei hunan. Buodd William J. Hughes[14] i fyny ran o'r ffordd flynyddoedd cynt pan yn fachgen ieuanc iawn fel gweinyddwr i Greenwood, a Lee Smith ac Edwin Roberts[15] y rhai chwilient am aur, a cheisiai berswadio'r dynion (gwŷr y menni) na fyddai'r daith ddim yn faith gan y byddai rhaid gadael corff y farwolaeth[16] sef y menni ar ôl cyn hir gan fod creigiau mawrion top Dyffryn y Merthyron[17] yn cau i'r afon, fel na phasiai ddim dafad trwodd a'i fod yn ddigon sicr o'i bwnc. Dywedodd un arall o'r fintai wrthyf, 'Yr wyt yn gwybod fod yr Andes i'r Gorllewin, ond mi fetia i, myn gafr i, na wyddost ti mo'r ffordd yno.' Ond fel bu orau, cafodd ef a phawb arall wybod fy mod yn medru'r ffordd. Rôl pasio drwodd sef y Bannau,[18] dyna enw'r mynyddoedd mawr yn cau am yr afon, cawsom lonydd gan y Br Hughes wedi hynny, canys yr oeddym yn awr allan o'i fapiau ef yn llwyr. Ceisiwyd gan Hughes pan y taflwyd ef, dynnu sbrings y cerbyd ond nid oedd yn teimlo i wneuthur hynny. Aethom trwy Hafn y Mynach i fyny i'r paith gwastad ac heibio i'r fan cysegredig iawn ar ôl hynny.[19] Yma ar fin y ffordd yng nghanol yr eangder mawr y claddwyd Evan Jones, Llandysul yn y flwyddyn 1891 pan yn myned i fyny gyda'r Haid Hedegog (Flying Gang)[20] i olchi aur ar lethrau Mynydd Edwin a Nentydd Teca, a phryd y dychrynodd yr hen ŵr Williams Mostyn[21] gymaint a throdd yn ei ôl i'r Wladfa.[22]

Yn 1890 aeth Capten Richards[23] ac amryw eraill gydag ef i fyny i ardal Teca i chwilio am aur, a chawsant samplau pur dda yn y nentydd yno. Dyna wnaeth i rai godi o'r cwch gwladfaol ar lannau'r Camwy. Rhyfedd y gafael sydd gan y clefyd melyn ar bawb o'r hil ddynol. Yr oedd yn yr haid honno ddau o weinidogion yr Efengyl. Un yn perthyn i enwad parchus y Bedyddwyr a'r llall i'r Annibynwyr. Bûm fy hunan yn brofiadol ohono. Chwilio am flynyddoedd a chael dim; fel rhithwelediad (mirage) i'r teithiwr sychedig, dyna yw mwngloddiau aur Patagonia hyd yn hyn. Ond y mae blynyddoedd i ddod ac nid ydynt ymhell pan y gwneir cledrffordd gyda godre'r Andes. Bydd ardal Mynydd Edwin fel Mount Morgan Australia, neu Balarat, British Columbia pryd hynny. Y mae aur ddigon yn yr ardaloedd uchod, ond cael cyfleusterau i'w weithio a chyfalaf i ddechrau.

Aethom i lawr i'r Clafdy[24] ger yr afon i wersyllu. Bore trannoeth cychwynasom yn ein blaenau'n hynod ddidrafferth, nes dyfod at lyn dŵr glaw ar y paith, pa un a alwasom yn Llyn Anufudd-dod. Torrodd y Br Edward O. Jones ddwy reol y diwrnod hwn. Un trwy beidio ag aros ar gais yr arweinydd i gau ffos ddofn a beryglai dorri olwyn neu lorp wagen. Yr ail, gollwng ei geffylau i'r dŵr glân yr oeddis wedi ei neilltuo i'r dynion, gan fod yn y llyn ddigon o ddwfr i'r ceffylau, a phan alwyd y Llys Athrywyn at ei gilydd ar ôl swpera, myned i nôl yr hogyn drwg, yr oedd ef yn ei wely er ys meityn. Mae'n debyg iddo fyned heb swpera, gan ei fod yn ofni ac yn teimlo'n euog o gosb. Mwy feallai nag ydoedd y Llys Athrywyn wedi ei feddwl.

Aethom yn ein blaenau dros frig yr hafnau a redai o'r paith i'r Camwy ag i lawr i Ddyffryn y Merthyron i'r Drofa alwyd ar ôl hyn yn Calabres er cof am Eidalwr fu'n byw yno. Cyraeddasom drofeydd yr Hanner Lleuad a'r Llygad Du[25] (Black Eye) heb i ddim gwerth ei nodi ddigwydd y dyddiau hynny. Yma cawsom yr ail *attack*. Gorfod gweithio yr Hanner Lleuad i allu myned trwodd. Methu â myned trwy'r Llygad Du. Euthum i chwilio am ffordd dros y creigiau'r tu deheuol i'r lle cul. Cefais ffordd a fyddai'n amgylchu oddeutu tair milltir. Dyna hyd y lle cul ydyw tua chant a hanner o lathenni. Wedi cael y ffordd i fyned heibio, euthum i a Mr J. M. Thomas gyda mi, gan mai ef oedd i fod ar y blaen gyda'r wagenni trannoeth, gan fy mod yn bwriadu myned i fyny yn uwch i'r Dyffryn i chwilio lle cul arall. Dangosais yn fanwl y ffordd i arwain y wagenni ac yn enwedig y ffos fawr oedd yn arwain o'r paith i'r afon y tu uchaf i'r lle cul, gan mai ar hyd honno y buasai raid i'r wagenni ddod at yr afon. I fyny yn y creigiau cyd-redai'r ffos fawr hon a chraig uchel a thua dau can llath yn is i lawr na'r fan y dylasai Mr Thomas groesi'r ffos elai'r ffos yn erbyn y graig fel nas gallesid fyned heibio, a llawer iawn o dwmpathau coed cochion yn tyfu'n yr *angle*. Mae'n debyg fod Mr Thomas yn dyfod dan smocio sigarenau ac wedi pasio'r fan y dylasai groesi i'r ochr orllewinol. Yn sydyn cafodd ei hun a'r wagen flaenaf cydrhwng y graig a'r ffos yn dynn, a'r lleill oll yn dilyn yn agos, gan ei bod yn tynnu at y nos, a brys ar bawb i gyrraedd y gwersyll. Aeth yn sefyll hollol yn awr, fel nad oedd bosibl myned ôl na blaen. Awd ati i dorri'r coed cochion i gael lle i droi'n ôl a bu raid cydio'n y ddwy wagen flaenaf a'u codi'n llythrennol oddi ar y ddaear i'w troi'n eu holau, a chydrhwng popeth yr oedd wedi myned yn nos ymhell cyn iddynt[26] ddod allan o'r hafn, ac yn y troi a'r drysu rhyfedd fu yno, cafodd William J. Hughes y blaen gyda'i gerbyd dwy olwyn yn gyrru i lawr yr hafn, ac yn sydyn dyma ef i hesg mawr a charreg anferth yn yr hesg nes peri lluchiad heb ei fath i'r cerbyd a'i olwynion eto yn yr awyr a'r llorpiau'n ysgyrion mân, ac i'r gyriedydd lygaid du.

Yr oedd ganddynt eto oddeutu dwy filltir i ddyfod i fyny i'r fan lle yr oeddwn wedi bwriadu i'r orymdaith aros, lle yr arhoswn gyda thân mawr yn disgwyl er yn gynnar ar y nos, a thua hanner awr wedi unarddeg y nos, dyma W. J. Hughes yn cyrraedd y gwersyll, ar gefn ei geffyl cerbyd a chadach mawr am ei lygaid, wedi gadael y cerbyd ar ôl yn y fan lle torrodd ef, ac yn dweud y drefn o'r fath orau am bawb a phob peth ond ef ei hunan, a'i fod am adael yr hen gerbyd yn y fan lle roedd am byth o'i ran ef, ac elai ef a'i glud ar geffylau am y gweddill o'r ffordd, a thua hanner awr wedyn cyrhaeddodd pawb y gwersyll a phob un a'i stori am y cyntaf, gan dywallt eu melltithion am ben Mr Thomas druan, yn gylch o gwmpas y tân heb feddwl am fati na swper. Codais i i fyny i amddiffyn Mr Thomas gan ddweud mai nid yn fwriadol y gwnaeth y drafferth fawr honno iddynt, canys yr oeddynt trwy'r dydd o'r bore tan hanner nos heb damaid na llymed o ddim. Dywedodd Mr Thomas wrthynt yn glir, 'pe baech am dragwyddoldeb yn cyrraedd yr Andes, nid af o'ch blaen eto. Cewch aros yn y gwersyll nes daw John yn ei ôl.' Boddlonodd pawb i'r rheol honno. Awd ati o ddifrif i wneud swper er lleddfu tipyn ar yr anifail yr hwn oedd ar ei gythlwng trwy'r dydd. Yr oedd y ffordd ynddi ei hun yn dreth fawr ar amynedd da a chaniatáu peidio gwneuthur yr un camgymeriad. Cafodd y lle neu'n hytrach enillodd y fangre iddi ei hun yr enw y Llygad Du. Tynnodd Hughes sbrings y cerbyd i ffwrdd yma a chladdodd hwy yn y ddaear, nes myned heibio iddynt ar ei ffordd yn ôl gartref, ac ni chafodd yr un lluchiad wedi hynny.

Cododd yr haul drannoeth gyda'i wres hafaidd a dymunol, a'r awyr yn glir a'r storm wedi myned heibio. Yr oeddem yn awr yng ngwaelod Dyffryn yr Allorau.[26] Teithiasom i fyny'r Dyffryn hwn yn hynod ddidrafferth, ac eithrio gweithio ychydig ar un lle cul nes cyrraedd y llefydd culion yn Rhyd yr Indiaid.[27] Bu raid i'r wagenni aros un diwrnod yma i ni gael mynd i chwilio am ffordd yr hon a gefais trwy ddal i'r dde am amryw filltiroedd i amgylchynu, ac felly y buwyd yn teithio am amryw flynyddoedd nes i'r Llywodraeth anfon dynion i weithio'r ffordd trwy'r llefydd culion y fan lle y mae'n bresennol. Gwersyllasom ar ôl y daith hon, mewn trofa braf a digonedd o borfa i'r anifeiliaid ar lan yr afon wrth y fan a elwir yn Rhyd yr Indiaid. Yma byddai llwybr yr Indiaid yn croesi'r afon pan yn arfer myned i lawr i'r Camwy i fasnachu ym mlynyddoedd cynnar y sefydliad hwnnw. Trannoeth aeth Mr

Thomas wrtho ei hun allan o'r drofa am gyfeiriad y creigiau gwynion: neidiodd piwma[28] ar ei war ac fel y bu orau'r lwc yr oedd gan Mr Thomas *poncho* ysgafn o wlân gwanaco dros ei ysgwyddau a'r gwn yn llwythog yn ei law. Taflwyd ef i'r llawr gan naid y piwma ond rholiodd y piwma yn bellach na Mr Thomas a'r *poncho* yn ei bawenau, meddiannodd Mr Thomas ei hun, cododd ar ei draed a thaniodd ar y piwma cyn iddo godi a llwyddodd i'w ladd ar yr ergyd gyntaf, a phan y daeth yn ei ôl i'r gwersyll a thynnu ei ddillad gwelwyd olion gewinedd y piwma man y gafaelodd ynddo. Y fantell (*poncho*) yn ddiau a'i hachubodd.

Yn y fan yma gadawyd yr afon yn cyfeirio i'r gogledd-orllewin, a ninnau'n codi i'r paith i gyfeiriad y de-orllewin. Ni welem yr hen afon eto nes dod yn ôl i'r un man. Paith tonnog a phur anwastad yw'r rhan yma ac ambell i lannerch borfaog a llawer mwy o lanerchau draeniog, a tharddiadau cymedrol yma a thraw hyddo. Teithiem yn bur hwylus dros hwn nes dyfod i gyffiniau mynyddoedd pur fawr a redent o'r de i'r gogledd pa rai a alwasom wedi hyn yn Mynyddoedd Bwlch y Gwynt.[29] Cawsom tipyn o drafferth yma. Pan yn gwersyllu ar ochr ddwyreiniol y mynydd wrth ffynnon braf o ddwfr tardd o'r enw Caltrauna,[30] gwnaeth gawod bur drom o eira'r noson honno nes ein lluddias i deithio bore trannoeth. Aeth y bechgyn i beltio y naill y llall â phelenni eira, ond gwylltiodd un[31] yn gacwn a rhedai i'w babell i nôl ei lawddryll. Dywedai y byddai iddo saethu pawb os lluchient belenni eira ato wedyn. Os drwg cynt yr oedd y pelenni yn dyblu arno yn awr a rhedodd i'w babell i ymguddio, a chafodd lonydd. Awd â'i arfau oddi arno nes cyrraedd Bro Hydref a rhoddwyd hwy yn ôl iddo yno mewn perffaith heddwch.

Croeswyd y mynydd trannoeth gyda llawer o drafferth trwy fod yr hafn arweiniai i fyny iddo yn wleb ac yn gorsiog iawn.[32] Sinciai'r wagenni ac elai llawer o'r ceffylau yn ffast yn y mwd. Tynnwyd gweddoedd o'r wagenni i gynorthwyo'r naill y llall a thrwy drafferth fawr awd dros grib y mynydd ac i lawr ran o'r ffordd yr ochr arall. Gwersyllasom yma yng ngenau lle cul oedd yn yr hafn a redai i lawr o'r mynydd, ac yn y fangre lle y bwriedid amgylchu'r anifeiliaid yr oedd ffynnon fawr o ddŵr tardd pa un a alwai'r Indiad yn *menuco*.[33] Dywedais wrth wylwyr y ceffylau amdani, ond rhywbryd ar y bore dyma weiddi nes deffro'r holl wersyll, y gwylwyr a'i geffyl wedi syrthio i'r *menuco*. Cawd ef allan yn ddihangol ac wedi cael bedydd penigamp a galwyd y fan yn Bedydd Wynn. John Wynn oedd enw'r gŵr a syrthiodd iddi. Cyrraedd Languiñeo,[34] math o iseldir gwastad yw hwn a ffrwd o ddŵr yn rhedeg ar ei waelod o'r De i'r Gogledd. Dŵr a ddeuai trwy Quichaura a thywallta allan drachefn yng ngwaelod Gualjaina am afon Chubut.

Yn yr iseldir hwn ddeng mlynedd cyn i'r hen Wladfawyr yn y flwyddyn 1865 ddod i'r Wladfa, daeth Indiaid o Chile sef yr Araucanos, a chawsant ymladdfa yma a lladdwyd llawer o'r Tehuelchiaid oedd yn sefydlu yn y parthau hyn, ac fe'u gyrwyd ymhellach i'r De. Mewn gwirionedd gwlad y Tehuelchiaid oedd o'r Mansanas[35] i Tierra del Fuego, ond fel y byddai'r Araucanos yn ymlid ymhellach i'r De a thyna y rheswm y gelwir y fan yma yn Fan y Gyflafan neu Languiñeo. Y mae olion hen gladdfa eto i'w gweled ar ochr ddeheuol i lwybr Bwlch y Gwynt, ar ben y bonciau sydd yno. Yma y byddis hefyd yn cael halen gan mwyaf i Fro Hydref, ar hyd y blynyddoedd. Cawsom dipyn o drafferth i groesi'r ffrwd yma gan ei bod yn gorsiog, cul a dofn, ac wedi croesi, gyrwyd ymlaen yn gyflym heb i ddim ddigwydd a rhoddwyd i lawr i wersyllu yn Alyufffco[36] sef saith ffynnon mewn pantle braf a chysgodol a digonedd o ddŵr a phorfa i'r anifeiliaid y fan y mae *estancia* Manuel Augusto Massa yn awr. Trannoeth, teithiwyd i'r Gogledd i ganlyn mynyddoedd Teca ond ar yr ochr ddeheuol iddynt. Yr.ta ar y daith hon, lladdwyd dau biwma mawr o'r rhywogaeth fwyaf[37] sydd ar beithdir Patagonia. Gleision yw lliw y rhai hynny; y maent yn ffyrnig a chyfrwys iawn. Cododd tri ohonynt o'n blaenau ar unwaith pan ar y daith. Lladdwyd dau yn uniongyrchol, awd ar ôl y trydydd; cafodd yntau deimlo blas y plwm, ond dianc wnaeth, er ein gwaethaf, i ddannedd y creigiau a gadawyd iddo.

Cyraeddasom Gualjaina[38] gyda'r nos. Y mae hwn yn ddyffryn braf ac afon gref yn rhedeg ar ei waelod o dde i ogledd, ac yn ymdywallt i afon Chubut dau ddeg wyth milltir ymhellach i'r gogledd. Ymhen blynyddoedd ar ôl hyn sefydlwyd tair *estancia* yma, yn gyntaf Carlos Von Alhefeldt, Br Elias Owen a Dr Mihangel

Ap Iwan; y ddau diweddaf yn ardal Nant y Pysgod,[39] tua naw milltir o dŷ Alhefeldt. Codwyd yn ein holau i'r paith drannoeth a theithiasom i'r de dros drum uchel o fynydd sef trwyn y mynydd yr oeddem yn ei ganlyn y diwrnod cynt a chroeswyd yr afon gyntaf ar gyfer Nant y Pysgod. Gwersyllwyd ar lan y nant ar yr ochr ogleddol a dyma'r pryd y'i bedyddiwyd yn Nant y Pysgod gan fod digonedd o bysg ynddi'r adeg honno, ond yn bresennol nid oes fawr o bysgod ynddi. Yr oedd tua dau fis yn awr er pan adawsom y Wladfa a'r fintai yn awyddus am gyrraedd pen ei thaith. Dywedasant wrthyf, 'Dos â ni i mewn', sef i fewn i Fro Hydref, 'mor gynted ag y gelli'. Unwaith am byth gan nad oes neb ohonom yn bwriadu dyfod i fyny y ffordd yma eto. Aethom ar ein hunion trwy Gors Bagillt. Cafodd y fan yma ei henwi yn y flwyddyn 1885 trwy i Gymro dylach na'r cyffredin roddi gwth ar frest ei geffyl nes taflu Bagillt druan bendramwnwgl i'r *menaco*.[40] Aethom yn ein blaenau i'r fan y mae Mr Clark yn byw yn bresennol o dan sawdl ddeheuol Pico Thomas[41] a thros bont Rhiw Sbardyn.[42] Dyma'r fan y buwyd yn tynnu ac yn ysbarduno er cyrraedd i ben y rhiw'r ochr arall i'r bont. Arosasom ddiwrnod yma i wneud y bont a'r ffordd, ac aethom i lawr i ddyffryn Bro Hydref ar gyfer y fan lle y mae M. Underwood[43] yn byw yn bresennol. Gwersyllasom yno ar lan yr Aber Gyrants. Codwyd y Faner Archentaidd yma. Yr oedd hon yn ail dro iddi gael ei chodi ym Mro Hydref. Codwyd hi y tro cyntaf yn y fl. 1885 dair blynedd cyn hyn pan y cymerodd Fontana feddiant o'r lle ar ei daith gyntaf trwy'r Diriogaeth.

Llawysgrifau:
Ceir fersiwn yn llaw JDE yn y llyfr nodiadau, a fersiwn teipiedig wedi ei olygu gan Tryfan Hughes Cadfan. Hyd y gwyddys, dim ond un adroddiad arall sydd wedi dod i lawr i'n cyfnod ni, sef fersiwn yn Saesneg gan Llwyd ap Iwan. Cyfeirir at y fersiwn hwnnw isod fel Ll. Mae'n bosibl fod Llwyd wedi cadw dyddiadur Cymraeg o'r daith a bod hwnnw wedi cael ei ddefnyddio fel cynsail i'r fersiwn Saesneg, fel yn achos yr Ail Daith gyda L. J. Fontana.

Ceir rhai nodiadau ar y daith yn llyfr nodiadau JDE yn dyddio o 1888 ar ddiwedd y gyfrol hon. Cyfeirir ato isod fel LlyfrNod.

[1]Deg gwagen, medd Ll. Yr oedd yno hefyd bedwar cart, a thros ddau gant o geffylau.
[2]Ceir y rhestr ganlynol yn y llawysgrif o'r rhai a gymerodd ran yn y daith hon:

J. M. Thomas, Castell Iwan, Llywydd
Ellis Jones, Mount Pleasant, Gof
Thomas Pugh, Perthi Bychain, Saer Maen
Edward O. Jones, 'Fondero'
David Lloyd Jones (Ieu)
John Thomas Jones, Maes Môn
John Williams, Athraw
Henry Davies, Canada yn awr
Llwyd ap Iwan, Peiriannydd
Antonio Miguens (Archentwr)
Evan Davies, Point
John Walter Davies, 'Bagillt'
David P. Roberts
Arthur Evans (fy mrawd)
John Percy Wharton
Herman Faesing ('Ellmynwr')
Ebenezer M. Morgans (C.M.C.) ([mewn ysgrifen:] arolygydd CMC am flynyddoedd)
William J. Jones, Kansas
Richard Jones, Glyn Du (fy ewyrth)
William J. Freeman
Evan Hopkins
William M. Evans
Rhys Thomas, Fron Goch
Simon Jones, Liverpool
William J. Hughes, Pentre Sydyn
David Rogers, Saer Coed
E. B. Theobald (Sais)
Harri Jones (Harri Tom Harri)
Martin A. Underwood, Prwyad (Archentwr)
T. H. [dilewyd]
James Wagner, Americanwr
John Wynn
Herbert Cook (Sais)
David G. [?] Hughes
William Lloyd Jones, Glyn
Emrys Austin
William M. Williams
James Thomas, Gof
John D. Evans, Arweinydd

[3]Dydd Llun, 12 Medi 1888. Santa Cruz, Triphysg, neu Ddyffryn Triphysg. Deuir iddo ar ôl y llwybr sy'n arwain i'r Hirlam a chyn cyrraedd yr Hirdaith. Yn fersiwn Ll., dywedir eu bod wedi cyfarfod i baratoi at y daith yn y Creigiau, a berthynai i John Murray Thomas a lle cadwai war, hyg. Hyd y gellir barnu ar sail mapiau'r cyfnod a mapiau diwedd y 19g, safai Dyffryn Triphysg a'r Creigiau fwy neu lai yn yr un man, ond rhaid mai ar ochr ddeheuol yr afon yr oedd y Creigiau. Dywed Llwyd ymhellach eu bod wedi gwersylla wrth geg camlas y CDC (Cymdeithas Dyfrhau Camwy) a'u bod yn aros i'r tywydd wella gan ei bod yn glawio'n drwm. Ar ddechrau ei adroddiad am y daith, dywed Llwyd ap Iwan, pan benderfynwyd o'r diwedd mai ym Mro Hydref y byddent yn creu'r ail sefydliad, fod y rhai a ddaliai dystysgrifau tir dros dro wedi mynd ati i baratoi at y daith. Yn LlyfrNod dywed JDE ei fod wedi cyrraedd y Creigiau 10 Medi ar ôl gadael cartref ei fodryb ym Mryn Gwyn, a'i fod wedi aros yn y Creigiau yr 11 a'r 12 Medi.

[4]John Murray Thomas. Nid oedd JDE yn edmygydd mawr o John Murray Thomas yn ôl pob golwg. Er nad oedd unrhyw wrthwynebiad i Thomas fel eu 'llywydd' ('chief' yw gair Ll), bu peth drwgdeimlad tuag ato yn ystod y daith; un o 'fyddigions' y Wladfa oedd Thomas ac er ei fod yn Gymro, roedd wedi ymuno fel gŵr busnes â byd grym a dylanwad yn y Dyffryn, a gellid dweud amdano mai ef oedd un o'r Archentwyr newydd i godi o blith y Cymry. Roedd yn enwog ymhlith y Cymry ar sail ei archwiliadau ar ddiwedd y 1870au ar hyd afon Yamacan yn y de ac ar hyd afon Camwy yn y gogledd. Mae'r awgrym gan JDE fod Thomas yn sâl cyn cychwyn ar y daith oherwydd effeithiau gor-yfed ar gael yn y llawysgrif wreiddiol yn unig. Mae'n ddiddorol nodi fod JDE yn gweld bai ar Thomas hefyd am ysmygu yn nes ymlaen yn y bennod, a bod hyn yn gyfrifol am iddo beidio mynd i'r cyfeiriad iawn!

[5]Llys Athrywyn. O'r cyfnod pan oedd Cymry'r Wladfa yn gwbl gyfrifol am eu gweinyddiad eu hunain (1865–c.1875) y daw'r term hwn sy'n rhan o'r Ddeddf Gweinyddiad Barn. Gellir gweld y ddeddf honno yn llawn yn R. Bryn Williams (1962, Atodiad VIII). Yn ôl y ddogfen honno cadarnhawyd y ddeddf gan y Cyngor ym mis Hydref 1873. Dywed R. Bryn Williams fod y Llys Athrywyn wedi cyfarfod ddeuddeg gwaith yn 1875 er enghraifft. O gofio am y cyfeiriad at y Llys Athrywyn yn Ll., mae'n arwyddocaol mai achosion o ddifrïaeth oedd rhai o'r achosion a glywyd. Mae Llwyd ap Iwan yn cyfeirio at y modd y difrïwyd John Murray Thomas yn ystod y daith, a galwyd y rhai fu'n gyfrifol i ymddangos gerbron y Llys Athrywyn.

[6]Trofa. Tro yn yr afon. Defnyddid y gair yn aml yn ei ffurf dreigledig mewn enwau lleoedd: e.e. Drofa Dulog.

[7]Yn y llawysgrif wreiddiol ceir y gair 'sobri' wedi ei ddileu, a rhoddwyd 'wella' yn ei le. Mae'n amlwg fod Tryfan Hughes Cadfan wedi barnu mai doeth fyddai hepgor y cyfeiriad arbennig hwn.

[8]Y Parch. D. Lloyd Jones. Gŵr blaenllaw yn y Wladfa yr adeg honno. Un o Ffestiniog yn wreiddiol oedd ef ac yn un o'r rhai fu'n hybu'r Cwmni Cydweithredol, neu'r CMC ar ôl hynny. Gweithredai fel cofiadur y Cwmni Ymfudol hefyd. Gofalai am gapel Nazareth yn Nhrofa Dulog. Codwyd yr ail gapel yn 1891.

[9]Dydd Mercher, 19 Medi 1888. Yr ochr ddeheuol i'r afon. Dywed Llwyd ap Iwan iddynt ddilyn y ffordd ar hyd Dyffryn yr Eglwys sy'n arwain at Afon Fach (afon Chico, afon Yamacan). Mae arafwch y cert ychain yn achos pryder iddo, meddai. Erbyn Sul, 23 Medi 1888, maent wedi gwersylla mewn llecyn o'r enw 'Canvass Town' a'r diwrnod wedyn 'The Pools of Maggie Doyle'. Rhydd Llwyd ffurf arall ar yr enw mewn dogfen yn dyddio o 1894, sef 'Maggie Doyle's Wells'. Saif y llecyn tua 25 milltir i'r de o afon Camwy. Yn LlyfrNod sonnir am gyrraedd y Pyllau ddydd Iau, 20 Medi.

[10]Hirdaith Edwin. Rhwng Dolafon a Dôl y Plu. Llwybr ar draws paith hynod sych a diffrwyth yn ymestyn am ryw 140 cilomedr. Fe'i hadwaenid hefyd fel 'Travesia'.

[11]Dydd Mercher, 26 Medi 1888. Ceir yr orgraff Yamacan hefyd. Dechreuwyd ei galw wrth yr enw Río Chico ar ôl taith gyntaf Fontana. John Murray Thomas oedd un o'r rhai cyntaf i deithio ar hyd ei glannau. Rhoddodd yr enw afon Younger arni i gofio gŵr busnes yn Buenos Aires a fu'n gyfaill iddo tra oedd Thomas yn cael hyfforddiant yn y brifddinas.

[12]Dydd Mercher, 26 Medi 1888. Hafn y Mynach. Ymddengys nad oedd yr enw hwn yn wybyddus i Llwyd ap Iwan gan ei fod yn cyfeirio ato'n unig fel yr hafn sy'n arwain i lawr at afon Chico. Rhaid oedd i'r fintai groesi'r afon er mwyn symud ymlaen at lannau afon Camwy a symud ymlaen i'r gorllewin. Bu clirio'r ffordd yn waith caled (Ll., 1 Hydref 1888). Bu peth pryder pan welwyd olion traed ceffylau neu fulod allai fod yn perthyn i Indiaid neu droseddwyr ar ffo. Yn ôl LlyfrNod, croeswyd afon Chico ddydd Sadwrn, 29 Medi.

[13]Sylwer mai Mr Thomas yw'r modd y cyfeirir at John Murray Thomas gan JDE.

[14]12 Hydref 1888 [?]. Ceir yr un hanes am y sbrings yn Ll. Yn ôl LlyfrNod gwnaed gwersyll

gyferbyn â Dôl yr Ymlid nos Iau, 11 Hydref.

[15]Am yr hanes llawn am Edwin Cynrig Roberts, gweler *Yr Hirdaith*, Elvey MacDonald, 1999.
[16]Corff y farwolaeth. Ymadrodd a geir droeon gan JDE sy'n golygu pwysau trwm iawn, pwysau marw iddo ef. Daw'r ymadrodd yn wreiddiol o'r Beibl: Rhufeiniaid 7: 24.
[17]Sef yr ardal lle lladdwyd y tri Chymro yn 1884. Sbaeneg: Valle de los Mártires.
[18]Darlleniad ansicr yn y gwreiddiol. Fel arfer mae'r Bannau yn cyfeirio at y Bannau Beiddio y mae'n rhaid eu croesi wrth ddilyn y ffordd ar ôl yr Hirlam Ffyrnig tuag at y gorllewin sy'n gryn bellter o afon Camwy. Er hynny, mae'n eithaf posibl fod JDE yn meddwl am y bryniau deheuol sy'n ymestyn o'r gadwyn hyd at yr afon fel rhan o'r Bannau.
[19]Sadwrn, 13 Hydref 1888. Cymeraf fod JDE yn cyfeirio at feddau'r tri Chymro a laddwyd yn 1884. Mae Llwyd ap Iwan yn cadarnhau fod y fintai wedi cyrraedd llecyn a oedd gyferbyn â'r beddau. Yn LlyfrNod dywed JDE iddynt fynd i Ddyffryn Wiliam a gwersylla ar lan yr afon lle mae'n gwneud tro i'r de o'r gogledd-orllewin.
[20]Yr adeg honno yr arferiad oedd peidio â theithio ar y Sul ac felly ar gyfer Sul, 14 Hydref, mae Llwyd ap Iwan yn disgrifio'r dosbarth Beibl a gynhaliwyd y Sul hwnnw (14 Hydref). Dydd Mercher, 17 Hydref, yn ôl Ll roedd y wageni yn gadael gwaelod Dyffryn Coediog ar hyd afon Camwy. Bu raid aros sawl gwaith er mwyn adeiladu ffordd bwrpasol i'r wageni; 'several hours of hard work' meddai Llwyd. Roedd hyn yn angenrheidiol er mwyn iddynt allu tramwyo hyd at Ddyffryn yr Allorau.
[20]Dyma gyfnod y rhuthr am aur yng ngorllewin Patagonia yn y 1890au. Ffurfiwyd amryw o gwmnïau yn frysiog ac fel yr Haid Hedegog yr adwaenid un ohonynt. D. Richards oedd enw'r arweinydd. Ceir yr hanes yn llawn ac yn lliwiog gan John Coslett Thomas yn ei hunangofiant. Mae R. Bryn Williams yn egluro un enw, sef Pant y Gwaed, ger Citsawra, a grybwyllir o bryd i'w gilydd yn ysgrifau cynnar y Gwladfawyr fel llecyn lle bu ymladd ffyrnig rhwng dau o'r fintai.
[21]Sef William Williams Mostyn. Ceir peth o'r hanes gan John Coslett Thomas yn y rhan o'i hunangofiant sy'n ymdrin â chyfnod y cloddio am aur yn ardal Teca. Ar ôl dyddiau'r Haid Hedegog, penderfynodd Coslett Thomas fentro i'r gorllewin eto gyda thri aur-gloddiwr arall, William Mostyn, ei hynaf o'r cloddwyr yr adeg hynny, a William Williams ac Evan Jones Llandysul. Bu farw Evan (gŵr ifanc) ar y daith a bu hynny, mae'n debyg, yn ddigon i dorri ysbryd mentrus Williams Mostyn. Roedd ganddo ddigon o arian, meddid, a'r ffaith fod cloddio am aur wedi mynd i'w waed oedd yr unig reswm am ddod ar y daith. Penderfynodd droi'n ôl am y Dyffryn a bu farw yn fuan ar ôl hynny yn 1892 yn 66 blwydd oed; fe'i claddwyd ym mynwent y Gaiman. Hanai ei deulu o ardal Treffynnon, Sir y Fflint. Teithiodd gryn dipyn yng Ngogledd America, a Cholumbia Brydeinig, Canada, cyn dod i'r Wladfa yn 1881. Ceir llun ohono yng nghyfrol W. Meloch Hughes, *Ar Lannau'r Gamwy ym Mhatagonia*, 1927, t. 145.
[22]Ystyr y Wladfa yn y cyswllt hwn yw'r Dyffryn, hynny yw gwaelod Dyffryn Camwy. Yn ddiweddarach y daethpwyd i ddefnyddio'r term y Wladfa am yr holl sefydliadau Cymreig ym Mhatagonia.
[23]Bu dau Gapten Richards yr adeg honno ym Mhatagonia, sef y Capten D. Richards, Pentre Sydyn, a oedd yn hen aur-gloddiwr profiadol a hefyd Capten David Richards, a ddaeth draw o Gymru ar ddechrau'r 1890au. Yn ddiau at yr ail Richards y cyfeirir yma gan fod John Coslett Thomas yn ategu ei fod ef, Richards, William Mostyn ac eraill yn awyddus i ymgyfoethogi ar aur Teca ac wedi teithio i'r Andes. Rhydd Coslett Thomas holl fanylion yr hanes lliwgar yn ymwneud â'u hymgais i werthu hawliau'r mwynglawdd. Er i Thomas gael ei siomi yn Richards a aeth i Lundain i geisio gwerthu'r *cateos*, teimlai ei fod wedi gwneud ei orau. Ceir adroddiad ganddo am farwolaeth unig Richards ar ei ffordd yn ôl i'r Andes.
[24]Mae'n debyg fod yr enw yn dyddio o'r flwyddyn 1891 pan aeth pedwar teulu ar draws y Paith i ymgartrefu yng Nghwm Hyfryd. Dyna'r adeg yr aeth teuluoedd William Freeman a

172

William Jones Kansas i ymsefydlu yno, a ganwyd merch fach i wraig Freeman yn y man a alwyd Clafdy ar ôl hynny. Rhoddwyd yr enw Peithgan i'r ferch fach. (R. Bryn Williams, 1962, t. 231).

[25]Sadwrn, 20 Hydref 1888. Yn ôl Llwyd ap Iwan, yn 'Llygad Du' y dymchwelodd cert sbrings William Hughes eto a'r diwedd fu iddo gael drwg i'w lygad nes ei adael gyda llygad du. Bedyddiwyd y llecyn â'r enw Llygad Du er cof am y digwyddiad. Mae'n debyg y bu tipyn o drin a thrafod gan Hughes a'i gymdeithion ynglŷn â'r priodoldeb o deithio ar hyd y fath lwybrau ar ben cert sbrings. Bu Llwyd ac eraill yn ceisio ei ddarbwyllo i dynnu'r sbrings fel yr ategir gan JDE. Ar ôl y ddamwain sylw Llwyd oedd: 'Now that he has one eye closed perhaps he may be able to see more clearly through the theories of dynamics'. Bu cryn drafod ar ôl y ddamwain, mae'n debyg, gyda rhai'n rhoi'r bai ar y sbrings a'r lleill yn gweld bai ar y dŵr tardd ym mhob man. Yn ôl JDE awgrymir mai o ganlyniad i gamgymeriad John Murray Thomas a fethodd â chroesi'r ffos yn y lle iawn y digwyddodd y ddamwain yn y pen draw. Mae JDE yn rhoi cryn sylw i'r anniddigrwydd a gododd yn sgil diffyg gofal Murray, ond ni chaiff ei grybwyll o gwbl yn fersiwn Llwyd. Fel ymgais i dawelu'r dyfroedd efallai, cynhaliwyd rasys ceffylau yn fuan ar ôl hynny (Ll) (Mercher, 24 Hydref 1888). Ond ceir awgrym cryf o'r cecru a'r ffraeo a fu yn dilyn y ddamwain a'r angen am dorri'r coed cochion i gael troi'n ôl i fan cywir. Yn ôl Llwyd cynhaliwyd y Llys Athrywyn (25 Hydref 1888) oherwydd bod rhai aelodau o'r fintai wedi cael eu cyhuddo o ddiffyg disgyblaeth ac ymddygiad trahaus tuag at y llywydd, sef John Murray Thomas. Diwedd yr achos oedd rhoi'r gosb arferol a geid gan y Llys, sef bod rhaid bod yn wyliwr nos, ar ben y dyletswyddau arferol. Ni ddaeth y cecru i ben mae'n debyg gan fod JDE yn dweud yn LlyfrNod am 26 Hydref: 'Meddwl teithio ond fe'n rhwystrwyd trwy iddi fynd yn "row" rhwng J. M. Thomas ac Evan Davies.'

[26]Y dyddiad a roddir am hyn yn fersiwn Llwyd ap Iwan yw Sadwrn 20, Hydref 1888. Yn LlyfrNod: 'Sadwrn 20. Cychwyn yn y bore am Ddyffryn yr Allorau a'r haul bron machlyd pan yn cyrraedd ei waelod'.

[27]Yn LlyfrNod, sonnir am gyrraedd Rhyd yr Indiaid ddydd Mercher, 24 Hydref. Yn ôl Llwyd ap Iwan, ar ôl gadael Rhyd yr Indiaid, aethant yn eu blaenau ar hyd yr afon tua'r gorllewin a chyrraedd Trapalaw ddydd Sadwrn, 27 Hydref 1888. Fore Llun, 29 Hydref, aethant i gyfeiriad bwlch Cewpwngew (gweler map Llwyd ap Iwan 1888) a'r diwrnod wedyn roeddent wedi cyrraedd Tromen Wffgo. Dyna pryd y cafwyd helfa fawr a ddisgrifir yn fanwl gan Llwyd yn ei adroddiad ef. Cafwyd rhyw fath o seremoni ar gyfer y rhai fu'n hela am y tro cyntaf yn y dull Indiaidd, sef creu cylch mawr a hel yr anifeiliaid i fewn i'r cylch. Ddydd Mawrth, 30 Hydref neu'r 31 Hydref, roeddent wedi symud ymlaen i'r ardal i'r gogledd o Lyn Ania. Erbyn dydd Gwener, 2 Tachwedd 1888, daethent i hafn Caltrawna, sy'n arwain mewn cyfeiriad gogledd-orllewinol, a gosod gwersyll yno.

[28]Yma mae JDE yn sôn trwy gamgymeriad am ymosodiad ar John Murray Thomas gan biwma adeg y daith gyntaf gyda'r Rhaglaw Fontana, 1885.

[29]Mynyddoedd Bwlch y Gwynt. Ceir dwy gadwyn o fynyddoedd ar y ffordd i'r Cwm rhwng Cewpwncew (Keupungeu) a Caltrawna. Nid yw'n hollol glir o destun JDE at ba un y mae'n cyfeirio. Yn ôl Llwyd, yr ail gadwyn yw Mynyddoedd Bwlch y Gwynt. Ni roddir enw ar yr un gyntaf. Gellir gweld y mynyddoedd yn glir ar fap Llwyd ap Iwan (1888). Mae'r ysgarmes pelenni eira yn digwydd pan oeddynt ar ochr ddwyreiniol Catrawna.

[30]Dydd Gwener, 2 Tachwedd 1888. Caltrawna a geir ar fap Llwyd. Gweler Casamiquela (1987) am drafodaeth ynglŷn â'r enw.

[31]Dydd Gwener, 2 Tachwedd 1888. Mae Llwyd ap Iwan yn sôn am yr un digwyddiad (Ll). Awgrymir gan Llwyd fod y gŵr dan sylw yn dueddol o gael pyliau o wylltineb a dyna pam y cafwyd Rheithgor a benderfynodd fod yn rhaid iddo ildio ei arfau. Yn LlyfrNod enwir y ddau a fu'n ymladd. William Huws fu'n taflu pelenni eira i John J. Jones a gafodd y gwyllt.

[32]Sadwrn, 3 Tachwedd 1888. Dywed Llwyd eu bod hefyd yn gorfod teithio drwy eira (a

hithau'n haf!). Mae Llwyd yn cyfeirio at y bwlch, a'r gwynt mawr oedd yn chwythu ar y pryd, yn ei adroddiad am ddydd Llun, 5 Tachwedd 1888. Rhaid mai'r mynyddoedd ar ôl Caltrawna yw Mynyddoedd Bwlch y Gwynt mewn gwirionedd. Disgrifir y llethrau serth ar ochr orllewinol y mynyddoedd a olygai fod yn rhaid gyrru'r wageni yn hynod o ofalus. Dymchwelwyd y cert ychain, er enghraifft, gan mor aml oedd y tyllau ym mhob man. Gwersyllwyd yn Lan Niyeo. Awgrym pellach mai'r mynyddoedd ger Caltrawna yw Mynyddoedd Bwlch y Gwynt yw'r ffaith iddynt gyrraedd Aliwffgo (gw. map Llwyd ap Iwan, 1888) ddydd Iau, 8 Tachwedd.

[33]Gair brodorol a ddefnyddir yn Sbaeneg Patagonia am gors neu fignen.

[34]Dydd Mercher, 7 Tachwedd 1888. Y ffurf a geir yn adroddiad Llwyd ap Iwan yw Langiengew. Dywed ymhellach fod rhywbeth neu'i gilydd wedi gomedd i'r fintai fynd yn eu blaenau, ac mae'n bosib mai cyfeiriad yw hwn at John Wynn yn syrthio i'r *menuco*, neu'r gors. Y ffurf swyddogol ar yr enw yw Languiñeo a hwnnw a fabwysiadwyd ar gyfer y testun hwn. Ond yn LlyfrNod y ffurf a geir yw Langew. Ystyr yr enw mae'n debyg yw 'lle bu llawer o feirw'.

[35]Sef Manzanas, Gwlad yr Afalau, yr ardal sy'n cynnwys Cwm Hyfryd a'r rhanbarth i'r gogledd yn Neuquen. Ymhlith penaethiaid mwyaf blaenllaw y 'Manzaneros' roedd Saihneque, Inacayal, Foyel a Nancucheo. Yn fras roedd brodorion Gwlad yr Afalau yn perthyn i'r Puelches gydag elfennau eraill yn gymysg.

[36]Dydd Iau, 8 Tachwedd 1888. Anodd bod yn sicr o'r darlleniad yn y fersiwn gwreiddiol, ond ysgrifennwyd ef fel 'A(i?)ljuffco'. Yn adroddiad Llwyd ap Iwan, y ffurf yw Alioofgo, ac Aliwfgo ar y map (1888). Erbyn heddiw y ffurf swyddogol yw Aleusco. Yr ystyr yw 'lle ceir llawer o ddŵr'. Y diwrnod hwnnw y saethwyd piwma, a gwelwyd rhai eraill gan aelodau'r fintai. Yn y rhan honno o'r hanes a gawn yn adroddiad Llwyd, sonnir am John Murray Thomas yn saethu'n farw biwma a oedd wedi dychryn ceffyl Llwyd. Hyn mae'n debyg a barodd y cymysgu am biwma yn ymosod ar John Murray Thomas. Yn y ddau achos, llwyddodd Murray i ladd yr anifail. Erbyn hyn roedd y fintai wedi cyrraedd afon Teca, neu'r Sacmata, a dilyn hon i gyfeiriad Gualjaina.

[37]Llew oedd yr enw yn Gymraeg.

[38]'Cyraeddasom Gualjaina gyda'r nos'. Nid cyfeirio a wna JDE yma at Waljaina fel y'i nodir ar fapiau heddiw a lle bu iddo gyfarfod â rhyfelwyr Foyel yn 1883, ond at y Dyffryn. Mae Gwaljaina ei hun tua 70 milltir o Esquel. Mae adroddiad Llwyd ap Iwan yn fwy manwl am y rhan hon o'r daith ac yn caniatáu inni ddilyn y daith o le i le. Wedi dod i lawr y llethrau serth, daethant i'r afon a'i chroesi, gwersylla yn Nant y Pysgod ac wedyn mynd ymlaen am Gors Bagillt (neu Uncaparia a defnyddio'r enw brodorol a gedwir gan Llwyd), 12 Tachwedd 1888. Roeddent erbyn hyn ar drothwy Cwm Hyfryd. Penderfynwyd chwilio am lwybr addas wrth ochr Pico Thomas. O fewn tipyn daethant i Aber Gyrants. Er mwyn croesi'r nant mewn hafn anodd codwyd pont bren (Ll).

[39]Saif Nant y Pysgod tua hanner can milltir o Esquel.

[40]Yn ôl Llwyd ap Iwan cyrhaeddwyd Cors Bagillt ddydd Llun, 12 Tachwedd 1888.

[41]Rhoddwyd yr enw Pico Thomas gan Fontana i gofio am John Murray Thomas yn ystod taith 1885.

[42]16 Tachwedd 1888 [?]. Pont Rhiw Sbardyn. Sonia Llwyd am y gwaith o godi pont bren i groesi'r hafn, ond dywed, er ei bod bellach yn hawdd croesi'r nant, fod rhiw serth o'u blaenau. Y diwrnod hwnnw y cafodd y rhiw ei bedyddio â'r enw Rhiw Sbardyn.

[43]Dydd Mawrth, 20 Tachwedd 1888. Penodwyd Martin Underwood yn gynrychiolydd llywodraeth Ariannin ac, yn ôl Llwyd, codwyd y faner, canwyd yr anthem genedlaethol, a saethodd y dynion eu drylliau i'r awyr. Trefnwyd cyfarfod wedyn ar gyfer y gwaith o gynnal arolwg o'r tiroedd a dechrau adeiladu. Penderfynwyd y byddai rhai ohonynt yn aros

dros y gaeaf i ofalu am eiddo, i hau gwenith a llysiau a gwneud paratoadau eraill ar gyfer dyfodiad y teuluoedd a ddeuai yn y gwanwyn.

Y Daith i Batagones, 1888, a Hanes Martin Platero (1885)

Gyda'r Bonwyr Elias Owen, Owen Williams, Yr Athro Richard Jones, Glyn Du[1] a William M. Evans a 'Maragate',[2] un cynhenid o Batagones, o'r enw Wenceslas, i Batagones i brynu ceffylau i boblogi'r Andes.[3]

Aethom dros y paith hyd at Porth Madryn drwy Arroyo Verde, Sierra Ventana, Corral Chico a Valcheta i Batagones; yr oeddem yn myned trwy wersyll yr Indiaid. Pedair blynedd cyn hyn yr oedd y Llywodraeth wedi casglu holl Indiaid Patagonia ac wedi eu gosod y rhan fwyaf ohonynt yn Valcheta.[4] Adnabyddodd llawer o'r hen Indiaid ni, mai Cymry o'r Wladfa oeddem, a dyna hwy yn dechrau gweiddi arnom, *Poco bara, Poco bara*,[5] *Señor*. Yr oedd yr Indiaid Tehuelchiaid wedi dysgu yn ein plith ni y Cymry yn y Wladfa, ac yn credu yn sicr lle yr elai'r Cymro ei fod yn myned â'i fara gydag ef. Truenus i'r eithaf oedd eu nacáu a hwy yn crefu mor daer am fara a dim gennym i'w roddi iddynt.

Gwnaethom fargeinion da yn Patagones: cesig a cheffylau faint a fynnid i'w cael am brisiau rhesymol iawn, ond fod braidd ormod o ddull hen farchnadoedd Cymru o fargeinio mewn rhai o'r cwmni. Clywais fargeinio yno am tua awr a hanner, a dim fe allai ond doler fyddai'r gwahaniaeth rhwng y prynwr a'r gwerthwr a phrydiau eraill hanner doler. Gwnâi y dull hwnnw o fargeinio i'r Maragates fod yn ddrwgdybus ohonom, a pharai fwy o drafferth nag o ennill yn y pen draw.

Nid oedd fy ewyrth Richard Jones Glyn Du wedi gweled ei frawd John Jones[6] er y flwyddyn 1866 pan dorrwyd y Wladfa i fyny ac y symudodd amryw o'r sefydlwyr i ffwrdd, ac yn eu plith aethai John Jones, gan roddi ei hun i lawr, a'i deulu, i sefydlu yn y Rio Negro,[7] ac yno y mae ei blant a'i wyrion hyd heddiw;[8] er cymaint yr awyddai fy ewyrth weled ei frawd, siomedigaeth a gafodd. Yr oedd wedi newydd fyned oddicartref am Buenos Aires. Ymhen amryw flynyddoedd wedi hynny, llwyddodd i'w weled, ac aros yn ei gwmni am amryw wythnosau. Cawsom garedigrwydd mawr gan fy modryb a'r plant, yn eu cartref yn Patagones. Llawer a adroddai wrthyf am y perygl yr oeddent wedi myned drwyddo

oddi wrth yr Indiaid. Byddai'r Indiaid y ffordd honno yn waeth o
lawer na'r Indiaid Tehuelchiaid oedd yn dyfod i'r Wladfa i
fasnachu.[9] Yr oedd gan fy ewyrth John Jones ddaeargell (seler)
fawr ddofn yn y ddaear o dan lawr ei dŷ, a phan y deuai yr Indiaid
o ddifrif i ymosod ar y Dyffryn, dihangai fy ewyrth a'i deulu i'r
ddaeargell odditan y tŷ, a gadawai i'r Indiaid gyfranogi o bopeth
fel y dymunent, yn anifeiliaid a phopeth arall. Dyna sut y
cadwasant eu bywydau lawer tro. Cof gennyf glywed fy ewyrth yn
adrodd ei fod wedi ei ddal ddwywaith gan yr Indiaid pan yn
dyfod adref o dref Patagones, a rhyw Indian yn digwydd bod bob
tro yn y fintai ymosodol yn ei adnabod ac yn cyflafareddu ar ei ran
ac yn ei ollwng yn rhydd. Yr oedd ef yn adnabyddus i'r Indiaid fel
y '*gringo casado*'[10] ac nid *argentino*. Buasent wedi ei ladd y tro cyntaf
pe buasai yn *argentino*. Yr oedd yr Indiad yn filain iawn wrth
argentinos Patagones. Pan yn myned trwy Valcheta daethum i
gyfarfyddiad ag Indian o'r enw Martin Platero[11] yr hwn a
ddihangodd gyda dwy wraig a chwech o blant bach, oddi ar y
Rhaglaw Fontana, ar lannau yr afon Senguer yn Ionawr 1886.

Daethom o hyd i'r Indian hwn yn pabellu ar ei ffordd i'r
gogledd yn Hafn Pedro, tuag ardal uchaf Teca, a phan aethom at y
babell yn y cychwyn, nid oedd yno ond un wraig a chwech o blant
yn y babell. Yr oedd yr Indian a'r hen wraig wedi myned allan i
hela er y bore, yn ôl y stori adroddai'r wraig oedd gartref, a phan
aethant i ffwrdd yn y bore, gadawsant yr hafn o amgylch eu pabell
yn glir o anifeiliaid oddigerth rhyw chwech o ysgrubliaid[12] tenau
o'r eiddynt hwy eu hunain. Yn yr hwyr gwelsom hwy ill dau yn
dyfod i olwg y babell ar ben bryn uchel y tu gogleddol i'r hafn, a
dychrynasant, mae'n debyg, drwyddynt, pan welsant yr hafn o
amgylch eu pabell yn orlawn o anifeiliaid. Yr oedd gennym,
cydrhwng ceffylau a gyrr o wardheg oeddis wedi newydd ddod o
hyd iddynt yn Hafn Las Teca, dros ddau gant o bennau. Safodd y
ddau Indian fel dwy ddelw ar ben y bryn, er pob arwyddion a
wnelem ar iddynt ddyfod i lawr, ni symudent o'r fan a bu raid i'r
Rhaglaw[13] yrru dau ohonom i'w cyrchu i'r gwersyll, a phan y
cyraeddasant atom, mawr oedd eu nadu a'u dychryn, ond at y nos
daethant yn well o lawer, wedi iddynt ddeall nad oeddem mor
beryglus o lawer ac y tybient. Dyna fel y buodd gyda'r wraig

177

ieuanc yn y bore pan aethom at y babell; ysgrechiai a rhedai'r plant i bob cyfeiriad, i lochesu odditan y mantelli crŵyn oedd yn y babell. Nid heb achos yn hollol y bu iddynt ddychrynu; aeth un o weision y Rhaglaw i mewn ar ei union i'r babell a dychrynodd y teulu i farwolaeth bron,[14] ond nid cynt nag yr aeth i mewn, cafodd ddod allan yn bur swta, drwy orchymyn pendant y Rhaglaw a chafodd wres lem am ei ymddygiad. Dofodd y wraig a'r plant pan roddodd y Rhaglaw gadach sidan wen iddi ac iddi ddeall ar ein hosgo a'n gwynepryd, nad oeddem na lladron na llofruddion. Gwersyllasom ni ar ochr ddwyreiniol i'r nant a'r Indian ar yr ochr orllewinol a phan yn cychwyn i'r daith fore trannoeth, cefais orchymyn gan y Rhaglaw i fyned heibio i babell yr Indian a pheri iddo gychwyn i'r daith, felly fu.

Teithiai'r fintai[15] ar y tu dwyreiniol i'r dŵr a minnau a'r Indian ar du'r gorllewin, ac yr oedd gennym tua saith neu wyth cant o fydrau cyn y deuem at ein gilydd ymhen uchaf y nant. Aeth yr Indian cyd-rhyngwyf â'r fintai, a gwasgai ei lin yn dynn yn ochr fy ngheffyl. Cofiais am fy nihangfa yn Nyffryn y Merthyron y flwyddyn flaenorol a phenderfynais nad oedd yr un Indian i gael y blaen arnaf wedi hynny. Tynnais y *carbina*[16] oedd bob amser yn llwythog gennyf wrth ochr y cyfrwy, a dywedais wrtho am fyned ar y blaen, neu y saethwn ef y munud hwnnw a dangosais y *carbina* a'i chynnwys iddo a neidiodd ar y blaen mewn eiliad, fel y bu orau iddo ef ac i minnau hefyd. Nid oeddym wedi tynnu ei arfau oddi arno. Yr oedd y bicell[17] yn ei law, a chyllell fawr o'r tu ôl ganddo yn ei wregys, a dwy eraill yn ei fotasau. Nis gwn beth oedd ei amcan yn fy ngwasgu i ffwrdd oddi wrth y fintai os nad oedd yn bwriadu fy nhrywanu â'i bicell.

Feallai y gallasai wneuthur felly, ond nid oedd obaith y dihangai yn fyw oddi ar y fintai, er na fuaswn i fymryn gwell o hynny pe y cawswn fy nhrywanu. A phan y daethom at y fintai ymhen uchaf y nant, dywedais wrth y Rhaglaw yn union fel y digwyddodd pethau, ac nad oedd gennyf ffydd o gwbl yn yr Indian y byddai'n sicr o ddianc rhyw noson oddi arnom, ac mai gwell fyddai ei rwymo y nos, a thynnu ei arfau oddi arno. Tynnwyd ei arfau oddi arno ond ni rwymwyd ef y nos. 'Beth yr ydych yn feddwl,' meddai'r Rhaglaw, 'y dihanga'r dyn tlawd gyda dwy wraig a chwech o blant bach?' 'Nis gwn,' meddwn wrth y Rhaglaw, 'i ba le y gallasai ddianc, ond cewch weled, y mae yn sicr o wneud.' Gofynnodd y Rhaglaw i'r Indian bore trannoeth, pa sawl llech[18] oedd o'r lle y safem yn awr i wersyll Foyel[19] lle y daliwyd y dorf ddiweddaf o Indiaid y parthau yma y flwyddyn flaenorol sef 1884 a dywedodd yr Indian wrth y Rhaglaw mai un llech oedd.[20] Teithiasom trwy'r dydd hwnnw tan nos, a thrannoeth hyd ganol dydd, pan ddaethom i'r gwersyll crybwylledig. Gwysiwyd yr Indian yn awr i wyddfod y Rhaglaw, a gofynnodd y Rhaglaw iddo, pa fath lech a alwai ef bellter felly. Dywedodd yr Indian yn ddigon gonest, *'lecua paisano, señor'* hynny yw 'llech y brodor'.[21] Nid oedd gan y Rhaglaw ddim i'w wneud ond chwerthin yn galonnog er yn flin ei dymer.

Yr oedd eto yn sefyll oddeutu wyth o babellau er y flwyddyn flaenorol[22] a llawer iawn o gŵn ynddynt. Elai'r cŵn i ddal eu bwyd, mae yn debyg, y dydd a deuent yn eu holau i lochesu'r nos. Yr oedd o amgylch y fan hon amryw o feddau, ac ar gais y Rhaglaw agorwyd llawer ohonynt i'r amcan o gael gwybod i sicrwydd sut yr oeddent wedi marw, a chafwyd sicrwydd mai wedi eu lladd a chleddyf yr oeddent.[23] Pob un a godwyd yr oedd ôl cleddyf arno. Yr oedd y pabelli yma wedi eu gosod ar gylch yn amgylchynu tua dwy *hectarea* o dir i'r perwyl o gadw'r ceffylau y tu mewn i'r cylch os deuai'r milwyr ar eu gwarthaf, yr hyn a ddisgwylient, gan mai hwy oedd gweddill o'r Indiaid a ddaliwyd gan Comandante Roa[24] ac hefyd a gyflawnasant y llofruddiaeth ofnadwy yn Nyffryn y Merthyron yn y flwyddyn 1884. Yr oeddent wedi symud erbyn hyn o ardal Sunica ar ôl eu hymlid gan y Comandante Roa, a rhoddi eu hunain i lawr yma ychydig i'r de o Piedra Shotel[25] ar y dyffryn lle y rhed y dwfr i afon Senguer. Yr oedd y cylch yma yn llawn pegiau bychain y rhai roddwyd gan yr Indiaid i'r amcan o garlamu eu ceffylau gorau ar gyfer dianc pe byddai raid, ac yn niwedd y flwyddyn 1884, danfonodd Coronel Villegas[26] ddau ddeg tri o filwyr a dau sefydlwr o Ddyffryn y Camwy, un o'r ddau yn Gymro sef David Williams 'Scotch'[27] a daethant o hyd i'r Indiaid yn gwersyllu yma, ac wedi trefnu eu hunain gorau y medrent ar gyfer storm. Rhoddodd y milwyr eu gwersyll hwythau o fewn tua dau ganllath i wersyll yr Indiaid, a gorchymynwyd i'r Indiaid wneuthur eu hunain yn barod i'r daith i fyned am Chubut ymhen deuddydd.[28] Daeth y ddau ddiwrnod i ben a dim argoel ar yr Indiaid i wneuthur eu hunain yn barod i'r daith, a gofynwyd iddynt beth oedd y rheswm na fuasent yn barod, a dywedasant mai wedi colli eu ceffylau yr oeddent. Rhoddodd y milwyr ddau ddiwrnod arall iddynt i baratoi. Ar ganol nos y bedwaredd noswaith daeth un o'r Indiaid at y milwyr a dywedodd wrthynt os sicrhaent ef y cadwent ef yn fyw y dywedai yntau gyfrinach bwysig wrthynt, ac felly fu. Dywedodd yr Indian paham yr oedd y llwyth yn ymarhous i gychwyn. Nid wedi colli eu ceffylau yr oeddent o gwbl, ond eu bod wedi danfon cennad at Saihueque[29] yr hwn oedd tua pum deg llech i'r gogledd o'r fan, a'u bod yn disgwyl byddin o bicellwyr i lawr drannoeth ac os yr oeddent hwy y milwyr yn meddwl rhywbeth o'u bywydau mai gorau po gyntaf i wneuthur ymosodiad, ac felly y gwnaethant, ar doriad y dydd pan godai'r seren ddydd yn y dwyrain. Taniodd y milwyr ar wersyll yr Indiaid yr hyn oedd mor sydyn ac annisgwyliadwy iddynt. Dychrynodd eu ceffylau y rhai oedd yn rhwym a thorasant yn rhydd a rhuthrasant ar draws y pabellau, gan sathru a chwalu pob peth o'u blaenau a gadael yr hen Indiaid druan ar eu traed, oddigerth un o'r llywyddion sef Foyel. Yr oedd ef wedi cadw ei geffyl i mewn yn y babell gydag ef a llwyddodd i ddianc, ond daliwyd Inacayel[30] ac wedi lladd a chlwyfo dros dri deg o Indiaid, rhoddasant eu hunain i fyny ac yn uniongyrchol ar ôl casglu'r ceffylau ynghyd, teithiasant oll yn union am y Wladfa dros baith sych a diddwfr gyda brys er clirio oddiyno cyn y deuai Saihueque a'i lu picellwyr yno ar eu gwarthaf. Gadawyd y pabellau fel ac yr oeddent yn sefyll ar ôl yr ymladdfa. Buodd amryw o'r merched a rhai dynion farw ar y daith y rhai hynny oeddent wedi eu clwyfo yn yr ymladdfa. Ymladdai gwragedd cystal â'r dynion gyda *asadores* (cigweiniau), pastynau neu unrhyw beth arall fyddai wrth law.

A phan ar y daith trwy Jenua[31] i'r gwersyll hwn, daethom ar draws buwch dawel a bron yn rhy dew i gerdded, un o warheg godro yr Indiaid a ddaliwyd yn sicr. Lladdasom hon ar lan yr afon Senguer[32] i ddathlu dydd Nadolig 1885 a chafwyd dros gan pwys o wer oddi arni, ac wedi cyrraedd mangre o'r enw

Choiquinilahue[33] ar ddyffryn y Senguer daethom i'r penderfyniad ein bod yn gadael y ddwy wraig a'r plant yno a rhan o'r clud a'r gwartheg a myned â'r Indiad yn unig gyda ni, ond gadawyd saith o'r ceffylau gorau yng ngofal y *chinas*[34] a gofynwyd i minnau adael fy Malacara[35] yno, ond nis gadawn ef, gwell oedd gennyf fyned ag ef gyda mi nac ymddiried dim i'r Indian. Yr amcan o hyn oedd ysgafnhau ein beichiau er myned i mewn i'r Andes i chwilio tarddiadau yr afon Senguer ac y buasai y gwragedd a'r plant a'r clud yn rhwystr, ac ni chymerasom ddim ond yr Indian gyda ni i'r daith fyth-gofiadwy honno.

Teithiasom i fyny ddyffryn y Senguer. Gwael ar gyfartaledd yw'r dyffryn hwn nes myned i mewn i'r mynyddoedd, yna deuai ychydig yn well. Y rheol teithio oedd, pa le bynnag y tynnai'r Rhaglaw ei gyfrwy i lawr mai yno yr oedd y gwersyll i fod am y noson honno beth bynnag a'i brif boint ef fyddai cael trofa a digon o borfa ynddi a lle hwylus i'r ceffylau gael dwfr. Nid oedd bwys ganddo amdano ef ei hunan nac amdanom ninnau chwaith. Cefais drofa ardderchog a thraeth helaeth i'r anifeiliaid gael bwyd a dim ond un twmpath *calafate*[36] yng ngheg y drofa, er fod digonedd o goed braf yn uwch i fyny a throfeydd helaeth ond heb borfa ynddynt – nid oeddent ond gwelyau afon. Tynnais gyfrwy'r Rhaglaw a dodais ef wrth y twmpath *calafate* a'r cyntaf i ddod heibio o'r flaen fintai oedd James Wagner. Gofynnodd i mi ar ei lw mawr, beth oeddem yn ei feddwl wrth roddi i lawr mewn lle mor llwm o goed tân ac aeth yn ei flaen am y coed oedd i'w gweled i fyny yr afon, ac aeth un arall a'r trydydd a'r pedwerydd ar ei ôl, cawsom ein gadael ond tri neu bedwar wrth y twmpath *calafate*. Dywedodd y Rhaglaw wrthym, gwell yw i ninnau gyfrwyo a myned ar eu hôl, os ymrannu a wnawn, ni chawn na chanu[37] na dim arall. Byddai ef yn mwynhau'r canu o gylch y tân min nos, ac felly fu. Cyfrwyais ei geffyl, ac aethom ar eu holau i'r gwersyll, pa rai oeddynt erbyn hyn wedi rhoddi i lawr, ac yn paratoi am fati.[38] Ac ar ôl swper gwysiwyd y Br Wagner i babell y Rhaglaw a chafodd glywed tipyn lled dda o huodledd tafod Archentwr nas anghofiodd am beth amser.

Nos trannoeth[39] yr oeddym yn agosáu at lyn mawr yn yr Andes[40] o ba un y rhedai yr afon Senguer, a'r holl ardal gylchynnol yn gorsiog ac yn wlyb iawn. Bûm yn chwilio yn ddyfal am le gweddol sych cyn i'r fintai gyrraedd i wersyllu dros y nos a methais gael unlle gwell na'r fan y safem arno yn bresennol. Pan ddaeth Wagner i fyny atom, galwyd ef at y Rhaglaw a dywedodd wrtho am fyned i chwilio am le sych i wersyllu arno dros y nos ac iddo fod yn sicr ei fod yn lle sych. Aeth yr hen ŵr Wagner ar frys trwy'r corsydd a'r mangoed ar gefn ei *negro*,[41] a bu i ffwrdd hanner awr, a phan y daeth yn ei ôl, dywedodd yn ddigon gostyngedig ei ben, ei fod wedi methu cael lle gwell na'r fan y safem arno ar fin cors fawr lle yr oedd yn ddigon gwlyb i wneuthur priddfeini o'r clai. Dyna fel y byddai'r Rhaglaw yn trefnu mân gwerylon.

Ni chlywyd byth wedyn ar y daith honno anfoddlonrwydd i fan y gwersyll. Bu yr hen ŵr Wagner yn ddigon tawel am weddill y daith. Aethom drannoeth yn ein blaenau at ochr y llyn mawr crybwylledig, tarddiad y Senguer a rhoddasom i lawr ein gwersyll ar lan nant o ddŵr a ddeuai i'r de i'r llyn ar ôl gwneuthur taith fer oddeutu tair lig; a'r un nawn, euthum i a Gregorio Mayo[42] a thri eraill ar ein hunion i lawr ymhellach i'r de, cyn belled â'r afon sydd yn dwyn yr enw Rio Mayo[43] yn bresennol, gan fwriadu myned ymhellach i'r de.

Ond ar yr ail o Ionawr 1886 edrychasom am y gogledd a gwelem yr holl wlad ar dân, mwy neu lai yn y gymdogaeth lle yr oeddem wedi gadael y gwragedd a'r clud sef Coiquinilahue,[44] a deallasom ar unwaith fod rhywbeth allan o le, a throesom ein gwynebau yn ôl am gyfeiriad y mŵg, gan deithio yn gyflym iawn ar garlam a throt tan ganol dydd trannoeth sef Ionawr y trydydd a chyfarfuasom ar yr un pryd â holl fintai'r Rhaglaw un o bobtu i'r afon ac ar ôl croesi i'r ochr ogleddol, dyna lle roedd John Henry Jones, Zachariah Jones a Herman Faesing yn sefyll yn ochr pabell yr hen wragedd a honno yn hollol wag o breswylwyr oddieithr cŵn, a phob peth oedd yn perthyn iddynt hwy wedi ei adael fel yr oedd, y crŵyn wedi eu lledu a'r offer crafu arnynt. Adroddai'r bechgyn i mi sut yr oedd wedi digwydd. Drannoeth wedi i ni ymadael am y de, aeth amryw o'r fintai ati i godi pawl o amryw lathenni o hyd a rhaff wrth ben y pawl i'r diben o godi bore trannoeth y faner Archentaidd ar ben y pawl sef ar y dydd cyntaf o Ionawr 1886 ac enwi'r llyn yn Llyn Fontana yr hwn oedd hyd yn hyn heb yr un enw cyn belled ag y gwyddem ni, ac y mae yn debyg yn ôl fel yr adroddai'r Indian wrthyf yn Valcheta iddo ef ofyn i un o'r fintai, beth oedd diben y rhaff wrth y pawl ac atebwyd gan y cyfaill caredig, mai at ei grogi ef y peth cyntaf bore y flwyddyn newydd.

Cododd pawb yn weddol fore ac awd ati o ddifrif at y ddefod o godi'r faner[45] ac enwi'r llyn yn Llyn Fontana a dyna yw ei enw swyddogol hyd heddiw, ac wedi gorffen y seremoni rywbryd tua chanol dydd, pasiodd un o'r fintai wely'r Indian a thybiodd ei fod heb godi, a rhoddodd gic i'r fantell groen oedd wedi ei gosod fel pe bai dyn yn gorwedd odani a mawr oedd ei siomedigaeth pan gafwyd allan nad oedd yno neb o dan y fantell, yr oedd ef wedi gadael ei wely yn gywir fel petasai ef ei hunan yno, ei het a'i fotasau a'i garpedi a'i gyfrwy marchogaeth ac hefyd ei gyllell fawr.[46] Yr oedd pawb wedi anghofio'r bore hwnnw ynghanol eu ffwdan a'u hwyl o enwi'r llyn fod yr Indian gyda hwy o gwbl. Awd yn uniongyrchol i edrych am y ceffyl oeddid wedi ei glymu y noson cynt i'r diben i ymorol y ceffylau yn y bore, a thyna'r pryd y cafwyd sicrwydd fod yr Indian wedi dianc gan ei fod wedi cymeryd y ceffyl oedd yn rhwym. Aeth John Henry Jones, Zacharia Jones, a Herman Faesing nerth carnau eu meirch i lawr glan yr afon ar ei ôl i gyfeiriad y babell lle yr oedd y gwragedd a'r clud wedi eu gadael ac os na ddeuent o hyd iddo eu bod i roddi'r wlad ar dân ac felly y bu (a thyna'r mwg a welsom ni o afon Mayo) ac wedi rhoddi i lawr y gwersyll, awd i chwilio am y ceffylau a'r ychen.

Methwyd â chael y ceffylau ac aeth yn derfysg drwy'r gwersyll, pwy âi ar ei ôl. 'Y fi,' meddai un, 'a dangosaf i'r gwalch fy mod yn medru trin fy arfau a chaiff brofi blas y plwm.' 'A finnau,' meddai un arall, 'a finnau,' meddai'r trydydd, 'a chaiff yr Indian wybod fod y "wincas"[47] yn medru rhedeg a dal hefyd a Duw a waredo ei enaid tlawd.' Yr oedd yn awr tua hanner y fintai am fyned ar ei ôl, ar foment cychwyn y daith nid oedd ond pump yn cychwyn allan ar ei ôl, a phan yn cychwyn gofynnais i'r Rhaglaw orchymyn sut i wneud a dywedodd wrthyf, 'Gwnewch fel y gweloch orau', a buom ein pump ar ei ôl am bum diwrnod yn ei dracio yn ddyfal nes oedd ein gyddfau wedi cyffio a phan yr oeddem yn ymyl yn ôl pob arwyddion daeth yn wynt cryf nes cau pob trac yn llwyr, nes y bu gorfod i ni adael yr ymgais a throi yn ôl heb ei gael. Mawr oedd ein siom fod yr Indian a dwy o wragedd a chwech o blant bychain wedi llwyddo i ddianc oddi ar ddau ddeg naw o bersonau a'r Coronel Fontana yn y fargen. Dywedodd yr Indian wrthyf ar ôl hynny ei fod wedi gweled ein traciau a'n bod o fewn ychydig gannoedd o lathenni iddo ond ein bod ni ar ben y creigiau ac yntau odditanodd mewn ogof fawr ymha le y daeth o hyd i Indian arall yn llechu. A chyfeiriodd yr Indiaid oddi yno am y gogledd nes eu dyfod gyferbyn â Valcheta ac yno y daeth hen Indian o'r enw Cual[48] o hyd iddynt ac ef a'u gyrrodd o'i flaen i'r gwersyll gyda pelenni (*boleadoras*)[49] yn y flwyddyn 1886, ac felly ar eu gwaethaf y rhoddasant eu hunain i fyny.

Yno yn Valcheta buodd yr oll Indiaid tan y flwyddyn 1892 pan y gollyngodd y llywodraeth hwy yn eu holau i'w gwlad ac i'w cynefin etifeddiaeth ond nid cyn eu rhestru yn ddeiliaid Archentaidd a gorchmynion caeth iddynt pa fodd i ymddwyn. Buont dawel am amryw flynyddoedd ar ôl hyn nes y cododd proffwyd yn eu plith o'r enw Cayapul[50] yr hwn a alwodd yr holl Indiaid at ei gilydd i le o'r enw San Martín[51] a dywedodd wrth yr Indiaid fod Duw wedi dweud wrtho ef ei fod i gael eu gwlad yn ôl iddynt oddi ar y *wincas* sef y dyn gwyn, neu yn hytrach y Cristionogion,[52] ac yr oedd dyffryn San Martín neu Jenua fel y galwai'r Indiaid ef yn agor yn ei hanner ac yn llyncu'r *wincas* i fyny pan y deuent yno i'w dal. Mae'n debyg fod y proffwyd ac un arall o'r Indiaid o'r enw Salpul,[53] hen filwr yn rhyfeloedd y gorffennol, wedi creu llawer o anesmwythyd ymhlith yr Indiaid. Yr oedd yn bresennol amryw gannoedd ohonynt sef plant y gaethglud yn dod adref i'w gwlad o Babilon. Fel y bu orau i ni yma ym Mro Hydref yr oedd boneddwr o'r enw Bernardo Mulhall[54] yn cadw *estancia* y tu allan i'r sefydliad yn Quichaura[55] a daeth ef i wybod y gyfrinach trwy un o'r Indiaid eu hunain, a danfonodd i lawr rhag blaen i Rawson, Prifddinas y Diriogaeth, ac hysbysodd y Rhaglaw o'r perygl yr oeddynt ynddo ac heb golli amser ffurfiodd y Rhaglaw Tello[56] gadrawd gref ag arfog o fechgyn y Dyffryn, a daethant yn llu banerog i sefydliad Bro Hydref heb i neb ohonom ni yma wybod dim am y peth ac at eu gwasanaeth am weddill y daith sef deugain llech i'r de oddiyma, a phan ddaeth Tello a'i wŷr at yr Indiaid i San

Martín a dal Cayapul a Salpul, neidiodd y Rhaglaw ar y ddaear a dywedodd wrth y proffwyd fod y dyffryn yn gadarn dan ei draed, canys dywedasai ef y buasai y Dyffryn yn ymagor ac yn llyncu y *wincas* i fyny. Aeth y Rhaglaw Tello â'r ddau arweinydd gydag ef i Buenos Aires a dangosodd iddynt arfdai y llywodraeth a'u cynnwys a dywedai wrthynt, os byddai iddynt greu cynnwrf wedi hynny yr anfonai filwyr ar eu gwarthaf i'w chwythu i bob cyfeiriad gyda'r cyflegrau mawr oedd yno. Gollyngwyd y ddau arweinydd yn ôl at yr Indiaid a chawsom ninnau berffaith dawelwch byth wedi hynny.

Llawysgrifau:
Ceir fersiwn yn llaw JDE ei hun yn y llyfrau nodiadau. Cafwyd fersiwn newydd wedi'i olygu gan Tryfan Hughes Cadfan. Mae dyddiadur yn llaw JDE ei hun yn dyddio o'r flwyddyn 1888 (gw. Atodiad Un) ar glawr hefyd, sydd yn olrhain y daith i Batagones yn fwy manwl na'r bennod hon.

[1]Richard Jones, Glyn Du (1844–1922). Un o fintai'r *Mimosa* a ddaeth i Batagonia ym 1865. Roedd yn fab i John ac Elizabeth Jones, Aberpennar, taid JDE. Yn 1866 priododd Richard Jones Hannah Davies a chawsant bump o blant. Dywedir iddo adeiladu'r felin wynt gyntaf yn y sefydliad, a chyfrannodd at y gwaith o dorri'r ffosydd a fu'n rhan allweddol wrth ddyfrhau'r dyffryn. Bu'n aelod o'r daith wageni i Gwm Hyfryd ym Medi 1888 a thrigai am gyfnod yn y sefydliad newydd. Fel capelwr selog, roedd yn weithgar yng nghapeli Moriah a Glyn Du yn y Dyffryn, a'r capel cyntaf i'w adeiladu yn Nhrevelin. Ysgrifennodd amryw byd o erthyglau i'r *Drafod* ond y gyfres bwysicaf o ddigon yw honno a gyhoeddwyd dan yr enw 'Y Wladfa Gymreig' (1919–1920). Mae'r gyfres yn eithriadol werthfawr o safbwynt hanes cynnar y sefydliad (*c.* 1865–1875).

[2]Ffurf aneglur yn y gwreiddiol; mae'n bosibl mai 'Maracato' yw'r darlleniad. Mabwysiadodd Tryfan Hughes Cadfan y ffurf 'Maragate' yn ei fersiwn teipiedig. Mae Carlos Sarasola yn cyfeirio at frodorion yn perthyn i lwyth o'r enw Mataco-Mataguayos. Mae'n bosib fod cysylltiad.

[3]Paratoadau ar gyfer y sefydlu yn yr Andes. Gweler 'Y Daith i Gwm Hyfryd', Medi 1888.

[4]Defnyddid Valcheta a Punta de Arenas yn wreiddiol fel carchardai milwrol. Erbyn diwedd y 1880au daeth Valcheta yn wersyll mawr i'r brodorion a gasglwyd o bob cwr o Batagonia. Oddi yno cafodd y mwyafrif eu cludo i fannau eraill fel Buenos Aires neu yn aml i dalaith Tucamen, lle cawsant fyw fel gweithwyr câns siwgr neu fel morynion. Cafodd rhyw ychydig ddychwelyd i'w bröydd gwreiddiol ond erbyn hynny roedd y tiroedd hyn ym meddiant tirfeddianwyr mawr, neu'n cael eu paratoi fel *colonias* i amaethwyr o wledydd Ewropeaidd.

[5]'Tamaid o fara'. Ceid bara ymhlith y brodorion ond o fath gwahanol i'r bara a welsant gan y Cymry. Sonnir am y brodorion yn gofyn am fara ar eu hymweliadau i'r sefydliad Cymreig yn y dyddiau cynharaf. Nid oedd y brodorion ar eu cythlwng y pryd hynny, ac mae digon o dystiolaeth fod y brodorion wedi helpu'r Cymry yn ystod y blynyddoedd cynharaf pan oedd hi'n fain iawn ar y gwladfawyr. Mae'r cyfeiriad at y *poco bara* yn y bennod hon yn datgelu'r holl drasiedi a wynebai frodorion Patagonia erbyn 1888. Cawsant eu gorchfygu

gan y fyddin yn derfynol erbyn 1885, a'u cludo o'u tiroedd. Erbyn cyrraedd Patagones, roeddent yn newynog, yn ddi-eiddo a digalon.

[6]Roedd John Jones Glyn Coch yn fab hynaf i John ac Elizabeth Jones, Aberpennar, ac yn frawd i Mary Daniel Evans, mam John Daniel Evans. Bu'n un o'r rhai a ymgyrchodd yn frwd dros yr ymfudo i'r Wladfa yn ardal Aberpennar. Dywedir am John Jones Glyn Coch mai ef mewn gwirionedd oedd y cyntaf i ddatblygu'r dull o ddyfrhau a ddaeth yn gyffredin drwy'r Dyffryn, sef drwy rwydwaith o ffosydd, a hynny cyn Tachwedd 1866 (gyda phob parch i Aaron Jenkins a'i wraig!). Ymsefydlodd yng Ngheg yr Hirdaith (neu Boca de la Travesía) ar lan afon Curu Leufú. Ni ddychwelodd i'r Chubut. (Gweler Elvey MacDonald, 1999, t. 221).

Mae brawd John Jones, sef Richard, fel pob un o haneswyr cynnar y Wladfa, yn mynegi'r anfodlonrwydd a gododd ymhlith y darpar Wladfawyr ar ôl 1865. Cyfeiriwyd llawer o'r dicter tuag at Lewis Jones ei hun, ac absenolodd ei hun o'r Wladfa yn fuan ar ôl y glaniad yng Ngorffennaf 1865. Yn ei lyfr mae Richard Jones yn sôn dipyn am y teimlad ymhlith llawer y dylent symud i ranbarth arall (Pennod 21, *Y Wladfa Gymreig*): 'Rhaid sôn yn y bennod hon am yr anfoddogrwydd oedd erbyn hyn yn dangos ei hun ym mysg llawer o'r fintai, yr oedd rhai o'r cychwyn cyntaf yn anfoddlawn ar y lle, ac o dipyn i beth ymledodd y teimlad hwnw gymaint fel yr aeth nifer fwyaf o'r fintai i waeddi am symud oddiyma ar unwaith.' Er bod teimlad ymhlith rhai yn y cyfarfod cyffredinol a gynhaliwyd i drafod y pwnc, y dylent aros, roeddent yn lleiafrif. 'Wedyn trodd y Cadeirydd at Cadvan Huws, i ofyn yr un peth iddo yntau, a dyna'r hen Gadvan yn ateb ar unwaith, "Aros yma wyf fi am wneud", ac ar hynny dywedodd Rhydderch Huws – "Ac yr wyf finau am aros gyda'g ef, ac i gymeryd y canlyniadau, os y ceir deg eraill yn foddlon i aros gyda ni." Ond ni chaed neb yn foddlon, a phenderfynodd y mwyafrif mai symud i le o'r enw 'Pájaro Blanco' yn nhalaeth Buenos Aires oedd oreu, a'r blaid arall mai i Patagones ar y Río Negro y carasent hwy fyned.' Mewn gwirionedd ymrannodd y sefydlwyr yn dair carfan, sef y rhai oedd am aros i weld a fyddai gwellhad ar eu byd yno yn yr ardal o gwmpas Caer Antur (Trerawson), a'r blaid symudol y ceid yn eu plith y rhai a fynnai fynd i Santa Fe yn y gogledd a'r rhai (ychydig) a ddymunai fudo i Batagones. Y Parch. Abraham Matthews oedd un o arweinwyr pennaf y blaid symudol ar y pryd, er y gwelai y dylent aros tan y flwyddyn ganlynol cyn symud i Santa Fe.

Roedd gwir berygl y byddai'r freuddwyd Wladfaol yn chwalu am byth. Ond gwelai John Jones, brawd Richard a brawd-yng-nghyfraith Edwin Cynrig Roberts, fod rhaid manteisio ar y cyfle a derbyn cynnig Aguirre a Murga i symud i lannau afon Negro nid nepell o Batagones. Ceir y hanes yn llawn gan Elvey MacDonald (*Yr Hirdaith*, tt. 130–1 *et passim*). Rhaid ychwanegu hefyd nad oedd John Jones yn hoff o Lewis Jones, a diau ei fod hefyd yn ei feio am amgylchiadau anodd y fintai. Beth bynnag, roedd Lewis Jones eisoes ar ei ffordd yn ôl i'r Wladfa i geisio dwyn perswâd ar y fintai i beidio â gadael (o bosibl dan bwysau oddi wrth Rawson a fuddsoddodd lawer yn wleidyddol yn y fenter). Digwyddodd Lewis Jones gyfarfod ag Abraham Matthews a Richard Jones Berwyn ym Mhatagones ar y ffordd, a hwythau'n anelu am Buenos Aires i drafod symud y fintai i le newydd. Cafwyd cytundeb rhyngddynt yno ac aethpwyd yn ôl i'r Wladfa i berswadio'r fintai i roi cynnig arall arni. Ni fedrai John Jones dderbyn y ffaith fod Lewis Jones ar ddyfod yn ôl o Buenos Aires i'r Wladfa a chael rhan yn ei weinyddiad. Yng ngeiriau E. MacDonald: 'Os oedd Lewis Jones yn ôl i aros, nid oedd lle i John Jones Glyn Coch yn y wladychfa'. Symudodd John Jones a theulu arall i Rio Negro ac yno yr ymsefydlasant. Yn eu plith yr oedd Watcyn Gwilym a Watcyn Wesley ap Mair Gwilym (*Yr Hirdaith*, t. 150).

[7]Yn ôl y bennod hon o waith JDE, aeth y criw at gartref John Jones ym Mhatagones. Er bod John Jones yn absennol, roedd ei wraig, Mary (Morgan gynt), yno ynghyd â'r plant, sef wyth ohonynt. Mae JDE yn bendant mai ym Mhatagones yr oedd y cartref ym 1888. Roedd y fferm mewn man o'r enw Boca de la Travesía (Ceg yr Hirdaith) sydd ar lan yr Afon Ddu,

ond 100 cilomedr o Batagones. A fyddai Mary Jones a'i theulu yn aros yn y dre pan fyddai ei gŵr i ffwrdd, neu a oeddent erbyn hynny (1888) wedi symud yn grwn i Batagones?

[8]Sef tua 1917.

[9]Indiaid Patagones. Fel arfer cyfeirid at y brodrion yn y parthau hynny fel Tehweltsiaid y Gogledd.

[10]Sef 'gringo' priod. Ni ddefnyddid y gair *gringo* i gyfeirio at y 'Cristianos', neu'r bobl o dras Sbaenig.

[11]Llun, 14 Rhagfyr 1885. Ai mab oedd hwn i Ramón Platero, un o benaethiaid Arawcaniaid y gogledd? Fel hyn y ceir hanes Platero gan William Lloyd Jones, Glyn: 'Daethom i olwg gwersyll a phabell brodorion. Yn naturiol, ac fel mesurau rhagocheliadol, erchwyd sefyll, a chrynhoi y ceffylau . . . a gosod gwarchae i wrthsefyll rhuthr pe digwyddai bwriad o'r fath, a detholwyd deg gŵr arfog i oresgyn y gwersyll, gyda'r canlyniadau o gael yn y babell, wraig a chwech o blant bychain, yr henaf oddeutu saith mlwydd oed. Siaradai y wraig dafod leferydd y brodorion yn unig (*cavanduga*, tafod leferydd yr Arawcaniaid), ond drwy wasanaeth y Br. Jenkin Richards fel cyfieithydd, gan ei fod yn hyddysg yn ieithoedd y brodorion, deallwyd mai un teulu'n unig drigianai yn y fangre, sef un dyn, dwy wraig a chwech o blant, a bod y gŵr ac un o'r gwragedd yn y paith yn hela, ond disgwylid hwy gartref yn fuan. Cyn hir daeth yr helwyr i'r golwg, ond yn hytrach nac agoshau at y babell, safasant yn y pellter, gan edrych yn barhaus i gyfeiriad eu cartref a oedd dan warchae; anfonwyd y wraig arall atynt yn genad hedd, ond treuliodd lawn hanner awr cyn eu gweled yn symud i gyfeiriad y babell, yr hyn a wnaethant yn araf a gochelgar, trwy gymorth y cyfieithydd Br. Jenkin Richards eto; deallwyd y perthynai y teulu hwn cyn caeth-gludiad y brodorion i lwyth y Pennaeth Shaihueque; ei enw oedd Martin Platero, ac wedi etifeddu ei gyfenw ar gyfrif ei gelf fel gof arian. Dywed mai efo a'i deulu yn unig ddihangodd o'r ysgubo a wnaed ar eu gwlad ddwy flynedd yn ôl gan y fyddin Archentaidd. Yn yr ymchwiliad i'r pethau a oedd yn ei feddiant, cafwyd mai ei unig arf oedd *lansa* hir a gref, ac yn arf trywanu ar flaen y pren . . . '

Mae Luis Jorge Fontana, y Rhaglaw, yn ei gyfrol *Viaje de Exploración en la Patagonia Austral* (1886), yn cadarnhau mai i lwyth Saihueque y perthynai Platero a'i deulu cyn i'r brodorion gael eu clirio o'r rhanbarth. Er ei bod yn bosibl fod y brodor wedi etifeddu'r cyfenw Platero oddi wrth ei dad, mae Fontana yn ychwanegu mai fel gof arian yr oedd y brodor yn ennill ei fywoliaeth, yn ogystal â chynhyrchu arfau gweithio. Yn ddiddorol iawn hefyd dywed Fontana fod y brodor yn honni iddo adnabod Francisco Moreno, un o arloeswyr enwocaf Ariannin, pan oedd Platero yn dal i wasanaethu Saihueque. Ymddengys fod Platero wedi ei weld ym mhabell Saihueque sy'n awgrym hefyd o safle Platero, fel mab i bennaeth ei hun. Ar ben hynny, dywedodd Platero adnabod George Musters, y teithiwr o Sais a ysgrifennodd un o'r llyfrau mwyaf dylanwadol ar Batagonia ar ddechrau'r 1860au. Mae'n glir iawn o adroddiad Fontana fod Platero yn gyfarwydd iawn â'r llwybr ac yn rhoi gwybodaeth a gadarnheir weithiau gan Fontana ar sail cyfrol Musters.

Yn adroddiad Billy Thomas, dywedir fod Platero wedi dychwelyd i'w wersyll tua 3 o'r gloch y pnawn. Atega eiriau William Ll. Jones drwy ychwanegu eu bod wedi perswadio ei *china* (gwraig) i fynd ato a phwyso arno i ddychwelyd i'w babell: 'Ac felly y bu. Wedi iddi cyraedd ato dyna le buont yn siarad am amser ond or diwedd dyma nhwy yn dod, yr oedd gydag ef hen wraig a hogyn bach. Yr oedd y tri yn edrych yn bur ddigalon. Dywedodd y Governor wrtho nad oedd eisiau iddo ofni nid oeddem yn myned i wneud dim iddo, mae dynion yn archwilio'r wlad oeddem ac nad oeddem yn cwrdd ag indiaid da, ond os byddau indiaid drwg ein bod yn eu lladd. Wedi hyny gofynodd iddo os byddau iddo ein arwain trwy y wlad ir hyn y bodlonodd.'

[12]Sef ceffylau gwaith a ddefnyddid i gario'r clud.

[13]Y Rhaglaw Luis Jorge Fontana.

[14]Cyfeirir at Franco a Derbes fwy na thebyg. Yn adroddiad John Murray Thomas, ceir

ychydig mwy o wybodaeth am y digwyddiad: 'Left camp at 10 a.m. in direction S. by E. for 3 miles, S.E. 1/2 mile, when we sighted an Indian tent, could not say for certain whether any more tents were to be seen as the first lot turned back to advise the others, then some 18 men all told went forward on a quiet gallop with the exception of the Governor's two men, who most foolishly rushed ahead and frightened the poor *china* and children who were left in the tent, they also frightened the mare which was tied; she ran away and of course the horses followed.' Ychwanega fod dwy wraig, un allan yn hela gyda phlentyn a Platero a'r llall yn y babell gyda'r pum plentyn arall. Dywed hefyd fod Platero yn cytuno i fod yn *baqueano* iddynt ar y rhan honno o'r daith er ei fod yn ofni y bydd hwnnw'n dianc y cyfle cyntaf a gâi.
[15]15 Rhagfyr 1885.

[16]*Carabina*, sef reiffl, dryll.

[17]Arwydd mai aelod o dylwyth picellog oedd ef, sef 'Huaiqui' yn iaith yr Arawcaniaid. Gallai'r gwaywffyn hyn fod hyd at 5 medr o hyd a chaent eu defnyddio mewn rhyfeloedd a seremonïau crefyddol.

[18]Sbaeneg: *legua*; S: *league*, tua phum milltir.

[19]Sef y Pennaeth Foyel. Gw. nodyn 28.

[20]Dydd Iau, 17 Rhagfyr 1885. John Murray Thomas: 'This valley extends considerably to S.E. and the Indian says, if we start early, we may come to Foyel's camp'. Y diwrnod wedyn mae'r fintai yn teithio tua 30 milltir. Dydd Sadwrn, 19 Rhagfyr, maent yn cyrraedd man lle yr ymosododd y fyddin ar bobl Foyel tua diwedd 1884. Ni chyrhaeddir gwersyll Foyel tan ddydd Mawrth, 22 Rhagfyr 1885.

[21]Llech y brodor. Er i'r cyfeiriad gael ei ystyried yn ddigrif, roedd Platero yn sôn am rywbeth pendant yn ei ddiwylliant. Mae'r *'legua paisano'* neu *'tupu'* fel y dywedir yn yr iaith Arawcaneg yn derm a ddefnyddid yn aml gan y brodorion yn Ariannin a tu hwnt i'w ffiniau. Yn ôl geiriadur Mapuche Esteban Erize (1960), ceir cadarnhad ei fod yn fwy na'r 'llech' arferol (mesur a gyflwynwyd i'r wlad gan y Sbaeniaid o Gastíl), ond efallai nad oedd yn hanner cymaint â'r pellter a deithiwyd gan Platero a'r fintai!

[22]Sonnir yma am yr olygfa yn hen wersyll y pennaeth Foyel. Dywed William Lloyd Jones, Glyn (dydd Sadwrn, 19 Rhagfyr 1885): 'Gwelir yma ar ganol y dyffryn olion gwrth-glawdd a brwydr neu wrthsafiad diwethaf yr hen frodorion. Dywed hanes mai'r Pennaeth Foyel fu teyrn diwethaf y dyffryn hwn. Adroddir i'r Milwriad Laciar gael gwybod lleoliad ei wersyll, a danfon yno gatrawd dan reolaeth y swyddog Enseis i gymryd y Pennaeth a'i lwyth yn garcharorion, gydag archiad ac awdurdod i gyflenwi ei neges â grym arfau, os byddai angen hynny. Anhawdd ydyw traethu'n bendant beth a gymerodd le yma, ond hyn sydd sicr, y gwelir yma olion brwydr ffyrnig ac ysgrydiau deg-ar-hugain *kau* (pabell Tehuelcho) yn fud, ond eto'n llefaru fel cyfrwng i ddehongli digwyddiadau y gorffennol ac ymdaith gwareiddiad, neu *La Conquista del desierto*.' Digon tebyg yma yw adroddiad L. J. Fontana wrth ddisgrifio'r gwersyll olaf hwn, ond ei fod yn fwy brawychus fyth. Sonia am y pebyll gweigion, a'r darnau o waywffyn ar y llawr, ond hefyd am ysgerbydau'r ceffylau a'r dynion, bwledi Remington, darnau o ddillad. Ceir ganddo hefyd hanes yr erlidiad olaf yn 1884.

[23]Hynny yw, cawsant eu lladd gan fyddin y llywodraeth. Rhaid eu bod yn defnyddio'r cleddyf traddodiadol a drylliau Remington.

[24]Am Lino de Roa gweler Hanes Cyflafan Dyffryn y Merthyron, nodyn 10.

[25]Yn llawysgrif wreiddiol JDE, ysgrifennir yr ail enw fel Sotel. Ceir trafodaeth ar yr enw yn Casamiquela (2000). Ffurf a geir heddiw yw Piedra Shotle. Ymddengys fod Shotel yn golygu 'saeth' yn iaith Tehweltsiaid y De, ond awgrymir fod Sotel hefyd yn air Tehweltseg. Yn ôl adroddiad y brodorion eu hunain, ceid llawer o bennau saethau yn y fan honno oherwydd bu brwydr ar un adeg rhwng y Tehweltsiaid a'r Manzaneros, yng nghyfnod tad Foyel. Ymddengys mai'r enw gwreiddiol oedd Shotel-kaike.

[26]Coronel Villegas. Swyddog blaenllaw yn yr ymgyrch filwrol yn erbyn y brodorion ar

ddechrau'r 1880au ym Mhatagonia. Ymladdodd yn erbyn yr Arawcaniaid yn 1876 yn San Carlos, ac eto yn y ddwy flynedd wedi hynny yn erbyn yr Arawcaniaid. Enwyd Campamento Villegas yng ngorllewin y Dyffryn ar ei ôl.

[27]Aneglur at bwy y cyfeirir yma. Ai David Williams 'Oneida' yw hwn? Bu ef yn un o'r rhai a fu'n teithio gyda Lewis Jones yn y 1870au.

[28]Hynny yw, i ddyffryn Chubut ac oddi yno i Valcheta ymhellach i'r gogledd. Ceir yr un hanes gan L. J. Fontana yn ei adroddiad ef. Mae'r hanes ychydig yn wahanol i'r hyn a geir gan JDE. Dywed Fontana fod Foyel ac ychydig o'i ryfelwyr (66 yn ôl Meinrado Hux) yn ogystal ag Inacayal a Chiquichano wedi dod at Gyrnol Laciar (*sic*) yn 1884 (3 Hydref) i ildio ac felly cytunwyd y byddai'n dychwelyd i'r ardal ar lannau afon Senger lle roedd wedi ymgartrefu erbyn hynny (h.y. symud o'r hen wersyll ger Sunica ymhellach i'r gogledd), ac y byddai Foyel yn mynd gyda swyddogion eraill y fyddin er mwyn i'r llwyth gael eu casglu ynghyd a'u cludo yn ôl i ddyffryn Chubut. Cafodd yr is-gapten Enseis (ceir y ffurf Insay hefyd), aelod o'r marchoglu, ei anfon i arwain y daith hon. Dri diwrnod ar ôl cyrraedd y gwersyll, dywedodd Enseis ei fod yn bryd i bawb baratoi am y daith yn ôl, sef y daith olaf o'r gorllewin. Atebodd Foyel drwy ddweud fod angen mwy o amser i baratoi'r pynnau. Rai dyddiau'n ddiweddarach, dywedodd Foyel fod y brodorion eisiau cynnal gŵyl i ddathlu'r ffaith eu bod yn ymadael, efallai am byth. Ofnai'r swyddog fod y brodorion yn paratoi ymosodiad ar y milwyr. Yn ôl Fontana, daeth i'r amlwg yn ddiweddarach fod bwriad i ymosod y diwrnod nesaf. Cafodd yr wybodaeth hon oddi wrth y cyn-bennaeth Chiquichano a *baqueano* arall. Dim ond 25 o filwyr oedd gan Enseis ac roedd y brodorion yn fwy niferus na'r milwyr; felly, penderfynodd y swyddog mai taro tra bo'r haearn yn boeth oedd orau ac ymosododd ar y brodorion. Cafodd gweddill y llwyth eu cludo i'r Chubut. Mae'n bosibl fod rhai o'r milwyr yn teithio gyda Fontana wedi bod yno gydag Enseis yr adeg honno, gan fod ei adroddiad, meddai, yn seiliedig ar yr hanes a gafodd oddi wrthynt. Ceir disgrifiad byw o'r ymosodiad: ymddengys fod drylliau ar gael gan y ddwy ochr, ond yn ôl tystiolaeth JDE daethant o hyd i weddillion rhai o'r brodorion a gafodd eu lladd â chleddyfau, ac roedd yr arf hwnnw yn rhan o gyfarpar y farchoglu. Yn ôl Meinrado Hux digwyddodd y frwydr 18 Hydref 1884. Dywed ef hefyd i 36 o'r brodorion gael eu lladd. Aeth y penaethiaid i Junín de los Andes i ildio'n 'swyddogol' ar 1af Ionawr 1885.

[29]Saihueque neu Shaiweke (1823–1903). Prin y gellir gwneud cyfiawnder â bywyd y pennaeth hwn mewn nodyn. Roedd o dras Puelche a Huilliche ac yn fab i'r pennaeth Chocorí, pennaeth Arawcanaidd. Mae'n debyg iddo gael ei fedyddio yn ôl defod yr eglwys Gatholig. Roedd ganddo deyrnas eang iawn a adwaenir fel arfer fel Gwlad yr Afalau rhwng afonydd Camwy a Neuquen ar hyd mynyddoedd yr Andes. Dywedir fod ei bobl yn ddwyieithog gan siarad iaith yr Arawcaniaid ac iaith y Tehweltsiaid. Ar ôl gyrfa anrhydeddus yn ceisio heddwch â'r dyn gwyn, sylweddolodd na fedrai amddiffyn ei bobl ond drwy ryfel er ei fod yn credu mewn heddwch. Creodd gytundeb â'r penaethiaid pwysicaf fel Inacayal a Foyel a fyddai'n ddigon cryf i wrthsefyll *La Conquiesta del Desierto*. Ildiodd gyda'r penaethiaid eraill 1af Ionawr 1885 yn Junín de los Andes, gyda 700 o ryfelwyr a 2,500 o frodorion cyffredin. Cafodd y digwyddiad gyhoeddusrwydd eang ym mhapurau Buenos Aires. Yn y diwedd cafodd Saihueque a'i bobl dir yn Nhiriogaeth Chubut ger Cwm Hyfryd yn dilyn deddf yn 1894, yn bell er hynny o'u tiroedd gwreiddiol. Bu farw yn Piedra Shotel yn 1903.

[30]Roedd Inacayel (1824–88) yn bennaeth Tehweltsaidd o'r gogledd (sef Huilliche) ac yn fab i'r pennaeth Huincaval. Bu'n gyfrifol am sawl ymgais i sicrhau heddwch rhwng y wladwriaeth a'r brodorion. Erbyn 1872 roedd yn byw ar lannau Nahuel Huapi. Yn 1877 roedd yn bennaeth dros 1,500 o frodorion. Cyfarfu'r teithiwr enwog Francisco Moreno ag ef yn 1875. O ddeall fod polisi'r llywodraeth am orchfygu'r brodorion drwy ryfel, ymunodd yn 1882 â lluoedd yr uwch-bennaeth Saihueque. Cafodd ei erlid yn aflwyddiannus gan luoedd Lino de Roa yn 1883, a bu brwydr ger Apeleg. Dywedir fod gan y brodorion eu

drylliau eu hunain erbyn hynny. Mae'n debyg mai'r rheswm am alw'r penaethiaid at Lasciar oedd ymgais i ddwyn perswâd arnynt i ildio i'r llywodraeth ac i dderbyn cael 'eu gwareiddio'. Mae'n debyg fod gan Chiquichano ran yn y trefniant i sicrhau fod rhai o'r brodorion gwrthwynebol yn cael eu denu at achos y llywodraeth. Ni fynnai Inacayal na Foyel ildio i hyn. Anfonwyd Inacayal i Buenos Aires fel carcharor. Er i Moreno geisio ei amddiffyn, aeth y pennaeth i stad o anobaith ac ni fynnai fwyta, a bu farw ym mis Medi 1888.

[31]Sef heddiw Arroyo Genoa yn ardal Jose de San Martín wrth deithio i'r de-ddwyrain o Teca. Ceir trafodaeth faith gan Casamiquela ar yr enw (2000), tt. 47–50. Mae William Meloch Hughes yn cyfeirio at yr enw fel Heno-kaik. Gan Llwyd ap Iwan ceir y ffurf Chenwa, sy'n adlewyrchu'r sain a geir yn y ffurf Sbaeneg/frodorol. Dywed William Lloyd Jones, Glyn, fod Martin Platero yn galw'r lle yn Genwa neu Hennoa. Ychydig yn wahanol yw'r ffurf Quinnoa a geir gan Luis J. Fontana, sef y ffurf a roddwyd iddo gan Platero, meddai. Adwaenir y llecyn fel yr un a elwir gan Musters yn Henno. Henoa yw'r ffurf a ddefnyddia William Lloyd Jones yng ngweddill ei adroddiad.

[32]25 Rhagfyr 1885. William Lloyd Jones, Glyn: 'Gwersyllwyd ar y tu gogleddol i'r afon ac arhoswyd yma dri niwrnod er mwyn chwilota, cafwyd trwy lawer o gloddio a golchi tywod traeth yr afon ychydig dros bedwar gram o aur.'

[33]Ceir hefyd y ffurf Cheinquilahue. Mae'r ysgrifen yn y llawysgrif wreiddiol yn aneglur, ond mae'n edrych yn bur debyg mai'r ffurf a ysgrifennodd JDE oedd Joique Nilaue. Gw. nodyn 44.

[34]Defnyddid y gair *china* i olygu gwraig frodorol.

[35]Malacara, sef y ceffyl enwog a achubodd fywyd JDE yn 1884.

[36]Llwyn dreiniog iawn yn cynhyrchu eirin bach duon.

[37]Ceir amryw gyfeiriadau gan awduron at hoffter Fontana o ganu'r Cymry.

[38]*Yerba Mate*.

[39]26 Rhagfyr 1885.

[40]Llyn Fontana. Yn ystod taith 1885–6 y cafodd ei bedyddio ag enw'r Rhaglaw.

[41]*Negro*: math o geffyl du.

[42]Tirfeddiannwr a gweinyddwr pwysig yn y Dyffryn yn y 1890au. Bu'n gadeirydd Cyngor Trelew yn ystod yr 80au.

[43]Cedwir yr enw hwn hyd heddiw ar fapiau'r wlad. Ceir tref hefyd yn dwyn yr un enw.

[44]Sillefir hefyd Choiquinilahue. Y ffurf swyddogol yw Paso Choiquelahué. Daw'r enw o'r Arawcaneg choiké-nilawé, yn golygu Bwlch yr Estrys (Casamiquela, 2000b). Yn y fan honno mae'r afonydd Genoa, Apeleg a Senger yn cyfarfod.

[45]Baner Archentina.

[46]Mae William Lloyd Jones, Glyn, yn sôn yn ei ddyddiadur am ddydd Mercher, 30 Rhagfyr 1885: 'Bore heddiw canfuwyd bod y brodor Martin Platero, yr hwn a gaeth-gludwyd gennym o ddyffryn Tekel, wedi diflannu yng ngwyll y nos, a threfnwyd mintai fechan i'r amcan o'i ymlid, gan ddisgwyl ei oddiweddyd yn Rhyd y Tewelches, gwersyll cyntaf ar yr afon Senger, a'r lle y gadawyd ei wraig a'i blant, bedwar niwrnod yn ôl, i warchod yr ysgribliaid a'r clud a adawyd yno er ysgafnu a rhwyddhau teithio.' Y diwrnod wedyn, penderfynir rhoi ei ryddid iddo: 'Deallwyd drwy adroddiad y *gauchos*, fod y brodor a'i hepil wedi ennill eu rhyddid unwaith eto, ni thrafferthwyd i'w ymlid mwy, a barnai mai dymuniad cyffredinol y fintai oedd, rhwydd hynt iddo ef, ei wragedd a'i blant a'r pymtheg milgi.' Er hynny, rhaid fod Jones yn methu o ran ei ddyddiad yma, gan fod adroddiad John Murray Thomas yn cadarnhau mai dydd Calan oedd hi pan ddarganfuwyd fod Platero wedi cymryd y goes. Cofnodir y ddihangfa gan Billy Thomas yn ei ddyddiadur ef, ddydd Sadwrn, 2 Ionawr, ond bu ef ar daith allan o'r gwersyll. Yn ei ddyddiadur dywed: 'bod yr Indian wedi diflanu rywbryd rhwng nos Iau a borau dydd Gwener ac wedi mynd a cheffylau J. H. Jones a Ramon pan oeddynt wedi adael o dan ofal *chinas* gyda ef. Mae yn

190

debyg na chafodd y *chinas* ddim amser i daclu dim gydag ef, oherwydd yr oeddynt wedi gadael y tent a phob peth oedd ynddo ac wedi ffoi am eu bywydau.' Mae adroddiad John Murray Thomas yn ei gwneud yn eglur fod y rhan fwyaf o'r fintai wedi bod allan o'r gwersyll am ychydig ddyddiau. Mae Thomas yn dweud iddynt sylweddoli fod Platero wedi mynd fore Gwener, 1 Ionawr: 'We made arrangements for 4 men to go down to where the *chinas* were left and if possible to catch the Indian; if he made any resistance they had orders to shoot him but not to harm the *chinas* and children.' Roedd y *chinas* yn y gwersyll a ddefnyddiwyd ddydd Nadolig a chawsant fod Platero wedi cyrraedd yr hen wersyll nos Wener, 1 Ionawr, ac wedi ffoi gyda'u teulu. Yn ôl Jones, gwersyllwyd ar ochr ogleddol afon Senger ddydd Nadolig. Trefnwyd anfon saith o ddynion (yn cynnwys JDE) ar ei ôl er mwyn cael y ceffylau'n ôl. Ni ddaethant hwy yn ôl tan ddydd Mercher, 6 Ionawr 1886.

[47]Gair brodorol (Arawcaneg) am y bobl wynion. Yn ôl yr orgraff fwy swyddogol, y gair yw Huinca a chyfeiria at bawb nad yw'n frodor, ond yn arbennig y 'Cristianos', sef y 'Sbaenwyr'. Cysylltid y gair wedyn â'r rhai a ladrataodd eu hanifeiliaid ac a adawodd y brodorion heb dir.

[48]Ceir yr enw hyd heddiw ymhlith y brodorion yn y gorllewin.

[49]Defnyddir y rhain er mwyn dal anifeiliaid megis y wanaco.

[50]Caiff pennaeth o'r enw Cayapí ei enwi ddwywaith mewn cytundeb heddwch yn dyddio o'r flwyddyn 1875. Mae'n bosibl mai Cayapi yw'r ffurf wreiddiol gan mai dyna'r sillafiad a geir mewn mannau eraill (gw. er enghraifft Matthew Henry Jones, cyfrol 1, 1886–1903, *El Desafío Patagónico*, lle cyfeirir at yr hanes am Gabriel Cayapi a'r gwrthryfel). Mae Carlos Sarasola yn cyfeirio at wrthryfeloedd Meseianaidd ymhlith brodorion Ariannin yn bennaf yn nhalaith Chaco, gogledd Ariannin (gw. *Nuestros Paisanos Los Indios*, 1992).

[51]San Martín de los Andes.

[52]*Cristianos* oedd yr enw a roddid gan y brodorion ar yr Hisbaeniaid yn Ariannin.

[53]Mae'n bosibl mai ffurf ar yr enw Salpü sydd yma. Os felly gellir ei gysylltu â'r enw Juan Salvo, sef y brodor a geisiodd ddwyn perswâd ar JDE a'i gymdeithion i'w ddilyn i wersyll Foyel yn 1884. Awgrymir hefyd y bu ef â rhan yn yr ymosodiad hwnnw. Mae'n bosibl fod yr enw Salvo yn ymgais gan yr Archentwyr i ynganu'r enw brodorol 'Salpü' drwy ddefnyddio gair cyfarwydd mewn Sbaeneg.

[54]Bernard Mulhall, un o feibion teulu'r Mulhall o Buenos Aires. Roedd Edward Mulhall o dras Wyddelig ac yn berchen ar *The Standard*, y papur newydd Saesneg pwysicaf a gyhoeddid yn Buenos Aires. Priododd un o'r brodyr, Michael G. Mulhall, â merch John Murray Thomas.

[55]Fe'i ceir ar fap Llwyd ap Iwan yn y ffurf Citsawra. Ceir nant Citsawra hefyd, sef Arroyo Quichaura.

[56]Bu hyn yn 1895. Digwyddai'r Rhaglaw Eugenio Tello fod yn yr Andes ar y pryd. Arweiniodd John Murray Thomas fintai o 28 o wŷr arfog (Cymry oeddent gan mwyaf) i amddiffyn y Rhaglaw pe llwyddai Cayapi i achosi gwrthryfel cyffredinol. Ymunodd eraill cyn gadael y Dyffryn. Yn y diwedd restiwyd Cayapi a Salpu yn Genoa. Cawsant eu cludo i Drerawson ac oddi yno i Buenos Aires ond daethant yn ôl yn fuan wedyn ar ôl cael eu rhyddhau.

Dyddiadur Taith Rhagfyr 1889
gyda Carlos Moyano

Rhagfyr 12 – Cychwyn taith i'r Andes gyda'r Cad. Moyano[1] a'r peirianydd Ezcura,[2] Evan Hopkins[3] a minnau, ac amryw filwyr ac Indiaid, yr oll ohonom yn 25 o rifedi. Dygem gyda ni o Drerawson dair gwagen yn llwythog o gelfi a bwyd, a chyraeddasom y Driongl[4] y diwrnod cyntaf.

Gwener, 13 – Cawsom gryn drafferth gychwyn y gwageni drannoeth. Evan Hopcyn yn gyrru'r wagen flaenaf. Maniwel Portiwgi[5] yr ail, a minnau y drydedd – pob un ohonom a gwedd o fulod gwylltion yn y wagen, yn neidio, dawnsio, a phlycio bob yn ail, fel pe buasent ag ofn rhoi traed ar lawr. Ac yn y wedd yna, a thrwy gynorthwy cenglu droeon, cyraeddasom ben y dyffryn uchaf.

Sadwrn – Cyrraedd y *Campamento*[6] yn gynnar a lled didrafferth, oddigerth ambell gic a sbonc wrth fyned drwy y ffosydd yn yr Hafn Hir.[7]

Llun – Euthum yn fy ôl at ystor Adna Davies,[8] i brynu rhagor o reidiau at y daith o bedwar mis oedd o'n blaenau. Croesais yng nghwch Dalar Evans,[9] wrth wifrau yn groes i'r afon; a chan fod cryn li yn yr afon, a minnau yn sefyll ar ben blaen y cwch, bûm yn troi ôl a blaen ynghanol yr afon, yn methu yn fy myw â chael un ochr na llall, tra'r cwch yn llenwi yn brysur. Ond rywsut cefais y lan ogleddol, ac euthum yn syth ynghylch fy musnes. Wrth groesi'n ôl, eisteddais yn nghwr ôl y cwch, ac euthum drosodd yn ardderchog. Digon tebyg, onide, i lawer o bethau yn y Wladfa – yn llawn hwylusach i'w tynnu o chwith nac o dde. Wedi cwpanaid o de yn nhŷ Dalar Evans, a phrynu darn o fochyn yno, euthum cyn belled â thŷ Thom. Davies[10] y plismon. Bore trannoeth, euthum ati i farchnata – caws, lard, ymenyn, a darn eto o fochyn. Erbyn i mi hel yr oll at ei gilydd, yr oedd gennyf bwn ceffyl go dda, heb i mi fyned ar ei gefn: ond hynny oedd raid, gan mai un ceffyl oedd gennyf.

Ymhen ychydig wedi i mi gychwyn, daeth yn wres angerddol, nes toddi'r lard, yr ymenyn, a'r mochyn, a'u gyrru i redeg yn ffosydd lawr coesau fy ngheffyl. Erbyn cyrraedd y *Campamento*, nid oedd gennyf ond y carpiau mân lle bu'r ymenyn, &.

Mawrth – Pedoli y mulod. Yr oeddym o'r fan hon yn cymeryd rhyw 80 o fulod gyda ni, ac yr oedd raid eu pedoli cyn wynebu'r creigiau. I'r oruchwyliaeth hon, rhoddwyd pedwar polyn yn ddwfn yn y ddaear, o fewn dwy lath i'w gilydd, a phren wedi ei glymu ar draws y ddau dalcen, ac yna taflu y mul ar wastad ei gefn ar lawr yn y canol, rhwng y polion, a rhwymo ei draed ôl wrth y trawst, a'i draed blaen wrth y llall, nes ei dynnu yn dynn, fel na allo syflyd o'r fan – cynllun da a hwylus i ochelyd cic mul.

Iau [*sic* Ion] 19 – Cychwynasom ein taith am yr Afon Fach neu yr Iamacan,[11] fel y gelwir hi gan y Teweltiaid,[12] pellter o tua 20 milltir. Cawsom drafferth i gychwyn, ac os trafferth i gychwyn, trafferth mwy i dynnu naill y llall i fyny dros y bryniau bychain i'r *Campamento*.[13] Ar ôl cyrraedd pen y bryniau, meddyliem yr elem dipyn yn rhwyddach wedyn; ond nid aethom ymhell cyn i'm gwagen i blannu i'r ddaear, a thorri un o'i breichiau yn ddarnau mân. Neidiodd y mulod y naill ar gefn y llall wrth fyned i lawr i'r trip,[14] nes eu bod hwy a'r wagen bendramwnwgl yn y gwaelod. Euthum i â'r milwr yn ôl at yr afon i geisio pren, a mynnai'r milwr gael ei roddi i'w lusgo wrth gengl ei ful; ond cyn gynted ac y sicrhawyd y pen wrth y mul, cododd y creadur ei ddwy glust fel dwy hwyl i'r gwynt, ac ymaith yr aeth nerth ei garnau, gan godi ei gwt a lluchio ei draed ôl i'r gwynt, trwy ganol y drain a'r twmpathau, nes oedd y pren yn chwifio lathenni uwch ei ben weithiau, a rhaid fu cael cynorthwy y peli[15] am ei goesau i'w ddal. Wedi cyrraedd y wagen, awd ati o ddifrif i wneuthur braich, nid oedd gennym yr un lli nac ebill i wneuthur tyllau i'r bolltau. Ond gwnaed y diffyg hwnnw i fyny trwy gymeryd y fwyell yn lle lli, a'r bidog oddi ar flaen y gwn yn lle ebill. Felly, ar ôl trwsio'r fraich, aethom yn ein blaenau yn lled hwylus a chyraeddasom hyd hanner y ffordd i'r Bryniau Gleision[16] y noswaith honno. Anfonwyd y mulod ar ein cyfer i'r afon i gael dŵr.

Gwener, 20 – Cychwyn yn bur fore heddiw, a chael trafferth fawr drwy'r dydd – y mulod yn pallu â thynnu. Cychwynasai Moyano o'n blaenau, a daeth o hyd i fachgen bach o Sais a gychwynasai gyda gwartheg a defaid i'r Andes dros Mrs Ellis Jones.[17] Cafodd

Moyano y bachgen hwn ar ei draed, wedi colli ei ffordd, a bron trengu o eisiau dŵr.

Sadwrn, 20 – Yn ein blaenau i'r Iamacan a myned i lawr yr hafn rywsut, rywsut, fel nad oeddem ond disgwyl bob munud i'n gwagen i hollti yn ddarnau.

Sul, 22 – Croesi'r bwyd a'r celfi yn y cwch, a gadael corff y farwolaeth, sef y dair gwagen, ar ein holau y tu dwyreiniol i'r afon.

Llun, 23 – Cymerem gyda ni o'r fan yma 16 o fulod dan bynnau, a chyraeddasom Cwmdeuddwr; ond nid heb lawer o drafferth, trwy fod y mulod heb fod yn cario pynnau ers blwyddyn. Lluchiasant y pynnau hyd lawr amryw o weithiau yn ystod dwy neu dair awr o deithio.

Mawrth, 24 – Yn ein blaenau am y Clafdy, pellter o tua 6 llech, a chael trafferth fawr trwy'r dydd, am nad oedd yr ystrodurion wedi dyfod i eistedd yn wastad ar gefn y mulod.

Mercher, 25 – Dydd Nadolig – Cychwyn am Ddyffryn Cel-Cein, er mai dydd Nadolig yw, ond bu orfod i ni droi i lawr Hafn Harri am yr afon, pellter o tua 5 llech, o'r Clafdy, am ei bod yn boeth iawn.

Iau, 26 – Gwneuthur taith fechan dros y camp i Ddyffryn Cel-cein, ar gyfer bedd y Cymry, pellter o tua 8 llech.

Llawysgrifau:
Ni cheir copi llawysgrif o'r ddogfen hon erbyn hyn. Fe'i cyhoeddwyd yn *Y Drafod* 11 Mehefin 1891 a 2 Gorffennaf 1891.

[1]Cafodd Carlos M. Moyano ei eni yn Mendoza, Ariannin, ym 1854. Ymunodd yn gynnar â'r llynges, ac fe'i penodwyd yn 'capitán de fragata' ym mis Mawrth 1887. Dyna oedd ei deitl pan ymddeolodd o'r llynges ym 1905. Gwelodd frwydro mewn nifer o ymgyrchoedd rhwng 1873 a 1880. Bu hefyd yn cymryd rhan mewn nifer o deithiau arloesol yn yr 80au pan oedd yn gwasanaethu fel rhan o weinyddiaeth talaith Santa Cruz, yn arbennig felly y daith ar hyd afon Deseado. Cymerodd ran mewn gwahanol 'gomisiynau' i bennu ffiniau swyddogol y wlad yng nghwmni Perito Francisco Moreno wrth iddo archwilio Santa Cruz ac ardal y Llynnoedd yn neheubarth y wlad. Cafodd ei benodi yn llywodraethwr talaith Santa Cruz yn 1884. Fel dyn a ymddiddorai yn y gwyddorau, cafodd gynrychioli ei wlad fel daearyddwr yn Fenis mewn cynhadledd gydwladol. Bu farw yn Buenos Aires yn 1910. Yn ystod ei yrfa, teithiodd yn helaeth drwy Batagonia ar ei benodi'n bennaeth 'comisiwn' archwilio ym 1889. Cyhoeddodd ei ddarganfyddiadau mewn cyfrol o'r enw *Viajes de Exploración a la Patagonia, 1877–1890*. Pan ddaeth i lawr i Chubut ym 1889, daeth â'i gydweithiwr y peiriannydd Pedro Ezcurra gydag ef. Cafodd Moyano ei siarsio i archwilio'n drwyadl yr ardal yng ngorllewin Patagonia a ffiniai â Chile. Byddai cwestiwn y ffin rhwng y ddwy wlad yn destun trafod ac yn destun ymrafael tan y flwyddyn 1902 pan gafwyd comisiwn rhyngwladol a farnodd yn derfynol ble y dylai'r ffin fod.

Ceir adroddiad llawn am y daith i'r ffin â Chile 1889–90 gan Moyano mewn Sbaeneg dan yr enw *Comisión Exploradora a los Territorios Nacionales* a gyhoeddwyd yn Buenos Aires yn 1890. Ymddengys i'r daith barhau o Ragfyr 1889 tan Fai 1890, er mai dim ond ei dechrau a ddisgrifir gan John Daniel Evans. Ni wyddom a gadwodd JDE ddyddiadur llawn am y daith ond awgrym golygydd *Y Drafod* yn 1891 oedd yr hoffai gael rhagor o waith yr awdur. Er hynny, nid oes sôn o gwbl am y daith hon ymhlith papurau JDE yn Nhrevelin. Cyfeirir at y troeon trwstan a wynebodd y teithwyr ar ddechrau eu taith o Drerawson megis wrth basio gan Moyano. Gellir olrhain taith Moyano yn eithaf agos gan iddo ddarparu pob lleoliad yn ôl ei ledred a'i hydred. Mae'n edrych yn debyg iawn i JDE gael ei hurio fel arweinydd yn rhinwedd ei brofiad diweddar fel *baqueano.*

Nid yw Moyano yn sôn llawer am y daith cyn cyrraedd y gorllewin gan mai yno y mae ei ddiddordeb yn bennaf yn hytrach nag olrhain y daith yn y Dyffryn. Mae JDE yn rhoi llawer iawn mwy o fanylion am gychwyn y daith. Ymddengys iddynt gychwyn o Drerawson a dilyn y ffordd drwy'r Dyffryn hyd at Campamento Villegas, llecyn y sonnir amdano yn adroddiad JDE am Dri Merthyr Cel-Cein. Croesasant yr afon er mwyn osgoi Hirdaith Edwin a mynd i gyfeiriad yr Afon Fach (Rio Chico) neu Iamacan, yr enw brodorol. Mae'n debyg iddynt fwrw ymlaen nes cyrraedd Clafdy ar ochr ddeheuol Chubut, croesi eto ac anelu am Ddyffryn Cel-Cein lle cafodd JDE gyfle i dacluso bedd y tri Chymro a laddwyd ym 1884. Ni cheir gair arall gan JDE am y daith hon, ac nid yw Moyano yn adrodd am y daith nes iddynt gyrraedd ardal Gualjaina. O ganlyniad gellir cymryd yn ganiataol mai dilyn afon Camwy a wnaethant i'r gorllewin (Dyffryn Coediog) ac wedyn i'r gogledd-orllewin heibio Paso del Sapo ac yna i'r gorllewin eto heibio Gualjaina. Roeddent yn Nyffryn Cel-Cein ar y 26 Rhagfyr 1889 a heb fod yn bell o Nant y Pysgod erbyn 7 Ionawr 1890. Aethant ymlaen i'r de a chyrraedd y sefydliad newydd sbon yng Nghwm Hyfryd ac ymlaen eto i gyfeiriad afon Carren Leufu. Erbyn hyn roedd y tir yn arw a'r coed yn drwchus, a chawsant eu plagio gan haid o fosgitos. Yn fuan daethant o hyd i goed a gawsai eu marcio â bwyeill, ac yn amlwg yn dystiolaeth fod rhai fel nhw eisoes wedi bod yn y cyffiniau. Sonia Moyano i'r swyddog Silveyra nodi fod Indiaid a gafodd eu dal ym 1887 wedi dweud eu bod wedi siarad â dynion arfog ar lannau'r afon honno a'u bod wedi dod o gyfeiriad Chile. Roedd y brodorion wedi gweld mwg yn dod o'u gwersylloedd (yn sgil ymosodiad lluoedd Silveyra) ac wedi cynghori'r Chileniaid i ddianc yn ôl i'w gwlad rhag ofn iddynt gael eu carcharu. Ni cheir adroddiad llawn am y daith yn ôl i Drerawson, heblaw am ddweud iddynt ddilyn afon Aylsen, ac wedyn afon Senguer. Er na ddywedir hynny mae'n rhaid eu bod wedyn wedi dilyn yr Afon Fach (Rio Chico) nes ailymuno â'r Chubut ac wedyn y Dyffryn. Mewn adroddiad arall am sefydlu Santa Cruz ceir barn Moyano am y Wladfa Gymreig. Ceir y rhagfarn sy'n nodweddu llawer o'r ymwneud rhwng Cymry Patagonia ar y pryd a'r swyddogion o Buenos Aires a ddaeth i lawr i diriogaeth Chubut. Cyhudda'r Cymry yn y cyfnod cynharaf o anwybyddu'r faner genedlaethol oherwydd math o hunandyb hiliol neu gymdeithasol, ond gwêl y bydd y Wladfa yn dod yn rhan o'r Weriniaeth yn raddol, ac y byddai eu harferion yn dod yn debycach i'r rhai yng ngweddill y Weriniaeth. Ond mae gan Moyano air da i'r Cymry am eu moesoldeb a'r diffyg troseddau yn eu plith. Sonia am y ffaith mai ychydig o dai fydd dan glo yn y nos. Nid oes, meddai, yr un milwr na heddgeidwad yn eu plith, a phan fo rhyw achos prin o gamymddwyn, bydd y dinesydd cyffredin yn chwarae rhan y plismon. Arwydd o anwybodaeth yr awdurdodau yn gyffredinol yw'r modd y sonia Moyano am y Cymry fel aelodau'r 'hil Eingl-Sacsonaidd'.

[2]Mae Moyano yn sillafu'r enw fel Ezcurra (neu ambell waith fel Escurra). Pedro Ezcurra oedd y peiriannydd a ymunodd â Moyano yn ystod y daith hon. Ai'r un Pedro tybed a roddodd ei enw i Hafn Pedro a grybwyllir gan JDE yn ei adroddiad am daith 1885?

[3]Evan Hopkins oedd un o'r rhai cyntaf a aeth draw i sefydlu Cwm Hyfryd ym 1888. Cafodd un o'r darnau tir gwreiddiol yn y Cwm (rhif 45), yn agos i afon Huemul i'r de o Drevelin. Gellir gweld gwagen a berthynai iddo yn Amgueddfa Trevelin.

⁴Yn ôl John Coslett Thomas (*Hunangofiant*), defnyddid y gair 'triongl' i ddynodi llain o dir, ond cafodd un llecyn yn y dyffryn uchaf ei enwi fel 'Y Driongl'. Bu'r un J. Coslett Thomas yn gweithio ar y tir hwn a berthynai i Gwilym Lewis ger Bryn Crwn. Mae'n debyg fod yr enw lle 'Y Driongl' wedi ei enwi ar ôl fferm ger Drofa Dulog a berthynai i deulu Evan Jones a ddaeth i'r Wladfa gyda mintai'r *Mimosa*. Fe'i hadwaenir fel Evan Jones Triongl.

⁵Yn ôl tystiolaeth Moyano, enw llawn Maniwel 'Portiwgi' oedd Manuel Díaz, sarsiant yn y fyddin. Ef oedd yn gyfrifol am y milwyr a aeth gyda Moyano ar y daith.

⁶Dim ond y gair *campamento* (gwersyll) a geir yn y fersiwn printiedig yn *Y Drafod*. Ond o gofio ei leoliad, mae'n eithaf tebyg mai cyfeiriad at Campamento Villegas sydd yma. Erys y lle o hyd ar fapiau Chubut. Mae JDE hefyd yn cyfeirio at y lle yn ei adroddiad am ferthyron Cel-Cein.

⁷Hafn Hir. Ni cheir enghraifft arall o'r enw yng ngwaith JDE. Mae posibilrwydd ei fod yn cyfateb i'r enw Cefn Hir (ardal Bryn Gwyn) a restrir gan Edi Jones yn ei lyfr ar gapeli'r Wladfa (2000). Saif mewn man a fyddai'n cyfateb fwy neu lai i'r man a grybwyllir gan JDE. Eglurir yr enw fel cyfeiriad at gefnen i'r de o'r Gaiman (Bryn Gwyn).

⁸Roedd Adna Davies (1836–1911) yn dad i Robert Adna Davies a briododd y ferch gyntaf i gael ei geni ymhlith y Cymry ym Mhatagonia. Ymddengys mai o ardal Bethesda a Dolwyddelan y dôi Adna Davies. Cyrhaeddodd Batagonia ym 1882. Ceir amryw o gyfeiriadau at stôr Adna Davies yng ngwaith JDE.

⁹Mae hyn cyn i T. Dalar Evans symud i fyw i'r sefydliad newydd yng Nghwm Hyfryd. Gweler nodyn llawn amdano yn y bennod *Hunangofiant*, nodyn 40.

¹⁰Mae'n debyg mai at Thomas Davies, Dyffryn Dreiniog, y cyfeirir yma. Ymsefydlodd yn y Dyffryn ym 1886 yn y Gaiman. Yn ôl John Coslett Thomas (*Hunangofiant*), priododd ei ferch Hannah â Richard Jones. Roedd Thomas Davies ymhlith yr hen genhedlaeth o sefydlwyr, y 'fintai gyntaf' fel y dywedir amdanynt. Ar lan ogleddol afon Camwy yr oedd yn byw, fel Lewis Jones, H. Hughes Cadfan, Daniel Evans, Richard Jones ac eraill. Ceir rhestr ddiddorol gan John Coslett Thomas o'r rhai oedd yn byw ar ochr ogleddol yr afon a'r rhai oedd yn byw ar yr ochr ddeheuol.

¹¹Iamacan yw'r enw brodorol ar Afon Fach neu Rio Chico. Mewn cyfnod cynharach, pan oedd John Murray Thomas yn archwilio'r ardal i'r de o afon Camwy, penderfynodd roi'r enw Afon Younger arni er cof am gyfaill busnes yn Buenos Aires. Ambell waith ceir y ffurf 'Jamacan' ond dylid cofio fod y 'j' yn sain rhwng yr 'y' a'r 'ch' Gymraeg.

¹²Dyma'r ffurf ar yr enw a welir amlaf gan JDE am y Tehweltiaid, y brodorion a geid yn bennaf yn nwyrain a de Patagonia. Tuedd yr awdur oedd cynrychioli'r sain Sbaeneg 'ch' â 'ti'. Hyn mae'n debyg a geir yn ei ffordd ef o ysgrifennu'r enw lle brodorol 'Chathricó' fel Tiathrico. Ceir yr un enw gan Llwyd ap Iwan fel 'Tsathricó'.

¹³Gellir gweld fod JDE yn arwain Moyano ar hyd yr un llwybr â'r un a gymerodd ef ei hun yn 1888 gyda'r wageni ar eu ffordd i'r Gorllewin a'r Andes.

¹⁴Gair tafodieithol a ddefnyddir o bryd i'w gilydd yng ngwaith JDE. Yn ôl GPC, yr ystyr yw 'rhiw serth, neu heol ar riw'. Cofnodwyd y gair ym Mhenllyn yn y gogledd a hefyd Morgannwg yn y de.

¹⁵Cyfieithiad Cymraeg o'r gair Sbaeneg *bolas*, sef peli a rhaff a ddefnyddir wrth hela anifeiliaid fel y wanaco neu'r estrys.

¹⁶Cyfeiriad at fryniau rhwng de afon Camwy a glan ddwyreiniol afon Chico.

¹⁷Ellis Jones oedd un o'r nifer a aeth draw i'r Cwm yn 1888 gyda'r wageni. Cafodd lech rhif 11 i'r de o Drevelin.

Dyddiadur y Daith i Gymru a Ffrainc 1923[1]

Buenos Aires, 23 Mawrth 1923

Am hanner awr wedi pedwar a'r holl dorf ar y lan ac ar y llong yn ysgwyd eu cadachau gynted y cychwynasom allan o doc ogleddol ar fwrdd yr agerlong *Andes,* a chyraeddasom Montevideo am hanner awr wedi pump o'r gloch y bore.

Sadwrn 24

Arosasom yno tan hanner awr wedi deg pryd y cychwynwyd eilwaith i'n taith a thua dau o'r gloch nawn yr un dydd yr oeddem yn pasio heibio ar y llaw chwith i ni rhes o fryniau uchel heb fod ymhell oddi wrthym; pawb cyn belled ag yma yn forwyr go lew y buwyd wedi oeri llawer heddiw a'r môr tua saith o'r gloch yn dechrau codi dipyn ar ei wrychyn ond ddim yn ddrwg iawn. Patrona[2] ddim yn teimlo yn dda iawn ond nid salwch y môr meddai hi sydd arni; amser a ddengys. Milton[3] a minnau yn teimlo ein bod rhywun gan ein bod a'n pennau ddim yn troi.

Sul 25

Ar y môr heddiw; nid yw Patrona ddim wedi codi. Buodd yn wael iawn neithiwr gan gramp yn ei ystumog. Heddiw fore Sul buodd y Doctor yn ymweld â hi. Tua dau o'r gloch nawn gan basio y llong *Brandia* yr hon oedd wedi cychwyn o Montevideo tua 4 awr o'n blaenau ni am Loegr fel ninnau. Tywydd dymunol iawn ddim yn boeth a'r môr yn weddol llyfn.

Llun 26

Dim hynod heddiw. Tywydd dymunol iawn, pawb fel wrth eu bodd.

Mawrth 27

Am tua 5 o'r gloch y bore cyrraedd at geg afon Santos. Erbyn hanner awr wedi cyraeddasom at y docks. Mae yr afon Santos yn ddofn iawn. Gallai ein llong ni fynd i mewn iddi yn hwylus ac i fynd am tua 6 milltir at y docks. Hafan ddofn ydyw a dim ceulannau iddi yn dyfod o fynyddoedd mawrion yn ymyl llawer iawn o fân goedydd yn amgylchynu ei glannau a'r holl fryniau o'i chwmpas. Bues i fyny yn y dre yr hon sydd tua milltir o'r afon.

Mae rhai ystrydoedd da iawn trwyddi a llawer o rhai gwych iawn, main. Nawn Mawrth 27. Am tua pedwar o'r gloch cychwynasom ein taith eilwaith wedi cymeryd i mewn tua 24 yn ymfudwyr yn chwaneg; rhai Saeson, Ellmynwyr ac estroniaid. Cyrraedd Rio de Janeiro.

Bore Mercher 28

Am tua 6 o'r gloch ac yng nghorff yr oriau yr oedd yn aros yno euthum i a Patrona a Milton mewn auto am tua awr o amser o gwmpas y dref heibio i'r Dorth Siwgwr a thrwy'r twnel ac hyd lan y traeth i'r pellter ac nôl trwy'r pen arall i'r dref yr hwn sydd yn dref hardd iawn ac [aneglur] ardderchog sydd ganddi yn ei harddu o'r tu hwnt i bob disgrifiad, ac am 10 munud wedi 2 cychwynasom am Bahia nôl codi tua 200 ychwaneg o ymfudwyr nes llenwi pob cornel o'r llong fawr. Tywydd ardderchog.

Iau 29

Gwawriodd bore braf arnom; y môr yn dawel a phob peth yn ddymunol ond Patrona, hi ddim yn dda o gwbl. Nawn, pasiodd llong fawr am y De.

Gwener 30

Heddiw nawn am 7 o'r gloch cyrraedd Bahia.[4] Tlws iawn i'w weld yn y nos. Tref ar ochr bryn a heno i gyd wedi ei goleuo a chyn pen yr awr nôl cyrraedd yr oedd tua 40 o agerlongau bychain o'n cwmpas [?] ac am hanner awr wedi 11 cychwynasom ein taith am Bermiwda. Y môr yn hynod dda. Patrona ddim yn dda eto.

Sadwrn 31

Teithio am Bermiwda.

Sul, Ebrill 1, 1923

Am chwech o'r gloch bore cyraeddasom Pernambuco.[5] Tref fechan iawn yw i'w gweled o'r môr heb na glanfa a pheth iddi; y tai pren holl yn wynion. Patrona wedi cael noson ddrwg iawn drwy'r nos. Haul am 7 o'r gloch yn boeth anghyffredin; y môr fel gwydr am chwarter i ddeg bore Sul Ebrill 1. Hwylio am San Vicente, Patrona ychydig yn well. Daeth i'r bwrdd tua 8 o ymfudwyr newyddion atom nes llenwi pob twll a chornel fel ac y dywedir. Dyma'r haul yn machlud arnom, yr ail Sul ar y môr. Dywedai proffwydi profiadol wrthym mai un Sul eto a gawn ar y môr. Duw yn unig a ŵyr. Mae gennym 1,580 o filltiroedd o Pernambuco i Sant Vicente ac yn teithio ddoe a heddiw nôl y rat o 225 milltir yr awr felly tua dydd Gwener os byw fyddwn y cawn y fraint o gyrraedd.

Llun 2

Am tua 7 o'r gloch bore pasio heibio Ynys Fernando N. ar y dde lle mae Brazil yn cadw ei charcharorion. Tlws iawn yr olwg oedd yr ynys holl yn wyrdd drosti a dywedant i mi bod pob math o ffrwythau yn tyfu arni a thua dechrau'r nos croesom y cyhydedd.

Mawrth 3

Bwriedais heddiw gadw ar ddihun [?] i weled yr haul yn codi ond gan ei bod yn gymylog ac yn gwlitho'n drwm, gorweddais yn fy hôl tan 6 o'r gloch. Cymylog iawn a hyll yr olwg sydd ar y tywydd yn enwedig o'n blaenau heddiw. Patrona lawer yn well. Dim hynod heddiw.

Mercher 4

Bore braf dim mor gymylog â ddoe ond yn chwythu llawer mwy. Patrona yn dal i wella er yr adeg ymadawsom â Pernambuco. Yr wyf wedi dod o hyd i dri Chymro ar y bwrdd: y Bonwr O. W. Griffiths o Gaernarfon a'r Bonwr David Griffiths o Forgannwg a gŵr ieuanc arall o Forgannwg o'r enw Hammond: y tri hyn wedi bod yn danfon llong i Brazil, yr hon oedd Brazil wedi ei phrynu yng Nghaerdydd. Gweithio gyda Telegraff Marconi. Roedd Hammond a D. Griffiths yn yr brif swyddfa a'r Griffiths arall yr ail [*aneglur*]. Y gogleddwr yn gallu Cymraeg da ond am y deheuwyr pur wael oedd eu Cymraeg hwy.

Iau 5

Y llong yn ysgwyd llawer heddiw a'r gwynt yn chwythu'n gryf o'r un cyfeiriad er pan yr ydym wedi croesi y cyhydedd, sef o'r gogledd wrth ogledd ddwyrain. Dal yn gymylog iawn [*aneglur*]. Patrona yn dal i wella.

Bore Gwener

Cyrraedd San Vicente. Ychydig o dai a llawer o greigiau noethlwm folcanig.

Sadwrn 7

Bore gwyntog iawn. Amryw yn wael o glefyd y môr, yr hen Dafydd Jones[6] wedi gwylltio ychydig. Gwynt yn dal i chwythu o'r gogledd wrth ogledd ddwyrain. Patrona yn dal i wella o hyd.

Sul 8

Bore braf iawn. Y môr wedi tawelu llawer a'r gwynt wedi gostwng. Heddiw, meddent, yw y Sul diwethaf cyn cyrraedd os Duw a'i myn.

Llun 9

Bore braf iawn. Hwylio yn gyflym am Madeira[7] ac yn bwriadu cyrraedd tua canol dydd. Y môr yn hynod dawel a'r gwynt wedi tawelu llawer. Llun am ganol dydd union cyrraedd Madeira ac aeth lluaws y teithwyr allan am dro ac yn eu plith aethom ninnau ein tri ac o ran cywreinrwydd. Aethom i gar llusg yn cael ei dynnu gan ddau ful a buom yn teithio yn hwnnw am awr drwy'r dref. Llawer o blanhigion destlus iawn ond yr oeddwn yn synnu at gulni eu ystrydoedd pa rhai yn aml nad oeddent yn mesur mwy na 3 i 4 llath ar draws. Tua tri o'r gloch daethom yn ein holau i'r llong ac yn y nawn cafodd y Portiwgi oedd yn wael yn yr ospital y llong ei symud i'r lan a gwraig a mab bychan arall pa rhai oeddynt yn wael iawn o'r darfodedigaeth ac am chwech o'r gloch union cychwynasom am Lisboa.

Mawrth 10

Bwrw glaw yn drwm; y llong yn rowlio llawer.

Mercher 11

Am 6 o'r gloch bore cyrraedd Lisboa. Yma eto yr ydym yn dwyn glo i mewn i'r llong. Tref ar ochr afon Tajo[8] yw Lisboa [*aneglur*]. Aeth y rhan fwyaf o'r pasengers eraill allan am dro ond nid aethom ni ddim. Nawn am 4 o'r gloch cychwynasom am Vigo, cyrraedd am 6 trannoeth. Mae Vigo yn un o'r porthladdoedd tlysaf ac eithrio Rio a chefais fy synnu yn fawr yn yr hen wledydd yma gan nad oes ganddynt un math o lanfa a hwythau mor hen.

Iau 12

Am ugain munud i ddeg y bore ail gychwyn am Ffrainc. Bwrw glaw yn drwm. Heddiw aeth Alfonso a'i dad a'i fam ac amryw eraill. Alfonso oedd partner Milton ar y ffordd o Buenos Aires hyd yna.

Gwener 13

Bwrw glaw a ninnau ar ganol Bay of Biscay a thua 2 o'r gloch bore Sadwrn, cyrraedd Cherbourg.

Sadwrn 14

Am 20 i 7 yn y bore cychwyn am Southampton nôl rhoddi amryw o bobl ar dir Ffrainc yn y bore. Ein llong ar ei gorau yn morio i gael cyrraedd tua canol dydd. Tywydd cymylog a chawodog iawn ac wedi oeri yn anghyffredin ac am ganol dydd cyraeddasom Southampton. Cafodd pawb ei gludo i customs' office rhag blaen a buont yn gyflym a thrugarog iawn wrthyf i. Ni agorais yr un bag ond yr oeddynt mewn amheuaeth ynghylch un pac oedd gennyf sef 5 tun o *yerba* a ddeuthum gyda mi o Buenos Aires ond credodd fi ar fy ngair mai at fy ngwasanaeth i yn bersonol yr oedd a dododd yr ystrac [?] wen arno a ffwrdd â ni i drên a phrifddinas y byd hwn am y tro cyntaf erioed yn fy mywyd. Daethom o hyd i Gymro o'r enw Owain Griffiths yn y fan yma, neu yn hytrach daeth ef o hyd i ni. Adnabodd ni allan o'r ugeiniau pobl oedd yn sefyll yn y fan honno mai Cymry oeddem a gwnaeth bob cynorthwy a fedrai i ni ac am ddau funud wedi tri dyma'r trên yn chwyrnu teithio am Lundain. Teithiasom am tua dwy awr trwy wlad dlws odiaeth, llawer ohono o dan driniaeth llanerchau gleision a llanerchau tew eu coed naturiol bob yn ail. Pentrefydd a chaeau pob maint a ffurf a maint ac ar ben y ddwy awr union cyraeddasom gorsaf Waterloo ac yn uniongyrchol wedi disgyn o'r trên, cawsom fodur i fynd â ni i le Sam Jenkins,[9] Sydney Residential Hotel, Russell Square, London a chyraeddasom yna erbyn 5 o'r gloch ddydd Sadwrn 14 a Sul 15 euthum yn y bore gyda Sam Jenkins i gapel y Methodistiaid a chawsom bregeth ardderchog gan y Parch. W. J. Jones gŵr o faintioli cyffredin tua 45 mlwydd oed ond fod ei wallt yn glaerwyn. Ei destun oedd yn Datguddiad: dyna y rhai sydd yn gorchfygu. Dywedai yn bendant yn ôl ei farn ef, mai yn ei flaen mae'r byd yn mynd tuag at berffeithrwydd a bod y gorau yn y presennol ac nid yn y gorffennol. Ac yn y nos yr un Sul cawsom bregeth ardderchog arall [*aneglur*] gan y Parch. Roberts, un o Sir Fôn. Dywedai yn bendant yn erbyn y Pechod Gwreiddiol mai nid cael ei eni yn bechadurus mae'r plentyn ond mynd neu dod yn bechadur mae yng nghwrs tyfiant a ffurfiad ei gymeriad.

Llun 16

Bûm yn teithio dipyn drwy'r dref fawr hon ac am 7 o'r gloch euthum i gyda'r Bonwr Sam Jenkins i gyngerdd oedd yn cael ei gadw gan y Cymry yn Jewin Hall;[10] yr holl yn cael ei ganu yn Saesneg ac eithrio 4 neu bump sef y côr yn canu y Delyn Aur a Gwŷr Harlech. Yr oeddynt yn fendigedig a chawsom dri solo sef Dafydd y Garreg Wen a Mentra Gwen a Ffrwd y Mynydd ac aethom gartref i dŷ Sam Jenkins tua 11 o'r gloch wedi cael fy moddloni yn fawr ac hefyd deuthum ar draws y Bonwr Griffith yn y gyngerdd. Maent hwy yn aros yn Llundain ar hyn o bryd ond yn bwriadu myned i Gymru cyn bo hir i fyw.

Mawrth 17

Aethom ein tri a'r Bon. Jenkins, sef tad Sam Jenkins mewn modur a logwyd gennym am ddwy awr o amgylch llawer o lefydd pwysig Llundain ac am dri nawn yr un dydd daeth y Bon. Griffith am dro i edrych amdanom, a chawsom sgwrs llawen a doniol am tua 2 awr ag ef gartref.

Mercher 18

Am 10.45 yn y bore aethom i Euston Station a chychwynasom am Gymru a theithiasom drwy wlad dlws iawn a phrydferth nes cyrraedd Llandudno Junction y fan yr oedd yn rhaid i ni newid ein trên am y Blaenau a chyraeddasom y Blaenau am tua chwarter i 7 yr hwyr lle yr oedd y Bon. Hughes yn ein aros.

Iau 19

Aros i ddadflino ond euthum i a'r Bon. Hughes i edrych un o'r chwareli oedd yn ymyl ei dŷ ac am y tro cyntaf erioed y gwelais i greigiwr a'i gŷn yn hollti'r garreg yn dafelli tenau. Yr oeddwn wedi clywed ac wedi darllen o'r blaen ond erioed wedi gweled â'm llygaid y gwaith yn cael ei wneuthur. Mae Blaenau Ffestiniog yn hynod am ei fân chwarelau. Nid yw yr holl ardal ond tomennydd noethion a chwareli heb ddim yn tyfu arnynt; lle digon digalon i fyw ynddo nôl fy syniad ond mae rhaid byw lle ceir y tamaid i gynnal corff ac enaid wrth ei gilydd, mae'n debyg.

Gwener 20
Euthum i ymweled â Thomas Freeman[11] i Fochdre ac nôl
gwneuthur yr holl daith ni chefais ef gartref; yr oedd wedi mynd i
Rymni am dro at ewyrth ei fam.

Sadwrn 21
Prowla ychydig o amgylch y Blaenau.

Sul 22
Euthum i'r capel drwy'r dydd a chefais bregeth dda iawn y bore a'r
nos gan y Parch. J. Hughes ond cefais fy siomi yn yr ysgol Sul 2 o'r
gloch nawn, nid oedd ond 5 ohonom yn y dosbarth hynaf. Tywydd
oer iawn.

Llun 23
Euthum i a J. Hughes i Bangor i edrych am R. Owen, mab Rhys yr
Aur, Gaiman. Yr oeddwn yn dyfod drosodd â sampl iddo o gerrig
aur Teca oddi wrth ei dad a nôl crwydro dipyn, daethom o hyd
iddo yn y Pentir; a chawsom ef yn iach a chysurus, ef a'i wraig a'i
blentyn a cludodd ni am 15 swllt am 12 milltir o ffordd. Mae'r
moduron a phob peth yma ac yn Llundain lawer drutach nag yn
Chubut. Heddiw daeth fy chwaer-yng-nghyfraith yma o Sir Fôn i
edrych amdanom. Y tywydd yn cynhesu.[12]

Mawrth 24
Cerdded o gwmpas cartref. Y tywydd fel pe tae am setlo ychydig
yn well.

Mercher 25
Euthum i a Patrona a Milton i Betws y Coed ac oddi yno am Hafod
y Geunant i dŷ mam a thad Lewis a chawsom hyd iddynt. Hen ŵr
dymunol a diddan a'r hen wraig yr un modd. Maent yn byw ar
ucheldir mawr uwchlaw Betws mewn lle noeth a llwm ac eithafol
oer. Arosodd Patrona a Milton yno dan drannoeth ac wrth ddyfod
am Betws y Coed, euthum heibio i Owen Williams[13] a chefais ef a'i
wraig gartref. Lle tawel ar ael bryn bychan o'r enw Andesina ac
wrth ddod at yr orsaf trewais ar frawd Dai y Siop ac aeth â mi yn
y modur i edrych am ei dad a'i fam, pa rai sydd yn byw yr ochr

bellaf i'r afon ar gyfer yr orsaf dan dipyn o dyddyn yr hen bobl ac yn llawenydd mawr ganddynt fy nghroesawu fel un cydnabyddus â Dai ac Arthur a chyda'r trên 8.30 dychwelais adref i'r Blaenau.

Iau 26
Gartref drwy'r dydd oddigerth am hanner y bore ar lefelydd y chwareli yma, rhyfedd fel mai y chwarelwyr yn gorfod gweithio fel ysgyfarnogod mewn tyllau i ennill eu tamaid bara. Nawn yr un dydd sef Iau, daeth Owen Williams a'i wraig yma am dro i edrych am Lewys. Patrona yn cyrraedd yn ei hôl o Hafod y Geunant yn yr hwyr. Bwriai cawodydd eirlaw drwy'r nawn.

Gwener 27
Euthum i lawr i'r Llan Ffestiniog a chyfarfyddais â Evans Jones Canton yn edrych yn o lew braf ac yn gwerthu llaeth er ys pymtheg mlynedd a dyna lle yr oedd J. Hugh Jones ei frawd mewn siop fechan. Mae Hugh wedi dyfod o'r Wladva er y flwyddyn 1877 yn uniongyrchol nôl i hen ystor goed J. M. Thomas[14] fyned ar dân. Hugh oedd yn ei chadw neu yn hytrach ei moelyd. Ac yn y nawn daeth Thomas Freeman a'i ferch fach a merch D. Rees Jones yma i edrych amdanom wrth fyned gartref o Rymni. Yr oedd yn edrych yn ardderchog, yn dew ei farf.

Sadwrn 28
Diwrnod braf iawn.

Sul 29
Yn Jerusalem drwy'r dydd. Pregeth y bore gan y Parch. Rhydwen Parry Bethania ac am ddau o'r gloch ysgol Sul, tlawd iawn y darllen a thlotach fyth yr esboniadaeth. Prawf darllen nad oedd fawr o amser yn cael ei roddi i ddarllen a chwilio dim ar air Duw na'r bregeth gan y Parch. John Hughes ar y Beibl. Chwiliwch yr ysgrythurau canys ynddynt hwy y bwriedwch chwi gael bywyd tragwyddol.

Llun 30
Bwrw glaw trwm drwy'r dydd. Talu ymweliad â Thomas Freeman ym Mochdref.

Mawrth Mai 1, 1923

Euthum i a Mr Hughes am dro i chwarel 'Rocli[15] a bûm i lawr yn y gwaelodion. Rhyfedd y gwaith a all dyn ei wneuthur. Mae'r mynydd drwyddo draw fel Tref y Buscacho yn un o'i ogofau mawrion am gannoedd o lathenni tan y ddaear yn y dyfnderoedd eithaf.

Mercher 2

Euthum i a Hughes am dro i'r Llan Ffestiniog ac oddi yno Bryn Rodyn[16] sef cartref Evan Jones, cantor gynt o'r Wladva Gymreig. [aneglur].[17]

Iau 3

Symud o Blaenau Ffestiniog i Amlwch ym Môn. Tywydd braf iawn.

Gwener 4

Myned i Llandudno i'r banc ac oddi yno i Rhyl i edrych am y Bon. W. M. Hughes a'r teulu ac hefyd am deulu Williams Mostyn pa rhai a gefais yn holliach a chysurus.

Sadwrn 5

Dyfod yn fy hôl i Amlwch. Sadwrn yr un diwrnod anfon llythyr a siec i Thomas Cook gwerth £68.7s punt i dalu rhan o'n cludiad i Palestina.

Sul 6

Myned gyda H. Hughes i Gapel Saron. Bach ydyw o ran maint yr adeilad a bach iawn o ran eu cynulliad, tua 30 yn yr ysgol Sul am ddau o'r gloch prynhawn a rhywbeth tebyg yn y nos. Cawsom bregeth dda iawn gan un o fyfyrwyr Coleg Bangor ar yr adnod honno: y wraig o Samaria yn gofyn i Iesu pa le yr oedd y man awn i addoli. Diwrnod braf drwy'r dydd.

Llun 7

Euthum i â Patrona i Gaergybi yn un o'r moduron mawr sydd yn cario yno a chawsom ein hysgwyd yn iawn. Yr oedd yr un fath â phe baem yn un o droliau ychain yr hen *Chilenos* gartref yn yr Andes. Cawsom groeso cynnes gan Mrs Philips ond nid oedd y Bon. Philips gartref; yr oedd ar daith gasgliadol tua Llangefni. Nid oeddwn yn caru Caergybi. Caiff yr hen Gybi ei chadw o'm rhan i. Bychan yw ei maint ac oer iawn bron drwy'r flwyddyn gan ei bod yn fynych yn cael ystormydd y gogledd.

Mawrth 8

Euthum i Cemaes i edrych am y Parch. J. Evans, brawd y Bon. Dalar Evans, Colonia 16 de Octubre[18] pa un a gefais ar fy union a mawr y llawenydd a'r croeso a gefais ganddo. Nid oedd Mrs Evans gartref ac yn y nawn tra yn aros y modur yn ôl o Amlwch euthum am dro gyda glan y môr tua chyfeiriad y gogledd gyn belled â'r Wylfa a thrachefn tua'r De gyn belled â'r Hen Eglwys. [aneglur] Mae pob eglwys hynafol drwy Gymru bron yr un fath ac yr wyf wedi methu hyd yn hyn â chael eglurhad ar y pwnc. Lle bychan iawn yw Cemaes yn nannedd y gwyntoedd o'r môr gogleddol. Nid ydynt yma yn gallu tyfu yr un fath o ffrwythau os bydd iddynt adael i'r coed fyned yn uwch na'r gwrych. Rhaid yw iddynt ofalu am eu torri a'u cadw o fewn i gysgod y gwrych neu bydd yr ystormydd mawrion yn sicr o'u torri i lawr. Mae yma ystormydd o wynt fel yn Sarmiento.

Mercher 9

Euthum am dro heibio un cornel o Fynydd Paris ac i dŷ fy chwaer-yng-nghyfraith pa rhai sydd Foniaid yn ôl ystyr fanylaf y gair. Nid ydynt wedi bod erioed dwy filltir o ddrws eu tŷ. Nid ydynt yn wir yn tryblo eu pennau ynghlŷn â'r byd mawr oddi allan i gloddiau eu ffarm.

Iau 10

Euthum am dro i edrych am Nain, sef mam Ann a chefais hi yn bob peth ond yr hyn ddylasai fod. Rhyfedd sut mae teuluoedd mawrion yn cael eu magu ar ddarnau mor fychan o dir, creigiau yn wir yw y rhan fwyaf o'r ffarm. Yn yr hwyr euthum i â Hugh i edrych am eglwys Llanelian pa un sydd yn dyddio yn ôl i'r unfed ganrif ar ddeg ac ar ôl y daith hirfaith ni chawsom yr agoriad i fyned i mewn ac yn rhannol yr oedd ein taith yn ofer. Anfonais heddiw deligram i Lundain i Cook.

Gwener 11

Parch. W. Phillips o Gaergybi yn dyfod i Amlwch am dro i'm

gweled a chawsom sgwrs difyr iawn ganddo ac hyd a lled ysbaid o 31 o flynyddoedd; hynny yw er pan y buodd ef yn talu ymweliad â'r Andes. Difyr ddigon oedd ail gyfarfod mewn iechyd mor dda a daear, meddai, tan ein traed.

Sadwrn 12

Euthum i ac eraill i weled y tiwb lle mae y trên yn rhedeg dros afon Menai a chefais y fraint o fyned yn ôl a blaen drwyddo ar fy nhraed pa beth sydd rhyfeddod. Y mae yn mesur 504 llath o hyd wrth 20 troedfedd o led ac yn ddwy ran. Pob rhan ar wahân yn 10 troedfedd o hyd ac yn 24 troedfedd o uchtwr. Yn y canol uwchben yr afon yn mesur 122 llathen o hyd ac yn y canol mae llythrennau breision wedi eu cerfio mewn metel a bys yn cyfeirio at folltiau yr ochr, ac yn dweud y follten ddiwethaf a osodwyd ynddo yn y flwyddyn 1850, Mawrth 5, 73 o flynyddoedd yn ôl.

Sul 13

Myned i bentref bach Saron a chawsom bregeth dda iawn gan fyfyriwr ieuanc o Goleg Bangor o'r enw Pierce Hughes ac awgrymwyd iddo y priodoldeb o ddyfod allan i Fro Hydref a dywedodd wrthyf y buasai'n cymeryd y peth i ystyriaeth.

Llun 14

Gadael Amlwch gyda'r trên 20 munud i 8 am Blaenau Ffestiniog ar fy nhaith tua'r dwyrain ac yn gadael Patrona a Milton yn Amlwch am tua 40 diwrnod os Duw a'i mynn. Diwrnod oer gwlyb.

Mawrth 15

Cychwyn gyda'r trên 15 wedi 10 am Lundain. Myned i lawr yn Rhyl ac aros yno tan 4 yn y nawn gyda y Bon. W. M. Hughes,[19] gynt o'r Gaiman, Gwladva Gymreig. Cyrraedd hotel Sam Jenkins am 30 munud wedi 9 yr un dydd. Diwrnod oer iawn.

Mercher 16

Euthum at Cook i baratoi y pasport a gwahanol bethau ar gyfer y daith yr ydym yn bwriadu ei chychwyn ddydd Llun nesaf os byw ac iach a fyddaf, a Duw yn cydfyned. Hyd yn hyn nid oes gennyf ragolwg ar yr un dyn yn gwmni i deithio Gwlad yr Addewid a bydd rhaid i mi ei wneuthur fy hun, mae'n debyg.

Iau 17

Myned i weled y British Museum gyda'r Bon. Thomas Griffith a gwelais ryfeddodau lawer o'r arfau cerrig hyd yn awr a gwelais hefyd lawer o gyrff yr hen Eifftiaid druain. Buasai lawer gwell nôl fy meddwl i pe buasai Prydain wedi eu gadael yn y fan lle yr oeddynt yn gorffwys gan nad oes dim yn wahanol yn eu esgyrn hwy rhagor ninnau.

Gwener 18

Bore bûm i lawr yn swyddfa Mr Cook yn edrych am fy mhapurau ac felly yn y blaen ar gyfer fy nhaith a buodd rhaid i mi ddod yn fy hôl i dŷ Sam Jenkins i nôl fy llun i'w roddi ar basport i'w adael yn Twrci ac am dri o'r gloch euthum yn fy hôl a bûm am dro gyda tad Sam.

Sadwrn 19

Euthum gyda J. T. Griffiths i'w gartref ef a chefais bob croeso oedd bosibl a daeth i'm danfon hyd at dŷ Jenkins.

Sul 20

Am 10 o'r gloch bore euthum allan i fy nhaith am Paris o Estación[20] Victoria a chychwyn am y 'nefoedd newydd' drwy wlad dlws iawn, odiaeth o dlws a chefais yr agerlong yn aros amdanom. Daethom ar ei bwrdd a chawsom lunch. Cyn bo hir ond ymnyddu yn ei chastiau fyddai yr agerlong sef rowlio yn enbyd a tharo fel yn cnocio y greadigaeth ynghyd ac ar ôl 4 awr o forio a rowlio cyraeddasom Dieppe ar dir Ffrainc yn ddiogel. Teithio am tua 4 awr yn y trên i gyrraedd Paris drwy wlad dlws odiaeth. Cyrraedd hotel Bedford gyda'r nos.

Llun 21

Llogi modur i fyned o amgylch Paris. Mae Paris yn dref dlws iawn; pob man yn lan odiaeth a'r ystrydoedd yn llydain oddigerth yn yr hen Paris; maent yn gulion iawn yma, fel ac y maent ymhob hen drefydd. Hefo'r hwyr am 8 o'r gloch yn cychwyn am Marsella.[21] Teithio drwy'r nos a chyrraedd tua hanner awr wedi naw. Euthum ar fy union i offis Cook i ofyn iddynt am y llong a'r hyn a atebasant i mi oedd nad oedd wedi dod i mewn a dangosais fy mhapur iddynt, 'O, mae yn cychwyn felly rhywbryd heddiw', meddant i mi a gorfod i mi drefnu i fyned i chwilio am y llong yr hon a gefais ac euthum yn union i edrych y cabin oedd i mi a chefais ef yn ddigon gwael ei wala. Ni welais ynddo le i ymolchi o gwbl; 4 gwely ynddo a'r rheselion uchel heb yr un reilin i rwystro syrthio oddi ar eu pennau. Y cabin yn fawr a di-lun yr olwg ac roedd hynny wedi fy suro braidd i beidio â myned ac euthum i at Cook a oedd rhywun rywlun yn myned yr un lle â mi a dywedodd nad oedd yr un yn bwcio i fyned drwyddynt hwy ond fy hunan. Bûm yn hir yn penderfynu beth oedd orau i'w wneuthur. Hwn oedd yr unig fan i mi droi yn ôl os troi o gwbl, ac nôl pwyso a mesur fy mod wedi eu talu i'm cyfarwyddo a hwythau'n gwneuthur dim. A bernais os oeddynt felly mor agos gartref beth wedi myned tu draw i'r tonnau ac hefyd yn gorfod gwario yn anferth heb gyfrif yr hyn oeddwn wedu ei dalu i Cook. A phenderfynais roddi yr idea i fyny a throi yn fy hôl i grwydro ychydig ar Ffrainc a dechreuais yn union y nawn hwnnw.

Euthum am tua awr a hanner rownd i'r dre mewn modur a chefais olwg ar y llefydd mwyaf cyfareddol eu hanes. Wrth ddyfod yn y trên am Marsella gellid tybio nad oes tre yn bod gan na welwch ddim o'r trên ond bryniau a bonciau o'r garreg galch ymhob cyfeiriad, a'r un peth sydd i'w gweled drwy Ffrainc ond ei bod yn waeth tua glannau'r môr. Mae Marseilles yn dref hynod dlws yn enwedig o gwmpas ei phrif blasau. Maent yn dlws odiaeth gyda'u blodau amryliw a'r coed mawrion a chysgodol ar ffordd glan y môr wedi eu naddu bron i gyd allan o garreg galch. Pan yn sefyll ar lan yr hen Fôr y Canoldir, meddyliais am yr apostol mawr wedi cael ei ysgwyd yn lled arw gan ei donnau ond yr oedd gwên deg ar ei wyneb twyllodrus heddiw. Euthum yn fy hôl am yr hotel Bedford ac am 20 i 7 yn yr hwyr cychwynais yn y trên yn ôl am Paris. Eistedd yn un o 8 yn y cerbyd drwy'r nos a chwaneg na 13 awr o deithio cyflym. Y mae o 450 i 500 milltir o Paris. Taith flin yw bod dwy noswaith ar ôl ei gilydd yn eistedd yn y trên. Cyrraedd hotel Bedford 23 ac aros yno.

Heddiw 24
Yr oeddwn wedi trefnu neithiwr gyda un o westeion [?] Bedford y buasai'n dod gyda mi i faes y Rhyfel ond pan ddaeth y bore yr oedd yn glawio'n drwm ac nis gallasai ef ddod ychwaith pe na

buasai yn glawio. Bwyd truenus o wael sydd yn hotels Ffrainc mor belled ac yr wyf fi wedi ei weled. Yn y bore coffi a thamaid o fara ymenyn tan ganol dydd neu lunch fel y gelwir ef yma; 6 o blatiau bychain a chydig o ddail ar y llall, dair neu bedair tafell denau iawn o fara ar un arall ac felly ar y gweddill – a torth fechan o fara llosgedig, y cyfan yn oer ac oer iawn. I ginio wedyn mwy neu lai dim hanner digon, un cwpanaid fach o swp a'r gweddill yn bysgod a chodl. Os byddai arnoch eisiau cwpanaid o goffi neu de ar ôl bwyd yn lle dŵr buasai rhaid i chwi dalu amdano. Nid ydynt yn rhoddi dim gyda bwyd ond dŵr a digonedd o gwrw i'r sawl sydd yn dewis ei lyncu, yn wir yn dewis ei yfed.

25

Euthum i Reims i weled man y Rhyfel Fawr ac yn wir mawr yw ei holion hyd yn oed y dydd heddiw. Yr oeddem yn 14 yn gwmni yn myned i'r un amcan ac yn teithio yn yr un trên ac yn yr un modur nôl cyrraedd Reims. Nôl cyrraedd aethpwyd â ni o gwmpas yr adfeilion. Tref yw Reims yr hon oedd wedi bod yn lle go bwysig cyn y Rhyfel yn ôl yr adfeilion adeiladau mawrion oedd i'w gweled ynddi. Yr eglwys gyntaf aethom ati oedd Eglwys Reims oddi wrth ba un yr oedd y dref wedi cael ei henw, ac wedi ei adeiladu yn y ddegfed ganrif meddai ein harweinydd ac nôl ei golwg yn bresennol, gallem ni feddwl ei bod wedi ei adeiladu cyn hanes. Yr oeddem yn pasio ystrydoedd cyfain o dai yn chwilfriw mân a daethom o'r diwedd at y brif Eglwys yr un oedd wedi cymeryd tua dau can mlynedd i'w chodi meddai ein harweinydd eto, os na chymerodd ddau gan mlynedd cymerodd amser maith, mae'n siwr nôl ei maint a'i harddwch. Yr oedd yn anferth o fawr ymhob ystyr ac o wneuthuriad cywrain er arddull Gothaidd ac euthum ymlaen wedi hyn ac heibio i dai'r Llywodraeth pa rhai oedd i'w gweled yn ddarnau mân a thyllau bwledi'r German drwyddynt fel gogor ac wedyn aethom at hotel i gael lunch y Sais a'r Ffrancwr ond cinio y galwn ni ef yma yn yr Andes ac wedi i bob un wneuthur cyfiawnder â'i gylla ac yn enwedig â'i boced pa un oedd yn teimlo yn ddwys oddi wrth orchwyl o'r fath. Aethom eto yn gryno i'r modur mawr a ffwrdd â ni ar hyd ffordd Rufeinig pa un oedd mor unioned â'r saeth ac yn myned felly drwy Ffrainc sef o Ytaly i Holand fil dau gan milltir o hyd. Gwnawd hwn, meddant i mi, pan oedd yr hen Rufeiniaid yn poblogi Ffrainc. Yr oedd dwy res o goed mawrion wedi bod o gwmpas y ffordd yma cyn y Rhyfel ond dim ond ambell i ddarn oedd o'r coed yn awr ac yr oedd y rhai hynny yn cael eu torri i lawr gan y llywodraeth i gael eu lle i blannu rhai newydd; yr oedd y gweddill ohonynt oedd ar ôl yn edrych i mi mor hen yr olwg arnynt â phe buasent wedi eu plannu gan y Rhufeiniaid eu hunain, ac wedi myned am tua 8 i 10 milltir ar hyd y ffordd yma troesom i'r dde am foncyn lled uchel oedd o'n blaen ac wrth fyned dyma'r car yn aros, 'gwelwch chwi honna sydd yn y goeden yna ar fin y ffordd', meddai ein harweinydd, ond beth oedd ond siel fechan wedi trawo yn erbyn coeden ac wedi methu â'i thorri ac wedi methu â myned drwyddi a dyna lle yr oedd hyd ei phen yn y goeden, a dim ond darn bychan ohoni allan.

Aethom eto yn ein blaenau ac i fryn i ganol llinell y German ond ni fuodd ein harhosiad yn hir iawn yma, ond yr hyn wedi i ddryll ei rhychio yn gamlesi mawrion. Aethom yn ein blaenau eto at fryn arall lle yr oedd y Germaniaid wedi bod yn byw am tua 4 blynedd a phe gwelech y bryn druan hwn ynghyd â chlywed yr hanes y mae yn rhyfeddol [aneglur] o gwmpas i gyd yn gamlesydd dyfnion a thwnelau tanddaear yn mynd ymlaen am ganol y bryn ac yr oeddynt wedi tyllu canol y bryn yma yn anferth o faint ac wedi ei lenwi â phylor, mae'n debyg, a phan oedd y Ffrancod druain yn cymeryd y bryn gan feddwl yn sicr mai daear solet oedd tan eu traed, yn sydyn dyna'r bryn yn chwarae i fyny: ceg folcano anferth nes llyncu 2,000 o'r Ffrancod druain i'w feddiant. Mae'r twll i'w weled heddiw yn mesur 250 troedfedd o hyd a'r un faint o led a thua 50 troedfedd o ddyfnder; beth feddyliech oedd ei faint tua 5 mlynedd yn ôl pan oedd y bryn hwn yn sefyll gydrhwng y ddwy gamlas ac heb fod ymhell o'r afon. Aethom yn ein blaenau wedyn ar hyd y ffordd fawr a thros yr afon ar bont newydd canys yr oedd yr hen bont wedi ei chwythu gan y German. Teithiasom am amser cydrhwng trenchis mawrion a milltiroedd o weiar bigog a haearn yn gyfor am filltiroedd.

Cyraeddasom fryn eto lled uchel ac yn hir iawn yn safle y German eto am tua 4 blynedd. Yr oedd unwaith bentref tlws ar ael y bryn yma, meddant i mi, ond nid oedd yn awr ond pentwr o adfeilion maluriedig a dynion gyda cheibiau yn chwilio am sylfeini yr hen eglwys oedd yno unwaith ac yn nes draw ar ael yr un bryn yr oedd mynwent perthynol i'r pentref unwaith wedi ei chwalu yn yfflon nad oedd yr un garreg wedi ei gadael yn gyfan, dim i'w weled ond tyllau anferth y naill ar draws y llall wedi eu torri gan y siels mawrion oedd yn cael eu ecsplodio at y bryn yma. Yr oedd amryw fforts cryfion wedi eu gwneuthur gyda choncret yn gyfain gyda twnelau mawrion yn myned o un i'r llall. Yma byddent yn rhoddi y canons a'i pwyntio allan drwy dwll yn y ddaear wedi ei adeiladu yn bwrpasol i'r amcan. Yr oedd llawer o'r twnelau yna mewn sefyllfa sych a gadarn. Roeddent wedi eu torri yn y garreg galch ac wedi eu coedio yn daclus oddi mewn. Gadawsom y bryn fel ac yr oedd ac aethom am Reims i gwrdd â'r trên wedi gwneuthur amgylchedd o tua 50 milltir, ac wedi cael cwpanaid o de, aethom oll i'r trên eto ac am Paris. Cyrraedd chwarter wedi 7 yn yr hwyr.

Sadwrn 26
Cychwyn am Lundain. Cyrraedd tŷ Jenkins tua 8 o'r gloch y nos yr un dydd. Yr oeddem tua 300 i dri chant a hanner ar fwrdd yr *estimer*[22] yn dod drwodd o Dieppe i Newhaven, a chyda i ni gyrraedd i'r stasiwn, dyma'r glaw yn dechrau disgyn yn drwm; lwc na wnaeth yn gynt neu buaswn wedi gwlychu i gyd gan mai ar y dec yr oedd bron pawb. 3 awr a 5 munud y buom yn croesi. Yr oedd y môr fel gwydr, llawn o dwyll o dan ei wên deg a phan gyrhaeddom y cerbyd i fyned iddo yr oedd yr holl drên wedi ei gymeryd o Ffrainc cyn dod drosodd gan barti o Gatholigion oedd yn dod drosodd yr un pryd â ni o Ffrainc, sef Saeson pabyddol. Ond rhoddodd y cwmni gerbyd neu ddau arall wrth y trên a chafodd pawb le.

Sul 27
Myned i gapel drwy'r dydd yn fachgen da i wrando pregethu yr Efengyl a chawsom bregethau golew.

Llun 28
Bûm heddiw yn swyddfa Cook ynglŷn â'r pas gan i mi droi yn fy hôl a dywedasant y trefnant i mi gael hynny sydd yn dod i mi. Bwrw glaw bron drwy'r dydd. Bûm yn edrych ar oriel y cerfddelwau a gwelais un yn eu plith o D. Lloyd George.

Mawrth 29

Am 20 i 11 cychwyn o estación Euston am Golwyn Bay, cyrraedd yno tua 30 wedi 5. Llogi tacsi a myned i dŷ Thomas Freeman ym Mochdre. Cyrraedd tŷ Freeman a chael cwpanaid o de yna ail-gychwyn am Betws y Coed i ddanfon chwaer John Owen yn ei hôl ac oddi yno ar y ffordd yn ôl euthum i gapel Methodist i wrando pregeth oedd yn cael ei thraddodi gan y Parch. Williams o Gaerfyrddin ar yr adnod o'r 8 bennod o Rufeiniaid 'os yw Duw drosom pwy all fod i'n herbyn' a chawsom bregeth bur dda.

Mercher 30

Daeth Freeman a Mrs Freeman gyda mi neu yn hytrach deuthum i gyda hwy yn y modur i Amlwch ac euthum yn yr hwyr i edrych am Grunchils[23] a chael cwpanaid o de yn y fan honno. Aeth Freeman a'i wraig gartref. Yn oer iawn.

Iau 31

Aros gartref drwy'r dydd. Gwynt oer o'r gogledd-ddwyrain.

Mehefin, Gwener 1

Diwrnod niwlog drwy'r dydd. Nawn daeth Mr Grunchils a'r wraig yma am dro i edrych amdanaf a chyda'r nos euthum i â Hugh am dro i dŷ Grunchils a chawsom sgwrs difyr gyda'r hen ŵr a'i feibion.

Sadwrn 2

Diwrnod braf iawn, y bore euthum at y doctor Jones ynglŷn â'm llygaid ac yn y nawn euthum i â Hugh am dro i Gemaes ac yn ôl ar ein traed heibio i'r cromlechau sydd cydrhwng Cemaes ac Amlwch.

Sul 3

Y bore buom am dro i dŷ Grunchils a daethom yn ein holau at y cyfarfod nos yng nghapel bach Saron a chawsom bregeth dda gan y Parch. Evans, brawd Dalar Evans.

Llun 4

Euthum i a Patrona gyn belled â Freeman ym Mochdre.

Mawrth 5

Aethom ein pedwar sef Freeman a'r wraig a minnau a'r Patrona yn y modur gyn belled â Jerusalem, Blaenau Ffestiniog am dro ac arosasom yno dan 6:30 cyn cychwyn yn ein holau am Mochdre a chyn pen nemawr o ffordd nôl cychwyn aeth y modur allan o hwyl a bu rhaid i ni droi yn ein holau i'r garej oedd yn y Blaenau er cael ei drwsio. Casgliodd 21 swllt am ei wneuthur yn barod. Cychwynasom yr eilwaith am 11:30 o Blaenau Ffestiniog, hynny yw yr un dydd, sef Mawrth 4 (sic) ac erbyn hyn yr oedd wedi dod i lawio yn drwm. Cyraeddasom gartref tua 2:30 yn y bore a chawsom ddau binchasau[24] ar y ffordd gartref.

Mercher 6
Euthum i yn fy mlaen am Mansichter[25] i gyflwyno neges oedd gennyf i R. Edwin Roberts. Collais y trên 10:30 yn y bore ac euthum gyda'r 12:20 yn yr hwyr a chyraeddais Manchester tua 4 o'r gloch nawn. Tref a digon o liw mwg arni yw'r dref hon ac ar ôl cwpanaid o de yn nhŷ un o'r enw John Evans yn byw yn Westwood Street, Moss Side, doedd yr hen ŵr ddim gartref ond cefais bob croeso ac oedd bosibl gan Mrs Evans a'i chwaer a'u meibion pa rhai oedd ganddynt feddwl mawr o Edwin. Nawn euthum am dro drwy'r dref.

Iau 7
Am 7:30 euthum am y trên i estación Exchange a deuthum yn fy hôl i Mochdre erbyn tua 10:30.

Gwener 8
Cychwyn am Amlwch gyda modur Freeman a daeth Freeman a Mrs gyda mi gyn belled â Llandudno Junction i dŷ James Nichols ac erbyn cyrraedd yno gwelwn yn sicr nad oedd y modur mewn cywair iach i ni fentro yn ein blaenau gydag ef am Amlwch felly gadawsom y modur gyda Freeman yn Conwy i gael ail chwilio a'i dacluso, a daethom yn ein blaenau gyda'r trên am Amlwch.

Sadwrn 9
Euthum i a Hugh i edrych am hen gromlechau Môn gyn belled â Cae Tŷ Newydd, Llanmeilog[26] pa un oedd yn sefyll ar dair carreg tua llathen oddi wrth y ddaear ac yn mesur 45 llath o hyd wrth 2 o led ac yn 1 llathen o drwch; a'r ail gromlech yw Cae Preswylfod [?], Bodedern ar gae [aneglur] pa un sydd yn sefyll ar 4 carreg; tair yn

y cefn yn mesur tua llathen a hanner o uchtwr ac wedi eu gosod ar hanner cylch a'r garreg arall ychydig yn hwy yn dal dan y pen blaen i'r llech pa un sydd tua 2 lath a chwarter o led wrth 4 o hyd a tri chwarter llath o drwch. Mae yno un arall yn ei hymyl wedi syrthio oddi ar ei cholofnau. Diwrnod cymylog iawn drwy'r dydd. Niwl tew pob man.

Sul 10
Euthum bore a hwyr i'r capel bach, sef Saron a chefais ddwy bregeth dda.

Llun 11
Bûm i a Hugh Hughes am dro yn edrych ar y garreg fawr sydd wedi ei phlannu yn y ddaear yn mesur 3 llath o hyd wrth 2 lath o led a thua hanner llath o drwch. Y mae i'w gweled cydrhwng Cemaes ac Amlwch a thua 2 filltir o'r lle diwethaf. Aethom yn ein blaen at y môr cyhyd [â?] rhwng Cemaes a Bull Bay[27] a daethom yn ein holau gyda glan y môr. Mae yn dda i Môn ei bod wedi ei sylfaenu ar y graig neu buasai yr hen Dafydd Jones[28] wedi ei llyncu i'w fol er ys llawer dydd. Mae'n curo yn annhrugarog ar rannau gogleddol a gorllewinol Môn.

Mawrth 12
Glawio drwy'r dydd ac am 5 o'r gloch bwriedais fyned i Cemaes i gyfarfod pregethu'r Bedyddwyr ond mi gollais y modurau oedd yn cario yno a gorfod i mi ddod yn fy hôl gan benderfynu bod tipyn mwy siarp bore yfory os byw ac iach a fyddaf. Heddiw danfonais nodyn i Freeman ynglŷn â'r modur.

Mercher 13
Euthum yn y bore i gyfarfod yr Undeb i Cemaes a chefais bregethu da odiaeth drwy'r dydd er ei bod yn oer iawn eto. Yr oedd yno dyrfa luosog a rhai cannoedd o bobl. Yr oedd un Parch. J. Nicholas o Lundain yn hynod. Pregethai fel un ag awdurdod ganddo. Ei destun yn yr hwyr oedd Isaac yn glanhau pydewau ei dad Abraham y rhai oedd y Philistiaid wedi eu cau.

Iau 14
Euthum am Mochdre ac yna Conwy. Euthum i weled yr hen gastell a cherddais drwyddo i gyd ac wrth wneuthur hynny, collais y trên

i Llandudno, a bu raid i mi gerdded i Mochdre bob cam ond ar y cyfan cefais llawn dâl wrth edrych ar yr hen gastell. Y mae'n anferth o fawr oddi mewn ac wedi ei adeiladu er ys tua 900 mlynedd gan Edward y cyntaf, brenin Lloegr.

Gwener 15

Euthum ar fy nhraed i Glan Conwy a chymerais y trên i Lanrwst ac euthum i dŷ Evan Elis yn ymyl yr eglwys newydd ac ar ôl cinio aethom ein dau am dro ar ein traed i edrych am Ffynnon Trefin. Telais 6 cheiniog a chefais fyned i ben draw yr ogof lle mae'r dŵr yn tarddu. Ogof, mae'n debyg, a gadd ei thorri gan y Rhufeiniaid i chwilio am fwynau oedd hon yn y dechrau. Ymestynna o dan y mynydd am tua 50 llath ac mae ynddi dri phwll o ddŵr [aneglur].[29] Deuthum allan o'r ogof ac euthum i'r tŷ sydd wedi ei godi gan berchennog y ffynnon er cadw'r dŵr a'i werthu a chefais ddau lasaid bychan gwerth tair ceiniog yr un o'r dŵr er cael ei brofi. Nid oedd arno flas da iawn; yr oedd yn cydio yn eich genau gyda llawer o haearn a sulffur ynddo; y mae'n hynod o feddyginiaethol er gwella'r riwmatic, meddant hwy.

Sadwrn 16

Deuthum adref i Amlwch. Mae Amlwch yn y pen mwyaf gogledd-ddwyreiniol o Sir Fôn. Ac yn y nawn am tua 6 o'r gloch daeth y Parch. J. Hughes, Blaenau Ffestiniog yma i aros gyda ni yn nhŷ ei frawd Hugh.

Sul 17

Euthum gyda Hughes i gapel y Borth, Amlwch sef capel yr Annibynwyr a chawsom bregeth dda iawn ganddo, ac am ddau euthum i a Hugh i gapel bach Saron i wrando ar y Parch. W. J. Williams, Cydweli, S.W. ac am chwech yn yr hwyr, aethom oll oddigerth Hugh i Borth i wrando ar Hughes yn pregethu a chawsom ganddo bregeth benigamp.

Llun 18

Am 1:15 o'r gloch euthum i gyda P. Hughes am Llangefni i undeb yr Annibynwyr a gwneuthum fy hun yn llawn aelod o'r gymdeithas drwy dalu 10 swllt a chefais docynnau bwyd a llety am dri diwrnod yn gyfnewid ac yna euthum i gapel mawr y

Methodistiaid sef Moriah pa un sydd gapel braf iawn ac yn dal tua 800 cant o bersonau i eistedd yn gyfforddus. O 4:30 nawn hyd 5:30 cawsom yn ysgoldy Moriah de croeso gan Mr D. Lloyd Jones ynghyd â Mstrs Jones Tregof Farm ac wedi i bawb gael ei wala a'i weddill o'r te a'r teisennau aethom oll i Moriah am 5 o'r gloch a chawsom gyfarfod y Plant. Yr oedd tua 50 o blant yn bresennol pa rai oedd wedi eu casglu o wahanol gapelydd Annibynwyr y Sir. Cawsom araith gan Miss Enid B.A. Llanelli a'r Parch. Evan Davies (Eta Delta) pa un oedd ddirwestwr mawr yn ei amser. Mstr John Parry B.A. Bethesta a'r Hybarch William Griffith Caergybi. Cyfarfod da iawn. Te am 2 yr un nawn yng Nghapel Moriah. Araith gan y Parch. W. J. Griffith B.A., B.D., Dowlais ar arwriaeth a'r Parch. J. Gwyn Jones, Rhos y Caerau ar hapchwarae; penigamp oedd yr areithiau hyn. Ac yna aethom bawb wedi ei foddhau yn fawr i'w lety am y nos pa un oedd wedi ei baratoi yn ardderchog ar ein cyfer.

Mawrth 19
Cyfarfodydd yr Undeb i setlo swyddogion ac felly yn y blaen ac am 7 yn yr hwyr pregethwyd pregethau yr Undeb gan y Parch. Athro D. Miallt [sic] Edwards ar Ioan 10, a'r 10 adnod a chan y Parch. Dyfnallt Owain. Dwy bregeth benigamp.

Mercher 20
Am 10:30 yng nghapel Moriah araith y cadeirydd, y Parch. H. Elfed Lewis M.A., Llundain ar yr emyn Cymraeg. Ardderchog. Yna awd ymlaen i dderbyn dirprwyaeth o wahanol eglwysau ac ar y diwedd y bore hwnnw, cawsom ni oll ac oedd yn bresennol o bobl Chubut ein galw ymlaen i'r pwlpud i ddangos ein hunain a chawsom sylw manylaf y cadeirydd a gosod ein mater o flaen yr Undeb a gwnaeth y Parch. M. Daniel hynny sef ceisio gan Annibynwyr y Wladva weld nerth yr Undeb mawr yng Nghymru a phan y byddai arnom angen gweinidog ein bod yn gwybod lle i ddanfon amdano. Croesawyd hefyd yn y cyfarfod hwn gadeirydd newydd i'r Undeb am y flwyddyn gyfredol sef y Parch. Perry Huws, Dolgellau. Ac am 3 y prydnawn yng nghapel Moriah cafwyd cyfarfod cenhadol ac anerchiadau gan wahanol cenhadwyr ac oedd yn bresennol. Ac yn yr hwyr am 7 yn yr un capel cyfarfod

bendigedig pryd y codwyd yr awyrgylch i lefel [?] ysbrydol drwy araith fendigedig Mr Rees Hopkins Morris ar y testun Rhyngwladwriaeth Gristionogol. Aeth i dir newydd na fuodd neb yn ei sangu erioed o'r blaen. Profodd yn eglur nad oedd dim wedi ei wneud tuag at Heddwch y Byd wedi ei sylfaenu ar y sylfaen iawn. Nid diarfogiad y cenhedloedd o'u harfau sydd eisiau, meddai ef, ond diarfogi o'r syniad am ryfel drwy roddi syniad clir iddynt am deyrnas Iesu. Tynnwch chwi, meddai, y bwystfil o'r dyn i ddechrau; ni fydd angen ofni ei arfau wedyn. Ac ar ôl yr araith fendigedig hon, deuthum adref i Amlwch.

Iau 21
Yn Amlwch a theulu Parch. John Huws, Blaenau Ffestiniog gyda mi ac yn yr hwyr euthum i fy hun am dro i edrych am deulu Grunchels oedd yn Borth Amlwch ac ni chefais hwy gartref. Yr oeddynt wedi myned am dro i Gaernarfon. Diwrnod braidd yn wlithog drwy'r dydd; garw iawn yw'r tywydd yma ym Môn ar hyd y mis hwn. Nid oes flodyn i'w weled ar ddrain y gwrychoedd yn un man, dim ond ôl deifio gan wynt y gogledd orllewin nes gadael y drain a'r coed heb ddim dail arnynt yr ochr agosaf i wynt oer y gogledd.

Gwener 22
Euthum gyda'r trên 1 o'r gloch o Amlwch gyda J. Hughes ac i'r cyfarfod pregethu yn Llangefni a chawsom ddwy bregeth da iawn; un yn esbonio Tywysog y Bywyd yn ardderchog. A bu agos iawn i mi golli'r trên oedd yn myned i Bangor am 4:30. Disgynnais i ym Mangor ac euthum i gyfarfod can-mlwyddiant y Parch. Meicil Jones[30] o'r Bala yr hwn oedd yn cael ei gynnal yng nghapel Pentre [sic am Pendre] gan yr Annibynwyr a thruenus o sâl y cafodd coffa yr hen wron ei gynnal. Siaradwyd gan bersonau nad oedd ganddynt ddim cysylltiadau â hwy o gwbl ac ar ôl y cyfarfod, euthum gyda'r trên naw yn yr hwyr gyda'r Bonwr[31] W. M. Hughes i Rhyl.

Sadwrn 23
Treulio'r diwrnod yn nhŷ Hughes ac am 7 yn yr hwyr aethom ein tri sef Hughes a Mrs Hughes a minnau am dro i weled Castell Rhuddlan pa un sydd wedi adfeilio llawer yn ddiamau ond wedi

ei adael gan amser fel cofgolofn ein mawrion i ddangos yr oesoedd a basiodd yn ymyl Morfa Rhuddlan. Mae'n llai na Chastell Conwy ond wedi ei adeiladu yn fwy celfyddydol na hwnnw.

Sul 24
Diwrnod braf iawn drwy'r dydd. Yn y bore euthum gyda Mr Hughes i gapel yr Annibynwyr i wrando pregeth gan y Parch. J. Gwyn Griffith. Nawn arhosais gartref ac yn y nos aethom ein tri i'r un capel i wrando'r un pregethwr a phregethodd ar y testun Moses wedi gwrthod ei alw yn fab merch Pharo a bod ffydd yn cyrraedd y tu draw i reswm. Pregeth dda iawn.

Llun 25
Am 9 o'r gloch, euthum gyda'r trên i le Freeman ym Mochdre a nawn aethom i Golwyn Bay ac i le John W. Davies. Bwriadwn gael modur Freeman ond yr oedd wedi ei werthu a cheisiwn rentu un. Gofynnant 5 punt yr wythnos am ei wasanaeth. Nis gwn eto beth a wnaf. Bwrw glaw yn nawn pan yn myned i'r capel i gwrdd gweddi oedd yn cael ei gynnal yng nghapel y Methodistiaid ym Mochdre.

Mawrth 26
Euthum gyda pobl ysgol Sul Mochdre i Lerpwl am dro a mwynheais fy hun yn iawn er ei bod yn y bore yn glawio yn drwm nes y cyraeddasom bron i Lerpwl (deuthum gyda'r fferi dros y Mersi ac wedyn i'r caffe ac wedi cael cinio yn y fan honno, aethom i weled y lluniau ac oddi yno i'r museum sydd yn ymyl ac wedi cerdded hwnnw nes blino aethom [*aneglur*] am gwpanaid o de ac oddi yno yn ein holau i Birkenhead. Ac aeth Freeman a minnau ac un cyfaill arall gyda ni gyda'r trên o dan mesur er cywreinrwydd, a daethom yn ein holau yn iawn ac ar ein bysis i gael mynd gartref ond gorfod i ni weitio nes yr oedd yn naw o'r gloch cyn i'n bys ni ddyfod ac aeth yn 20 munud i 12 cyn cyrraedd gartref.

Mercher 27
Cerdded o Mochdre i Glan Conwy i gyfarfod y trên 10 wedi 1 y nawn a phan o fewn tua 300 llath i'r orsaf, aeth y trên i ffwrdd nôl cerdded nes fy mod yn chwys diferol i geisio ei ddal ond mi gollais y trên a gorfu i mi aros yn yr orsaf tan 3:45 cyn cael un arall i

Lanrwst a daeth y trên ac euthum gydag ef i Lanrwst i le Evan Ellis a chyfarfyddais â Patrona yn y fan honno a nawn euthum gyn belled â James Nieland [?] mi a Ellis ac wrth ddyfod gartref euthum heibio i Mrs Wright i holi am Ford ar werth a chytunais am un yn union am 66 punt ail-law ac i'w gael ddydd Llun yr ail o Orffennaf.

Iau 28
Gartref yn lle Mr Ellis oddigerth tro bychan i'r capel gwydr i edrych arch Llywelyn Fawr yr hwn sydd o garreg ac ac i'w gweled yn y capel. Os oedd yn llenwi yr arch yma yr oedd yn fawr nôl ystyr llawn y gair.

Gwener 29
Bore braf iawn.

Sadwrn 30
Euthum i Amlwch i edrych am Milton a theulu Hughes pa rai a gefais yn iawn.

Sul Gorffennaf 1
Yn y bore euthum i'r cwrdd gweddi oedd yn cael ei gynnal yn Saron, am gartref am ddau o'r gloch ac euthum â Milton i dŷ Grunchels ac oddi yno gyda theulu Grunchels i gymanfa Methodistiaid oedd yn cael ei chynnal mewn pabell fawr ar gae agored yn Amlwch a chefais ddwy bregeth dda iawn . . . [*aneglur*].[32]

Llun 2
Yn y bore euthum i'r banc yn Amlwch i godi arian sef 100 punt i dalu am fodur oeddwn wedi ei brynu yn garej Wright yn Llanrwst am 74 punt. Am 11:10 cychwyn o Amlwch am Lanrwst gyda'r trên hyd Bangor a disgyn yno i fyned i weled Edward Jones ond nid oedd ef gartref a chyfarfyddais yn ei dŷ â Nefydd Hughes Cadvan[33] a chefais wybod ganddo fod R. Jones Santa Fe wedi ei gladdu yr hwn a adewais yn wael yn Buenos Aires pan yn dyfod allan am Gymru, ac am 2.55 ail gychwyn am Lanrwst a chyrraedd yn ddiogel.

Mawrth 3
Bwrw glaw a'm lluddias drwy hynny i fynd allan, fi a'm modur. Telais heddiw am y modur, 74 punt yn barod a thrwydded o'r

insiwrans i fynd allan i'r heol.

Mercher 4
Myned gyda'r modur i'r Blaenau a chyn cyrraedd y Blaenau, aeth
y modur allan o order drwy i nodwydd y contacto ddod yn rhydd
a syrthio i mewn iddo a bu rhaid ei dywys o'r tu nôl i fodur arall i
garej Meicil Jones yn y Blaenau i ddodi nodwydd arall ynddo a'i
symud i garej arall i'w gadw dros y nos.

Iau 5
Emlyn a minnau yn myned i Cricieth am dro yn y modur; taith
hwylus iawn i'r hen gastell ond pan yn cychwyn yn ein holau tua
4 o'r gloch, aeth y modur allan o order wedyn a methasom yn lan
â'i gael i weithio a gadawyd yn y Wern.

Gwener 6
Euthum yn fy hôl gyda'r trên bach i Borthmadog gan feddwl dod
â'r modur yn ei hôl gyda mi ond methasant â'i gael yn barod.
Cedwais ef yno tan ddydd Mawrth yr wythnos nesaf. Diwrnod
poeth iawn heddiw. Mae'r daith o'r Blaenau i Borthmadog gyda'r
trên bach yn olygfa mwyaf rhamantus yn holl Gymru i gyd. Mae'n
eithriadol dlws drwy fynyddoedd a choedydd a chymoedd
uwchlaw glynnoedd dyfnion ar bob llaw.

Sadwrn 7
Yn y gymanfa drwy'r dydd yng nghapel Jerusalem a chawsom
bregethau ardderchog.

Sul 8
Cymanfa yn parhau ac yn yr hwyr Sul cawsom ddwy bregeth
benigamp gan y Parch. Edryd Jones ar adnodau ym Mathew sef
'Dechrau gofidiau' . . . [aneglur]. Cawsom hefyd bregeth gan y
Parch. Huw Meical Hughes ar yr adnodau 'Ac y mae i mi
ddiddanydd gyda'r Tad sef Iesu'. Derbyniodd ystyron y gair
diddanydd a sut y mae wedi newid ei ystyr er pan y llefarwyd ef
gan yr Efengylydd. Bendigedig oedd gwrando ar y genadwri fawr.

Llun 9
Gartref drwy'r dydd ac euthum yn y nawn i roddi fy mesur am
siwt o ddillad gan y Bonwr Arthur Jones.

Mawrth 10

Myned gyda'r Parch. John Hughes a'r Parch. Hughes a'r Parch. Nicholas brawd-yng-nghyfraith Mr Hughes gyda'r trên bach i lawr i Tanybwlch ac yna cerdded i Maentwrog a myned i'r eglwys, a gweled yn Maentwrog hen faen mawr ar ei ben yn y ddaear yn ymyl giat yr eglwys ac yna myned i weled capel yr Annibynwyr a chael cwpanaid o de gyda Mr Gerallt a cherdded yn ein holau i orsaf Tanybwlch heibio i'r plas Tanybwlch ac adref i'r Blaenau yn ddiddig wedi 6 yr hwyr.

Mercher 11

Myned i Borthmadog i ymofyn y modur ac am ddau o'r gloch nôl cael y modur, euthum i orsaf y trên bach i gyfarfod Patrona a'i chwaer-yng-nghyfraith Mrs Hughes ac yna euthum yn y modur cyn belled â Chricieth ac nôl cael cwpanaid o de yno cychwynais gartref i'r Blaenau a chawsom daith hwylus iawn.

Iau 12

Euthum i a Hughes ar daith drwy Betws y Coed ac i lawr i Fangor ac oddi yno i ben yr Wyddfa yn y trên. Cymerodd bron awr gyfan i fyned i fyny ac 20 munud i aros ar ben yr Wyddfa ond yn anffodus yr oedd niwl neu yn hytrach darth yn codi o'r ddaear gan y gwres gan ei bod yn boeth iawn y diwrnod hwnnw fel nas gallwn weled dim gwerth o amgylch. Yr oedd rhai cannoedd yma heblaw am yr oedd 6 trên yn cario nôl a blaen. Cymerodd y trên awr arall i ddyfod i lawr. Nid yw'r Wyddfa ond mynydd moel iawn o gerrig geirwon ac yn 3,460 troedfedd uwchlaw'r môr. Gwthiwyd y cerbyd gan beiriant ager i'r blaen pan yn myned i fyny ac yn ei dynnu yn ei hôl pan yn myned i lawr. Mae reliau y trên yma, un o bob tu i'r olwynion a dwy wyneb yn wyneb yn y canol a dannedd cryfion arnynt. Y mae yn ei gwneuthur yn berffaith ddiogel. Aethom yn ein blaenau nôl gadael y trên a throesom ar y chwith i gael y brif ffordd oedd yn myned i Gaernarfon drwy Beddgelert a chawsom gwpanaid ac yna euthum i weled bedd Gelert pa un sydd yn dyddio nôl i'r 12 ganrif. Mae pedair carreg hynafol iawn yn nodi y fan gydag un goeden gymharol ieuanc; un garreg yn y canol, un ar ei gorwedd yn y canol ac un o bob tu i'r ddwy garreg ganol. Mae bedd Gelert yn llecyn tlws iawn. Cyrraedd gartref drwy Benrhyn a Than y Bwlch; taith hwylus iawn.

Gwener 12

Emlyn a minnau yn myned yn y modur am daith drwy Maentwrog a Harlech [*aneglur*]. Aros yn Harlech i weled yr hen gastell ac yn ôl talu 6 cheiniog yr un, cawsom ganiatâd i ymweld â'r castell ac y mae'n werth ei weled. Dywedant hwy y gellwn weled Sarn Padrig o ben y castell; pan y bydd y llanw i lawr gwelir hen furiau neu forglawdd Cantref Gwaelod . . . [*aneglur*].[34]

Sadwrn 13

Patrona a minnau yn myned i Lanrwst. Gadael Patrona yn nhŷ Evan Ellis a minnau'n mynd yn fy mlaen am dŷ Freeman ym Mochdre ac wedi bwriadu aros yno dros y Sul ond cefais ordors gan Patrona i fyned yn fy hôl o Mochdre yr hyn a wneuthum fore Sul. Tywydd braf iawn.

Llun 15

Myned yn ein blaenau am Amlwch drwy Gonwy, Bangor, Llangefni a Llannerch-y-Medd. Cyrraedd tua 4:30 y nawn.

Mawrth 16

Bore, mynd am dro i weled Grunchels ac ar ôl cinio myned i Rosgoch a Mrs Hughes gyda ni i weled yr hen wraig fy mam-yng-nghyfraith ac oddi yno am Mynydd Elias i weled fy chwaer-yng-nghyfraith oedd yn dychwelyd yn ôl i Tan y Bryn. Nawn, bwrw glaw ychydig.

Mercher 17

Bore, Hughes a minnau yn myned am dro i Moelfre er cael gweled gweddillion *Royal Charter*[35] a myned tua milltir yn rhy bell. Dim amser i fyned hyd ato ac yn ein holau gartref nawn. Ar ôl cinio, Patrona a minnau a Mrs Hughes yn myned i Cemaes am dro i weled Mrs Evans a'r teulu ac wrth ddod yn ein holau yr hwyr, aethom heibio Llanfechall a thrwy Rosgoch er cael gweled cyfnither sydd yn dechrau bildio tŷ gerllaw Cemaes, yr hwn sydd newydd ddod o America i'r ardal i fyw.

Iau 18 [19 *sic*]

Bwrw glaw drwy'r dydd ond euthum i drwy'i ganol am dro i le

Grunchels i gydwledda â hwy mewn pryd da o tallarines[36] yr oeddynt wedi ei baratoi yn espesial[37] i mi.

Gwener 20
Cychwynasom ein taith ein tri am Fangor a Chaernarfon a chyraeddasom yno yn llwyddiannus tua thri o'r gloch nawn yr un dydd. Diwrnod braf iawn.

Sadwrn 21
Aethom ein pump am dro ar ôl cinio i Gaernarfon am dro i weled yr hen gastell sydd yno. Ac ar ôl talu 6 cheiniog yr un cawsom gychwyn myned drwyddo a guide gyda ni yr hwn oedd yn arwain torf fawr arall heblaw amdanom am tua awr o amser ond ni welsom ei hanner. Gwelsom y rhannau mwyaf pwysig ohono ac yn eu plith yr ystafell lle ganwyd brenin Cymru neu'r tywysog. Bychan iawn oedd yr ystafell ond clyd iawn a chynnes ac i fyny amryw lathenni oddi ar y llawr. Mae'r castell hwn yn fawr iawn ond yn mesur tua 600 o droedfeddi o hyd wrth tua 150 o led ac yn sefyll rhwng y muriau a'r cyfan o tua 14 erw o dir. Mae llawer ohono wedi ei dynnu i lawr gan yr hen bobl yng Nghaernarfon cyn i'r llywodraeth ei gymeryd i gadwraeth ei gofal. Efe yw'r castell mwyaf a'r gorau ei gadwriaeth yng Nghymru ar hyn o bryd.

Sul 22
Euthum yn y bore gyda Mr Jones i gapel y Methodistiaid oedd yn ymyl i wrando ar bregethwr ieuanc o'r enw Parch. Griffith S. Jones oedd yn pregethu ar yr adnod honno o eiddo Paul, 'Digon yw iti fy nerthu i' a chawsom bregeth dda iawn ganddo, sylwadau amserol iawn ac yn y hwyr am 6 o'r gloch euthum eilwaith i wrando ar yr un pregethwr a chymerodd adnod o Weddi'r Arglwydd yn dysgu: 'Deled dy deyrnas, gwneler dy ewyllys ar y ddaear megis yn y nef'.

Llun 23
Pan y codais yn y bore yr oedd yn glawio'n drwm a'r modur yn gwlychu'n ddrwg iawn; euthum i'w diogelu.

Mawrth 24
Bonwr R. O. Jones a'r wraig a minnau yn myned i Lanberis. Cyrraedd mewn byr amser a thaith hwylus iawn ac ar y ffordd

galwasom heibio i dad y Bon. Crismas Jones a chawsom yr hen ŵr mewn iechyd gweddol ond ei fod bron yn ddall, ond chwaer gysurus yn edrych yn rhagorol iawn ac yn danfon ei chofion i'w brawd Crismas pan y gwelwn ef nôl dychwelyd i Chubut. Cawsom brawd a chwaer Owen Jones mewn iechyd da ac yn hynod roesawus.[38] Aethom i dŷ'r chwaer i gael te yn y nawn a'r nos i aros yn nhŷ'r brawd o'r hen Fryn yr Efail. Ardal fechan ond tlws yw Llanberis gyda'i llyn mawr ond yn cael ei gau i fyny yn gyflym gyda rwbel o'r chwarel.

Mercher 25
Myned i edrych am Robert Owen i Waun Pentir. Aros yno a'r nawn euthum i a Robert Owen i Ben y Garnedd sef hen ffort Rhufeinig tua milltir o dŷ Owens. Mae yn hynod a gwerth ei gweled. Enw'r lle yn iawn yw Pen y Ddinas Camp, Llanddeiniolen [aneglur] ac ar ôl cerdded o gwmpas i'r gaerfa, aethom gartref i dŷ Owens.

Iau 26
Cychwyn o Waun Pentir drwy Dregarth ac i Bethesda ac o Bethesda drwy Nant Ffrancon ac heibio Llyn Ogwen a Chapel Curig a Betws y Coed ac yno yn nhŷ brawd Dei Siop cawsom ginio ac aethom oddi yno am Hafod y Geunant ac ar ôl cwpanaid o de euthum i â'r hen ŵr a'r hen wraig yr Hafod am dro i weled y gromlech Capel Garmon[39] ac oddi yno am dŷ Owen Williams,[40] (yr hwn sydd yn byw yn Andes) yn ymyl Capel Garmon.

Gwener 27
Glawio'n drwm a'r nawn euthum i â Patrona a Mrs Jones am dro i Llanrwst.

Sadwrn 28
Gŵyl y Glaniad heddiw yn cael ei threulio gennyf am y tro cyntaf yn fy mywyd ar hen ucheldir yn Hafod y Gwynant. Y Wladva Gymreig heddiw yn 58 wyth mlwydd oed. Llawer o i fyny ac i lawr sydd wedi bod er y flwyddyn 1865 – glanio mintai Mimosa – hyd yn awr. Ac ar ôl cinio y 28, euthum i â'r hen ŵr W. Jones yr Hafod am dro i weled y tŷ yn Gwybernant[41] y fan y bu Doctor W. Morgan yn cyfieithu'r Beibl o'r Saesneg i'r Gymraeg. Hen dŷ hir a chul yw'r Tŷ Mawr wedi ei adeiladu gyda cherrig sychion heb ddim morter

rhyngddynt ond yn unig wedi eu gosod yn rhydd ar ei gilydd fel clawdd mewn ffordd. Mae yn ymyl y lle tân math o gwpwrdd mawr ddigon i ddyn fyned i mewn iddo ac ochr y simle wedi ei thynnu i lawr fel ag i ollwn ychydig o oleuni drwy'r corn y simle i'r twll tywyll yma lle y dywedir fod Morgan yn cau ei hun i mewn i astudio'r cyfieithiad oedd, meddant, y pryd hwnnw lle iddo ddianc drwy'r simle ac allan dros y to os byddai arno angen. Dwy ystafell oedd y tŷ y pryd hwnnw, sef dwy ar lawr ond yn awr mae iddo lofft ond isel a digalon yr olwg yw ac uwchben y drws os cewch fynediad i mewn mae llechen wedi ei gosod yn y mur yn dweud am Morgan ei fod wedi ei eni yn 1541 ac wedi marw yn 1604. Troesom yn ein holau oddi wrth yr hen Dŷ Mawr ac am Bont Gethin, sef pont y reilwe sydd yn croesi afon Lledr. Mae'r bont hon yn werth i sylwi arni gyda'i bwâu mawrion a chadarn. Y bont fwyaf yng Nghymru meddant yw hi. Mesurai tua tri i bedwar canllath o hyd. Aethom o'r bont yn ein blaenau am Lanrwst ac wedi ymdroi ychydig yno cyraeddasom gartref gyda machlud haul.

Sul 29
[aneglur]
Ac yn y bore cawsom bregeth gan foneddwr o Langollen ar nos cwrdd gweddi a chyfeillach ar ei hôl. Nid wyf yn cymeradwyo eu dull o ofyn adnodau i'r plant bach. Gwnâi'r plant sefyll o bob tu'r capel yn yr ali yn lle sefyll gyda'i gilydd a phan yn holi un ochr byddai'r ochr arall yn cael ei hamddifadu o'r siarad a'r cynghori.

Llun 30
Bwrw glaw ond ei bod yn drymaidd. Cychwynasom yn y modur ein tri am Ffestiniog a chyn bo hir daeth yn braf iawn a chyraeddasom Jerusalem yn hwylus mewn tua 3 chwarter awr o deithio.

Mawrth 31
Hughes a minnau yn mynd am dro yn y modur gyn belled â Phwllheli ac wedi cael cwpanaid o de yn y fan honno ail gychwynasom yn ein holau am Borthmadog ac ar ein ffordd ger Pentre'r Felin cydrhwng Cricieth a Madog aethom am dro i edrych bedd Dafydd y Garreg Wen yr hwn oedd wedi ei gladdu yn hen

fynwent Cynhaearn. Cawsom ei fedd ac arni y delyn wedi ei cherfio yn y garreg fedd a'r dyddiad arni 1749, felly y mae wedi ei gladdu ers 174 o flynyddau yn ôl, ac wrth fyned drwy Borth Madog troesom yn ein holau ar y dde gyda glan y môr er gweled y Garreg Wen, sef y tŷ lle yr oedd Dafydd yn byw pan y cyfansoddodd Codiad yr Hedydd. Cawsom weled y tŷ drwyddo draw. Yr oedd yn dŷ lled fawr am yr amser hwnnw a daeth gŵr y tŷ gyda ni i ddangos cadair Dafydd yr hwn oedd draw ar y bonciau o'r tu ôl i'r tŷ.

Awst 1, 1923
Myned i'r banc i godi arian ar y chec a gefais yn ôl gan Thomas Cook Sir Fôn o'r daith i Palestina sef 151 punt.

Iau 2
Gartref drwy'r dydd ac yn ystorm fawr o law a gwynt ac am 6 euthum i a Patrona i'r cyngerdd oedd yn cael ei gynnal yn y Blaenau a chawsom werth ein tocynnau ond sylwais fel mae pob peth yn seisnigeiddio yng Nghymru. Yr oedd y cyfan a ganwyd yn y cyngerdd yn Saesneg gydag eithrio un gân gan ddau gerddor o'r de oedd yn canu, sef Mr Thomas a Williams ac un fonesig Miss Richards. Canodd y seindorf ddwywaith yn dlws iawn.

Gwener 3
Myned am Ryl a phasio heibio i Thomas Freeman, yna pan ar ganol cael cwpanaid o de, daeth y Bonwr Rhys Thomas a Mrs Thomas i mewn. Yr oeddynt yn edrych yn dda iawn ac mewn iechyd da. Yr oeddent wedi dod o dde Cymru y diwrnod hwnnw a bwriadu aros ym Mochdre i gael myned i'r Eisteddfod. Cychwynasom o dŷ Freeman ar ôl y te.

Sadwrn 4
Euthum i, Hughes ac Aeron yn y modur drwy Dyserth ac i Newmarket[42] ac yn ein blaenau i Dreffynnon yn Sir Fflint heb fod ymhell o'r Dyfrdwy; gwlad dlws iawn yw'r mynyddoedd hyn ac ardal Treffynnon. Deuthum i weled y ffynnon yr hwn sydd wedi ei chau i mewn yn rhan o'r eglwys. Mae y border yn gryf iawn a'r dŵr a lliw glas dywyll arno ond yn blasu yn dda iawn. Mae yno rhai ugeiniau o ffyn baglau wedi eu gadael ar ôl wrth y ffynnon yn

brawf o iachâd y rhai hynny oedd yn ei defnyddio. Mae hefyd yn y dŵr tua llathen dan y wyneb garreg wen ac arni staen goch (neu liw coch) fel lliw gwaed a dywedasant wrthych mai gwaed Winiffred yw ac mae yn rhaid i chwi os am hir iachâd fyned i'r dŵr a phlygu i lawr a chusanu'r garreg wen a'r gwaed dair gwaith ac yna bydd eich iachâd yn sicr: y perygl yw mai wedi rhoddi a fyddwch ac nid wedi gwella. Mae yno gadwen gref o haearn ichwi afael ynddi tra yn cusanu'r garreg gael i chwi ddyfod i fyny o'r ffynnon. Mae ffynnon yr eglwys yn dyddio'n ôl 1,500 o flynyddoedd yn y man lleiaf. Daethom yn ein holau i Rhyl gyda glan y môr drwy Bagillt, Mostyn a Prestatyn.

Sul 5

Euthum gyda Hughes i'w daith bregethwrol yn y bore i Llanelwi a phresenolodd 16 rhieni, plant a dynion yn y bregeth y bore ac am ddau o'r gloch aethom tua tair milltir ymhellach. Capel bach arall o'r enw Waun a phresenolodd yn hwnnw am ddau tua 20 ohonom a chyfarfod y plant. Llefydd gwledig yw'r rhai yma ond â digon o boblogaeth i lenwi capel ddwywaith gymaint [*aneglur*]. Yn yr hwyr daethom yn ein holau i Llanelwi a chawsom oedfa gryfach ychydig na'r bore; yr oeddym tua 21 a phan yn aros i'r oedfa 6, euthum i a Hughes i weled cofgolofn Doctor Morgan yr hon sydd o flaen eglwys Llanelwi y lle y buodd Morgan yn esgob am gyfnod a'r lle y cyfieithodd rhan o'r Beibl.

Llun 6

Euthum i a Hughes ac Aeron a'i fam ar daith i Gaerwys a'r Wyddgrug gan feddwl myned gyn belled â Mrs Owen Estancia ond fe'n rhwystrwyd i fyned i mewn i Wyddgrug gyda modur ac roedd tua 2 filltir i gerdded i le Mrs Owen a thorasom ein calonau a throesom yn ein holau tua chartref drwy Fflint a Bagillt gyda glan y môr. Yr oedd Hughes a Mrs Hughes yn chwilio am dŷ i osod un o'u merched ynddo i aros am rai misoedd gan ei bod yn iach a pherygl y darfodedigaeth ail-afael ynddi os nad âi i fyw i le uchel o lan y môr ac i ddigon o awyr iach y mynydd ac i'w pwrpas cawsant dŷ taclus ar le uchel yn ymyl Caerwys.

Mawrth 7

Aeron, Hughes a ninnau yn myned â Lili Hughes a'i mam i

228

Gaerwys a dychwelyd gartref drwy Ddinbych a thra yno euthum i weled yr hen gastell sydd ar ben y bryn uwchlaw'r dref. Yr oedd yn fawr iawn unwaith, mae'n amlwg, cyn i'r gymdogaeth gymeryd y cerrig gorau ohono i adeiladu tai. Adfeilion bron yw yn awr oddigerth un lle ar y mynediad i mewn iddo sydd wedi ei drwsio yn drwyadl.

Mercher 8
Diwrnod bythgofiadwy. Ymweliad â'r Eisteddfod Genedlaethol yn yr Wyddgrug. Euthum i a Hughes a'i frawd a'i ddwy chwaer gyda'r trên 8:45 am yr Wyddgrug a chawsom ddiwrnod braf at y nawn. Yr oedd yn y bore yn glawio yn drwm a phan y daethom allan am ginio tua 1 o'r gloch, cyfarfuasom â Rhys Thomas a Mr Thomas Jacob Morgan a Mrs Morgan Freeman a Gwilym Pugh a Mrs Pugh yn cael cinio yn yr un babell ac y bwriadem ninnau gael cinio ac yn y nawn ym mhabell fawr yr Eisteddfod tua 2 o'r gloch dyna bawb yn gyffro byw drwy'r adeilad mawr a phwy oedd yn gwneuthur ei bresenoldeb ond yr enwog D. Lloyd George[43] a Mrs George. Cawsant tri clap gan y dyrfa yr hon oedd yn rhifo tua 15 mil o bobl ac yna siaradodd yn Gymraeg yn ardderchog am tua 10 munud ac eisteddodd i lawr am tua awr wedyn i wrando ar y corau yn canu ac aeth allan ac wrth iddo fyned allan cefais y fraint o ysgwyd llaw â'r gwron glew. Ac am tua 4 o'r gloch galwodd Llew Tegid ar yr holl Gymry dros fôr i bresenoli eu hunain ar y llwyfan ac felly y buodd ac aeth i 60 ohonom i fyny, rhai o bob part o'r byd ond y rhan fwyaf o ddigon o'r Wladva ac wrth ddyfod i lawr o'r llwyfan cawsom bob un tocyn croeso i fyned i de oedd yn cael ei baratoi gan Mrs Davies Llandinam i roesawu'r Cymry ar Wasgar. A thalodd Mrs Lloyd George ei hymweliad â ni yr eilwaith a chawsom ganddi anerchiad ardderchog ac ysgwyd llaw yr eilwaith a dyna ben ar y diwrnod hwnnw a chyda'r trên deuthum gartref i'r Rhyl.

Gwener 9
Euthum i a Milton a Patrona tua'r Eisteddfod a chawsom ganu da iawn gan gorau meibion ond gan fod Patrona yn blino, aethom allan tua 2 o'r gloch a tua 5 deuthum gartref i'r Rhyl.

Sadwrn 10

Euthum yn ôl i Amlwch gan feddwl cyfarfod â Hughes ond yr oedd wedi myned yn ei ôl gartref i gladdu un o hen ddiaconiaid hynaf ei gapel ef sef Jerusalem ac felly ni chawsom ei weled.

Sul 11

Gadewais Milton a'i fam yn Amlwch ac euthum i fy hun yn fy ôl i Flaenau Ffestiniog er rhoddi ffarwel hoff i Hughes yr hwn oedd yn bwriadu myned i America tua diwedd yr wythnos a minnau yn myned i Dde Cymru ddydd Mawrth os byw ac iach ac felly nid oedd modd ei weled os na ddeuwn yma heddiw. Am 6 nawn Sul euthum i'r capel Jerusalem i wrando gweinidog ieuanc o'r enw Williams yn pregethu a chawsom bregeth dda iawn ganddo.

Llun 12

Myned o Blaenau i Rhyl yn y bore. Bwrw glaw yn y Blaenau, ac ar fy ffordd i'r Rhyl gelwais heibio Freeman a gwelais Jacob Morgan a'r wraig yno yn edrych yn ardderchog eu gwedd ill dau.

Mawrth 13

Aeron Hughes a minnau yn cychwyn ein taith am y deheudir. Myned o Rhyl drwy Ruddlan a thrwy Trefnant[44] ac yn ein blaenau drwy Ddinbych at Ruthin a chael cinio yn y fan honno ac ar ôl cinio aethom i'r banc L.C.M [?] i edrych am fy nai, mab y Parch. John Hughes Jerusalem ac ar ôl cael cwpanaid gydag ef aethom yn ein blaenau am y castell ond ni chawsom fyned i mewn iddo ond i'r parc yn unig. Mae'r cyngor lleol wedi ei ail-drwsio a'i wneuthur yn sanatario i bobl yr ardal a thyna'r rheswm na chaem ei weled. Mae Rhuthun fel Dinbych wedi ei adeiladu ar fryn uchel, yna aethom yn ein blaenau i Oswestry, pentre bychan dinod. Cawsom de yma ac aethom yn ein blaenau am Drenewydd a chyraeddasom yno tua 6:30. Drwy ganol y glaw o Ruthun bob cam. Arosasom yn y lle hwn dan y bore. Pentref bychan yw hwn eto. Nodiad: Aethom o Ruthun i Langollen i ddechrau ac nid i Oswestry. Mae Llangollen yn lle gweddol fawr ac yn lle eithriadol dlws ac amryw law-weithfeydd yno sef ffatri wlân. Teithiasom y diwrnod cyntaf tua 82 o filltiroedd.

Mercher 14

Myned o Drenewydd i Landrindod ac aros yno i ginio ac ar ôl cinio aethom i weled y ffynnon ond nis gallasom ei weled gan ei bod wedi ei chau i fyny nôl glaw y pwmp ynddi felly nid oedd dim i'w weled ond yr adeiladau ac euthum am dro drwy'r parc hyd nes agorai'r drysau am dri o'r gloch y nawn ac erbyn hynny yr oedd llawer iawn o ddynion wedi dod ac yn aros fel ninnau i gael myned i mewn i gael profi'r dŵr yr hwn oedd yn costio dwy geiniog y glasiaid. Profais innau y dŵr ond nis gallaswn ei yfed ond ychydig o hwn, yr oedd yn drewi a blas drwg iawn ac fel blas dŵr glan yr afon Chubut yr hwn sydd yn tarddu oddi ar wraidd Salpitre. Cyrraedd Brecon tua chwech o'r gloch ac aros yno drwy'r nos. Lle bychan yw Brecon mewn pant dwfn. Teithio 61 milltir.

Iau 17

Cychwyn o Brecon i Blaengarw. Myned drwy Merthyr Tudful, Aberdâr, Aberaman, Mountain Ash,[45] Pontypridd, Bridgend a Brynmenyn, ac ar ein ffordd drwy Aberaman, galwasom heibio i'r Parch. John Lewis a chawsom groeso cynnes ganddo a daeth gyda ni i edrych am Rhys Thomas ond nid oedd gartref; yr oedd wedi myned i Gaerdydd. Aethom drwy Mountain Ash heb ei weled a'i adnabod fel fy lle genedigol. Cof gennyf weled rhyw bentref bach tywyll ei olwg pan yn pasio, a hwnnw mae'n debyg oedd Mount ac ar ôl llawer o holi, cawsom hyd i Blaengarw; enw priodol iawn ar y fangre pellennig ac unig. Nis gallem fyned yn bellach pe ceisiwn ond drwy ddringo ar ein traed a'n dwylo gan fod blaen [?] y llwybr [?] yn codi yn syth i fyny ymha le yr oedd pwll glo a gwneuthum gais i fyned i lawr i'r pwll ond nid oedd dim cyfle gan eu bod yn gweithio ar y peiriannau codi uwchben y pwll. Cawsom lety cysurus gan Mr Williams, tad Bobby Williams, Bro Hydref. Galwodd Mr Williams y ddau fab arall oedd allan ar y pryd. Holai lawer am Bobby ar draws ac ar hyd. Glawio'n drwm nawn Iau.

Gwener 18 [?]

Daeth John Charles Williams gyda ni drwy Heol- y- Cyw[46] i edrych am Mr Howel, gweinidog oeddwn i wedi cael ei enw y buasai'n dod allan i'r Wladva ond erbyn i ni gyrraedd ei gartref mewn ffarm fawr ar neilltu'r ffordd [aneglur][47] nid oedd gartref; yr oedd wedi myned ar ei daith bregethwrol a thua chanol dydd cyraeddasom Gaerdydd, prifddinas Cymru mewn maint a thlysni. Mae'r dref harddaf yr wyf wedi ei gweled eto yng Nghymru na Lloegr eto. Arosasom yng Nghaerdydd yn y Grand Hotel a chawsom lety cysurus am bris rhesymol.

Sadwrn 18
Myned o Gaerdydd i Landaf ac ar ein hunion i'r Cathedral fawr oedd yno a dywedodd ein bod ar adeg y boreuol wasanaeth a gofynnodd y person i ni yn garedig a wnaem aros nes byddai y gwasanaeth drosodd. Ni fyddai mwy na 20 munud a hynny a wnaethom wrth gwrs ac ar ôl gorffen y gwasanaeth cawsom ei gweled o un pen i'r llall. Mae yn werth ei gweled ar gyfrif ei maint a'i oedran. Yna daethom yn ein holau drwy Penybont ac i dŷ Mr Lloyd ym Maesteg. Glawio yn drwm drwy'r dydd ac yn y nos am wyth o'r gloch, aethom i'r *cinemátografo*[48] gyda Mr Lloyd.

Sul 19
Bore, myned gyda Mr Lloyd i gapel y Bedyddwyr Saesneg a chawsom bregeth dda. Dyna yw ei gapel ef, mae'n debyg. Nawn am 2:30 aeth Aeron a minnau i edrych am Mrs Jones, gwraig Lewis Jones, Cardigan. Nid oedd gartref ond y ferch hynaf a'i gŵr. Yr oedd newydd fyned i Ben y Graig am iechyd, pellder o tua 3 milltir o Maesteg. Am 6 yn yr hwyr euthum gyda'r Methodistiaid i gapel yr Annibynwyr a chawsom bregeth dda iawn a chyfrannu o'r ordinhad, swper yr Arglwydd yr hwn oedd yn cael ei weinyddu yn dra syml ac urddasol.

Llun 20
Y bore hwnnw glaw yn drwm ac am ddau o'r gloch aethom i Nantewlaeth[49] tua 3 milltir o Maesteg ac aethom i lawr i'r pwll glo oedd yn y fan honno yn 715 llath o ddyfnder a daeth Mr Morgan y manijer gyda ni a William John, nai i'r hen ŵr Dafydd Coslett Thomas a chefnder i William C. Thomas[50] a dangosasant bob peth oedd werth i ni eu gweled a chawsom y fraint o'u gweled yn yr act o dorri glo. Nid oedd y glo ganddynt yn y pwll hwnnw yn anodd i'w dorri, glo carreg oedd, meddant hwy ac yn hynod o feddal, dim ond ei geibio i lawr a wnelent ond er mor hawdd oedd ni charasem ar un cyfrif bod yn eu lle yn gweithio yno. Yr oedd yn boeth iawn

yn y dyfnder hwnnw nôl bod tua awr a hanner tan y ddaear. Cawsom ollyngdod drwy ein codi unwaith eto i olau yr hen haul mawr ac nid y mymryn golau oedd ganddynt druain o'r plygu pen ar bob trawst yn y pwll o'r bron. Nôl cwpanaid o de, aethom ein tri sef Mr Lloyd a minnau ac Aeron o hen eglwys Llangynwyd i weled bedd Ann o Gefn Ydfa yr hwn sydd yn bresennol yn y fynwent wrth yr allor; gwelsom fedd Wil Hopcyn hefyd, ond bedd rhywun arall wedi ei feddiannu ac wedi tynnu ei feddfaen a'r reilings i ffwrdd er 1919 ac wedi gosod un garreg arall yn ei lle ond nid i Wil. Yna aethom o'r hen eglwys i Gefn Ydfa i weled yr hen balas sydd yn awr yn adfeiliedig oddigerth un talcen a'r seler lle cafodd Ann ei charcharu. Mae'r seler yn gadarn eto ac mewn cywair dda odiaeth ac ar ôl edrych o gwmpas y fan troesom ein gwynebau tua chartref.

Mawrth 21
Myned am Merthyr Tudful a'r bonwr Jacob Morgan gyda ni a galw yn Tonyrefail i weled Davis [*aneglur*] ac wedi cael sgwrs gydag ef aethom yn ein blaenau i ganol Cwm Rhondda cyn belled â Thonypandy a chyn ymadael yn y fan honno gyda'r bonwr Morgan cawsom gwpanaid o de gyda'n gilydd ac aeth Morgan gyda'r dram am Flaen Rhondda ac aethom ninnau ein dau yn ein blaenau am Ferthyr a chyraeddasom yna i chwaer James Williams yr hon oedd yn byw yn 2 Troed Rhiw Merthyr ac arosasom yno y noson honno a chawsom groeso cynnes ganddynt ac yn yr hwyr cyn swper aeth Mr Harris â ni o gwmpas y pyllau glo oedd yn y cymdogaeth.

Mercher 22
Myned o Ferthyr dros Bannau Brycheiniog yr ail waith ac o fewn tua 4 milltir i Brieni troesom ar y diwedd am ffordd gul a gwlad dlws iawn nes dyfod i'r ffordd fawr yn Senni Bridge ac aethom ar ein hunion am Landdyfri[51] gan feddwl ymweled â chartref Pantycelyn ond pan y gwnaethom ymholiad yn Llanddyfri, am daro! cawsom allan ein bod wedi ei basio tua 5 milltir nôl. Yr oedd yn rhy bell gennym droi yn ein holau ac ar ôl cinio mewn restaurant oedd yn cael ei chadw gan Gymro o'r enw Jenkins, aethom am dro i'r hen eglwys Llanfair ar y Bryn i weled bedd

Pantycelyn yr hwn a gawsom hyd iddo yn lled ddi-drafferth a'r dyddiad ar garreg ei fedd yn dweud ei fod wedi ei gladdu Ionawr 11, 1791, 132 o flynyddau yn ôl. Cofgolofn ohono o ithfaen goch wedi ei gosod yn gymharol ddiweddar sydd ar ei fedd ac ar ôl i Aeron dynnu darlun ohoni, aethom yn ein holau am y modur i le Jenkins ac aethom yn ein blaenau i Langadog a thros y Mynydd Du ac ar ein blaenau i lawr i Bryn Hafod[?], cartref William Griffith, Gaiman. Lle digon digalon yw'r lle hwn, yna aethom yn ein blaenau drwyddo i Bontardawe ac ar ôl cwpanaid o de aethom yn ein blaenau drwy Bontardawe a thrwy Dreforus a Chlydach ac i Abertawe ac ymlaen i Sgeti i dŷ Myrddin John, ac ar ôl te eto aethom ein pedwar a Mr John a'r wraig gyda ni i'r Bush Hotel ac oddi yno i dŷ Casnodyn Rhys[52] a chawsom groeso cynnes ganddo a mawr ei holi am y Wladva a daeth i'n danfon ni ein dau yn ôl am yr hotel. Tref hardd yw Abertawe; mae bron cyn dlysed â Chaerdydd ond dim agos gymaint.

Iau 23
Bwrw glaw trwm ond er y glaw a'r cyfan, aethom ein pedwar eto cyn belled â chartref chwaer Dafydd G. Rees, Ystradgynlais ond nid oedd gartref ond cawsom loches rhag y glaw gan y forwyn am ychydig amser gan feddwl y buasai'n arafu glawio ond dal i lawio yr oedd yn drwm. Aethom oddi yno i chwilio am restaurant i gael cwpanaid o de ac wedi ein digoni a hithau yn dal i lawio hen wragedd a ffyn, euthum i chwilio am Mr Davis, Pant-teg a chawsom hyd iddo pan yn wlyb diferol, a mawr y croeso a gawsom [aneglur] ganddo ac ni chefais i ac Aeron fyned oddi yno y nos honno ac arosasom yno dan y bore.

Gwener 24
Euthum i Abertawe gyda'r trên ac i'r Bush Hotel i setlo am ein llety ac yn ein blaenau am dŷ Mr John ac wedi cael cinio gwladfaol sef buchero, aethom ein pedwar am Gowerton i edrych am Dafydd Jones [aneglur], a'i wraig y rhai a gawsom yn weddol iach ond ddim yn fy adnabod a phan y dywedais wrthynt pwy oeddwn, mawr oedd eu llawenydd ac am ddigon o roeso i wneuthur i ni a thua pump o'r gloch ffarwelio fu raid i mi gyda Mr John a'r wraig [aneglur], aethom yn ein blaenau i Gorseinon i edrych am fy nai

John Watkin Hughes, a chawsom hwy yn iach a chysurus ond bod ganddynt etifeddes fechan ers tri diwrnod ac am 20 munud i saith aethom yn ein blaenau ac am Lanelli ac arosasom yna mewn gwesty o'r enw Stepney Hotel yn Park Street a chyn swper euthum i Parc Canol y dref ac euthum i holi at 4 o ddynion oedd yn sefyll ar gornel y Parc a wyddent rywbeth am Mrs Davies, gwraig[53] R. B. Davies a laddwyd gan yr Indiaid yn 1884[54] yn Patagonia a dywedodd un wrthyf mai yn Llyn Halen, North America oedd Patagonia, nace, meddai y llall, o dan baner Lloegr mae Patagonia, diwedd y byrdwn oedd na wyddent am ddim ond cornel y sewer lle yr oeddynt yn sefyll ar y pryd.

Sadwrn 25

Aethom o Lanelli drwy Gaerfyrddin ac i Rydlewis a Melin Ganol ac arosasom gyda'r hen frawd diddan y Bonwr Lewis Jones, Coedy. Mae yn byw ar ei fferm o ddeugain erw o dir. Mae un hanner ohoni ar fryn uchel a'r llall mewn pantle dyfn ac yn bell o bob man. Angen mawr oedd arno, yn ôl fy meddwl i. Casglwyd iddo 1,380 o bunnoedd ac wedi ei roddi yn llwyr a'r tŷ sydd arno ddim amgen na shanti di-lewyrch; ar yr un ffordd o Lanelli galwasom gyda John Davies [aneglur] yn Trefach. Yr oedd yr hen wron yn edrych yn ardderchog er ei fod yn 84 blwydd oed. Hola lawer am y Wladva a'i phobl. Y mae yn dal yn Wladvawr pybyr o hyd.

Sul 26

Arosasom gyda'r Bonwr Lewis Jones ac euthum i gapel yr Annibynwyr a'r Parch. Daniel Evans yn weinidog arno.

Llun 27

Pan yn dod allan am yr heol fawr o ffarm Jones ac wrth y felin ganol daeth merch ieuanc i ysgwyd llaw â mi a pheri i ni ei chofio at Mair Iwan ac Anita R [aneglur]. Ei henw yw Annie Owens, yr oedd yn yr ysgol yng Nghaerdydd yr un pryd gyda hwy. Aethom drwy Aberystwyth a Machynlleth ac i Ddolgellau ac arosasom yno gyda modryb Erin Hughes sef Mrs Jones a chawsom wely gyda mam Gwilym Pugh.

Mawrth 28
Myned o Ddolgellau drwy Llanuwchllyn ac i'r Bala ac yn Llanuwchllyn gelwais heibio i Evan ap Edwards yn y Neuaddwen a chefais sgwrs difyr gydag ef ac yna euthum i weld tad a mam John a William Rholand ond nid oedd yr hen wraig gartref. Yr oedd wedi mynd i'r Bala am dro ac yn y Bala aethom i weled Tomas y Bala ac aethom [*aneglur*] oddi yno i Bod Iwan a chawsom y fraint o'i weled drwyddo i gyd a'r holl dai o'i gwmpas. Mae yn hen balas hardd. Trueni na chawsem weled yr hen wron[55] oedd yn byw yno, ond heddwch i'w lwch. Aros heno yn Hotel y Gafr wedi bod yn glawio drwy'r dydd ond yn clirio at y nos.

Mercher 29
Mynd o'r Bala i Rhyl drwy Ddwyryd a Betws y Coed a Llanrwst ac ar ein ffordd o'r Bala galwasom heibio i Melin Meloch yr hwn sydd ar lan afon Dyfrdwy. Mae golwg braf ar yr afon a golwg hynafol iawn ar yr hen felin. Amlwg yw ei fod wedi cael ei hesgeuluso yn fawr. Hynafol oedd ei chynllun ar y dechrau ond gwaeth o lawer yn awr. Galwasom yn Llanrwst yn dŷ'r bonwr Evan Ellis a chawsom gwpanaid o de blasus gan Mrs Ellis ond nid oedd Mr Ellis ddim gartref; yr oedd wedi mynd i edrych y ffarm yr oedd am ei phrynu tua ardal Trefriw. Galwasom heibio James Nichols ond nid oedd gartref. Cyraeddasom Rhyl tua chwech o'r gloch. Bwrw glaw drwy'r dydd; chwythodd yn ofnadwy yn y nos.

Iau 30
Gwener 31
Gartref.

Llawysgrifau:
Ceir y dyddiadur mewn llyfr nodiadau bach a gedwir heddiw yn Nhrevelin. Y mae yna ddiffyg cysondeb yn nifer o'r dyddiadau a geir ynddo, ond fe'u cadwyd fel yr oeddynt yn y gwreiddiol.

[1]Ar y ddogfen wreiddiol ceir teitl mewn Sbaeneg *Viaje a Gales* (Taith i Gymru).
[2]'Patrona'. Dyna sut y cyfeiria JDE at ei wraig Annie Hughes (1873–1950) drwy'r dyddiaduron. Gair Sbaeneg yw *Patrona* a ddefnyddid gynt gan ŵr wrth gyfeirio at ei wraig.
[3]Milton Evans (1913–88), mab JDE ac Annie Hughes.
[4]Talaith yw Bahia ym Mrasil, a'r brif dref yw Salvador da Bahia. Yn lleol cyfeirir at y ddinas fel Bahia.

[5]I'r gogledd o Bahia, gogledd-ddwyrain Brasil.

[6]Sef y môr.

[7]Tua 1,000 cilomedr i'r de-orllewin o Lisbon.

[8]*Tajo* yn y Sbaeneg. *Tejo* yn y Bortiwgaleg.

[9]Roedd Sam Jenkins yn un adnabyddus ymhlith Cymry Llundain yr adeg honno. Byddai'n arfer hysbysebu ei westy yn *Y Cymro* yn ystod y 1920au. Erys y gwesty o hyd, dan enw arall, ond mae ambell lun ac arwydd yno yn atgof am gysylltiadau Cymreig y gwesty.

[10]Am hanes llawn capel Jewin, Llundain, gweler *Y Ddinas Gadarn: Hanes Eglwys Jewin, Llundain*, Gomer M. Roberts, 1974. Fel mesur o'r presenoldeb Cymreig yn Llundain ar y pryd, gellir gweld yn y gyfrol honno fod gan Eglwys Gymraeg Jewin 721 o aelodau.

[11]Teulu'r Freeman: aeth John Freeman (1885–1946) i ymsefydlu yng Nghwm Hyfryd yn 1913. Roedd ganddo frawd Thomas ('Tommy') Freeman ac ef a ysgrifennodd yr ysgrif goffa i JDE yn *Y Drafod* ym mis Ionawr 1945.

[12]Darlleniad ansicr: 'O ysgrif (…) a thrwy'r brifysgol Bangor a chefais fy modloni'n ddirfawr'.

[13]Owen Williams y bardd. Bu'n byw yng Nghwm Hyfryd am gyfnod cyn dychwelyd i Gymru. Roedd yn awdur nifer o gerddi fel 'Cyflafan Cil-y-Cain', 'Marwnad Malacara' a gyhoeddwyd yn *Y Drafod* yn 1912. Cyfrannodd erthygl ar hanes JDE a Malacara i'r cylchgrawn *Cymru*, Ebrill 1913.

[14]Ceir ysgrif yn *Y Drafod*, 1905, 'Hen Gofnodion', sy'n rhoi'r hanes am losgi stôr John Murray Thomas yn Awst 1877. Mae John Coslett Thomas yn ei *Hunangofiant* yn rhoi'r hanes yn llawn.

[15]Chwarel yr Oakley. Un o brif chwareli'r Blaenau. Chwarel danddaearol a grëwyd o dair chwarel yn y 1880au. Caewyd yn 1970, ond ei hailagor fel man twristaidd dan yr enw Gloddfa Ganol. Yn 1998 ailagorodd y chwarel fel menter ddiwydiannol.

[16]Ffermdy yn agos i'r Blaenau.

[17]Darlleniad ansicr: 'Euthum heibio Pulpud Hugh Llwyd o Lwyd o Gynlas [?] pa un sydd dalp o graig yng nghanol y nant o rywogaeth y graig. Yn mesur llathen o led wrth tua 2 o hyd a tua 2 lath o uchter.'

[18]Yr enw Sbaeneg swyddogol ar Gwm Hyfryd, neu Fro Hydref.

[19]William Meloch Hughes, awdur *Ar Lannau'r Gamwy ym Mhatagonia*, 1927. Ganwyd yn 1860 ym Mhensarn, Betws Gwerful Goch. Symudodd y teulu wedyn i Felin Meloch, ger y Bala. Ymfudodd i'r Wladfa yn 1881 gan ddychwelyd i Gymru ar ddechrau'r 1920au. Bu farw yn y Rhyl yn 1926.

[20]Gorsaf (Sbaeneg).

[21]Ffurf Sbaeneg ar yr enw Marseilles.

[22]Ffurf Sbaeneg ar y gair 'steamer'.

[23]Yn anffodus nid oes sicrwydd am orgraff yr enw hwn a ddigwydd droeon yn y dyddiadur. Nid oes unrhyw gysondeb yn y modd yr ysgrifenna JDE yr enw.

[24]O bosibl yn ffurf Gymreigaidd ar y gair Sbaeneg *pinchitos*, byrbryd.

[25]Manceinion.

[26]Llanfaelog?

[27]Porth Llechog.

[28]Gw. nodyn 6.

[29]Darlleniad ansicr: 'a dim dan ddŵr yr un cryfdwr'[?].

[30]Sef Michael D. Jones, sylfaenydd y Wladfa.

[31]Ffurf Wladfaol a ddefnyddir yn lle Mr neu Senõr.

[32]Paragraff aneglur iawn.

[33]Mab i Dafydd Hughes 'Gwynedd' ac Ellen Thomas. Roedd Dafydd Hughes yn fab i Hugh

Hughes Cadfan, un o arloeswyr cyntaf y Wladfa ac yn un o'r rhai cyntaf i hybu'r syniad Gwladfaol. Daeth i'r Wladfa gyda mintai'r *Mimosa* yn 1865. Un arall o wyrion Hugh Hughes oedd Tryfan Hughes Cadfan, a briododd Ceinwen, merch JDE. Yn ôl gohebydd yn *Y Cymro* yn dilyn wythnos y Brifwyl yn yr Wyddgrug y flwyddyn honno: 'Mae Mr Nefydd Hughes Cadfan, o'r Wladfa Gymreig, dyn ieuanc 23 mlwydd oed, wedi dyfod drosodd i'r wlad hon am addysg i'w baratoi i'r weinidogaeth. Mae yn aros yng nghymdogaeth Clynnog. Gwnaeth aberth mawr i ddyfod drosodd ar ddymuniad olaf ei annwyl fam, gan adael ei dad oedrannus yn y Wladfa.' Yn y Llyfrgell Genedlaethol ceir llythyr dyddiedig 31 Mehefin 1943 oddi wrth Nefydd Hughes Cadfan at E. Morgan Humphreys lle ceir ei atgofion am JDE. Mae'n ddiddorol nodi iddo ddweud ei fod wedi cyd-deithio rhan o'r fordaith o Batagonia gyda JDE yn 1923. Dywed i JDE aros beth amser yn Buenos Aires cyn cychwyn ar y fordaith.

[34]Aneglur am baragraff.

[35]Suddodd y *Royal Charter* yn 1859. Cafodd nifer fawr ei boddi ac aeth llwyth o aur o Awstralia i'r gwaelod.

[36]*Tallarines*, sef y gair Sbaeneg am nwdls.

[37]Un arall o'r ffurfiau hanner Sbaenaidd a geir yng ngwaith JDE.

[38]Ffurf ddeheuol; cymharer y gair 'greso' (croeso).

[39]Ychydig i'r de o bentref Capel Garmon.

[40]Cyfeiriad arall at y bardd Owen Williams; gw. nodyn 13.

[41]Tŷ Mawr. Man geni'r Esgob Morgan. Yn Llanrhaeadr-ym-Mochnant y cyfieithwyd y Beibl ganddo.

[42]Heddiw: Trelawnyd.

[43]David Lloyd George. Yn yr Eisteddfod honno (Yr Wyddgrug), enillodd Cledlyn Davies y gadair, ac aeth y goron i Cynan. Cafwyd adroddiad llawn yn *Y Cymro* Awst 15 am bresenoldeb D. Lloyd George: 'Dydd mawr yr ŵyl efallai oedd Iau. Daeth Mr Lloyd George i'r babell yn gynnar y prynhawn, ac am rai munudau collodd yr athronwyr, y cedyrn o nerth eu pennau, ac am y llestri gwannaf, y beirdd a'r merched, gellid tybied eu bod yn llawn o win melys. Dywedodd Llew Tegid wrth ofyn iddo annerch y dorf ei fod yn gwneuthur hynny yn ôl pob tebyg am y tro ddiweddaf, a sylw cyntaf Mr Lloyd George oedd na wnaethai y Llew yn eglur pa un ohonynt oedd i ddiflannu . . . Gwelai arwyddion bywyd i barhau yn y ffaith fod yr Eisteddfod yn ymledu yn ei gweithgarwch a'i dylanwad. Yn ei gymeriad newydd fel garddwr gwyddai nad deilio yn y gwanwyn a blodeuo yn yr haf oedd arwyddion sicraf bywyd y pren, ond faint o frigau newyddion a daflai allan. Gallu ofnadwy oedd cenedlaetholdeb, weithiau fel angel yn lledu ei adenydd gwyn ac yn bendithio gwlad; bryd arall yn ellyll creulawn yn rhwygo ac yn melltithio. Angen mawr y Cyfandir oedd i bob cenedl edrych ar ôl ei fferm ei hun, plannu, aradru, hau, ie, a chwynnu hefyd ac nid treisio terfynau ei gymydog, a lladrata ei ddefaid...gofynnodd i'r miloedd ganu "O Fryniau Caersalem".' Ymddengys fod y croeso i'r Cymry ar Wasgar yn arbennig o wresog y flwyddyn honno, a chyfeiriwyd at hyn gan D. Lloyd George, meddai gohebydd arall o'r Brifwyl yn *Y Cymro*.

[44]Ceir hefyd y ffurf Tre-Nant gan JDE.

[45]Aberpennar.

[46]Saif ar y B 4280.

[47]Darlleniad ansicr: 'a cholli llawer ohonom'.

[48]Sbaeneg: sinema.

[49]Yn y gwreiddiol ceir Nant Tewlaith, ond mae'n siŵr mai cyfeirio at Nantewlaeth a weir yma. Agorwyd y pwll yn 1918 a'i gau yn 1948. Perthynai i Ocean and United National Collieries Ltd.

[50]William Coslett Thomas. Bu teulu Coslett Thomas yn bwysig iawn ym mywyd cynnar y Wladfa ac wedyn. Ymfudodd Dafydd Coslett Thomas (1836–1923) i'r Wladfa gyda'i deulu

238

yn 1875. Aeth un o'i feibion William i Gwm Hyfryd ac ymsefydlu yno a chael teulu mawr. Aeth un arall o'r meibion John o Batagonia i Ganada yn 1902 gan ymgartrefu yn Saskatchewan. Ysgrifennodd John Coslett Thomas hunangofiant helaeth am ei fywyd yng Nghymru, Patagonia, Canada a'r Unol Daleithiau. Un o hynafiaid y teulu oedd y bardd Coslett Coslett neu Garnelian (1834–1910). Roedd yn aelod o Glic y Bont, sef Pontypridd.

[51]Llanymddyfri.

[52]William Casnodyn Rhys. Ganed W. Casnodyn Rhys yn 1851 yn Nhai Bach, Aberafan. Astudiodd ddiwinyddiaeth yng Ngholeg y Bedyddwyr. Wedi priodi yn 1876, treuliodd ddwy flynedd ym Mhenfro cyn symud i Batagonia lle bu'n weinidog am 15 mlynedd. Bu'n gyfrifol am yr unig gapel Bedyddwyr a godwyd yn y Dyffryn, sef capel Frondeg a godwyd yn 1878 ar dir yn perthyn i W. Casnodyn Rhys. Cafodd ei ddinistrio gan y llifogydd yn 1899. Bu Casnodyn Rhys yn weithgar iawn ym myd yr Eisteddfod. Cafodd eisteddfod ei chynnal yng Nghapel Frondeg yn 1880. Enillodd Casnodyn Rhys y gadair ei hun yn Eisteddfod y Gaiman yn 1881. Bu'n ysgrifennydd Cyngor y Gaiman yn 1885, a bu'n un o sylfaenwyr Cwmni Masnachol y Camwy. Dychwelodd i Gymru ac ymgartrefu yn Abertawe lle bu farw yn 1941. Ysgrifennodd gyfres o atgofion am y Wladfa yn Saesneg a chyhoeddwyd y rhain mewn cyfieithiad Sbaeneg yn Ariannin yn y flwyddyn 2000 dan yr enw *La Patagonia que canta: Memorias de la colonización galesa.*

[53]Mae'r ysgrifen yn aneglur iawn, ac mae'n bosibl mai'r gair 'priod' sydd yma. Gwyddom fod Richard B. Davies yn briod a chanddynt bedwar o blant. Roedd ef wedi dod allan i'r Wladfa ar ei ben ei hun. Mae'n bosibl ei fod â'i fryd ar chwilio am aur ym Mhatagonia.

[54]Cyflafan Cel-Cein, Mawrth, 1884.

[55]Michael D. Jones.

Dyddiadur y Daith i Gymru, Ewrob a'r Dwyrain Canol, 1928

Mai 1928 Trevelin, Col. 16 de Octubre

Hanes fy ail ymweliad â Chymru a fy ymweliad am y tro cyntaf â gwledydd y Dwyrain sef Ffrainc, Suiza,[1] Ytali a'r Aifft, Palesteina[2] a Syria. Cychwynais oddi cartref ar yr ail o Fai, 1928 ac arhosais ddau ddiwrnod yn Esquel, prif dref *territorio*[3] Chubut yn yr Andes. 5 (Mai). Cychwyn am Drelew, Chubut, gyda modur Crespo; yn y cwmni Mrs John Owen a'i merch Elsi yr hon oedd yn myned am Gymru, a'r bonwr Morris P. Humphreys,[4] yr hwn hefyd oedd ar ei daith am B.A.[5] Cyrraedd Trelew 7 o Fai, aros dau ddiwrnod yno, a chychwyn am B.A. Yn y cwmni am B.A. roedd E. Owen a J. William Roberts y Felin a'i wraig; Elsi Owen [*aneglur*] a'r bonwr M. P. Humphreys yr hwn a arhosodd yn B.A. ac ar ôl aros ddau ddiwrnod yn B.A. am 10 o'r gloch y bore Mercher Mai 16 1928 cychwynasom am Gymru ar fwrdd yr *Almanyara*. Yn y cwmni holl a'u gwynebau am ran ogleddol y belen ddaearol a Chymru hoff wlad ein genedigaeth. Mae swyn mewn myned yn ôl i hen ardaloedd mebyd; mae rhyw ffynnon Bethlehem yn annwyl gan bob un ohonom yn y cwmni pa rai oedd o Chubut, y Bon. Elias Owen, John Williams yr athro, Bon. Roberts y Felin a Mrs Roberts, Trebor nai Tomas y gŵr ieuanc hwn a'i wyneb am athrofeydd Cymru a'r weinidogaeth yn y dyfodol. Elsi Owen, sef merch John Owen, [*aneglur*] Col. 16 de Octubre a mynd yr un dydd am 10:30.

Cyrraedd Montevideo yng ngenau afon La Plata yr hon dref sydd hardd a thlws iawn o'r gwneuthuriad diweddaraf un a phorthladd da fel y gallai'r llongau mawr fyned gydag ochrau'r harbwr. Daeth yma lawer iawn o ymfudwyr newyddion i'r bwrdd pa rai oedd yn myned allan yma a thraw ar hyd y côst a rhai yn dal gyda ni am Ewrop ac am 11 yr un noswaith cychwyn am Santos[6] yr hwn sydd borthladd yn Brasil. Cyrraedd Santos am 8 bore.

Sadwrn Mai 19

Ar ar ôl cinio euthum i a'r Bon. E. Owen allan am dro i dop tref Santos i weled y fan lle yr oedd y mynydd wedi slipio tua mis cyn hynny ac wedi peri llawer o golledion ar dai a bywydau. Mae'n debyg iddo slipio yn y nos wedi glaw trwm a phawb yn eu gwelyau. Claddwyd tua 150 o fywydau a dywedasant wrthym fod tua 62 o dan y domen buodd eto heb eu cael. Rhyfedd y nerth oedd ynddo. Rhwygai greigiau mawrion[7] a darnau anferth o gerrig i lawr yn pwyso amryw dunelli. Enw'r mynydd yw Monte Rata. Mae Santos yn dref dlws iawn ond mai bechan yw ar y brif linell sydd yn arwain i fyny i'r mynydd ac yn y blaen a San Pablo[8] yr hon dref sydd yn fawr ac ar uchter da o lefel y môr a thrwy hynny yn llawer iachach i fyw na Santos.

Bore Sul 20 o Fai
Am tua 8 o'r gloch cyrraedd Rio de Janeiro pa un yw prif borthladd Brasil a lle mae'r Consejo, y llywodraeth a'r President yn byw. Mae'r porth hwn yn [ddi]ail yn y byd am ei dlysni a'i faint, a'r dref yn odiaeth o dlws gyda'u heolydd llydain a'i resi palmwydd ar bobtu, a'r ffenestri gwydr mawrion wedi eu gosod yn y fath fodd nes dangos eu nwyddau yn eglur i bawb wrth basio a thrwy hynny yn gwneuthur rhyw harddwch rhyfeddol wrth deithio eu ystrydoedd. Cymerasom fantais ar ein harhosiad yma a llogasom fodur a saith ohonom am 2 awr a hanner ac aethom am dro at draed y Corcovado[9] a heibio i'r Dorth Siwgwr a phan yn y fan honno ceisiais gael y cwmni i ni gael myned i'w phen gyda'r cerbyd sydd yna yn rhedeg ar raffau mawrion a chryfion i'r uchter o 400 mitar uwchlaw y môr ond methais yn fy amcan. Dywedant y byddai iddynt bendroni[10] ar y ffordd a pheri trwbl i'r fintai ac aethom yn ein holau i'r llong wedi cael gwibdaith ragorol am ddwy awr ar hugain drwy un o brif drefydd Brasil.

Llun 21
Ar y môr; teithio yn hwylus iawn. Canol dydd heddiw yn gadael rhyngom a Bahia, 439 milltir.

Mawrth 22
Ar y môr a gyda'r nos gwelsom yr 'Andes' yn ein pasio am B.A. Llawer heddiw ddim yn teimlo yn dda iawn, yn sâl, ac eto ddim sâl ond yn [aneglur] iawn gan fod y môr dipyn yn ryff.

Mercher 23
Cyrraedd Bahia gyda'r nos ac arosasom yma am tua 5 awr am y

dadlwytho a llwytho nwyddau a dynion wrth olau y trydan bendigedig yr hwn a wnâi i'r bae edrych fel môr o wydr yn y nos a hithau yn ddiwynt ac roedd yn noson dawel a'r dref fel cylch crwn o amgylch y bae yn gwneuthur yr olygfa yn hardd odiaeth oddi ar fwrdd y llong. Myned yn ein blaenau am Bernabuco a thua 2 o'r gloch bore Iau 24 cyrraedd Pernabuco. Aeth llawer i'r lan yma a daeth amryw i mewn yn eu lle. Dyma'r porth diwethaf ar gyfandir deheuol America lle mae'r llongau yn galw wrth fyned i Ewrop. Maent yn gadael America yma ac yn dal eu cyfeiriad gogleddol ac am naw o'r gloch bore yn gadael Pernabuco am Madeira, taith o tua 8 niwrnod heb yr un aros yn un man, hynny yw, os Duw a'i myn a llwyddiant yn dilyn.

Gwener 25
Ar ganol y môr mawr heb dir na glan yn ein cyfeiriad. Pasio Ynys Fernandez de Noronha tua chanol nos. Mae heddiw yn fore braf iawn ac yn Ŵyl 25 o Fai, sef Gŵyl Gweriniaeth Ariannin ac i ninnau gael mordaith dawel; dyna yw yr ŵyl orau i ni ar hyn o bryd a thua naw o'r gloch nos Wener croesasom y cyhydedd dan gwrlid tew o gymylau.

Sadwrn 26
Teithiasom o ganol dydd Gwener hyd ganol dydd Iau 368 milltir yn gadael eto i Madeira 1,896 o filltiroedd gwastad fel bwrdd o fôr glas heb na chymaint â chysgod cawnen yn un man i lechu. Nid oes yr un morfil, aderyn na siarc i'w gweled er pan yr ydym wedi gadael Pernabuco, mae'n siwr eu bod hwy a'r pysgod hedegog wedi boddi neu wedi symud i rywle arall.

Sul 27
Teithio hwylus iawn a'r seibiau yn gwella. Darllen nes blino a chysgu nes deffro a darllen wedyn, mae pawb bron yn ddarllenwyr mawr ar y môr a chysgwyr diofal. Mae hynny yn well, mae'n sicr, na chwarae cardiau a betio a cholli pres wedi teithio o ganol dydd ddoe hyd canol dydd heddiw. 384 milltir yn gadael eto i Madeira, 1,524 milltir, dim cymaint â physgodyn i'w weled nac aderyn o gwmpas y fro fel petaem yn y môr marw.

Llun 28

Teithio hwylus iawn, dim hynod heddiw, teithio o ganol dydd Sul hyd ganol dydd Llun. 376 milltir yn gadael eto i Madeira. 1,140 milltir ac yn yr hwyr pasio San Vicente, chwythu yn gryf o'r gogledd ddwyrain a'r môr wedi codi ei wrychyn dipyn.

Mawrth 29

Teithio hwylus iawn o ganol dydd Llun tan ganol dydd Mawrth. Teithiasom 373 yn ein gadael eto i Madeira 771 milltir. Dyma lle y daw'r cwmwl cyntaf ar draws ffurfiannau pleser ar y daith hon. Daeth i fwrdd ein llong, mae'n debyg pan yn B.A., ddyn o Holand yr hwn oedd yn wael iawn er ystalwm yn B.A. ac yn methu â chael gwellhad. Daeth ef a'i briod i'r penderfyniad ei bod hi yn ceisio benthyg 800 doler gan rywun i'w anfon ef a'r ddwy hogen[11] fach yn eu holau i Holand a'i bod hithau i aros ar ôl yn B.A. i wasanaethu nes gorffen talu yr arian yn eu holau. Cafodd fenthyg yr arian gan rywun a gosodwyd y tad a'i ddwy ferch fach ar y bwrdd yn y trydydd dosbarth ond gwaeth yr oedd y tad yn myned bob dydd a tua dydd Sul deuwyd ag ef i hospital i ben ôl y llong ac yna nawn dydd Mawrth buodd y tad farw a chladdwyd ef mewn dyfrllyd fedd ar ganol y môr mawr gan adael ei ddwy ferch fach, un yn 5 oed a'r llall yn dair yn y drydedd dosbarth heb neb i ofalu amdanynt na doler at ddwyn eu treuliau; ond yn yr awr dywyllaf mae Tad yr amddifaid yn darparu a thyneru calonnau rhywun yn barhaus i ofalu am ei dyner ŵyn ac fel mewn amrantiad daeth dynes ieuanc o'r dosbarth cyntaf i'r golwg yr hon oedd barod i gymryd y plant ac yn medru eu hiaith. Gwnawd tysteb yn ein dosbarth ni sef yr ail ddosbarth ac awd ag ef o gwmpas y ddau ddosbarth sef y cyntaf a'r ail a chasglwyd[12] i'r ymddangosiad 127 punt; dyna sut mae Duw yn gweithio y dyddiau yma drwy galonnau pobl. Gwnawd y cais at y Capten y llong[13] a wnâi ef ddylanwadu ar gwmni'r llong i roddi pas i'r fam adref i Holand at ei phlant ac iddi hithau dalu ei dyled yn B.A. ar arian a gasglwyd ar y llong.

Mercher 30

Bore braf iawn, am y tro cyntaf yn fy mywyd y bûm yn edrych ar ymrysonfa ymladd a'r tro diwethaf hefyd, mi obeithiaf, creulondeb o'r mwyaf yw'r grefft, nid yw'n werth ei enwi ddwywaith.

Iau 31

Cyrraedd Madeira am ddau o'r gloch nawn ac am 2:30 euthum â'r Bon. E. Owen a Mr Philips o Bahia a ddaeth atom pan yn pasio yno. Llogasom fodur am ddwy awr ac aethom o gwmpas yr ynys a'r dref a chawsom fwynhad nid bychan wrth deithio drwy winllannoedd a pherllannau orans a lemwn a bananas a siwgr cêns ac wedi dod yn ein holau i gyfyl ein llong aethom am gwpanaid o de a chawsom de werth i'w yfed. Yr oedd yn gwneuthur yn iawn yn lle te pen-blwydd i mi canys heddiw yr oeddwn yn cael fy 66 blwydd oed a diolch i Dduw am fy nghadw cyhyd ac am fy nghofio mor dyner bob bore. 7:30 yr hwyr hwylio am Lisbon, môr yn dawel a'r awel yn dyner.

Gwener, Mehefin 1, 1928

Ar ganol y môr mawr bore Gwener. Codais yn fore iawn a'r peth cyntaf a dynnodd fy sylw oedd gweled y fflag ar hanner yr hwylbren, arwydd sicr fod rhywun wedi marw. Gofynnais yn union i un o griw'r llong a wyddai ef pwy oedd wedi marw. Dywedodd wrthyf na wyddai ddim ond mai Prydeiniwr oedd. Daeth i fwrdd ein llong ni yn Bahia, mae'n debyg, fachgen o Gymro o ddeheudir Cymru o'r enw Thomas Owen yr hwn a aethai allan am B.A. tua'r mis cyn hynny ond ei fod wedi myned yn wael ar y ffordd a'i adael yn yr hospital yn Bahia ac erbyn ein bod yn pasio yr oedd yn teimlo wedi gwella digon i fyned gartref at ei fam, canys unig fab ei fam oedd. Dodwyd ef ar fwrdd ein llong ni yn yr hospital a byddwn i a Trebor, nai Huws yn ymweld ag ef bron bob dydd, a barnai ef a ninnau ei fod yn dod yn ei flaen yn rhagorol iawn. Eisteddai allan ar y dec [*aneglur*] i'n gweled ninnau. A nos Iau buodd yn talu ymweliad pur hwyr â ni a dywedai, os caf i fyned cartref unwaith eto yr wyf yn sicr na adawaf fy hen fam annwyl i hiraethu a phoeni ar fy ôl; arhosaf gartref yn dawel gyda hi. A chyn i'r haul godi bore dydd Gwener Mehefin 1, gwelais y fflag ar hanner mast ac mewn ychydig funudau wedyn gwelais ddau yn dwyn elor y llong a chorff arno wedi ei amdoi mewn cynfas a phwysau wrth y traed ac yn ei dynnu ac yn ei ddodi i lawr wrth y drws bychan yn y pen ôl i'r llong ac yn taenu'r faner

Brydeinig drosto ac yno ymgasglodd Capten y llong a meddyg a dau neu dri o'r dwylo a symudais innau ymlaen atynt. Darllenodd y Capten y gwasanaeth claddu yn dawel synhwyrol a byr ac yna teimlwn y llong yn arafu. Agorwyd y drws bychan ar gyfer yr elor ac mewn amrantiad slipiodd y ganfas a'i chynnwys oddi tan y fflag i ganol y môr mawr hyd y dydd nad oes neb ond Duw yn gwybod pan fydd ei hangen a byth meddyliwn am ei fam yn ei hunigedd yn cael y fath newydd trist am ei mab o'r môr yr hon oedd yn ei ddisgwyl gartref bob dydd. Canys yr oedd yn gwybod ei fod yn dod ar ein llong nôl gartref yn saff.

Sadwrn yr 2
Tua 2 o'r gloch cyrraedd Lisbon. Criw ohonom yn myned i'r lan yn Lisbon a llogi modur i fyned am dro i weled y dref yr hon sydd lawer iawn yn well na'i golwg oddi ar fwrdd y llong. Aethom mor bell i fyny i'r wlad â'r fan lle mae'r bildin mawr i ymladd teirw: rhyfedd fel mae pechodau'r tadau yn glynu wrth y plant. Yr oeddwn yn arfer â meddwl fod cyfraith a gwareiddiad wedi gwneuthur i ffwrdd â'r creulonderau ofnadwy yna tuag at anifeiliaid direswm yma a bu i ddau o'r *pasajeros*[14] golli'r llong a buodd yn rhaid iddynt logi cwch mawr a dilyn ar ein holau nes ein dal, yr hwn gamp nis gallasent ei wneuthur oni buasai i'r Capten arafu ein llong. Costiodd i'r ddau mae'n sicr ceiniog a dimai fel y dywedir.

Sul 3
Tua chwech o'r gloch y bore. Mae Vigo yn bae tlws iawn ac hynod o gysgodol ac yn cael ei amgylchynu â bryniau uchel o bobtu ac eithrio y ddinas lle y chwythir mewn iddo o'r môr mawr. Sul 10 o'r gloch cychwyn am Cherbourg: hwn fydd ein porthladd diwethaf ar dir Ffrainc cyn croesi am Southampton.

Llun 4
Ar ganol Bay of Biscay ac yn ei gael yn dawel iawn ac yn hynod o ffein wrthym a thua hanner nos Llun 4 cyrraedd Cherbourg.

Mawrth 5
Am ddau o'r gloch bore cychwyn am Southampton. Cyfeiriad gogledd orllewin. Cyrraedd Southampton tua 3:50 yr un dydd.

Aethom i'r tren ar ein hunion ar ôl pasio drwy'r dollfa a chyraeddasom le Sam Jenkins yn Llundain nawn Mawrth 5.[15]
[Ymddengys fod bwlch yn y dyddiadur yn y fan hon. Ni cheir cofnod o gwbl am y cyfnod rhwng diwedd mis Mehefin, mis Gorffennaf a dechrau Awst 1928.]

Nos Sul Awst 12, 1928 ar ôl y bregeth yn Sant Asaff, danfonodd y Bonwr Freeman[16] fi i fyny i dŷ Mrs Jones y Ffarm, hen dŷ ffarm mawreddog ei ymddangosiad yn dyddio yn ôl dros 400 o flynyddoedd gyda'i drawstiau derw mawrion a'i rwmydd[17] anferthol eu maint. Dywedodd un gweinidog oedd yno un noson mai anturiaeth beryglus iawn fyddai iddo ef geisio croesi un ohonynt yn y tywyllwch gan y byddai iddo ffagio[18] cyn cyrraedd y drws. Wel, dyma gartref Mrs Jones, chwaer y Br. Elias Owen; safai tua 5 milltir o Wyddgrug ar yr heol fawr sydd yn arwain i Wrecsam.

Llun 13
Cychwyn ein tri am Lundain, sef Elias Owen, M. P. Humphreys a minnau. Yn Caer gadewais fy nau gyfaill i fyned yn eu blaenau am Lundain a throiais i am Liverpool i gwrdd â John Williams ac i nôl fy nheitheb. Yma y cyfarfyddais ag Emyr Jones, mab y Br. Griffith Jones Bryn Gwyn[19] yn ddyn ieuanc gobeithiol iawn ac yn athraw yn Birmingham mewn coleg Germanaidd. Pob llwydd ac hynt iddo fyned yn ei flaen yw fy ngofuned gorau. Yn Llundain, prif ddinas y byd. Mae mwy o boblogaeth nag sydd yn yr holl Argentina gyda'i filoedd. Gwlad a tho dros ei phen yw y darlun gorau a allaf i roddi ohoni. Yno nôl cyrraedd tua chwech o'r gloch y cyfarfuasom yn hotel Sam Jenkins.[20] Cartref i Gymry oddi cartref yw ei gartref ef o hyd a chroesawai hwynt gyda gwên a chân. Cofiais yn aml am Gymry yr Andes a dymunai arnaf ei gofio at bawb yn ddiwahaniaeth ac os byth y bydd i rai ohonoch fyned i Lundain i gofio am gartref Sam Jenkins. Yna y cyfarfuasom â Mr Hunt[21] ac aeth a ni allan am dro i weled y ddinas a chyn ymadael ohonom, buodd rhaid i ni ein pedwar fyned gydag ef i swper cyn cychwyn ohonom fore trannoeth am wledydd y dwyrain.

Mawrth 14
Cychwyn am 10 o'r gloch o orsaf Victoria, Llundain am Newhaven

sef glannau y culfor cydrhwng Lloegr a Ffrainc. Mae yn y fan yma lawer iawn o greyr glas yn yr ardal o gwmpas. Cawsom agerlong yn barod i'n cludo drosodd o Dieppe. Cymerodd i ni dair awr a hanner o forio yn erbyn gwynt cryf a môr aflonydd nes gyrru y rhan fwyaf ohonom i'r teimlad hapus hwnnw pryd na fydd ddim o bwys ganddo pa un ai boddi ai glanio a wna. Ond diolch fod rhai dynion mwy dewr na'i gilydd buodd yn ein plith ac y dywedodd un o'm cyfeillion wrthyf ar y bwrdd, 'Dewch am ginio,' meddai. 'Na,' meddwn innau, 'gwell gennyf fod hebddo.' 'Wel,' meddai, 'yr wyf i yn myned am ginio beth bynnag gan fy mod wedi talu amdano.' 'Wel,' meddwn innau, 'gwell gennyf fi iddynt gymeryd y tâl a gadael llonydd i mi,' a felly fuodd. Aeth ef yn ei flaen am ginio. Ond cyn gynted ag y llyncodd buodd rhaid iddo rhedeg i ymyl y llong a'i rhoddi yn ginio i ryw bysgod ond chwarae teg i'm cyfaill arall. Cadwodd ef ei ginio ond costiodd yn ddrud iddo. Cyrraedd Dieppe a chychwyn am Paris dri o'r gloch nawn drwy wlad dlws iawn yn canlyn glan afon Seine am bellteroedd lawer drwy wlad amaethyddol a dyffryn toreithiog iawn mewn gwenith a choed ffrwythau.

Cyrraedd Paris 6:30. Dyma gapital Ffrainc. Dyma dref y ffasiynau wedi bod ond credaf yn gryf iawn mai Trelew a Trefelin[22] fydd yn rhoddi y ffasiynau o hyn allan; eithriad yw i chwi gwrdd yn Paris â merched wedi torri eu gwallt a'u dillad byrion hyd y pengliniau. Yr oedd dyn Cook yn yr orsaf yn ein haros ac aeth â ni i Hotel Monsigny. Hotel braf ac yn gallu Saesneg.

Mercher 15
Teithio drwy'r dydd o gwmpas Paris a gwelsom ryfeddodau lawer iawn, ei thyrrau a'i eglwysydd mawrion a'i hadeiladau gorwych a chostus; ei hafon hefyd yn rhedeg drwy ei chanol ac wedi ei bildio o bob tu â muriau mawrion a'i phontydd bwaog a chadarn a'i Thŵr Eiffel a'i gerddi Mars:[23] Paris newydd ydyw hon, cofiwch, mae yr hen Baris yn bod o hyd a'i chaerau o'i chwmpas megis yr oedd.

Bore dydd Iau 16, 8.30.
Cychwyn gyda'r trên am Milan, un o drefydd gorllewinol Itali. Teithiasom y diwrnod yma 15.30 yn y tren drwy wlad dlws odiaeth

heb newid ein tren gymaint ag unwaith. A phan yn agosáu at derfynau Ffrainc a Suiza,[24] gwelwn yr Alpau mawreddog yn trywanu eu pennau i fol y cymylau fel ac y mae yma yn aml iawn pan y bydd cymylau ar yr Andes. Ymdroellai ein tren nôl ac ymlaen rhwng yr Alpau i allu myned drwyddynt hyd nes cyrraedd Llyn Geneva. Cawsom ein siomi braidd yma pan yn cychwyn yn y bore, gwelwn ar ein cerdyn ein bod yn myned drwy Geneva a chredwn ninnau heb feddwl eilwaith mai Geneva, hen dref John Calvin yr oeddem yn myned iddo ond nid felly y buodd: nid oedd hwn ddim ond gorsaf yn unig yn dwyn yr enw [aneglur] Llyn Geneva; yr oedd hen dref Calvin hanner can milltir oddi wrthym ar y pen agosaf i Ffrainc o'r llyn, [y pen sydd] yn awr yn tywallt allan i afon. Mesurai y llyn hwn tua 50 milltir o hyd wrth 6 a 7 milltir o led yn gyfan gwbl rhwng y mynyddoedd mawrion ond heb ddim eira arnynt. Pan yr oeddwn yn pasio, anaml iawn y byddent heb ddim. Mae eu godreon wrth ostwng am y llyn wedi ei drin bob modfedd yn wynllannoedd am filltiroedd ac yn erddi blodau. Byddai'r trên yn llythrennol yn teithio drwy ardd flodau am filltiroedd gyda godre'r llyn ac eithrio y mannau culion lle y maent wedi gorfod torri lle i ffordd yn y graig. Gwelwn lawer iawn o agerlongau arni; rhai pur fawr yn teithio yn ôl ac ymlaen dros ei wyneb glas. Dyna fel bydd llynnoedd mawrion yr Andes yma rhyw ddydd [aneglur]. Codi a wnelai ein ffordd o hyd a'r dŵr yn dyfod yn gryfach cryfach i'n cyfarfod ac yn ymdroelli drwy rynnau a thoriadau mawrion yn ôl yr Alpau nes myned ohonom i dwnel mawr tua 10 lig o hyd. Yr oedd yn nos arnom yno ac yn nos dywyll pan y daethom allan y pen arall, hynny yw i Ytali ac o hyn ymlaen hyd Milan yr oedd yn nos arnom a holl harddwch y wlad dan len. Ar gyfyl pen y twnel yma ceir llyn mawr iawn yn rhannol yn Suiza a rhan yn Ytali o'r enw Lago Mayor.[25] Rhedai ystori yn Ytali pan oeddem yno fod dwy long fawr iawn yr Ymerawdwr Nero ar y llyn yma a'u bod ill dwy wedi sinco a bod Mussolini yn bwriadu sychu'r llyn mawr hwn i gael hyd i'r ddwy long yma gan y bwriadai gael rhyw ddyn [aneglur] pwysig iawn yn profi i orffennol Ytali a gwledydd eraill.

Gwener 17
Aros yn Milan, un o brif ddinasoedd y cyfandir ar lecyn gwastad

ffrwythlon fel gardd yr Arglwydd ynghyd â cheyrydd ardderchocaf y cyfandir. Mae ynddo dros 250 o golofnau marbl mawrion a thyrau neu yn hytrach gymaint â hynny wedyn o binaclau mawrion yn codi am ugeiniau o droedfeddi uwchlaw y nenfwd a model o ddyn yn ei gyflawn faint wedi ei wneuthur o farbl yn sefyll ar ben pob pinacl a grisiau oddi fewn yn yr eglwys i fyned i fyny i bob un ohonynt a mesurai 180 troedfedd o hyd wrth 150 troedfedd a 300 troedfedd o uchder, holl o farbl fwyn ddisglair ei allorau a'i chyffesgelloedd di-rif; rhyfedd y cyfoeth sydd wedi ei wario arni. Yn ymyl mae dwy eglwys Sant Ambrosio[26] a'r darlun o'r Swper Olaf, gwaith yr anfarwol Leonardo da Vinci.

Sadwrn 18

Am 9:30 cychwyn am Genova,[27] un o brif borthladdoedd Ytali ar ochr Môr y Canoldir. Teithio drwy wlad dlws iawn am Genova. Yma y gwerthant y pryf sidan. Gwerthant ef wrth y cannoedd erwau. Plannant res o goed i'r pryf sidan, bob yn ail res planant res o goed eraill. Bwyd yw y rhai hyn i'r pryf pan yn gweithio ei sidan ar y lleill neu onide byddai farw. [aneglur] Cludid dŵr o'r llyn yma a llynnoedd eraill o'r Alpau cyn beiled â Napoli a chyn cyrraedd Genova croesem bont anferth ar yr afon Po ac yna heb fod yn bell iawn aem o un twnel i'r llall yn barhaus nes cyrraedd Genova ar lan y môr mewn hafn lydan. Mae'r dref yn bur fawr ac yn fan pwysig iawn yn hanes Ytali a phan yn lle Cook yn ceisio modur i fyned o gwmpas y dref, cawsom y modur yn barod yn disgwyl amdanom a wedi ei hanner lenwi. Eisteddasom ein pedwar ar y sedd ganol ac ar y blaen. Yr oedd clamp o ddyn mawr yn eistedd a dynes pur fechan ond bywiog ei ymddangosiad yn eistedd wrth ei ochr a pan y clywodd ni ein pedwar yn siarad Cymraeg trodd ei wyneb yn ôl atom a dywedodd, 'Yr wyf finnau yn gallu wylad[28] Cymrâg'. Gŵr o'r deheudir ydoedd, genedigol o Sir Fynwy a chapten llong (ar y môr 30 o flwyddau) oedd newydd ddod i mewn i Genova y noson gynt o Jopa a'r wraig wedi dod i'w gyfarfod o Abertawe ac o ymyl y Parch. Casnodyn Rees[29] gynt o Drelew a thrwy'r nawn hwn buom yn teithio o gwmpas y dref a phan y daeth yr awr i ymwahanu aeth y capten yn ei ôl i'w long a'r wraig i'w hotel i gymeryd y trên bore trannoeth am Lundain a ninnau yn ein holau i'r hotel Princess Argentina.

Sul 19

Teithio gyda glan y môr am Rufain a thrwy dwnel am bellter o ffordd yn ôl gadael Genova; anwastad iawn yw glan y môr yn y parthau yma. Cyrraedd Rhufain gyda'r nos: hen dref fawreddog iawn ei ymddangosiad a'i hanes; os am bethau hynafol fel ag sydd yn wledydd y dwyrain maent i'w cael yma ond nid yr un cyflawnder ac yn y dwyrain.

Llun 20

Aethom drwy'r Vatican. Dyma'r adeilad mwyaf ei faint yn Rhufain a'r mwyaf ei ryfeddodau yn gymaint felly gan mai yma y mae'r Pab yn byw, unig gynrychiolydd y Duw ei hun ar y ddaear, meddai ef. Diolch mai ef sydd yn dweud ac nid Duw. Ond er i mi fod yn ei dŷ, cofiwch, chawsom ni ddim o'r fraint o'i weled. Nid oeddem yn ddigon sanctaidd i wynebu'r fath sancteiddrwydd. Buodd Miguel Angelo[30] 4 awr bob dydd ar wastad ei gefn ar y scaffold am 18 mlynedd yn paentio rhan o nenfwd y Vatican yma, ac ardderchog yw ei arluniau. Maent fel yn newydd; peintiai ar un ochr i'r nenfwd lun o'r greadigaeth ac ar yr ochr arall lun o'r Testament Newydd a phan yn dod ar ochr y Creu [*aneglur*] pan mae Duw yn dywedyd, 'Bydded Goleuni', mae ganddo yn y nenfwd ffenestr fechan tua llathen ysgwâr ac ond i chi edrych ar honno dychmygwch weled y goleuni yn dyfod o dragwyddoldeb pell ac fel y gwnewch ddal i sylwi i'r ffenestri daw yn ddydd golau [*aneglur*] wedi gwneuthur yr holl, mae'n debyg, a'i ddychymyg ar y pryd ar wastad ei gefn ar y scaffold. Maent yn anrhydeddu'r arlunydd hwn ymhob man yn Rhufain fel petai'n rhyw fod goruwch-naturiol. Mae yn y Vatican yma 25 mil o gyfrolau o hanes yr Eglwys ynghyd â'i gwyrthiau a gorchestion er y dechrau pell yn ôl: pe tawn yn dweud llawer o hanes y Vatican wrthych[31] cymerai i mi ddiwrnod cyfan ac feallai wythnos ar ei hyd.

Mawrth 21

Ymweled ag Eglwys Sant Paul. Mae hwn eto fel yr holl o'r hen eglwysau Pabyddol yn rhyfeddod i'w gweled. Mae i hon eto 250 o golofnau mawr o farmor gwyn wedi ei gario, cofiwch, pan nad oedd trên mewn bod o'r pellter o tua 500 o filltiroedd i ffwrdd. Rhyfedd yr arian sydd wedi ei wario yn Rhufain ar ofergoeledd

Pabyddol. Heddiw aethom i weled y catagwms sef y celloedd tanddaearol lle yr oeddynt yn claddu eu meirw yma, medd traddodiad y claddwyd llawer o'r apostolion. Wedi disgyn o'r cerbyd, safasom o flaen yr hen eglwys fawr hynafol iawn ei golwg. Arweiniodd ni i fewn i bresenoldeb y fan sanctaidd sef y priest oedd yn gofalu am y meirw nad elent yma heb iddo ef roddi ei ganiatâd iddynt. Cawsom ganddo bob un gannwyll wêr fechan yn mesur tua 7 modfedd o hyd wrth tua hanner modfedd o drwch, i'r byd tanddaearol, i ddinas y meirw. Aeth ef ar y blaen, Morris Humphreys a John Davies yn agosaf ato a'r Bon. E. Owen yn drydydd a minnau yn bedwerydd. Byddwn i yn aml yn colli yr hôl drwy sefyllian ar ôl a sylwi ar gelloedd y meirw. Arweiniwyd ni i lawr rhes anferth o risiau i galon y ddaear ac yma yn ein blaenau drwy dwnels culion iawn tua troedfedd o hyd [sic] wedi eu torri yn ryff yn y graig ac yn aml yn troi pam yr elem yn rownd i'r tro gadewais yr agosaf ato yn y tywyllwch onibai fod gan bob un ohonom gannwyll ei hun ond pan yn y sefyllfa yma yn eigion y ddaear ac yn troi yn ôl a blaen rhwng llwch y meirw, dyma fy nghyfaill (E. Owen) yn gweiddu ac yn protestio yn bendant yn erbyn y fath ryfyg a ffolineb ac yn hawlio cael myned allan o'r fath ddaeargell annymunol wedi ffagio'n lân gan drymder y lle.

Ond fel bu gorau y lwc, daethom i oleuni gwell sef i ystafell fawr a goleuni trydanol yn ei goleuo. Yma y dangoswyd i ni y ddwy ystafell fawr a gafwyd hyd iddynt yn y flwyddyn 1919. Yma, meddant, yr oedd y Cristionogion yn casglu at ei gilydd yn amser Nero i guddio.[32] Yma hefyd y dangoswyd i ni gist garreg fawr, yma y gorweddodd corff yr hen Pedr am ganrifoedd ond fe'i cymerwyd i'r Vatigan, meddent hwy. Mae yn Rhufain 7 bryn ac o dan y saith bryn mae catagwms a phe dodid yr holl heolydd tanddaearol yn benben wrth ei gilydd y gwnant y pellter o 60 mil o filltiroedd. Dyma dipyn bellach ar balastai Nero. Awn allan i'r awyr agored ac iach fel ag y gwnaeth fy nghyfaill yn Rhufain. Nawn aethom am dro i weled y Colosewm mawreddog lle y byddent gynt yn ymladd teirw a gwahanol anifeiliaid gwylltion. Mawr anferthol yw ei faint ac yn dystiolaeth glir am chwaeth yr oesoedd pell. Mae llawer ohono wedi ei dynnu i lawr ond mae'r llywodraeth wedi gwrthod yn bendant â chaniatâu tynnu dim chwaneg. Bwriedir ei adnewyddu yn ei ôl fel ac yr oedd. Crwn yw ei ffurf ac ynddo amryw orielau i eistedd gris uwch gris i'r uchder anferthol. Mae wedi bod y rhan fwyaf ohono o dan domenydd o bridd ond wedi ei glirio bellach er ys rhai degau o flynyddoedd.

Mercher 22

Myned i weled y volcano oedd wedi chwythu allan er ys tua 2,000 o flynyddoedd yna ac wedi ffurfio y llyn crwn a llawer iawn o fadau a thai tlysion a gerddi ffrwythlon o'i gwmpas; ac ar ei ffordd yn ôl i'r hotel Minerva gwelem y muriau priddfeini llosgedig yn cyrraedd am filltiroedd lawer pa rai oedd gan yr hen Rufeiniaid yn ei gludo lawr o'r mynyddoedd pell i'r dref, sef Rhufain. Yr oeddynt wedi gweithio cafn ar dop y mur hwn gyda chynion fel mai âi'r dŵr drwodd. Mae Rhufain yn sefyll tua 25 milltir o'r môr mewn tir pantle a saith o fryniau.

Iau 23

Cychwyn am Napoli. Cyrraedd 11:50 ac ar ôl cinio aethom gyda'r dram i ben bryn uchel i gael golwg ar y dref a bae Napoli a brenin yr holl fan sef Vesuvius. Bydd yr holl fan weithiau dan gwmwl tew o fwg ac yna clirio i ffwrdd a bydd ambell i dafod o dân yn dod allan o fol y mynydd. Mae reilwe fechan fel un yr Wyddfa yn myned i'w ben a hotel ar ei dop uchaf. Yn y flwyddyn 79 o oed Crist, bostiodd y mynydd hwn a chuddiodd dair o drefydd cymedrol fawr o'r enwau canlynol: Herculaneum, Stabio, Pompeii, y ddwy gyntaf gan lafa a'r drydedd gan ludw, hynny yw, eu claddu ar unwaith pan bostiodd y mynydd Somma ar ochr Vesuvius. Gwelwn yn blaen o'm ystafell wely pan y deffrown yn y nos davodau[33] tân yn dod allan nawr ac yn y man o Vesuvius.

Gwener 24

Euthum i weled yr hen dref Pompeii. Bûm yn cerdded am rai oriau drwy ei ystrydoedd pa rai sydd wedi eu cloddio i'r golwg er bod eto ddarn mawr ohoni dan y lludw. Moethus iawn a phechadurus yw yr olwg arni, y naill yw adeiladau a'u darluniau paentedig sydd i'w weled ar ei parwydydd ymhob man. Yr oedd y bara a'r mochyn gafwyd mewn popty i'w gweled yn blaen yn y ffurf ohonynt ond ei bod yn lwmp o farmol du. Meddyliwch am funud am fochyn a bara wedi bod yn y poptyau tua dwy fil o flynyddoedd. Mae yno mewn un man grochan mawr ar y tân er y flwyddyn 79. Mae'n siŵr ei fod o ddefnydd da iawn neu buasai wedi llosgi allan bellach. Mae'r peipiau plwm oedd yn arwain y dŵr i'w tai yno o hyd i'w gweled a'r garreg gamu dros y stryd am fod ei ystrydoedd bron i gyd yn gamlesydd a dŵr yn rhedeg drwyddynt. Gosodant garreg ar ymyl y stryd, un yn y canol ac un ar yr ymyl arall a chament o'r naill i'r llall. Mae'n debyg hefyd fod eu troliau yr un lled yn union â'r stryd yn y lle yr oedd y dŵr yn rhedeg drwodd am y rheswm byddai eu olwynion wrth fynych-deithio wedi treulio'r palmant ar waelod y stryd i lawr am tua 5 modfedd mewn ambell i fan. Dangoswyd i ni mewn porth oedd yn arwain allan i'r heol o un o'r palasau mawrion swp o esgyrn a phenglogau dynol pa rai mae'n debyg oedd wedi gadael yn rhy ddiweddar ac wrth ddianc allan fod y lludw a'r sulffur wedi'u mygu, a dyna'r man lle maent heddiw a cas gwydr mawr amdanynt.

Sadwrn 25
Mwynhau ein hunain yn Napoli, ac yn yr hwyr cymerasom y trên am Brindisi. Yr oeddem a gwelyau gennym yna yn y trên. Teithio yn groes i Ytali oeddwn yn awr o Napoli i lan y môr Adriatig. A phan ar doriad dydd cyrraeddasom orsaf Faggia. Ac yma y buodd i un o'm cyfeillion ymadael sef Morris P. Humphreys. Aeth ef i lawr yma a throdd i fyny y môr Adriaidd am Venezia ac aethom ninnau ein tri yn ein blaen am Brindisi. Mae yn y ffordd yma a glannau Môr Adriaidd lawer iawn o goed olewydd a golwg digon hen arnynt i fod yn rhai o'r coed cyntaf blannwyd yn y wlad. Cyrraedd Brindisi 12 o'r gloch ddydd Sul Awst 24 ac yn yr hwyr tua 6 o'r gloch daeth ein llong. Yr oedd yn dod yn ei hôl o Venezia[34] ac yn galw yn Brindisi, yr hwn porthladd sydd ar gwr Ytali a glan môr Adriaidd, sef un o agerlongau [aneglur] Trestinio [?] o'r enw *Genoa*, a chan fod y llong wedi ei ofer-lenwi[35] fel nad oedd le i ni yn yr ail ddosbarth, gadawyd ni yn y dosbarth cyntaf fel buodd y lwc ac am 6:30 agerasom allan o'r porth am Alecsandria, porthladd a thref hynafol yn yr Aifft ar lan Môr y Canoldir. Meddyliais ein tri mor braf oedd arnom yn teithio gwyneb y môr yma rhagor yr hen Paul[36] druan a'i longau wrec[37] a'i beryglon a'i drafferth ac nid wrth ymblesera fel ni ond yn garcharor i Iesu Grist ac a fu farw yn

Rhufain a'i gladdu yn naeargelloedd y wlad. Cawsom fordaith ardderchog ar y môr hwn; teithiem yn llythrennol gyda glannau Gwlad Groeg rhwng creigiau a chulforoedd yr hen wlad fawreddog ac athrylithgar. Llwm a llwydaidd iawn oedd ei glannau a diarddurn y gallasem feddwl wrth weled ei chreigiau cochion a'i goed, a diborfa ac ar ôl 58 o oriau cyraeddasom borth Alecsandria. Ni fuom yn aros fawr yma ond oddeutu 4 awr.

Llogasom fodur yn Cooks ac aethom o gwmpas mannau mwyaf eu interest i ni. Aethom ni i catagwms yma eto. Nid oes llawer mwy na 30 mlynedd er pan y darganfuwyd y catagwms yma. Teithiai dyn yn ei drol a'i geffyl dros y bonciau hyn a thorrodd y ddaear i lawr o tanodd ond dihangodd y dyn yn ddiogel drwy neidio i ffwrdd ond lladdwyd y ceffyl druan gan y codwm yn y gwaelod. Dangosent i ni y fan lle yr oeddynt wedi ei drwsio â brics llosgedig ac yn hawdd gweled mai newydd oedd y darn hwnnw o'r nenfwd. Mae'r rhan yma yn anferthol eu maint ac wedi eu gweithio'n hardd iawn gyda'u colofnau a'u cerfiadau a'r cyrff i'w gweled yn yr eirch cerrig ond llydan iawn ac fel rheol lle byddai cist a chorff dynol, byddai yn ei ymyl gist arall ac esgyrn ceffyl ynddo; gwelech ei garnau neu ei ddannedd [*aneglur*].[38] Dywedai'r arweinydd wrthym fod amryw eto islaw heb eu gwagio o'r hwn sydd ynddynt. Daethom allan o'r lle pygddu yma ac mae'n debyg mai'r Rhufeiniaid oedd wedi gwneuthur y beddrodau yma pan oedd Rhufain yn llywodraethu'r Aifft a'r byd bron i gyd yr amser hwnnw. Dangoswyd i ni hefyd golofn fawr ddefodol ei golwg. Dywedai'r arweinydd wrthym ei bod yn dyddio yn ôl rhwng 4 a 5 mil o flynyddoedd. Mae Alexandria yn dref pur fawr ac yn cael ei chadw yn bur lân y rhannau hynny a welsom ni ohoni wrth grwydro ei heolydd. Yna cymerasom y trên am Cairo; gwaith tua 2.30 drwy wlad Gosen ac i'r fan mae'r Nîl yn canghennu. Cairo yw prif gapital yr Aifft heddiw. Mae'r wlad y ffordd yma fel paradwys yn cael ei dyfrhau gan gamlesydd mawrion o'r Nîl. Mae Cairo yn dref fawr ac o wneuthuriad diweddar ac euthum i'r rhannau hynny o'r hen ddinas. Mae'r prosbect yma ar ddull y gorllewin, hynny yw, y tai a'r ystrydoedd yn cael eu goleuo gan y trydan ac am 4 o'r gloch nawn 29 o Awst aethom i weled y piramid mawr neu Giza fel ag y'i gelwir yn yr Aifft. Croesom dros bont haearn fawr yr hon sydd dros y Nîl. Mae'r afon yma tua 600 mitar o led ac yn goch ei dŵr weithiau fel afon Chubut yn enwedig pan y byddai gorlif yn yr afon ac felly yr oedd pan yr aethom ni uwchben yn ddigon tew ei dŵr i'r pysgod farw ynddi ac mae'n debyg mai dyna ddigwyddodd pan oedd Moses yn gwneuthur ei deithiau ond bod yr anghyfarwydd ddim yn deall yr ochr laith iawn oedd yn awel yr Aifft a thrwy hynny yn ei gwneuthur yn boeth iawn. A thua 300 llath nôl croesi'r afon, croesasom ganel mawr arall yn mesur tua 200 llath o led [*aneglur*].

Dyma lle yr oedd y mân longau neu gychod yn hwylio arnodd ac yn cario masnach helaeth ymlaen i fyny i'r afon. O'r fan yma aem i fewn i rodfa fawr wedi ei chau i mewn o bobtu a choed bytholwyrdd a blodau amryliw am y pellter o tua 5 milltir hyd nes cyrraedd i gwr y tywod ar godiad cyn cyrraedd at y pyramid. Yma y gadawem yr awto ac y cymerem gamelod yn ei le am tua 20 munud drwy'r tywod, yna gadawyd y camel eto ac aem i mewn i'r Pyramid Mawr[39] sef Giza drwy dwll ar ei ochr ddwyreiniol i fyny yn bur uchel ar ei ochr. Teithiem amryw ddegau o lathenni yn ein blaenau, pawb a'i gannwyll wêr yn ei law o dan gaid[40] i ofalu am bob un ohonom, un o'r tu blaen a'r llall o'r tu ôl i ni. Diangen felly fflachen drydanol a rhwng y ddau arweinydd a'i gannwyll wêr aem drwy dwnels culion iawn a phur isel, rhaid oedd plygu a dysgu gostyngeiddrwydd neu gymeryd y canlyniad o daro ein pen yn y top yr hwn oedd dipyn caletach na'n pennau ni, nes dod ohonom i ystafell eang ei maint a'i uchter. Gallem sefyll yn syth yn hon ac anadlu yn rhydd heb ofni taro ein pennau yn y top. Dyma ystafell y frenhines a'r fan y cawsant hi yn ei harch carreg filoedd o flynyddoedd yn ôl a'i thrysorau i'w chanlyn pa rai a gludwyd i'r museum. Aeth dau ohonom yn ein blaenau eto a throdd un ohonom yn ei ôl wedi blino ar y carchar tywyll digalon. Dringasom eto rai ddegau o lathenni yn ôl ac ymlaen hyd grisiau a phlanciau a chanllawiau haearn oeddynt o wneuthuriad tua 10 mlynedd yn ôl, gallem feddwl, am y rheswm fod yr hen risiau cerrig oedd i'r pyramid yn anymarferol a pheryglus iawn gan fod cymaint o ymwelwyr yn dyfod i weled. Pan ddeuthum i mewn i ystafell ehangach eto nag un y frenhines, dyma ystafell y brenin. Dyma'r fan lle y cawd ef a'i drysorau yn gorwedd er ys miloedd o flwyddi.

Cariwyd yr holl i'r museum yn Cairo ac yno maent i'w gweled. Yr oedd ffynnon[41] yn y pyramid hwn yn cyrraedd hyd at y ddaear ac y gallasant ei gael os byddai ei hangen pan yn gorfod dianc yma [aneglur] ac ymguddio rhag eu gelynion neu rywbeth arall. Hon oedd yr ystafell uchaf yn y pyramid a chwiliais hi yn ofalus am y crac y dywedai canlynwyr Russells[42] oedd wedi digwydd dydd croeshoeliad Iesu ar Galfaria ond ni chefais yr un ac mae'n debyg na cheir yr un tra bydd y Pyramid yn bod. Chwiliais yn ofalus hefyd y colofnau mawrion y dywedant sydd ynddo yn cynrychioli pob proffwyd yn y Beibl ond ni chefais yr un. Mae'n siŵr mai craig fawr oedd y fan rhywdro ar ddyffryn braf y Nil a bod y Ffaro wedi gweithio ystafell ynddo i'r frenhines o dop craig ddim yn ddigon mawr i wneuthur un arall i'r brenin a'u bod wedi bildio am y graig oddi allan nes cael digon o le ar dop y graig uwchben ystafell y frenhines i wneuthur ystafelloedd i'r brenin. Dyna yn siŵr mae'n edrych i mi; gwaith ryff iawn yw'r pyramid wedi ei fildio gyda meini mawrion anghabledig a dim morter i mi wedi ei weled rhyngddynt erioed. Maent amryw fodfeddi oddi wrth ei gilydd ac yn myned yn llai eu maint fel ac y maent yn myned i fyny am fod y tir yn tynnu i mewn fel y mae'n codi.

Dywedai'r Russells fod twll o dop y peiriant i ddangos llinell y cyhydedd oedd yn pasio yn union uwch ei ben. Gofynais i'r arweinwyr oedd wedi bod yno a welsant hwy dwll yn nhop y pyramid. Dywedasant nad oedd yr un cyn i'r Prydeinwyr wneuthur un i ddal y fflag pan i fyny ar dop uchaf ystafell y brenin a dim ond fy hunan a'r ddau arweinydd. Safasant a'u cefnau ar yr ystol[43] oedd yn arwain i lawr drwy rigol gul a dywedasant wrthyf fod yn rhaid iddynt gael b[ilet?] cyn y cawn fyned i lawr [aneglur]. Rhedasant hwy am y fflachennau trydanol oeddynt wedi eu llosgi pan yn chwilio ystafell y brenin, a dweud y gwir nid oedd arnaf lai nag ofn a rhoddais bunt yr un iddynt a chefais fyned i lawr ac erbyn i mi gyrraedd y gwaelod yr oedd pawb wedi clirio allan o'r carchar tywyll a dim ond fy hunan gyda'r ddau ar ôl a chlirio allan a wnes innau gynted ag y gallwn. Maent wedi cloddio i lawr i waelod y pyramid hwn ac wedi dod o hyd i deml fawr cydrhwng y ddau byramid ac ar y sgwâr ynghanol y deml safai sffincs anferthol ei maint yr hon oedd ynghanol ei theml hardd rhyw ddyddiau maith yn ôl. Mae'r sffincs yn anferth o fawr wedi ei naddu allan o un talp anferth o graig gyda'i gwyneb benywaidd oedd yn edrych i'r dwyrain a'i phalfau llewaidd anferth yn gorffwys ar glustog o garreg o'i blaen. (Mae'r pyramids yn awr mewn nifer o fewn cylch milltir o amgylchder ond bychain iawn yw rhai ohonynt gan fod y tywydd wedi cau amdanynt.)

Iau 30

Aethom i weled y museum yn Cairo, un o brif ryfeddodau'r ddinas. Mae'n bur anferth. Buom yn cerdded am oriau ynddi yn gweled ei rhyfeddodau, y naill ar ôl y llall, ei cherfddelwau mawrion ac ardderchowgrwydd yr hen fyd sef Rameses ac Luxor.[44] Meddyliem wrth edrych arnynt na feddem ddim i'w curo mewn ardderchowgrwydd, ond pan agorwyd drysau Twtancamwn aeth pob peth arall a welsom i'r cysgod ac allan o'n meddyliau yn llwyr gan ardderchowgrwydd[45] . . .

Llawysgrifau:
Ysgrifennwyd y dyddiadur hwn mewn llyfr nodiadau bach mewn inc yn llaw JDE. Fe'i cedwir heddiw yn Nhrevelin, Cwm Hyfryd.

[1]Y gair Sbaeneg am y Swistir.
[2]Cyn sefydlu Gwladwriaeth Israel yn 1948.
[3]Tiriogaeth Chubut. Daeth y diriogaeth yn dalaith yn 1955.
[4]O bosib cyfeiriad at fab David M. Humphreys, a ailymsefydlodd yn Chubut ar ôl cyfnod yn Santa Fe. Ei dad John Humphreys a aeth â'r teulu i Santa Fe.
[5]Buenos Aires.
[6]Ger Sao Paulo.
[7]Gellir darllen 'danaw' [?] ar ôl y gair 'mawrion'.
[8]Sao Paulo, Brasil.
[9]Bryn Corcovado lle ceir cerflun Crist heddiw.
[10]Efallai 'penffwdanu'. Aneglur.
[11]Hogen: ceir tuedd yn ysgrifau diweddarach JDE i ddefnyddio iaith fwy Gogleddol.
[12]Yma ceir ymadrodd hefyd sy'n aneglur iawn: 'o dan grwyn duon [dirion] a chaled'?
[13]Ceir y gystrawen hon o bryd i'w gilydd yng ngwaith JDE.
[14]Sbaeneg: teithwyr.
[15]Bwlch yn y dyddiadur; ceir dau dudalen gwag.
[16]Cyfeiriad, mae'n siŵr, at Thomas Freeman, Mochdre.
[17]Ystafelloedd.
[18]Baglu, mae'n debyg, yw'r ystyr a awgrymir. Cymharer defnydd y gair yn y Gogledd: 'ffagio' yn golygu sathru, neu gerdded yn flêr. Mae O. H. Fynes-Clinton (*The Welsh Vocabulary of the Bangor District*) yn dyfynnu 'ffagio o dan draed'.

[19]Ardal i'r de o'r Gaiman.

[20]Soniodd JDE am westy Sam Jenkins ar ei ymweliad â Llundain yn 1923.

[21]Ai cyfeiriad sydd yma at E. F. Hunt fu'n athro ar un adeg yn y Wladfa yng nghyfnod John Coslett Thomas (1863–1936)? Ni welais gyfeiriad ato'n ymadael â'r Wladfa, serch hynny.

[22]Trevelin yw'r sillafiad mwyaf cyffredin erbyn heddiw mewn Sbaeneg a Chymraeg.

[23]Champs de Mars.

[24]Gw. nodyn 1.

[25]Lago Maggiore.

[26]Efallai y dylid darllen 'eglwys Sant Ambrogio'. Yn eglwys Santa Maria delle Grazie y gwelir Y *Swper Olaf.*

[27]Cyfeirir at y porthladd fel Genoa weithiau.

[28]Sef siarad. Mae'n ddiddorol cael y ffurf hon fel enghraifft o iaith Sir Fynwy. Daw 'wylad' o'r ferf 'chwedleua', a geir hyd heddiw mewn rhai tafodieithoedd y De fel 'wilia', loia'.

[29]D. Casnodyn Rees. Gw. y nodyn arno ar ddiwedd Dyddiadur 1923.

[30]Ffurf Sbaeneg ar enw Michelangelo Buonarroti.

[31]Awgrym fod JDE wedi sgrifennu'r dyddiadur ar gyfer ei wraig gartref.

[32]Aneglur yn y gwreiddiol.

[33]Ambell waith ceir 'v' yn 'f', un o olion yr hen orgraff Wladfaol yng ngwaith JDE.

[34]Fenis.

[35]Ofer-lenwi, gorlenwi.

[36]Gw. Actau 27.

[37]'Rec' a geir yn y gwreiddiol. Yn ôl Geiriadur Prifysgol Cymru, mae'r gair 'gwrec' ar lafar yn y De am 'froc môr'. Mae'n amlwg y daw o'r Saesneg *wreck*, ac felly mae'n eithaf posibl fod 'llong wrec' yn ffurf ddilys, dafodieithol.

[38]Darlleniad ansicr.

[39]Mae JDE yn cyfeirio at Byramid Cheops ar safle enwog Giza lle ceir tri phyramid, y Sffincs ac amryw feddau.

[40]Y gair Saesneg *guide*.

[41]Er bod y rhan hon o'r dyddiadur yn anodd braidd i'w dilyn, mae arweinlyfrau modern yn dangos cymhlethdod y coridorau oddi fewn i'r Pyramid hwnnw. Cafwyd hyd i'r 'ffynnon', neu bydew hir, yn 1765. Credir i'r pydew gael ei ddefnyddio gan weithwyr er mwyn creu allanfa iddynt ar ôl angladd y Ffaro gan fod y brif fynedfa yn cael ei llenwi gan feini o wenithfaen.

[42]Arweinlyfr poblogaidd y cyfnod?

[43]Ysgol. Enghraifft arall o ddylanwad iaith y Gogledd ar JDE, er iddo ddefnyddio ffurfiau deheuol hefyd.

[44]El Uqsor. Thebes yr Henfyd. Ceir yno gofebion a godwyd gan Ramses II.

[45]Mae'r dyddiadur yn gorffen yn swta iawn ynghanol brawddeg. Yn anffodus ni cheir y gweddill am daith JDE i Balesteina. Gwyddom iddo fynd yno gan fod cyfeiriad at argraffiadau JDE mewn llythyr gan Nefydd Hughes Cadfan a gedwir yn y Llyfrgell Genedlaethol.

Hanes Taith i Chile, 1934

Bwriedais lawer gwaith ymweled â Santiago, prifddinas Chile, ac yna'n sydyn ac annisgwyl fe ddaeth y dydd cyfleus. Sadwrn Rhagfyr y 1af, euthum gyda llinell y Pareded Hermanos o Esquel i Jacobacci, un sy'n orsaf ar linell cydrhwng San Antonio a Bariloche, tua 500 o gilomydrau o fôr Iwerydd mewn anialdir sych a chreigiog, a'r dyfroedd yno'n eithriadol o brin, yn neilltuol felly ganol haf, ar dymhorau sychion, felly hefyd cydrhwng Esquel a Jacobassi, ag eithrio tiroedd Cwmni Tir y De.

Tynner y rhai hynny allan, yna tir y wanaco fydd y cyfan a adewir. Mae yn Jacobacci amryw westai pur dda, ond y gorau o'r oll ydyw gwesty Argentino, sy'n eiddo Ponce y Cia; mae hwn yn westy rhagorol, digonedd o le, ystafelloedd glân wedi eu goleuo â thrydan ynghyd â gwelyau i ateb hin oriog y paith. Y mae yma hefyd amryw dai masnach pur helaeth, ond fel y mae ardal Bariloche yn datblygu, ceir gogoniant Jacobacci yn lleihau; serch hyn, fe berthyn un rhinwedd nodedig iddi, sef nad oes achos i neb ofni cael diffyg anadl; y mae natur yn chwythu ar ei gorau yno ddydd a nos, canys dyna lle mae corn gwynt Deheudir America.

Am 4.30 bore Sul yr ail o Ragfyr euthum gyda'r trên sy'n dyfod o Buenos Aires am Bariloche, peithdiroedd diffaith sydd y ffordd hon, yn arbenig felly yn ardal Comayo; cafodd peiriannwr yr Estado[1] lawer o drafferth i groesi'r afon fechan hon, sy'n rhedeg o'r de i'r gogledd ac yn arllwys i'r Limay. Cul a chreigiog ydyw glannau'r afon, a thrumen uchel yn codi ar bob tu iddi. Ar lan yr afon fechan yma mewn tŷ athro ysgol y llywodraeth yn Awst 1912, cefais y cinio gorau erioed ar fy holl deithiau trwy beithdiroedd Patagonia. Tua 10 o'r gloch y bore, sef bore Sul, y cyrhaeddais yr ysgol yma, a chefais wahoddiad uniongyrchol i dynnu fy nghyfrwy a gollwng fy ngheffylau, ac yn wir, ychydig iawn o gymell oedd angen gan ei bod yn glawio'n drwm a minnau'n dechrau gwlychu, a phe na chawswn y gwahoddiad teimlaswn radd o siom o orfod troi drachefn i ganol gerwindra'r storm, ac os ydyw lletygarwch yn rhan mewn cadw eneidiau, gallaf sicrhau fod lluestwyr peithdiroedd Patagonia ar y blaen ymhell i Gristnogion ei dyffrynnoedd. Gofynnodd gwraig yr athro, yr hon oedd foneddiges garedig a rhadlon iawn, imi a oeddwn yn hoffi *tallarines*.[2] Dywedais ar antur fy mod, er nas gwyddwn ryw lawer amdanynt yn wyddonol; dywedodd hithau ei bod yn arfer eu gwneuthur ar y Sul, ac aeth ati, a gwnaeth y rhai blasusaf a brofais erioed. Trannoeth wrth ymadael ceisiais dalu am eu caredigrwydd, ond gwrthodasant yn bendant.

Euthum i'm ffordd gyda chalon ddiolchgar, eithr eto, er hynny a chondemniad yn fy nghydwybod o fod yn brin o'r gras hwnnw: lletygarwch. Cyrraedd Huncal am 11.45 y bore; nid oedd yr Estado wedi ei agor hyd yma i deithwyr am Bariloche, ac awd mewn modur o'r fan yma am tua 3 llech gyda glan y llyn mawr Nahuel Huapi (sef Llyn y Teigr,) a chyrraedd Gwesty Italia gerllaw glanfa'r agerlongau bychan sy'n teithio'r llyn. Euthum ar fy union i weld y trafnoddwr[3] Chilenaidd er cael fy mhapurau'n barod i gychwyn bore Llun y 3ydd. Cefais bob hwylustod oddi ar law y boneddwr hwn, oblegid yr oeddwn yn adwen[4] ein gilydd ers rhai blynyddoedd. Roedd ef newydd ddyfod yn ei ôl o Chile, ac yn bur wael, ond gan ei fod yn fy adnabod cododd o'i wely, a rhoddodd imi fy mhapurau, sef papurau pwrpasol ar gyfer fy nhaith.

Enw ar fwlch ym mynyddoedd yr Andes yw Bariloche, a'i ystyr ydyw yn iaith yr Araucano: 'Dros y mynydd, lle maent yn bwyta dynion'. Gan edrych o Auraca dros yr Andes i'r de-ddwyrain, trwy ba un yn bur debyg teithia'r hen Jesuwitiaid drwy'r Andes i Argentina, mwy na dau gan mlynedd yn ôl, y mae llyn eto i'r de o Nahuel Huapi, lle mae Estancia Ben, mab hen feddyg Belgiad o'r enw mwy neu lai Veredsbruchen, pa un oedd feddyg yn Trevelin ac Esquel yn y blynyddoedd 1913 a 1914, yn cael ei alw eto ar yr enw Lago Moscardi, un o offeiriadon cyntaf y Jesuwitiad a dreiddodd drwy'r Andes fawr, ac a ddarganfu'r llyn eang, Nahuel Huapi. Rhyfedd mor ddiwyd fu'r hen Jesuwitiad i agor gwlad, a lledu'r Efengyl ffordd yr elynt. Erys eto enwau Cristnogol ymhlith Indiaid yr Amazon, er pan droediodd y Jesuwitiad yno yng nghanrifoedd pell y gorffennol. San Carlos de Bariloche ydyw enw'r dref a orffwys ar fin y llyn hwn. Nid tref fawr mo hon; un brif heol sydd ynddi, a honno'n cydredeg hefo glan y llyn.

Mae ynddi ddau neu dri o westai braf neilltuol, sef Suiza ac Italia, ynghyd â banc y Llywodraeth Genedlaethol, ac ysgoldy gwych wedi ei adeiladu ar gyfer[5] y banc y tu dehau i'r ffordd gyda chant o risiau cerrig yn codi iddo oddi ar y gwastadle lle saif coeden cipres hynafol ei golwg, ac enfawr ei maint. Dyma'r fan lle cafodd y gwron dewr a'r anturiaethwr Perito Moreno[6] ei glymu gan Indiaid oedd yn gwersyllu ar fin y llyn yn y flwyddyn 1879, ac a gafodd ddihangfa trwy ei ollwng ei hun, ac Indian arall gydag ef, i lawr dros raeadrau'r Limay, a hwylio tua Roca, ger Neuquen mewn cwch o groen eidion. Gelwir yma'r Ysgoldy Cenedlaethol sydd ger y fan, wrth yr enw Esquela Moreno,[7] ac yn ymyl y lanfa a'i hwyneb tuag at y dref, fe grog cerflen o Primo Capraro[8] yn ei gyflawn faint. Rhodd y gŵr hwn holl ynni ei enaid i ddatblygu ei dref annwyl a phan wedi myned yn feth-dalwr trwy weithio adeiladau cyhoeddus y llywodraeth, ac hefyd osod cledrffordd o Pilcaniyen i Bariloche, ac yn methu'n glir â chael dim gan y llywodraeth mewn pryd i gyfarfod â'i ymrwymiadau, torrodd ei galon, ac yna fe laddodd ei hun. Cofiais unwaith pan ddywedais wrtho mai fo oedd enaid Bariloche. *'No, Don Juan, soy el burro de Bariloche'*, (Myfi ydyw mul Bariloche).

Dyma'r llyn mwyaf yn Archentina. Mesura oddeutu 16 llech o hyd wrth wyth yn y pen uchaf, a thros 700 midar[9] o ddwfn yn ei ganol. Eithr am 9 o'r gloch bore Llun y 3ydd cychwynais am Puerto Blest mewn agerlong fechan o'r enw *Argentina*. Cymer tua phedair awr i groesi drosodd, a chaniatáu cael môr yn dawel. Rwyf wedi croesi'r llyn bedair gwaith, a'i wyneb bob tro'n llathr ac esmwyth. Mae hynny'n fraint, nid bychan, er medru mwynhau golygfeydd y daith, pa rai sy'n llen-ddarlun dihefelydd ar ddiwrnod teg, y llong yn gadael ei llwybr yn weladwy am gannoedd o lathenni, drwy'r dyfroedd grisial, ynghyd â'r ynysoedd prydferth o amryw faint ac ansawdd. Rhyfedd ydyw meddwl am groesi'r fath fôr o ddŵr croyw ynghanol cyfandir mor sych yn enwedig ar yr ochr ddwyreiniol iddo. Wedi gadael y llyn mawr, agerasom am lechau lawer drwy agorfa gul yr Andes a'r cedyrn dragwyddol binaclau yn delweddu eu hunain yn nyfroedd gloywon y llyn, a thua chanol dydd gwelem y pen draw, ac yno gilfach a glan a gwesty braf, ynghyd â chinio Ellmynig, neu beth tebyg, yn ein haros. Dyma ni wedi cyrraedd Puerto Blest. Yn union 'rôl cinio llwythwyd y gondola, sef math o fodur mawr i gario clud a theithwyr ac wedi teithio tua thair llech drwy goedydd mawrion, a thros amryw gorsydd annymunol yr olwg ond wedi eu palmantu â choed, dadlwytho'n awr i agerlong fechan iawn heb do na chysgod uwch ein pennau ac yna'n fuan, cyrraedd Lago Frio. Mesura'r llyn hwn oddeutu llech[10] o hyd, ac yn y pen gorllewinol iddo saif y dollfa. Rhaid oedd agor y ffetanau fan yma, a dangos eu cynnwys yn wyneb haul a llygad goleuni, i awdurdodau Argentina. Mae'r llyn hwn yn droed i ffin y pwynt uchaf y mae'r llwybr yn ei groesi wrth fyned i Chile, 1,186 o fydrau uwchlaw wyneb y môr. Llwytho'r gondola drachefn i'n cludo dros y ffin i Peulla.

Codai'r ffordd o'r man yma (Peulla) yn bur serth i fyny i'r mynydd, ac yn gorfod ymdroelli llawer i allu myned i'r grib, ac ar ben uchaf y grib ar y llaw chwith i'r llwybr ceir gwesty mawr yn cael ei adeiladu, ond heb ei orffen pan oeddwn yn galw heibio iddo; oddi ar y grib disgynnem ar ein pennau i lawr tua'r gorllewin, ac i dollfa Chile, o'r enw Casa Pangue, hynny yw, tŷ wedi ei wneud o ddail rhiwbob gwylltion yr Andes; yma bu John Richards fyw am flynyddoedd, ac y mae un neu ddau o'i feibion yna'n awr. Drachefn, oddi ar y grib hon anfonwyd *chasque*[11] o'n blaen gyda'n papurau i Casa Pangue, modd ag i'r awdurdodau gael amser i'w hadolygu a'u gwneud yn barod fel na byddai angen aros pan ddeuai'r teithglud, eithr mater o ffug oedd y cwbl o agor a chau'r ffetanau. A phan yn dyfod i lawr o'r grib uchaf teithiem drwy flodau tlysion o amryw fathau o'n bobty; gwnâi'r llwybr lawer o droadau sydyn, a gwir beryglus cyn cyrraedd y gwaelod. Mae ar y darn yma o'r ffordd nifer o droliau bychain un ceffyl i gadw'r cyfryw mor wastad a chyfan, fel na welir ynddi dwll o faint carn ceffyl. Teithiem o'r fan yma eto i lawr am y gorllewin i ganlyn afon Peulla, pa un sydd yn dyfod o'r Tronador[12] ar y dde i Casa Pangue, safle'r hwn sydd 3,460 o fydrau uwchlaw'r môr. Ar y mynydd hwn collodd 3 Swisiad eu bywydau rai blynyddoedd yn ôl wrth geisio dringo i'w ben. Llwyddom mewn oddeutu awr a hanner o deithio o'r grib i westy Peulla tua 800 o fydrau; dyma'r llety cyntaf ar ôl gadael gwesty Italia ar fin y Nahuel Huapi. A phan yn y gwesty tan sylw, daeth ataf ddyn canol oed gan ddodi ei law ar fy ysgwydd a gofyn, 'Señor Evans, ai nid ydych yn fy adwaen?' Atebais innau, 'No, Señor.' 'Wel,' meddai, 'bûm yn eich tŷ gyda fy nhad ddwywaith yn cael te pan yn cytuno y ffin rhwng Chile ac Argentina;[13] yfi yw Richard Roth,'[14] meddai. Cofiais wedyn amdano, ac feallai iddo ef a'i dad wrth setlo pwnc y ffin ddyfod ar draws y fan yma ac iddynt yn uniongyrchol ei sicrhau yn eiddo personol. Y mae ganddo tua 4 llech o'r tir gorau yn Chile, a'r tir hwnnw drosto fel gardd Eden, wedi ei gau i mewn gan fynyddoedd uchel ar dair ochr, a llyn mawr yr Holl Seintiau ar y tu gorllewinol, ac ar fin y ddisgynfa i'r llyn saif ei gartref – palas mewn gwirionedd gyda gerddi hardd, golau trydanol, a thambo[15] helaeth, sef 200 o wartheg Holstein yn cael eu godro bob dydd, ac yn gwneuthur caws ac ymenyn i'w danfon i Chile. Roedd ganddo hefyd, pryd galwais yno, fwy neu lai 25 hecterw[16] o datws yn hyfrydwch i'r llygaid eu gweld, a thua llech yn is i lawr eto yng nghesail y bryniau, wele gwesty braf arall ac ar fryn uchel o'r tu cefn i'r gwesty ceir adeilad wedyn, lle i ymwelwyr fwynhau golygfeydd natur ar ddyddiau poeth yr haf; efe yw perchen yr holl Empresa Andina del Sur o Puerto Blest i Osorno.

Dydd Mawrth y 4ydd tua 6 o'r gloch cychwyn o Peulla mewn agerlong fechan, eithr cysurus iawn i deithio ynddi; cymer y daith ar lyn Yr Holl Seintiau o gwmpas tair awr i fyned o un pen i'r llall iddo; nid yw'r llyn hwn yn llydan iawn, amrywia o lech i lech a hanner, ac mewn mannau y mae'n gulach lawer, a'i ddyfroedd yn las-dywyll a phobl yn byw gyda'r glannau ymhob man lle y gallant gael rhywfaint o le i adeiladu arno, ac yn is i lawr tua chanol y llyn ar yr ochr ogleddol iddo y mae mynydd uchel, ac eithriadol o bigfain o'r enw Punta Agudo, ac yng ngodre hwn, drachefn y mae darn o dir da iawn a ffactri gaws ac ymenyn gan gwmni o Swisiaid. Sefydlwyd ffactrioedd ymhobman o gwmpas y llynnoedd mawrion oddi yma bob cam i'r môr. A phan yn nesáu at ben gorllewinol y llyn, dyna'r panorama ardderchocaf a welodd fy llygaid erioed yn ymagor o'n blaen; yr Osorno[17] mawreddog yn codi ei ben gwyn a'i gorun du i'r awyr las i fyny'r uchder o 2,600 mt uwchlaw'r tawelfor, a'r llyn yn gwneud math o hanner lleuad, gan adael traeth o'r dŵr i droed y mynydd, a'r mynydd yntau'n urddasol ddelweddu ei arucheledd yn nyfroedd gloywon y llyn.

Ar grib y mynydd llosg hwn y mae ysmotyn du i'w weld o bell, a dywedodd boneddwr oedd ar y llong wrthyf taw min ei gorn ydoedd, a bod digon o wres yn dyfod allan drwyddo i doddi'r eira oddi ar y fan honno. Nis geill yr un dyn sefyll namyn ychydig funudau uwch ei ben gan faint o arogl brwmstan a ddaw allan ohono, er ei fod wedi peidio â ffrwydro ers can mlynedd bellach. Eglur yw oddi wrth hyn yr erys yr hen anian yn ei galon o hyd: ni ddiffydd honno, ac anodd, o'r herwydd, ydyw gwneuthur Cristion o fynydd-tanllyd;[18] felly hefyd, ambell hen bechadur; folcano ydyw oddi fewn o hyd, ac ar y brofedigaeth leiaf tyrr allan yn dân a brwmstan. Glaniasom o'r llyn hwn (Llyn yr Holl Seintiau) yng genau'r afon sy'n myned ohono o'r enw Petrahue 150 o fydrau uwchlaw'r môr, ac yn gan mydr uwchlaw y llyn mawr Llanquihue.

Llwythasom ein clud yn awr i'r gondola eto bellter o 18 llech i Ensenada, a phan yn teithio'r ffordd yma heibio troed yr Osorno ac ar yr ochr dde-orllewinol iddo, ond sylwi, gwelir y cerrig mawrion wedi disgyn yn gyntaf ac agosaf i'r Gorllewin, ac yna rhai o faint ychydig llai y tu hwnt iddynt, ac felly ymlaen, ac ymhellach i'r dwyrain, nid oedd dim i'w weld ond tomenydd anferth o ludw ysgafn lathenni lawer o drwch, canys torrodd y nant ddŵr a ddeuai drwy'r lludw drwyddo i'r gwaelod fel pe i ddangos ei ddyfnder.

Mae'n bur debyg bod llyn eang Llanquihue wedi bod rhywdro'n un llyn o Puerto Varas i Peulla, eithr diamau y bu'r hen ŵr tanllyd yma wrthi am ganrifoedd lawer, ie'n brysur dros ben, yn lluchio argae ar draws y llyn nes llwyddo i'w godi gan mydr o'i lefel gyntefig. Mawrion a thrymion ydyw'r cerrig a daflodd i'r afon, maent yn amryw dunelli o bwysau, a bron ar gyfair ar yr ochr chwith iddo, ac eto'n nes i'r môr ceir mynydd tanllyd arall o'r enw Calbuco a hwnnw yn 1,906 o fydrau uwchlaw wyneb y môr. Bu hwn wrthi'n chwythu'n ddiweddar ei lafa eirias gan ddinistrio popeth o'i flaen. Wrth sefyll fel hyn, megis rhwng rhyfeddodau natur, a chraffu ar waith Ei fysedd Ef, y Creawdwr doeth a da, fe deimla dyn ei hun yn llai na chwilen y llwch, ond, diolch er y cyfan, i fyny fynn dyn fyned o hyd.

Cyrraedd Ensenada ar lan Llyn Llanquihue gyda'i westy braf a helaeth, wedi ei lwyr amgylchu gan flodau amryliw, a'r farandas gwych a llydain oedd yno wedi eu gwneuthur oll o sment. Y mae o'r fan hon ddwy ffordd, un dros y tir i Osorno a'r llall hyd y llyn i Puerto Varas. Euthum i dros y llyn gan mai i Puerto Varas roeddwn wedi codi fy nhocyn, ond pe gwybuaswn yn gynt, buaswn wedi myned mewn modur i Osorno canys cawn felly daith hanner diwrnod hefo'r trên yn nes ymlaen am Santiago, ac wedi osgoi tua phum awr ar lyn Llanquihue, gan fod yr agerlong sy ar y llyn yn galw ymhob glanfa, ar ei ffordd i Puerto Varas i godi moch, gwartheg, defaid, caws ac ymenyn, a llysiau gerddi o bob math i'w cludo i Puerto Varas a thrwy hynny roedd hi yn hwyr y nos arnom cyn cael cyrraedd y lanfa! Y mae glannau deheuol y llyn hwn eto'n gain a phrydferth, a cheir yno hefyd daear dda; fe rydd fywoliaeth i gannoedd o deuluoedd, Ellmyn bron i gyd ac ychydig o Swisiaid i boblogi'r gymdogaeth hon.[19] Dyma'r llyn mwyaf yn Chile, ac ar ganol y llyn hwn y bu foddi'r gwŷr dewr hynny a ddanfonasai Dywysog Cymru ar ei ffordd i Wlad Ariannin.[20]

Nos Fawrth y 4ydd, a hi wedi tywyllu, cyrhaeddais westy Bella Vista, ar fin y llyn yn wynebu tua'r dwyrain. Almaenwr[21] yw perchenog y lle yma. Mercher 5fed, crwydro o gwmpas Puerto Varas. Nid ydyw hwn eto'n lle mawr felly, ond hawdd gweled y daw'n lle o bwysigrwydd cyn bo hir; y mae o fewn 5 llech i Puerto Montt, ar lan y môr. Maent yma'n awr yn adeiladu gwesty o faint anghyffredin; fe gynnwys dros ddau gant o ystafelloedd i dderbyn ymwelwyr haf. Y llywodraeth (Chile) yn ôl pob tebyg sy'n ei adeiladu, ac y mae o'r gwneuthuriad mwyaf diweddar. Yma fe glywch iaith Ellmyn yn cael ei siarad yn yr heolydd, o fewn y gwestai, a phob man arall. Y nawn euthum i lawr i Puerto Montt mewn modur; dyma ben eithaf cledrffordd Chile, ochr y De. Mae bron y cwbl o'r 5 llech sydd cydrwng Puerto Vars a Puerto Montt wedi ei glirio o bob coeden a drysni a dodwyd yn eu lle gaeau o datws, a gerddi gwerth eu gweld, ynghyd â chartrefi clyd, ac hynod ddymunol i'r golwg. Yn hyn fe gura'r Ellmyn ni Gymry, cartref o flaen popeth iddynt hwy, glanhau'r goedwig wedyn, ond am y Cymry, glanhau a threfnu'r fferm i ddechrau ac yna codi cartref, pan fo un troed yn y bedd a'r llall ar ben y clawdd. Daeth yr Ellmyn yma yn yr un flwyddyn â'r hen wladfawyr i'r Wladfa sef 1865, ond fe geir byd o wahaniaeth rhwng cartrefi'r Ellmyn rhagor cartrefi'r Cymry, ie, gerddi o flodau, golau trydanol a dwfr rhedegog; dyna yw cysuron cartre'r Allman mewn gwlad fabwysiedig.

Iau y 6ed, cymerais y trên i Santiago, prifddinas Chile, cyrraedd gwesty Mundial ger tŷ'r llywodraeth. Dim ond sylwi ychydig o gwmpas yn Chile, gwelir ar unwaith dri dosbarth o bobl, a'r oll ohonynt yn ddigon cymedrol yn eu ffordd mor bell ag y gwelais i hwynt. O Puerto Montt i Osorno, a pheth yn uwch i'r gogledd cewch y teip Ellmynig a'r Ellmyneg i'w chlywed bob man. Pobl lân a diwyd yw'r Ellmyn, yn wŷr a gwragedd, hynny yw, y ddau ryw; ni pherthyn iddynt ddiogi. Drachefn o amgylch Temuco cewch yno deip arall, croesiad amlwg cydrwng y brodor pur a'r Lladinwr, ac fel nod gwahanaethol fe wisg y teip yma boncho bychan o frethyn du bydded yr hin gyn boethed ag y bo. Methais â dal un tro, rhag gofyn i un oedd yn sefyll ger llaw, os oedd pobl Temuco wedi eu geni i gyd a'r poncho ar eu hysgwydd? Chwarddodd yntau'n galonog ac aeth i ffwrdd. Heblaw'r ponchos y mae eu hwynebau llydain, ysgwâr, yn dweud o ba wreiddiau y mae dyn.

Drwy ganol Santiago ceir heol fawr, sydd gan mydr o led, o'r enw Alameda, pa un felly a dyrr y brifddinas yn ddwy. Ar ochr y gogledd i'r ffordd hon saif tŷ'r llywodraeth a'r banciau, ac yno lle trig y pendefigion. A'i chymeryd at ei gilydd y mae'r oll o'i thai yn uwch na'r tŷ deheuol, felly ei phreswylwyr. Trannoeth ar ôl cyrraedd Santiago deuthum o hyd i ddau gyfaill, sef Hugo Davies (Alltud yr Andes), a'r Bonwr Luis E. Tello, ac ym mhersonau'r boneddwyr hyn cefais ddau arweinydd penigamp. Yr oedd Davies ynghylch allanol y ddinas, a'r Bonwr Tello oddi mewn, a chan fy mod wedi dod ar neges dra phwysig, sef i geisio gan y Llywodraeth gymryd at y ffordd drwy'r Andes i Puerto Chaiten, bu Tello imi'n gymorth mawr, a thrwyddo ef cefais ymweled â'r personau canlynol – Luis Marchen G. (Coronel de carabineros, en retiro[22]) cyn-raglaw Aysen yn y flwyddyn 1930; Luis Tello, 'Jefe de Navegacion de Chile'; Teodoro Schmidt, 'Director General de Obras Publicas' (Gweithiau Cyhoeddus); Alberto Velasco, 'Director General de Tierras', 'Ministro de tierras y colonias'. Monja Mira, 'Ingeniero de Obras Publicas'; F. G. Leighton, 'Jefe de Estudios de caminos, Direccion de Obras Publicas'; Carlos Allendi, 'Jefe de la Direccion de Obras Publicas'; Alfonso Borques, 'Senador nacional', perchen holl baith Lago Yelcho. Roedd pob un o'r rhain yn teimlo pwysigrwydd y cais, a chredaf eto nad yw fy ngobaith wedi ei dorri ymaith yn llwyr. Wrth sylwi gwelir llawer o wahaniaeth mewn dyfrhau tir had yn Chile rhagor y Wladfa; y maent hwy yn gwastatáu eu tiroedd yn berffaith wastad, hynny yw, lefelu'r tir i gychwyn gyda pheiriant pwrpasol, yna gollyngant ddŵr i'r sgwâr, eithr bydd gormod i wneud dim niwed ond ei ollwng fel y rhêd yn araf deg drwy gwysi bychain: felly lleithio'r tir y maent yno, ac nid ei lynio[23] fel yn y Wladfa. Mae'n fwy na thebyg pe modd dwyn y dull yma'n ymarferol yn y Wladfa, buasai hynny'n arbed llawer o ddŵr ac achub y Dyffryn[24] rhag y salitre[25] angeuol sy'n nychu ei allu cynhyrchiol.

Euthum un diwrnod gyda'r Bonwr Tello i'w gartref, 5 llech i'r gorllewin o Santiago. Tir graeanog ydyw'r rhan sych o Chile, tebyg iawn i'r ucheldiroedd o gwmpas Dyffryn Chubut, a thyf bron bopeth ynddo ond iddo gael digon o ddŵr, ac y mae yno yn Chile ddyfroedd lawer. Lle gweddol fychan sydd gan y Bonwr Tello ond fe fedr dyfu agos pob dim a ddewis hau neu blannu. Ar ginio dangosodd i mi grair werthfawr o'i eiddo oedd wedi ei chloddio allan o fedd ar gyfer Lima er cyfnod yr Incas,[26] sef tennyn pysgota wedi ei wneuthur gan fath o laswelltyn a dyfai'r Incas er nyddu dillad ohono, a'r poncho a ddarganfyddir heddiw mewn beddrodau ger Puenta Viento heb fod nepell o Lima. Mesurai'r tennyn oddeutu 5 mydr o hyd gyda bach wedi ei lunio o asgwrn, a gyda thair cainc finiog wedi eu sicrhau yn y paladr mor gywrain nas gwelwch y mortais yn y paladr o gwbl. Roedd y tennyn mor gryf ac iach.

Euthum hefyd gyda'r Bonwr Tello i'r parc cenedlaethol, a dangosodd imi dwy golofn ysgwâr o gerrig gwynion 5 mydr o hyd wedi eu gosod ar eu pennau yn y ddaear ar fin llyn bychan o fewn y parc. Roedd y ddwy golofn, ebe ef, wedi eu cludo gan lynges Chile o Ynys Pasgua[27] a saif oddeutu dwy fil o filltiroedd allan yn y Tawelfor ar gyfer Lima, o'r fan lle mae Williams a Balfour wedi ei rhentu gan lywodraeth Chile i gadw gwartheg. Dywedai ef fod dwy res o'r colofnau yma'n aros eto ar yr ynys, a ffurfiant yno ran o rodfa fawr tua 50 mydr o led yn dyfod i lawr o ochr llosgfynydd ac yn disgyn i'r môr; a'r farn gyffredinol ydyw fod y ddinas i ba un y perthynai'r rhodfa wedi ei suddo o dan y môr, a dim ond y rhan yma o'i gogoniant yn aros. Y maent yn llawn o gerfiadau dyfnion o'u brig i'w gwaelod, a cherflun o ben dyn o naddiant celfyddgar ar gopa pob un ohonynt, a'r rheini'n edrych i mewn i'r rhodfa fawreddus honno. Dywedai y Bonwr Tello fod ysgolheigion o Paris ac America yn astudio'r ysgrifen, a phan y dônt i'w deall fe gânt allan wybodaeth lawer ynglŷn ag hanes gorffennol y Tawelfor.

Ymwelais â Valparaiso a'r Br Davies imi'n arweinydd; euthum gyda'r tren trydanol drwy lawer o dwnelau a thros ddarnau o diroedd da, a phan ar waelod dyffryn bychan, neu yn hytrach bantle bychan rhwng y mynyddoedd, gofynnodd Davies imi beth a feddyliwn o ddyffryn Valparaiso, ac nis gwyddwn pa fodd i'w ateb, tra mi eisioes ynof fy hun, wedi tynnu map o ddyffryn eang fel eiddo'r Nile, neu Rio Negro, ac yntau wedi'r cyfan, namyn pantle distadl, ac iddo un agorfa gul yn tywallt y dyfroedd i'r môr ger Viña del Mar. Euthum o gwmpas Valparaiso a chefais ei bod o ffurfiad hardd a dymunol ar ucheldir uwchlaw y môr, gyda pheiriant codi (lifft) trydanol i esgyn rhai pobl i'w cartrefi. Troediais hefyd hyd lan y môr am bell ffordd, a hawdd ydyw gweld fod gwyntodd y gorllewin yn taro'n nerthol ar borthladd Valparaiso, fel bu gorfod adeiladu mur mawr ddegau o lathenni o led er cadw cysgod i longau tra'n cludo o fewn y porthladd.

Nodedig o ddoeth ydyw gwaith natur ymhob rhan o Chile: y mae'n wlad o ffurf hynod iawn, llafn hir a chul o ddaear ydyw'n cydredeg rhwng dwy Andes, un ar ochr y dwyrain, sef yr Andes fwyaf, a'r llall ar ochr y gorllewin gyda glan y môr yn wrthglawdd cadarn i gadw Dafydd Jones[28] rhag llyncu Chile i'w grombil. Gwir fychan yw afon Santiago, y Mampocha, a chodwyd ceulan o'i bobtu ynghyd â gwaelod i'w diogelu, oblegid fe lif drwy'r ddinas. Dangosasant imi wersyllfa gyntaf Valdivia ynghanol Santiago, sef craig uchel, a gwnaeth yntau dŵr o'r graig honno. Gorchestion tan gamp a gyflawnodd y Sbaenwyr y pryd hwnnw,[29] sef darostwng gwlad mor fawr o Cuzco i Valdivia, ond golygodd ei goresgyn ddyfnder o ddioddefaint uwchlaw dychymyg i'w ddisgrifio, rhywbeth anghredadwy bron. Roedd gan yr Indiaid, meddent hwy, ryw fath o haearn triphig miniog, a thaenent y rhain o dan y dail ar lwybrau'r gelyn, ac os digwyddai i geffyl sathru ar yr haearn, byddai'n sicr o gael un o'r tri phigyn i'w droed a thrwy hyn lesteirio'r milwyr ar eu rhawd filwrol. Mae'r maglau hyn i'w gweled heddiw mewn Creirfa yn y brifddinas (Santiago).

Bore Llun, yr 17 o Ragfyr, dywedais wrthyf fy hun, 'teg yw edrych tuag adref', a dyna fynd i lawr o'r uchelfa lle bûm dro, ag at y bos i dalu fy nyled iddo am ddeg niwrnod o lety, 335 o ddoleri. Cludiad y tren eto'n nôl i Puerto Varas yn 175 o ddoleri (o'r arian yno, cofier). 'Rôl cyrraedd Puerto Varas, ac ar fedr myned i fewn i westy Bella Vista, cyfarfûm â dyn bychan, pa un oeddwn wedi ei weld ar y trên tra'n cydgerbydu o Santiago, eithr heb gael cyfle i siarad â'n gilydd, a gofynnodd y boneddwr imi yn Saesneg a fedrwn yr iaith fain, i'r hyn atebais, 'Medraf ychydig, beth bynnag'. 'Wel,' meddai, 'eisteddwch wrth ein bwrdd ni; nid oedd neb fan yma'n deall Saesneg; Ellmynwyr ydynt oll. Cymro ydych chwi, mae'n debyg wrth eich cyfenw?' 'Ie,' ebe finnau. 'O felly,' atebodd yntau, 'a Chymraes hefyd yw fy ngwraig innau. Owen oedd ei chyfenw pan yn sengl, a magwyd hi yn Lloegr, am hynny ni chafodd gyfle i ddysgu iaith ei mam. Dyma i chwi fy enw, C. Mallet, Arolygydd y Pacific Railways, a'r Pacific Steamboats, a phan ddeuwch i Buenos Aires – gofalwch holi amdanaf yn un o'r swyddfeydd yno.'

Llawysgrifau:
Ceir dau fersiwn teipiedig a gedwir yn Nhrevelin. Cyhoeddwyd yr adroddiad yn Y *Drafod* rhwng Tachwedd a Rhagfyr 1936.

[1]Sbaeneg: gwladwriaeth.
[2]Sbaeneg: nwdls.
[3]Conswl.
[4]Amrywiad ar y berfenw 'adnabod'; ffurf ddeheuol yn bennaf.
[5]Ar gyfer: gyferbyn â.
[6]Francisco 'Perito' Moreno (1852–1919). Un o arloeswyr a gwyddonwyr amlycaf Ariannin yn y bedwaredd ganrif ar bymtheg ac un o'r arloeswyr cyntaf ym Mhatagonia. Yn 1873 teithiodd i'r dref fwyaf deheuol yn Ariannin ar y pryd, sef Carmen de Patagones. Y flwyddyn ganlynol aeth mor bell ag afon Santa Cruz yn y rhan fwyaf deheuol o Batagonia. Yn 1875 bu'n un o'r rhai cyntaf i fentro i ardal Llyn Nahuel Huapi yn yr Andes. Roedd ganddo ddiddordeb ysol yn naeareg Patagonia a hefyd casglodd lawer o wybodaeth werthfawr am y brodorion yn y parthau hynny. Yn 1897 cafodd ei benodi'n 'arbenigwr' neu 'perito', yn y ddadl ynglŷn â'r ffin rhwng Ariannin a Chile. Cymerodd ran yn y gwaith o benderfynu beth fyddai'r ffiniau, a gyhoeddwyd yn derfynol yn 1902. Yn 1903 rhoddodd i'r genedl dir o gwmpas Llyn Nahuel Huapi a roddwyd iddo gan y llywodraeth, a hynny er mwyn creu Parc Cenedlaethol Nahuel Huapi. Ei gyfrol bwysicaf o bosibl yw *Viaje a la Patagonia Austral* a gyhoeddwyd am y tro cyntaf yn 1876. Yn y gyfrol cyfeirir at ei

ymweliadau â gwersylloedd y brodorion Tehweltsaidd. At hyn y cyfeirir gan JDE.

[7]Ysgol Moreno.

[8]Ceir yn Bariloche nifer o gofebion a ffordd yn dwyn yr enw Primo Capraro.

[9]Ffurf y Wladfa weithiau am fydr.

[10]*Legua, league.*

[11]Negesydd.

[12]Monte Tronador, o'r Sbaeneg: Mynydd Taran.

[13]Yn dilyn anghytundeb rhwng Ariannin a Chile ynglŷn â'r ffin swyddogol rhwng y ddwy wlad yn y rhanbarth a gynhwysai Gwm Hyfryd, gofynnwyd i Brydain anfon dirprwyaeth dan Syr Thomas Holdich i dorri'r ddadl yn derfynol. Bu Holdich ar ymweliad â Chwm Hyfryd ac ymddengys iddo ddod i gartref JDE er na cheir fawr ddim hanes am y digwyddiad ganddo. Cynhaliwyd y bleidlais enwog yn 1902 (*El Plebiscito*) yn yr ysgol dan lygaid Owen Williams, y bardd a'r ysgolfeistr. Ymddengys i'r bleidlais fod yn unfrydol o blaid aros yn Ariannin, er y ceir sibrydion fod ambell un o blaid bod yn rhan o Chile o hynny ymlaen. Bu'r bleidlais hefyd yn hwb i'r awdurdodau sicrhau fod hanes y tirlenni yn dod i ben gan na chafodd ffermwyr y 50 llech y dogfennau cyfreithiol i brofi eu bod yn berchen ar y tir.

[14]Richard Roth. Bu tad Richard Roth ymhlith y rhai a fu'n dilyn Syr Thomas Holdich, arweinydd y ddirprwyaeth o Brydain a ddaeth i bennu ffiniau Ariannin a Chile.

[15]*Tambo*: lle ar gyfer godro.

[16]Ffurf y Wladfa am hectar.

[17]Sef Volcán Osorno ger Lago Todos Los Santos.

[18]'Gweuthur Cristion o fynydd-dân'. Enghraifft hyfryd o'r modd yr edrychai JDE ar y byd a'r betws.

[19]Almaenwr. Mae ardal Bariloche a'r ardaloedd cyfagos yn Chile wedi gweld cryn ymfudo o wledydd Ellmynaidd Ewrop, a hynny ers dros ganrif.

[20]Bu Tywysog Cymru ar ymweliad â'r Ariannin yn 1925. Daeth eto yn 1931 pan agorwyd Ffair Fasnach Brydeinig.

[21]Allman yn y fersiwn gwreiddiol.

[22]Cyn-lywodraethwr Talaith Aylsen, 1930.

[23]Llynio, sef creu cronfeydd, llynnoedd.

[24]Gwahaniaethir rhwng y Dyffryn (Gwaelod Camwy) a'r Cwm (sef Cwm Hyfryd) yn iaith y Wladfa.

[25]Solpitar.

[26]Cyfnod yr Incas, am ryw ganrif a hanner hyd at 1532.

[27]Ynys Pasqua: Ynys y Pasg.

[28]Dafydd Jones: y môr. Defnyddir yr ymadrodd droeon gan JDE.

[29]Cyfnod y Conquistadores.

Hanes Richard Jenkins[1] (1861–1940)

Ganwyd Richard Jenkins ym Merthur Tudful, Deheudir Cymru ar y bumed o Fawrth 1861, ac yn Mai 1865 ymfudodd ei rieni allan i'r Wladfa Gymreig. Yr oedd ef felly yn un o'r cant pum deg tri enaid a ddaethant allan ar fwrdd y *Mimosa* fyth gofiadwy i sefydlu Gwladfa Gymreig ar lannau'r Camwy. Claddodd ei chwaer fach[2] newydd gyrraedd ohonom i dir Madryn; symudwyd o Madryn mor fuan ac y gellid am y Camwy am nad oedd ddŵr yno ond pwll neu ddau o ddŵr glaw ac yn gynnar yn y flwyddyn 1867 roedd yr oll fintai yn eu holau ym Madryn unwaith eto wedi torri eu calonnau trwy fethiant y cynhaeaf ac hefyd adroddiad anffafriol y fintai a ddanfonwyd i chwilio y wlad pa rai a aethant gyn belled â Dyffryn yr Hen Eglwys.[3] Yn y gaeaf yr un flwyddyn aeth y rhan luosocaf o'r fintai yn eu holau am y dyffryn i drio eu lwc unwaith yn chwaneg am y tymor o dair blynedd, ac yn eu plith aeth teulu fy nghyfaill, a'r haf y flwyddyn honno haeodd fy ewythr Aaron Jenkins[4] ddarn bychan o wenith ar eu ffarm sef y Neuadd Wen ger Glandwrlwyd[5] yn bresennol, a thyfodd yn gnwd ardderchog yn unig gan y glaw, ond daeth yn wres mawr a dechreuodd y gwenith sychu, a fy ewythr a'm modryb yn cerdded o gwmpas un nawn dan wres llethol, dywedodd fy modryb, "Wel, Aaron," meddai, "beth fyddyliech chwi petaem yn torri pwt o ffos o'r afon gyda'r bal i'r fan yma i gael dŵr o'r afon i'r gwenith?"[6] a thorwyd y pwt ffos gyntaf erioed ar ddyffryn y Camwy a dyfrhawyd y gwenith yn iawn a chafwyd cnwd ar ei ganfed; a thyna allwedd y dwfrhau wedi ei chael.

Yn y flwyddyn 1868, buodd mam fy nghyfaill[7] farw a chadw batch[8] fuodd ei dad ac yntau hyd nes yr ail-briododd gyda Marged Jones,[9] un o ferched John Jones, Mountain Ash, chwaer i fy mam,[10] ac aethant i Rawson i fyw am amryw flynyddoedd a thra yn Rawson, elem ni fechgyn o'r un oed allan i'r dyffryn i gyfeiriad Plas Hedd[11] i gasglu deiliach hallt oedd yn tyfu y ffordd honno ac wedi llenwi hyd digonedd, elem bawb i'w gartref a thyna ein swper y nos honno hyd bore trannoeth gan fod newyn trwm yn y dyffryn ar y pryd. Dywedai'r hen Indiaid yn Patagones pan yn myned yno i fasnachu bod plant y Wladfa Chubut yn myned allan i'r camp[12] i bori fel trwp[13] o ddefaid, a thyna y pryd buodd fy nghyfaill a minnau yn rhedeg trwy'r gwres a'r oerni, newyn a syched a dim ond dail i ddiwallu ein heisiau ond pan y deuai'r Indiaid i lawr i aeafu i Rawson byddai llawnder o gegfwyd gan y Cymry yr adeg honno gan fod yr Indiaid[14] yn ein cynorthwyo i hela trwy ein dysgu a rhoddi benthyg eu ceffylau i ni.

Symudodd rhieni fy nghyfaill wedi hyn i'w ffarm yn Bwlch y Ddôl[15] ar y tu dehau i'r afon heb fod ymhell o Rawson ac yno buont fyw yn gysurus a magu tyaid o blant. Tua chanol haf 1879 daeth cwmwl du a thrwm i dywyllu llwybr bywyd fy nghyfaill hoff trwy golli ei annwyl dad, a gafodd ei ladd mewn ffordd tra barbaraidd gan Chileno[16] a ddaeth yma o Penryn-dywod[17] y de a thra yr oedd y gwladfawyr yn ymlid ar ôl y llofrudd yr hwn a ddaliwyd ger Tres Casas y tu dehau i'r afon, arhosodd fy nghyfaill gartref i weinyddu'r gymwynas olaf i'w annwyl dad a chladdwyd ef ar ei ffarm yn Mwlch y Ddôl, a thyna fan fechan ei fedd hyd heddiw.[18] A thra yr oedd y teulu yn y sefyllfa honno, buodd fy nghyfaill o wasanaeth mawr i fy modryb i fagu ei phlant. Yr oedd ei dad wedi prynu gwagen ysgafn a byddai'n gweithio llawer gyda'r wagen trwy gario cynhyrchion y dyffryn i'r farchnad ac a'r naill beth a'r llall, a thrwy hynny byddai bob tipyn yn help i ddod â'r ddau ben i'r llinyn ynghyd canys ymdrech galed am fywyd oedd hi yr adeg honno ar y Wladfa.

Dyna'r pryd yr ymaelododd ef a minnau yn gyflawn aelodau o Eglwys Grist ym Moriah[19] dan weinidogaeth yr annwyl Parch. A. Matthews a ninnau ond ieuanc iawn. Gallaf ddwuedd i sicrwydd ei fod ef wedi dal yn ffyddlon hyd y diwedd yn wasanaeth ei athro mawr a gwnaeth ei orau gyda'r ysgolion canu yma a thraw ar hyd y Dyffryn canys yr oedd wedi cael mantais pur helaeth i'r cyfeiriad hwnnw trwy fod ei dad tra yn byw yn Rawson yn cadw'r ysgol gân yn gyson, efe a'r bonwr Richard Howel Williams[20] ac amryw gyfeillion eraill. Ymgodymai hefyd ar yr Eisteddfodau, a bu am dymor hir yng nghwmni'r diddan a'r annwyl Dalar,[21] a llawer o hyfrydwch a gymerai yn y cyfarfodydd llenyddol a chyfeillachau crefyddol a chyfarfodydd y bobl ieuanc pa rai oedd yn bur luosog yn ardal Moriah yr adeg honno. Yn y flwyddyn 1884 yr oedd ef a Robert Williams Treorki[22] ar ôl hynny, yn byw ar ei ffarm yn y dyffryn uchaf ger Ffynnon Iago; symudodd R. Jenkins mewn hir a hwyr i lawr i Drofa Fresych[23] i fyw a hau am amryw flwyddi ac oddi yno yr aeth i ymyl Trelew ar ffarm y bonwr William Freeman[24] ac yn 1896 ymbriododd â gwidw Price,[25] un o fintai *Vesta*,[26] ac yn haf yr un flwyddyn symudodd ef a'i deulu i'r Andes i fyw i lech pymtheg[27] ger Melin y Cwm[28] ac ymhen blwyddyn neu ddwy symudodd drachefn i fyny o war Esquel i boblogi camp Fical ac yno buodd fyw am amryw flwyddi a thua'r flwyddyn 1906 symudodd i lawr i ddyffryn Esquel i lech 30 perthynol i'r bonwr T. T. Austin[29] ger cartref y bonwr William Freeman er mwyn ysgol i'w blant ac hefyd cymdeithas yr hyn oedd amhosibl oddi fyny heb drafferth fawr. Symudodd wedi hynny i dref Esquel i fyw i'w *quinta*[30] ei hun lle buodd farw.

Y brofedigaeth gyntaf a ddaeth i'w gyfarfod 'nôl ffurfio ei gartref oedd yn y flwyddyn 1919 drwy golli ei frawd Llewelyn ac wedyn yn 1923 pryd y buodd rhaid iddo fyned â'i fab Owen i'r Ysbyty[31] yn Buenos Aires a buodd yno am tua chwe mis. Daeth Owen yn well ac aeth ei dad ag ef gartref ond er gwaethaf pob gofal ac ymdrech, angau a orfu mewn blwyddyn a hanner 'nôl dod gartref, a chollodd ei annwyl Owen er gofid mawr iddo ef a'i annwyl fam, a'r drydydd gwmwl a ddaeth i'w rhan oedd claddu David Price[32] canys yr oedd gan Mrs Jenkins bedwar o blant cyn priodi gydag ef, sef dau fab a dwy ferch, ac yn Awst 1934 daeth y cwmwl duaf i'w rhan a thywyllodd ei ffurfafen hyd ei fedd trwy golli ei annwyl Mery yr hon oedd wraig gall a synhwyrol iawn ac eithriadol olau yn ei Beibl.

Cymerai ran gyhoeddus mewn moddion gras yn Seion Esquel[33] yr hwn sydd eithriadol brin y blynyddoedd yma; cwynai fy nghyfaill lawer wrthyf ei fod yn teimlo ei hun yn unig iawn, fel pelican yr anialwch heb neb i ddal pen rheswm ag ef ar ei aelwyd gartref canys yr oedd yn dra hoff o gael ymgom Beiblaidd neu rywbeth arall os er budd ac adeiladaeth iddo ef. Nid oedd cartref yn gartref mwy 'nôl colli ei annwyl Mery.

Pan sefydlwyd Eglwys Esquel tua'r flwyddyn 1905 gan y Parch. Lewis Humphreys,[34] dewisiwyd ef yn un o'r deiaconiaid y pryd hwnnw a gwnaeth ei orau gyda'r achos mewn amser ac allan o amser a chadwodd y drws yn agored i Dŷ Dduw bron ar bob tywydd. Efe hefyd oedd trysorydd a chofnodydd Eglwys Esquel[35] am lawer o amser. Roedd ef yn un ohonom yn adeiladu Capel Moriah o'r dechrau i'r diwedd ac hefyd yn un o'r fintai o 43 o Gymry yn myned i fyny a chanu yn y fintai nerth eu henaid ar lan fechan eu bedd[36] yn yr unigedd mawr, 'Bydd Myrdd o Ryfeddodau ar Doriad Bore Wawr', a thyna y canu mwya nefol a glywais erioed a ganodd fy nghyfaill ar y geiriau yna pan yn hebrwng ei gyfeillion i dŷ eu hir gartref, ond fe'i canwyd o'r diwedd wrth ei fedd ef. Tybed a oedd ei glust wedi ei thiwnio yn ddigon ysbrydol i glywed y canu? Mae llawer o ddynion buddiol a da i gymdeithas ond braidd yn ysgeulus o'u buddiannau eu hunain ac i'r ochr honno gogwyddai fy nghyfaill fel nad oedd Duwies Ffawd wedi gallu gweinyddu llawer o gysuron i'w anghenion teuluaidd.

Cafodd gystudd byr yr hyn a ddymunai amdano wedi mwynhau iechyd da ar hyd ei oes o 79 o flwyddi fel nad oes gennyf finnau ddim i'w gwyno ond dweud gorffwys, gyfaill hoff, gan obeithio cwrdd eto tu draw i'r afon.

Llawysgrif:
Ceir fersiwn teipiedig yn Nhrevelin a chopi a gyhoeddwyd yn *Y Drafod*, Mehefin 1940.

[1]Richard Jenkins (1861–1940). Ceir ysgrif neu lythyr coffa hefyd gan E. Moses Hunt a gyhoeddwyd yn *Y Drafod*, Mehefin 1940. Yn y llythyr hwnnw, dywedir fod: 'y gwasanaeth angladd dan ofal yr hen frawd, patriarch y lle sy'n aros heddiw, Mr John D. Evans'.
[2]Bu farw Rachel Jenkins 22 Medi 1865.
[3]Dyffryn yr Hen Eglwys. Adnabyddus fel arfer fel Dyffryn yr Eglwys. Lleolir ar 'dop' y Dyffryn Uchaf ychydig bellter cyn Hirdaith Edwin.
[4]Aaron Jenkins. Gweler yr hanes am ei lofruddiad ym mhennod yr Hunangofiant.
[5]Ceir cofgolofn heddiw heb fod ymhell iawn o'r fan lle saif capel Moriah, gogledd Trelew, sydd yn gofeb i'r sgwrs dyngedfennol hon rhwng Aaron a Rachael Jenkins.
[6]Ymddengys fod y digwyddiad hwnnw wedi bod ym mis Tachwedd 1867.
[7]Rachel Evans. Bu farw 15 Gorffennaf 1868 yn 35 oed yn unig. Prin ddau fis yn ddiweddarach, ailbriododd Aaron Jones â Margaret Jones, sef modryb John Daniel Evans ar ochr ei fam, a chwaer Richard Jones Glyn Du, awdur hanes cynnar y Wladfa a ymddangosodd yn *Y Drafod* rhwng 1919 a 1920.
[8]Daw'r gair o'r Saesneg 'batchelor' i ddynodi dyn di-briod neu weddw sy'n byw ar ei ben ei hun. 'Byw batch' yw'r ymadrodd a ddefnyddid yn y Wladfa.
[9]Dyma'r ffurf ar yr enw a ddefnyddir gan JDE.
[10]Mary Evans oedd mam JDE; Mary Jones cyn priodi.
[11]Cartref Lewis Jones. Gweithredai'r tŷ fel Prwyadfa am gryn amser ar ddechrau hanes y Wladfa.

[12] Er bod y gair *camp* ar gael mewn Saesneg yn Ne Affrica ac Awstralia i ddynodi mannau lle bydd ainifeiliaid fferm yn hel er mwyn pori, mae'r gair yn ymddangos yn lletach ei ddefnydd yn Ariannin oherwydd dylanwad y gair Sbaeneg *campo* (cefngwlad). Ymddengys yn aml yn gyfystyr â'r gair 'paith'.

[13]Defnyddir y gair 'trwp' yn aml wrth gyfeirio at anifeiliaid ym Mhatagonia.

[14]Un o'r llu cyfeiriadau mewn adroddiadau cynnar (1865–80) yn sôn am gymorth y brodorion (Tehweltsiaid yn bennaf) wrth i'r Cymry ddysgu am hela, marchogaeth, a llwybrau'r fewnwlad.

[15]Ceir cyfeiriadau pellach at fferm Bwlch y Ddôl yn *Hunangofiant* JDE hefyd. Fe'i lleolir ger Bryn Antur (Balladares erbyn hyn) yn ôl Richard Jones, Glyn Du.

[16]Am hanes llofruddiaeth Aaron Jenkins, gweler y rhan berthnasol yn y bennod hunangofiannol a hefyd yn yr Atodiad.

[17]Penrhyn Dywod. Yn Sbaeneg, Punta Arenas, lle cafwyd gwrthryfel yn 1877. Gweler yr *Hunangofiant* am ragor o fanylion.

[18]Bedd Aaron Jenkins. Dywedir yn *Y Wladfa Gymreig* gan Richard Jones, Glyn Du, iddo gael ei gladdu ar dir ei fferm ger Bryn Antur. Mewn nodyn yn ei gyfieithiad o'r gwaith hwn *Del Imperio al Desamparo*, dywed Fernando Coronato i weddillion y corff gael ei symud i fynwent y Gaiman yn 1949. Gellir gweld ei fedd yno hyd heddiw.

[19]Codwyd capel Moriah ar ffermdir Rhydderch Hughes yn 1880 mewn llecyn sydd bellach ar gyrion tref Trelew. Ei weinidog cyntaf oedd y Parch. Abraham Matthews, awdur *Hanes y Wladfa Gymreig yn Patagonia* (1894). Mae mynwent Moriah yn cynnwys beddau nifer helaeth o'r ymsefydlwyr cyntaf gan gynnwys Lewis Jones, John Murray Thomas a mam JDE, Mary Evans.

[20]Dôi o Flaenau Ffestiniog yn wreiddiol, a'i wraig (Euronwy Jenkins) oedd merch Aaron Jenkins, o'i ail briodas. Cyrhaeddodd Richard Williams y Wladfa yn 1875 yn fachgen 7 oed. Yn 1891, bu'n un o'r fintai a aeth draw i ailymgartrefu yng Nghwm Hyfryd (Albina Jones de Zampini, 1995). Mae'n bosibl mai 'Hugh' oedd ei enw canol.

[21]Thomas Dalar Evans (1847–1926), Troed Rhiw Dalar, a gyrhaeddodd Batagonia yn 1875. Ymfudodd i Gwm Hyfryd ym 1894. Roedd yn enwog am ei ddoniau cerddorol ac fel arweinydd côr. Gweler nodyn 40 ar ddiwedd yr *Hunangofiant* am fanylion llawn.

[22]Robert Williams Treorcki?

[23]Enw arall arno yw'r Drofa Gabets.

[24]Tad John Freeman (1885–1946) a fu'n un o'r fintai gyntaf i ymsefydlu yng Nghwm Hyfryd. Daeth William Freeman a'i wraig i'r Wladfa yn y flwyddyn 1876 o Scranton, Pennsylvania, a oedd ar y pryd yn gyrchfan i nifer fawr o ymfudwyr o Gymru. Cafodd William Freeman lech rhif 28 yng Nghwm Hyfryd (Esquel).

[25]Gw. isod, nodyn 32.

[26]Daeth y llong o'r enw *Vesta* i'r Wladfa yn 1886 gyda 465 o deithwyr, yr holl ond tri yn Gymry. Cyrhaeddodd ar Ŵyl y Glaniad, 1886. Daethpwyd â'r gweithwyr a'u teuluoedd yn bennaf i adeiladu'r rheilffordd i wasanaethu gwaelod dyffryn Camwy. Cafwyd ar ddeall rywsut y byddent yn cael tyddyn yn rhad ac am ddim wedi cwblhau'r gwaith, ond yr oedd hyn yn absennol o'r cytundeb a arwyddwyd ganddynt. (RBW, 1962)

[27]Cafodd 50 llain o dir eu rhoi i'r Cymry, pob un yn dwyn rhif arbennig. I John Daniel Evans y rhoddwyd llech rhif 15. Mae pentref Trevelin wedi cael ei adeiladu ar y rhan fwyaf o'r llech erbyn hyn.

[28]Cyfeiriad at y felin a roes yr enw i Drevelin, Cwm Hyfryd. Adeiladwyd ar lech 15 gan JDE.

[29]Thomas Tegai Awstin (1854–1926). Un o fintai'r *Mimosa*. Roedd yn gynghorydd ar gyngor Trerawson a rheolwr cyntaf Cwmni Masnachol Camwy. Ymfudodd i Gwm Hyfryd ym 1894. (A. Jones de Zampini)

[30]Gair Sbaeneg am villa, tŷ cefngwlad.

[31]Cyfeiriad at yr Ysbyty Prydeinig a agorodd ei ddrysau yn 1844. Bu'n bwysig iawn fel un o sefydliadau'r gymuned Brydeinig yn Buenos Aires a denwyd nifer o ferched y Wladfa yno i weithio fel nyrsys. Neilltuwyd arian gan y CMC ar ddechrau'r ugeinfed ganrif er mwyn cynorthwyo'r ysbyty yn Buenos Aires gan mai yno yr anfonid rhai o gleifion y Wladfa. Treuliodd gwraig JDE er enghraifft sbel yn yr ysbyty.

[32]David T. Price oedd gŵr cyntaf Mary Evans. Ar ôl ei farw priododd Mary a Richard Jenkins yn 1895 yn Nhrerawson. Roedd gan Mary Evans a David T. Price bedwar o blant: John, Mary, Catherine a David. Cafodd Richard Jenkins a Mary naw o blant; fe symudodd y teulu i Gwm Hyfryd tua 1894.

[33]Yr oedd yno ysgoldy a gâi ei ddefnyddio eisoes yn 1902, ac adeiladwyd capel, mae'n debyg, i osgoi'r daith i Drevelin. Cafwyd adeilad newydd yn y diwedd, yr un sydd i'w weld yng nghanol tref Esquel heddiw. Codwyd y festri yn gyntaf ac wedyn y capel yn 1915. Hyd heddiw defnyddir y festri fel 'tŷ te' ac yn amgueddfa. Ymhlith y rhai a fynychai'r capel oedd William Freeman, Richard Jenkins a Thomas Awstin. (Edi D. Jones, 1999)

[34]Un o weinidogion cynnar y Wladfa; cysylltir ei enw yn arbennig â chapeli Cwm Hyfryd.

[35]Sef Capel Seion, Esquel; roedd Richard Jenkins yn drysorydd.

[36]Cyfeiriad at Fedd y Merthyron. Dyma'r emyn a ganwyd wrth gladdu'r tri Chymro a laddwyd yn nyffryn Cel-Cein yn 1884. Gweler y bennod 'Cyflafan Dyffryn y Merthyron' am y manylion llawn.

Anerchiad i Ddathlu 55 Mlynedd Oed Sefydlu Cwm Hyfryd yn 1885, Tachwedd 25ain 1940[1]

Boneddigesau a Boneddigion a Pharchus Gynulleidfa:

Gallaf eich sicrhau nad oes neb yn y dref fawr yma a'i galon yn llawnach o lawenydd na mi fy hunan, o gael y fraint fawr o'm cadw yn fyw ac iach, i ddathlu'r dydd heddiw sef 55 pen-blwydd Gwladfa Bro Hydref.[2] Wrth edrych yn ôl i'r diwrnod hwnnw pan yr oeddem yn dod i lawr dros y Graig Goch y tro cyntaf i'r Cwm, mae yn edrych imi megis ddoe. Ond nid felly y mae, er gwaetha'r modd; mae creithiau'r daith i'w gweled yn amlwg. Mae amser wedi llithro ymaith yn gyflym a chipio gyda hi fy nghyfeillion annwyl oedd yn cyd-deithio gyda mi a'u gwynebau tua'r wlad a'u calonau yn orlawn o lawenydd o ddarganfod darn o wlad mor rhagorol â Bro Hydref, ond heddiw sydd a'u henwau ar y garreg goffa yn Plaza Trevelin i ddweud wrth yr oesoedd a ddêl pwy oedd arloeswyr y rhan yma o Argentina o fôr yr Iwerydd i'r Andes.[3]

Ynghyd â'i harweinydd dewr a thyner galon yr anrhydeddus ac annwyl Coronel Luis Jorge Fontana gadawyd[4] dim ond dau o'r fintai ar ôl yma sef fi fy hunan a'r patriarch dewr Antonio Miguens[5] a'u pabell a'u hosgo fel pe yn herio hanner can mlynedd arall o fyw yma. Mae un arall, rhaid inni ei goffa, sef y distaw a'r rhadlon Robert Charles Jones 'Bedol',[6] Argentwr cyntafanedig y Wladfa Gymreig ar lannau'r Camwy ac o fewn chwe mis i fod yr un oed â'r Wladfa.

Harddwch a thlysni anian oedd i'w gweled yma ar bob llaw y blynyddoedd cyntaf, y mynyddoedd gwynion a glân erioed heb eu baeddu gan draed dyn, a glaswellt hir, hyd dorrau meirch, ar hyd y fro, a mefus llond y ddaear, ond agor glaswellt, fel nad oedd angen i neb grwydro llathen o'r fan y gorweddai, na châi ddigon i ddiwallu ei eisiau. A phan yn teithio trwy'r fro, byddai carnau'r ceffylau wedi eu lliwio gan fefus, ac awyr iach a phur yn llenwi pob mynwes nes ein gwneuthur yn debyg i'r *huemuls*[7] oedd yn prancio o'n cwmpas. Digon o *elbow room* i bawb droi heb sathru traed ei gilydd. Oddi yma i Bariloche heb neb yn sefydlu, ac eithrio ychydig yng ngwaelod Fofo Cahuel gan Gwmni Tir y De, (Southern Land Co[8]). I lawr i'r De mor belled â Sandy Point (Penrhyn Tywod), a hynny cyn geni'r 'Pagaré' na 'Prenda Agraria', yr oedd pawb ohonom yn ddinasyddion rhydd, mawr oedd ein braint, ond rhaid oedd cael hanner can mlynedd o amser i weled ei werth, ac yng nghorff yr hanner can mlynedd yma mae'r holl wlad yr Andes fawr wedi ei sefydlu, fel erbyn heddiw nad oes lle i roddi troed i lawr heb fod rhywun yn ei berchenogi. Tu fewn i'r sefydliadau yma erbyn heddiw mae miliynau o ddefaid a gwartheg heblaw amaethyddiaeth sydd ar gynnydd yn barhaus, sefydliadau Ysgolion Cenedlaethol. Rhaid yw canmol ein llywodraeth am ei haelfrydedd yn creu ysgolion ar draws a lled y wlad er mwyn addysg ei deiliaid, ac yn cyfrannu mor helaeth i'w cadw, nes peri trwy ei haelfrydedd greu ugeiniau o athrawon esgeulus a dioglyd yn meddwl mwy o'u cyflogau nag addysg y plant sydd dan eu gofal.

Tref Esquel, hithau wedi codi yn dref hardd megis o'r *pantano*[9] gynt, gyda banc cenedlaethol, goleuni trydanol, a dyfroedd rhedegog, telegraff a teleffon, *cuarteles*[10] a charchardy, llys cyfiawnder, a'i llwybrau ardderchog i ddyfod i mewn ac allan ohoni, a hefyd disgwyliwn yn daer am y diwrnod mawr hwnnw i'r gledrffordd gyrraedd ei gorsaf, a bydd swn y *whistle* yn atseinio yn eco o fynydd i fynydd. Ac i lawr i Trevelin mae yna lwybrau ardderchog: mae hithau yn cropian ymlaen yn araf deg a dechrau dod i sylw. Mae ynddi ei melin blawd sydd yn addurn i'r cwm, lle i'r amaethwr werthu ei gynnyrch a phrynu ei flawd, y gorau o ran ansawdd yn nhiriogaeth Chubut, o dan ofal melinydd o Gymro glân gloyw yn medru canu nes gwneuthur i'r hen felin ddawnsio a malu wrth ei fodd. Mae ynddi teleffon a swyddfa telegraff o'r diwedd yn ffaith ar ôl 22 o flynyddoedd o *struggle* galed i'w gael gan y llywodraeth. Plannwyd polyn cyntaf llinell telegraff yn Nhrefelin y 30 o Hydref 1940.

Bydd[11] Trevelin ac Esquel, yn enwedig yr olaf, yn un o'r trefi mwyaf pwysig yn natblygiad dyfodol Argentina, pan orffennir agor y ffordd o Fro Hydref i'r Tawelfor, pa un sydd yn cael ei gweithio yn brysur tuag yma. Mae tua 14 llech eisioes wedi eu gorffen ar ochr Chile a bydd i Argentina yn sicr wneuthur ei rhan yna, a gorffennir y ffordd drwodd i'r môr Tawelfor. Yna yr â'r ddwy chwaer ieuanc fraich ym mraich mewn heddwch a pherffaith dangnefedd pa rai sydd wedi codi oddi ar yr un boncyff a llwyddiant yn rhedeg fel dyfroedd a chyfiawnder fel ffrwd gref nes clymu'r ddwy chwaer mewn cwlwm cariad a bydd pob meddwl am ryfel wedi ei glirio ymaith o galon yr Archentwr ieuanc.

Aradr amser a dynn ei chŵys
Yn ddofn a dwys hyd ela'
A chladda dan ei dalar hi
Arloeswyr dewr Fontana.

Llawysgrifau: Cedwir y ddwy deipysgrif o'r araith hon yn Nhrevelin. Defnyddir yr ail fersiwn yma sy'n cynnwys nifer o welliannau i'r fersiwn cyntaf.

[1]Cafodd yr araith ei darllen ar achlysur dathlu 55 mlynedd er pan ddaeth Luis Fontana, llywodraethwr tiriogaeth Chubut a'r Cymry am y tro cyntaf i ardal Cwm Hyfryd. Am yr hanes gweler y bennod 'Taith Gyntaf Luis J. Fontana'.

[2]Roedd JDE yn arfer defnyddio'r term Bro Hydref yn hytrach na Chwm Hyfryd, gan mai'r enw swyddogol ar y sefydliad oedd Colonia 16 de Octubre. Bro Hydref oedd y term a ddefnyddid bron bob amser yn *Y Drafod* ar y pryd.

[3]Ar y maen coffa yn Nhrevelin ceir yr enwau canlynol: Luis Jorge Fontana; [Archentwyr] Pedro Derbes, Ramon Calvo, Gregorio Mayo, Ricardo Franco, Antonio Miguens, Robert C. Jones; [Cymry] John D. Evans, William L. J. Glyn, Billie Thomas, John H. Jones, John Winn, Richard G. Jones, Edward Jones, Evan Davies, Thomas G. Davies, James J. Thomas, David P. Roberts, John M. Thomas, John T. Jones, John Owen, Thomas P. Jones, Jenkin Richards, Henry Davies, Zacharias Jones; [Almaenwyr] Guillermo Katerfield, Herman Faesing; [Americanwr] James Wagner. Cafodd y gofgolofn ei chodi yn y flwyddyn 1935.

[4]Yn y gwreiddiol: 'a gadael'

[5]Bu farw Antonio Miguens tua'r flwyddyn 1944.

[6]Ganed ym 1866 yn fab i William Richard Jones, 'Y Bedol' (1834–1901) a Catherine Hughes (1834–1915) a ddaeth gyda mintai'r *Mimosa*. (A. Jones de Zampini, 1995)

[7]Ceirw gweddol fach yn byw ym mroydd yr Andes, yn Ariannin a Chile. Fe'u gwelir ar lechweddau uchel y mynyddoedd yn byw mewn grwpiau bychain. Gair Arawcaneg yw *huemul* a ysgrifennir fel *Wemul* yn yr iaith honno erbyn heddiw.

[8]Cwmni Tir y De. Daeth y cwmni i fodolaeth ar ddiwedd y 1880au yn dilyn penderfyniad A. P. Bell i adeiladu rheilffordd ar draws deheubarth Ariannin. Yn sgil cytundeb llywodraeth Ariannin i'r cynllun, cafodd hawl ar 320 llech o dir yn ardal yr Andes.

[9]Cors, siglen.

[10]Barics.

[11]Yn y deipysgrif (ail fersiwn) ceir 'mae'.

279

Cerddi John Daniel Evans[1]

Hiraeth Amdanoch[2] (dim dyddiad)

Mae hiraeth ar fy nghalon
A dagrau lond fy llygaid
Pan fyddwy'n pasio'ch cartref clyd
A'i weled mor amddifaid
Heb undyn byw o'i gylch yn troi
Na chwaith o'i fewn yn trefnu
I gynnau tân ar aelwyd lân
I dwymo'r tegell mati.[3]

A'r blodau tlws o gylch y drws
Y naill a'r llall yn syllu,
A'u pennau lawer mewn myfyr dwys
Yn olrhain hynt y teulu
A'r tanciau dŵr a'r olwyn-wynt
A'u hynt yn berffaith lonydd
A'r modur olwyn o fewn ei gell
Yn cysgu ar obennydd.

Deigryn Hiraeth ar ôl fy Mhriod[4] 1897

Pa beth yw'r cyfnewidiad
Tro sydyn yma sy',
Oes rhywun wedi 'madael
I ffwrdd dros drothwy'r tŷ;
I beidio dychwel mwyach
O'i hunig oerllyd gell
I blith y teulu bychan
Nes myn'd i'r ardal bell.

Mae mam anwylaf dyner,
A gwraig rinweddol lân,
Yr hon a garai 'i theulu

Trwy rwystrau fawr a mân
Yn farwol gadd ei chlwyfo
Gan angau oerllyd law,
I wydd ei Barnwr hyrddwyd
Mewn moment i'r byd draw.

Ac o'r chwyldroad rhyfedd
O'm deutu yma sy'
Mae mud ddelweddau'r 'stafell
Yn dweud mai felly bu;
Ei safle ar yr aelwyd,
A'i heisteddle wrth y bwrdd
Sy'n eglur dwedyd wrthyf
Do, do, fe aeth i ffwrdd.

Mae hiraeth ar fy nghalon
Nes bron â rhwygo'n ddwy,
Ac edrych ar y babi[5]
Sy'n gwneud y rhwyg yn fwy,
A chofio'r noswaith honno,
Y trydydd dydd o Fai,
Mae dagrau yn fy llygaid
Nis gallaf beidio llai.

Wel, cwsg yn dawel bellach,
Fy annwyl Lizzie fach,
Gwnaf finnau'm gorau yma
I gadw'r plantos bach,
Nes cawn ni oll gyfarfod
Ryw ddiwrnod eto ddaw
A'r teulu bach yn gryno
Uwch gofal byd a braw.

Fy Myfyrdod
(Cyfansoddwyd ar ei wely angau, Mawrth 1943)[6]

O fewn fy ardal anwylaf
O Dduw, os mynni, gorffwysaf,
Ym mro y mynyddau gwynion
A Thithau yn llanw'r cylchynion;
A'm henaid o'i fodd yn gweithio
Heb fedd, nac angau, i'w 'sbeilio,
Yn f'ardal yn ddedwydd a llon
A dyna fydd nefoedd John.

O cadw fi, fy Nuw
Trwy nerth dy ddwyfol ras,
Ar gadarn graig i fyw
O rwymau'r gelyn cas.
A llanw fi a'th waith
A'th gariad pur diboen
I gadw gwŷr y Paith
'Run fath â'r addfwyn Oen.

'Nôl crwydro'r blaned yma
A'i chwilio ymhob man
Y ddaear fydd fy nhrigfa
Ond dwylath fydd fy rhan.
Enhudda'r babell 'sblennydd
Lle trigais ynddi cŷd
A'm henaid fel ehedydd
Uwchlaw y bedd yn wyn ei fyd.

Llawysgrifau:
Cedwir fersiynau o'r cerddi yn llaw JDE yn Nhrevelin.

[1]Ceir ambell bennill gan JDE ym mhenodau eraill y gyfrol hon; gw. yr *Hunangofiant*, ac
Anerchiad Trevelin.
[2]Nid oes awgrym ar y llawysgrif a gedwir yn Nhrevelin pwy'n union yw testun y gerdd
hon. Gellir awgrymu'n betrus iawn ar sail cynnwys y gerdd mai cerdd goffa am ei fam Mary

Jones a geir yma. Yn ôl Albina Jones de Zampini yn ei chyfrol *Reunión de familias en el Sur, II* *(2001)*, ganed Mary Jones ym 1836 yn ferch i John Jones 'Mountain Ash' ac Elizabeth Richards. Yn ôl tystiolaeth JDE ei hun bu farw ei fam yn Ionawr 1914.

[3]'Mati' yw'r ynganiad cyffredin ar y gair *mate* (sef math o de Paraguay, neu *yerba*); ffurf a geir yn gyffredin gan ysgrifenwyr y cyfnod cynnar yn y Wladfa.

[4]Gwraig gyntaf JDE, sef Elizabeth Richards (1863–97). Cafodd yr awdur ei adael yn ŵr gweddw gyda phump o blant. Priododd y ddau yn y flwyddyn 1886.

[5]Benoni oedd enw'r babi.

[6]Cyhoeddwyd yn *Y Drafod*, 21 Mai, 1943.

Atodiad Un:

Llyfr Nodiadau Teithiau 1888*

Ail Daith Fontana, Ionawr 1888

Ionawr 5, 1888
John D. Evans, Llwyn Glas.

Ionawr y [bwlch]
Griffiths wedi colli ei geffylau. Campio wrth sianti Martin yn y 'Creigiau'.

Sul 8
Gwynt mawr, gweddill o'r criw yn cyrraedd i fyny.

Llun 9 a Mawrth 10
Cael helynt mawr gyda'r ceffylau.

Mercher 11
Paratoi i gychwyn dros y *travesía*.

Ion 12
Croesi'r *travesía* a chael diwrnod poeth iawn. Cyrraedd Ffynnon yr Allwedd tua chwarter awr nôl i'r haul fachlud. Colli 5 o gŵn ar y paith. 2 yn cyrraedd drosodd.

Gwener 13
Dros ddiwrnod wrth y ffynnon.

Sadwrn 14
Gwneuthur taith am y gorllewin wrth dde nes cyrraedd Rangylwaw, pellter o dua 10 lig trwy lefydd trwm iawn ac o fewn 3 lig i Rangylwaw croesasom gwely y Telsyn lle mai Captan Lewis yn cadw ei ddefaid a adnabyddir wrth yr enw Tsathico gan yr Indiaid.

Aros dros y Sul (15) yn Rangylwaw, cangen o'r Telsin yn rhedeg i'r de yn adran y Bannau. Porfa lled dda.

*Ceir diffyg cysondeb yn nifer fawr o'r dyddiadau a geir yn y nodiadau hyn, ond fe'u cadwyd fel yr oeddynt yn y gwreiddiol.

Llun 16

Gwneuthur taith o tua lig i'r gorllewin trwy lefydd caregog ac afonydd dyfnion nes cyrraedd Fofo Cahuel.

17

Gwneuthur taith eto tua 6 lig i fewn i'r Bannau trwy rai lefydd da iawn i gadw anifeiliaid a rhai llefydd drwg iawn i deithio trwodd, a chyrraedd at lle dienw ar lechwedd hafn porfaog a ffrwd o ddŵr glaw yn rhedeg i lawr y llechwedd.

Mercher 18

Gwneuthur taith eto o tua 3 lig i'r de wrth dde-orllewin trwy hafnau porfaog a digonedd o ddŵr codi ymhob un ohonynt; math orau i gadw defaid. Rhoddi i lawr wrth byllau dyfnion o ddŵr tardd yn ymyl lle mae'r llwybr yn codi i'r camp a elwir [*aneglur*]

Nawn. 18 ohonom yn myned allan i hela i'r de-orllewin gerllaw i lyn mawr, Mae llwybr yr Indiaid yn rhannu yn ddwy ran, un i gyfeiriad y gogledd i'r llyn a'r llall i'r ochr dde i'r llyn mawr. Bwrw glaw.

Mercher Iau 19

Aros yn Tatenwe am fod ein gêr yn rhy drwm nôl gwlychu gan y glaw.

Gwener 20

Gwneuthur taith o tua 6 lig i'r de-orllewin yr ochr dde i Lyn Halen mawr; newydd i ni gychwyn o [*aneglur*] nes cyrraedd [*aneglur*] pa un sydd ffynnon o ddwfr croyw ac oer iawn yn tarddu mewn tro yng nghesail mynyddoedd y De i wastadedd mawr ond ddim llawer o borfa arno, math o dir graeanog swndiog. Llifai'r ffynnon am tua 40[?] llath ac yna ffurfio llyn bychan. Nid oes rhyw lawer iawn o borfa o gwmpas y ffrwd. Nawn es i ac Ap Iwan allan i'r De am dro dros greigiau anferth am tua thair milltir. Roedd [?] yno borfa gweddol ymhlith y creigiau a'r talpau cerrig, lle gweddol i ddefaid.

Sadwrn 21

Gwneuthur taith i'r gorllewin trwy gamp graeanog a sych iawn am tua 4 lig heibio ar y dde i fynydd mawr [*aneglur*] sydd ar y gwastad ac yna wedyn i lawr i dir porfaog ac un ffynnon arno ac eilwaith dros gamp graeanog am tua 2 lig ac i lawr eilwaith i Citsagyle pa un sydd iseldir gwaeth a fu lydan tua milltir o led yn rhedeg o'r gogledd-orllewin am tua 10 milltir a bryniau isel o gwmpas, holl yn weirglodd tew, porfa sych twmpathog sydd ar y bryniau o'i gwmpas. Mae mynyddoedd mawrion hefyd yn ei amgylchynu ond a bylchau i fyned trwodd hefyd. Collodd Jencyn Richards un mul a'r Bonwr Persy dri o'i geffylau ac maent ar ôl yn chwilio amdanynt a methasant â'n cyrraedd [aneglur] y nos Sadwrn.

Sul 22
Campio yn Sepaycal. Bore bûm i ac Ap Iwan am dro bychan i'r gorllewin i ben mynydd a tua chanol dydd daeth Sencin a Persy o hyd i ni.

Llun 23
Gwneuthur taith i'r gorllewin ar [?] ogledd-orllewin am tua 4 lig, yna wedyn i'r de-orllewin am tua 7 lig. Rhoddi i lawr i gampio wrth lyn bychan o ddŵr yn tarddu mewn gwaelod hafn a gyfeiriai i'r de-orllewin ac a lifai i badell fawr rhwng mynyddoedd mawrion am Sepaycal. Tir defaid o'r fath orau eto, dim gwerth o goed tân arno na dim drain, digon o wanacos ond nid llawer o estrysod a welwyd.

Mawrth 24
Gwneuthur taith i'r de-orllewin trwy lefydd cerigog swndiog ac hafnau i fyny ac i lawr am tua 5 lig, yna rhoddi lawr i gampio mewn math o ddyffryn bychan neu yn hytrach hafn tua 800 cant o lathenni a phorfa da ynddo ac yn hir iawn adnab[yddid] gan yr Indiaid wrth yr enw Gastre. Y mae yna ddigon o ddŵr tardd, a chyrraedd [aneglur] un dent Indian wedi bod yn byw yn hir ynddo ond wedi symud er ys tua mis.

Mercher 25
Gwneuthur taith i'r de wrth dde-orllewin trwy wastadedd tywodlyd ond nid mor borfaog am tua 5 lig a'n gwynebau at foel gron fawr a godai yn y mynydd. Aethon i fyny o'r tu dwyrain i'r foel trwy hafn gul nes ei rowndio o'r tu arall iddo lle y cawsom ffynnon o ddŵr tardd ac y rhoddasom i lawr. Bore, gweled mwg dros yr holl wlad; nawn nôl campio, euthum i a Jones Pant y March i ben mynydd yn y gorllewin a gwelsom fod holl gyrrau Carren

Leufu holl ar dân. Enw'r campin presennol yw Norquinco.

Iau 26

Gwneuthur taith i'r de-orllewin dros flaenau hafnau y Chubut trwy swnd a cherrig i fyny ac i lawr a di-borfa a di-ddŵr am 4 [?7] lig lle y cawsom ffrwd o ddŵr tardd atebol iawn i'n hanghenion rhwng dwy graig yng ngodrau mynydd mawr neilltuol. Codai un colofn iddo i'r uwchafon[?] mawr yn bigfain ei ffurf a safai yn ei ochr ogleddol mynydd crwn fel bwrdd bron cuwch golofn o'i [?] bigfain â bwlch bychan i weled rhyngthynt i'r gorllewin â'r ffrwd ddŵr. Ffaelodd hefyd ar y daith heddiw ddau geffyl a tharw. Daeth y tarw ac un o'r ceffylau cyn y bore, yr oedd yr holl o'n ceffylau bron â ffaelu gan mor drwm oedd y tyfiant i deithio trwyddo.

Gwener 27

Daeth Fontana a'i bobl yn eu blaenau ar yr Afon Fach, y gangen fwyaf gogleddol o'r Camwy. Ond arhosodd yr holl o'r Cymry ar ôl gan fod ein ceffylau ar lawr ac wedi gorfod gadael un i Richard Jones ar ôl a phan euthum i a Richard Jones i nôl y ceffyl yr oedd wedi trafaelio yn bell iawn am yr afon i'r De a gorfod i ni droi yn ein holau heb ei gael am nad oedd ein ceffylau yn ddigon cryf i fyned ar ei hôl ymhellach. Mwg mawr yn barhaus ar yr awyr; enw'r ffrwd ddŵr yw Tuaucapac.

S[adwrn] 28

Gwneuthur taith i'r gorllewin am tua 10 lig trwy fynyddoedd mawrion, hafnau a bryniau i fyny ac i lawr nes bod ein ceffylau wedi blino yn fawr a gorfod gadael un i Pant y March ar ôl wedi ffaelu ond o'r diwedd cawsom yr afon [?]Muon, iseldir rhwng mynyddoedd mawrion ac y lle salaf a welsom ar ein holl daith eto, dim ond coed llwydion y Chubut yn llenwi'r Dyffryn lle y daethom iddo am y pellter o tua 2 filltir i'r de. Mae o dan y drain yn dir hau da ond gallu codi dŵr iddo. Mesurais y Dyffryn yn y fan lle yr ydym yn campio tua hanner milltir. Rhedai'r afon o'r gogledd-orllewin i'r de-ddwyrain am tua thair lig ac yna ymarllwyso i'r Camwy. Mae'n tyfu ar ei glannau lawer o'r helyg a'r coed gwynion celyd a'r dail mân ond dim porfa werth sôn amdano – pysgod lawer a dŵr gloyw a da ond ychydig [*aneglur*] y pysgod ac yn amlwg ei bod yn chwyddo yn fawr iawn weithiau.

Sul 29

Aros ar lawr yn Afon Fach y gogledd canys dyna y gelwir yr afon. Mae [*aneglur*] o'r rhan [??].

Llun 30

Gwneuthur taith o tua 3 lig a hanner yn groes i'r camp am afon Chubut trwy gamp graeanog a di-borfa a croesasom dwy afon fechan yn rhedeg o'r gogledd-orllewin i'r Camwy ym [*aneglur*] tua lig a hanner [bwlch – *aneglur*] Dyffryn. Y cyntaf a chydig o ddŵr a choed helyg lawer yn tyfu ar ei glannau a phorfa gweddol – a'i lled tua 20 llath, mae'n debyg. Mae'n rhedeg o'r Cordilleros gwynion oedd yn y golwg. Mae'r afon fach hon yn mesur 3 llath ond yn rhedeg yn ddyfn iawn yn y ddaear a tua llathen a hanner o ddŵr ynddi; i groesi hon cawsom drafferth mawr gorfod tynnu rhai *cargeros* i lawr a'u croesi trwodd a'n dwylo; rhai eraill yn neidio a mynd yn ffast yn y geulan yr ochr bellaf, a bu agos i un o'r mulod a'r *cargeros* foddi trwy iddo syrthio ar ben wrth fyned i lawr i'r dŵr. Lled y dyffryn lle yr ydym yn campio yn bresennol ar lan y Camwy yw tua lig a hanner o led ond nid [*aneglur*] yn cyrraedd ymhell ac arno borfa gweddol a'i wyneb yn berffaith wastad. Lle da i godi gwenith, tir braidd yn swndiog ac yn hawdd ei ddwfrau. Mae hefyd dipyn o helyg yn tyfu ar lan yr afon ac amryw lwyni o goed cyrans. Cefais ynddi [*aneglur*] hefyd. Gwelwyd heddiw draciau tua 10 o fulod a dau geffyl yn myned ar i fyny i'r dyffryn a thrac un bustach arall newydd fod.

Mawrth 31

Gwneuthur taith i ganlyn yr afon am tua 5 lig i'r gorllewin trwy ddyffryn porfaog a thlws iawn; dal bron yr un lled a nodais o'r blaen. Bore cyn i ni gychwyn buwyd yn cwrsio mulod, dal dau a chyn pen awr nôl i ni gychwyn teithio daliwyd dau neu dri holl yn [*aneglur*] a phan o fewn tua lig i'r campin nôl croesi'r afon cynnodd rhywun ei bibell a rhywfodd neu'i gilydd aeth y borfa ar dân a llosgwyd darn mawr o'r dyffryn yr ochr ogleddol. Dyma lle ardderchog i gael tua 200 o ffermydd rhagorol. Hwn yn sicr yw'r Chubut [?] mae Muster yn sôn amdano yn ei lyfr; [*aneglur*] hollol yw'r dyffryn hwn a pherffaith wastad, dim olion llifogydd o gwbl. Rhesymol yw'r [*aneglur*] o'i gwmpas.

Mercher, Chwefror 1

Aros yn y campin [*aneglur*] lle yr ydym ac archwilio allan oddi yma cyn symud y *cargeros*. Bellach rydym yn awr yn ymyl yr eira gwyn arhosol.

Iau 2

Myned allan am dro i'r de dros gamp porfaog ac ardderchog i gadw anifeiliaid. Gerllaw i'r gorllewin mae afon fechan dlws iawn yn llifo i'r Camwy; porfaog iawn yw ei dyffryn a mynydd mawr yn ymgodi rhyngtho â'r gorllewin a'i lechweddi yn leision gan goed a'i grib yn wyn gan eira.

Gwener 3

Aros yn yr unfan.

Sadwrn 4

Y mwg a soniais amdano o'r blaen wedi dechrau clirio dipyn a phennau'r mynyddoedd eto yn dechrau dyfod i'r golwg.

Nos Sadwrn

Chwythu yn drwm iawn.

Sul 5

Gorffwyso a darllen tipyn, a rhai yn myned allan i hela a rhai yn paratoi erbyn cychwyn allan bore Llun.

Nos Sul

Bwrw glaw.

Llun 6

Bwrw glaw tan tua chanol dydd. Nawn es i ac Ap Iwan ac Evan Davies am dro a chyn i ni gyrraedd y campin, daeth yn law eilwaith; nos Lun wedi stopio yn llwyr a'r glaw yma fuodd yn derfyn ar y tân.

Mawrth 7

Cychwyn teithio am Nahuel Huapi. Teithiasom i'r gogledd 4 lig trwy gamp ardderchog i gadw anifeiliaid; porfa dda a digonedd o ddŵr tardd mewn hafnau, y borfa braidd yn sych ar [*aneglur:* brongeran] uchaf yma trawsom ar afon fechan yn rhedeg i'r dwyrain ond heb ddim dŵr. Dyffryn bychan cysgodol iawn sydd i'r afon hon [*aneglur*] campiasom ar ei glan sef [*aneglur*].

Mercher 8
Cychwynasom ar godiad haul bore ardderchog; y ddaear holl yn wlith trwm ac arogl hyfryd yr awel fore nes peri i ddyn ac anifail neidio a thuthio yn hapus. Gadawsom yr afon lle yr oeddem yn campio a theithio am tua 4 lig i'r gogledd-orllewin trwy gamp bron yr unpeth â'r diwrnod blaenorol ond glannau'r afon lle y dodasom i lawr i gampio oedd lawer yn well.

Iau 9
Teithiasom tua 3 [?9] lig i'r gorllewin trwy fwlch mewn cadwen o fynyddoedd yr Andes sydd yn rhedeg y tu yma i'r Chubut; yna nôl cyrraedd yr afon Chubut rhoddasom i lawr i gampio. Mae yn y fan yma afonydd lawer yn dyfod i fewn i'r Chubut; un afon ar ochr ddwyreiniol yn dyfod iddi ac un neu ddwy ar ochr gorllewin. Bychan yw'r Chubut yn y fan yma ac nid mor dda yw ei ddyffryn hefyd; ambell i ddarn ohono yn dir da a'r darnau eraill yn dir graeanog uchel ond holl a phorfa da arno a llawer o wanacos arno. Y mae'r dyffryn o fryn i fryn tua lig a hanner o led a llawer fathau o goed yn tyfu ar ei glannau; ei gwaelod yn llydan a baes iawn ond llawer o gyraint.

Gwener 10
Bwrw glaw trwy'r dydd nes ein rhwystro i deithio.

Sadwrn 11
Bore yn gymylog ac yn gollwng ambell i ddiferyn o law ond er mor debyg i law, cychwynasom ein taith i'r gorllewin i fewn i fwlch yn y Cordilleras ac yn y bwlch yr oedd afon. Canlynasom yr afon am bellter ac yna trodd yr afon i'r de ac aethom ninnau yn ein blaenau i'r gorllewin, ac nôl gadael yr afon daethom o hyd i faint ac a fynnir o gwsberis, rhai bychan gwynion meddal yn tyfu yn glos ar y ddaear a buodd pawb ohonom yn helpio ei hun yn y fan yma ac yna wedyn aethom yn ein blaenau am tua lig i'r un cyfeiriad ac yna gwnaethom dro trwy yr hwn fwlch i'r gogledd-orllewin am ysbaid amser trwy dir porfaog a da ond yn anwastad iawn ac nôl teithio tua 7 lig rhoddasom i lawr i gampio ar lan afon fechan a lifa o'r gogledd i'r de-ddwyrain. Dal i ollwng y dafnau glaw a chyn i ni

gyrraedd y campin saethodd Ap Iwan un o'r wanacos a chawsom gig ardderchog.

Sul 12
Cychwynasom ein taith yn fore i'r un cyfeiriad i ganlyn yr afon am dipyn trwy'r llefydd mwyaf dychrynllyd a welodd dyn erioed yn law mawr neu gwmwl yn fwy tebyg wedi torri ar bennau'r mynyddoedd nes ysgubo swnd, cerrig, coed a phob dim yn un tomenydd mawrion o bennau'r mynyddoedd i'r afon nes ei bod yn amhosib â chroesi bron, gan fel oedd ein ceffylau yn sincio yn y rwbal a phan yn cychwyn ein taith fore Sul roeddem yn meddwl cyrraedd pen ein siwrnai [*aneglur*] yn gynnar sef hen gorlan fawr a wnaeth yr Indiaid i ddal gwartheg gwylltion ond nôl i ni deithio tua lig a hanner, aeth yn fethiant arnom a gorfod i ni sefyll am ysbaid amser, ac aeth Pablo a minnau a dau filwr arall i chwilio am ffordd a chawsom y lle mwyaf dychrynllyd eto, ac nôl dilyn hen lwybr Indian am tua lig a hanner nes ei fod yn myned i lawr i afon ddyfn mewn ceunant dychrynllyd a lifa i'r gorllewin, troesom yn ein holau a chyn i ni gyrraedd y fan lle yr oeddem wedi gadael y criw, cyfarfuasom â hwy yn dyfod i'n cyfarfod ac aethom tua milltir yn uwch i fyny, ac yna rhoddasom i lawr i gampio mewn hen gampin Indiaid nôl teithio tua 3 lig a hanner trwy'r dydd.

Llun 13
Teithio yn weddol hwylus hyd at yr afon lle yr oeddem wedi bod ar ei glan y diwrnod blaenorol ac yn meddwl yn sicr y buasem yn cyrraedd yn fuan heddiw ac y buasem hefyd yn cael digon o wartheg fel ac yr oedd y *baceano* yn dweud wrthym, ond mawr y drafferth y cawsom i fyned i lawr at yr afon yng ngwaelod y ceunant coed a drysni, drain, corsydd a dŵr nes roedd ein ceffylau yn fwd drostynt i gyd a'r trwp diweddaf o'r mulod a ddaeth drwodd, sinciodd rhai ohonynt bron o'r golwg yn y gors nes peri drafferth fawr i'w cael yn rhydd ond hwyr ac hwyrach cawsom ben y geulan lle y buom yn aros tua deg awr i'r *baceano* ddyfod yn ei ôl o fod yn chwilio am y llwybr a chlirio ychydig arno; beth bynnag fe gyraeddasom y gorlan pan oedd yr haul yn machlud ac er ein syndod nid oedd yno gorlan i'w chael na thrac yr un fuwch yn y gymdogaeth er ys blynyddoedd lawer; gwelsom olion yr hen

291

gorlan ond fod yr Indiaid wedi ei rhoddi ar dân er ys blynyddoedd lawer.

Mercher 14
Rhoddi diwrnod o sbel i'r ceffylau; yr haul yn boeth iawn.

Iau 15
Teithio yn ein holau tua 7 lig a rhoddi i lawr i gampio ar lan nant fechan a rêd i'r gogledd ac a ymarllwysa i afon gerllaw i'r fan. Mae i'r afon hon ochrau serth iawn i fyned i lawr iddi a myned i fyny ohoni a tua 2 lig i'r gorllewin oddi yma ar ochr dde i'r Cwm mae rhaeadr mawr a tua hanner canllath o uchtwr yn disgyn i lawr oddi ar ben Mynydd y Bwlch[?].

Gwener 16
Teithio yn ôl eto tua 6 lig a champio ar lan afon y Chubut yng ngodrau mynydd bychan a godai ar y Dyffryn, a'r tu gorllewin i ni mae glannau'r afon Chubut a godrau mynyddoedd y Cordilleras sydd yn cydredeg â hi yn dir da iawn ond am ganol y dyffryn yn fongeiau [?] o gerrig yma a thraws ac yn sych iawn; mae coed ddigon yn tyfu ar bennau'r mynyddoedd. Oddi yma anfonwyd hefyd heddiw siars i lawr at y bechgyn eraill, pellter o tua 6 lig, iddynt [*aneglur*] symud i fyny i'n cyfarfod yfory i Maitén, math o nant fechan yn rhedeg i'r Camwy, lle ardderchog i gadw anifeiliaid.

Gwener 17
Teithio tua chwech lig a chyrraedd Maitén o flaen y bechgyn eraill ac ymhen tua hanner awr daeth y lleill nes roedd y teulu holl yn gryno ar yr un aelwyd.

Sadwrn 18
5 ohonom ni a thri o'r milwyr yn cychwyn allan am archwiliad arall i'r de-orllewin i le o'r enw Jolila. Sadwrn, cyrraedd Lagwna Toro, pellter o tua 3 lig o Maipen [*sic*]. Nid mor dda yw'r tir y ffordd yma ac ar ein ffordd lladdasom 3 wanaco ac nôl cyrraedd lladdwyd 2 eraill, un ohonynt yn dew iawn.

Sul 19
Cyrraedd Jolila, pellter o tua 4 lig o Lagwna Toro i'r de-orllewin.

Tir da iawn yw Dyffryn Jolila; ambell i fan yn gorsiog iawn ac afon fechan yn rhedeg trwy ei ganol i lawr hyd at [?] dyffryn yw tua 3 lig a'i led tua lig ond mae iddo lechweddau mawrion tua'r gwaelod os nad lawer yn well porfa dros yr holl fan; coed mawrion at yr afon sydd yn rhoddi tro i fewn i waelod y dyffryn o dan fynyddoedd mawrion ac yna yn ei ôl eilwaith i'r Andes. Mae lled yr afon yma yn debyg i led y Camwy ond yn cario llawer ychwaneg o ddŵr trwy ei bod yn ddyfn iawn; mae'n rhedeg trwy ddau lyn pur fawr ond nid a llawer o gyrant ynddi a'i chyfeiriad yw de yn union. Rwyf yn barnu yn sicr y gellir hwylio pob math o gwch ar yr afon yma. Lladdwyd ddydd Sul 2 garw ac yr oeddynt yn dewion a braf.

Llun 20

Teithio ar i nôl yr ochr ddeheuol i'r afon trwy dir llechweddog a phorfaog a lleithog iawn, lle o'r fath neu i hau, a phlannu a chadw anifeiliaid am tua 3 lig nes cyrraedd llyn o faentoli gweddol; ac yn ymyl y llyn hwn lladdasom 4 o geirw a galwasom y llyn yn Llyn y Ceirw. Cawsom hefyd yno nyth cacwn yn y ddaear a x 2 ychydig o fêl ynddi ac o fewn tua 3 milltir i'r de o'r llyn hwn mae llyn arall pa un a enwyd yn Llyn Tegid.

Mawrth 21

Teithio yn ein holau a chyrraedd y campin a'r bechgyn tua hanner awr wedi deg y bore nôl gwneuthur taith o tua pum lig trwy ddyffryndir cul ond llaith iawn a phorfa gwyrddlas yn tyfu drosto oddigerth y lig ddiwethaf cyn cyrraedd y campin ac i'r goledd eto o Lyn Ceirw mae llyn arall o'r enw Llyn Tarw.

Mercher 22

Gwneuthur taith i'r de am Gors Bagillt o tua 6 lig trwy ddyffryn y Leleche am tua lig a hanner ac yna dros y camp ac yn groes i afon Eira ac at afon fach arall tua lig a hanner ymhellach i'r de pa un hefyd sydd gangen o afon Eira. Cawd darn o dir da ar yr afon Eira ond bychan yw ond gwael iawn yw'r camp sydd gydrhwng y ddwy; sych iawn yw a phorfa gwael sydd arno ac ar yr afon fechan hefyd.

Dydd Iau 23
Gwneuthur taith o tua 6 lig eto a chyrraedd Esgel, pellter o tua 3 lig rhyngthom a Chors Bagillt. Mae Esgel yn badell pur fawr o dan y Cordilleras a thir da iawn ynddo ond y camp o'i gwmpas y sydd sych iawn pan yn cyrraedd at y llyn sydd yn Esgel. Gwelwyd ceffyl ac awd ati i'w ddal ac ni chafwyd trafferth yn y byd. Daeth y ceffyl at y trwp ceffylau yn berffaith dawel; ceffyl, mae'n debyg, i Richard Morgan, Trelew.

Dydd Gwener 25
Sefyll diwrnod yn Esgel.

Sadwrn 26
Gwneuthur taith o tua 7 lig i'r de-orllewin trwy'r Cordilleras ac at yr afon sydd yn dyfod i lawr yr ochr ogledd-orllewin i Gwm Hyfryd. Campio yn yr un fan ac y buodd Ap Iwan yn campio o'r blaen.

Sul 27
Torri'r Sabath eto a theithio yn groes i Gwm Hyfryd ac i lawr tua lig a hanner yn is i'r bwlch nac y buom yn campio o'r blaen at nant fawr o ddŵr a lifa o'r mynyddoedd heibio i dalp o graig ar y dyffryn cyn cyrraedd yr afon o fewn tua milltir. Nawn Sul gwelwyd tua 4 neu 5 o dda corniog a buom yn saethu at un tarw du mawr ond methwyd â'i ddal a dihangodd i'r coed ar lan yr afon.

Llun 28
Sefyll yn y camp tra oedd y milwyr yn paratoi y cwch i ni gychwyn i lawr yr afon.

Mawrth 29
John H. Jones a Jones, Pant y March yn cychwyn i lawr yr afon fawr gyda'r Gobernar a'i ddynion ac Ap Iwan a minnau a Persi yn cychwyn yn y cwch ond mewn pryder mawr; dim ffydd yn y cwch am mai cwch canfas bychan oedd felly. Teithiasom tua 2 lig a hanner y diwrnod cyntaf heb ddim rwystr yn y byd. Pasiom heibio i 4 neu 5 o ynysoedd yn yr afon a'r afon yn rhannu yn dir ddwywaith ond a digon o ddŵr i nofio llong fechan ymhob un o'r ceinciau; amrywiai cyrant yr afon yn fawr fel yr amrywiai ei

dyfnder a cheulanau holl yn goediog iawn.

Mercher
Cychwynasom deithio yn fore ac aethom tua 2 filltir, yna troesom i'r lan, yn dyfod yna aethom yn ôl at y cwch heb ei gweled a bwytasom ginio ac aethom yr ail waith i edrych amdanynt a gwelsom hwy yn dyfod ac euthum yn ôl dipyn i'w cyfarfod ac arhosom gyda'n gilydd y noson honno.

Iau
Mawrth [?] bore gwyntog iawn cychwyn am tua 8 o'r gloch i lawr yr afon ond cyn i ni fyned o olwg y campin daethom i olwg rhediad gwyllt yn yr afon, ormod i ni allu ei esgyn gyda'r cwch bach a chraig fawr yn torri'r afon fel nad allai'r un dyn dros y [sic] fyned ymhellach, felly troesom yn ôl i'r campin ar gefn mulod dros y tir nôl bod i ffwrdd [sic] o 3 i 4 lig i lawr yr afon.

Gwener 2
Pryder mawr yn ein plith – Persy ac Ap Iwan ddim wedi cyrraedd y campin ac wedi cychwyn yr un pryd a ninnau sef y diwrnod blaenorol, ond pan oedd yr haul ar fynd i lawr daethont o hyd i ni nôl bod yn slafio yn galed i dorri ei ffordd trwy'r coed.

Sadwrn 3
Gofernar a'i ddynion yn symud i fyny Cwm Hyfryd am tua 4 lig ond safasom ni yn yr un fan er mwyn cychwyn mesur.

Bore Llun Sul 4
Bore braf iawn ac ar ôl cinio aeth Ap Iwan a minnau am dro i adran y bryniau y tu deheuol i'r cwm cyn ein hymadawiaid o'r campin.

Llun 5
Cyrraedd lle roedd y Gobernar yn addo ein haros tua 3 lig o Bryn Hyfryd 4 [?] ohonom oedd yn symud y *cargeros* a'r gweddill yn dyfod ar [aneglur] trwodd os gallant ond erbyn i ni gyrraedd, roedd Fontana a'i holl ddynion wedi clirio i ffwrdd ond wedi gadael nodyn i ddweud am ganlyn ei drac ac y byddai'n ein haros yn y bwlch lle y daethom i fewn i'r Cwm.

Mawrth 6
Diwrnod braf iawn; dim hynodrwydd nawn ddim nes y bechgyn

eraill yn cyrraedd i fewn [*aneglur*] wedi methu myned trwodd ar lein trwy waelod Cwm Hyfryd gan goed ac anialwch.

Mercher 7
Y bechgyn yn ail-gychwyn y llinell o fan arall ac yn croesi'r cwm yn y fan hynny. Sencin a minnau yn symud i'r bwlch i edrych am Fontana ond methu â'i gael.

Iau 8
Dyfod yn ein holau a chyfarfod â'r bechgyn yn dyfod ar lein am y bwlch. Sencin a minnau yn mynd i'r camp.

Gwener 9
Symud i lawr Cwm Hyfryd am tua 2 lig a hanner a champio ar gyfer y graig yn ochr ogleddol i'r afon a'r bechgyn yn dyfod atom nôl gorffen tynnu'r lein.

Sadwrn 10
Symud i lawr a champio yng Nghors Bagillt, pellter o tua 4 lig.

Sul 11
Aros yng Nghors Bagillt.

Llun 12
Symud i lawr a champio ger afon Sagmata, pellter o tua 4 i 5 lig. Heddiw y daethom o hyd i'n gilydd nôl bod ar wahân am tua 7 niwrnod. Yr ydym heddiw ar gyfer ceg y llwybr sydd yn codi i'r camping yn Rhyd yr Indiaid.

Mawrth 19
Teithio adref cyfeiriad de-ddwyrain. Campio yn Languineo, pellter o tua 8 lig o afon [*aneglur*] at lwybr da iawn. Pasiasom heibio i ddau ddŵr da, un codiad dipyn yn serth i ddyfod i fyny o'r afon.

Mercher 14
Teithio adref cyfeiriad dwyrain a campio yn [*aneglur*], pellter o tua 6 lig; ffordd dda iawn eto, pasio heibio i bedwar ffrwd o ddŵr ar y ffordd, un codiad [*aneglur*] yn serth wrth ddyfod i'r afon lle yr ydym yn campio.

Iau 15
Teithio adref cyfeiriad de-ddwyrain. Campio yn Chupa, pellter o

tua 7 [?4] lig; ffordd dda iawn. Pasio heibio i dri dŵr ar y ffordd ac i un llyn halen ar y dde i ni; gweled tri ceffyl yn Chupa a methu â'u dal.

Gwener 16
Yr holl o'r Cymry yn sefyll ar ôl am fod llaw William Jones yn rhy ddrwg i allu trafaelio ond y Gobernar yn teithio yn ei flaen am yr afon.

Sadwrn 17
Teithio adref cyfeiriad de-ddwyrain, campio mewn hafn a digon o ddŵr ynddi ar y llaw chwith i'r llwybr, pellter o tua 6 lig o Chupa. Pasio heibio i un dŵr ar y ffordd Pant y Ffynnon, ffordd drom iawn nes dyfod i'r dŵr cyntaf.

Sul 18
Teithio adref cyfeiriad gogledd-ddwyrain; campio o fewn tair lig i'r afon, pellter o tua 5 lig o Bant y Ffynnon; ffordd dda trwy'r dydd.

Llun 19
Teithio adref cyfeiriad dwyrain; campio ar yr ochr ogleddol i Ryd yr Indiaid mewn trofa gul, pellter o tua 4 lig o [aneglur].

Diweddglo.

termina

Nodiadau ar Deithiau Eraill 1888

Mawrth 1888.

Mawrth 10, 1888
Sadwrn. Symud i lawr o waelod Cwm Hyfryd i Gors Bagillt, pellter o tua 4 lig o Gwm Hyfryd. Cyfeiriad de-ddwyrain.

Sul 11
Aros yng Nghors Bagillt.

Llun, 12
Symud i lawr i Afon Sagmata, pellter o tua 5 lig, cyfeiriad dwyrain.

Mawrth 13
Symud i lawr i Langew, pellter o tua 8 lig o Siagmate, cyfeiriad dwyrain. Ffordd dda trwy y dydd, un codiad dipyn yn serth wrth ddod i fyny â'r afon. Pasio heibio dau ddŵr ar y ffordd.

Mercher 14
Teithio adref. Cyfeiriad dwyrain. Campio yn Citsagyle[?], pellter o tua 6 lig. Ffordd dda iawn eto, pasio heibio i 4 ffrwd o ddŵr ar y ffordd, un codiad tipyn yn serth [syth sic] wrth ddyfod i'r hafn lle yr ydym yn campio.

Iau 15
Teithio adref, cyfeiriad de-ddwyrain, pellter o tua 7 lig, campio yn Katsia. Ffordd dda iawn trwy y dydd hyd nes yn agos i Katsia. Mae tipyn o swnd ond mae lle i'w rowndio trwy ddal ar y de a chanlyn pant mawr. Pasio heibio i dri dŵr ar y ffordd ac i ddau lyn halen ar y de ac ar y chwith i ni yn waelod pant [aneglur].

Sadwrn 17
Teithio adref cyfeiriad de-ddwyrain, campio mewn hafn a thipyn o ddŵr ynddi ar y chwith i lwybr yr Indiaid, pellter o tua 6 lig. Pasio heibio i un dŵr ar y ffordd. Ffordd drom iawn nes dyfod i'r dŵr cyntaf.

Sul 18
Teithio adref cyfeiriad gogledd-ddwyrain. Campio wrth ffynnon o ddŵr, codi o fewn tair lig i'r afon, pellter o tua 5 lig.

Llun 19
Teithio adref cyfeiriad dwyrain nes cyrraedd yr afon, ffordd drom iawn.

Medi 8, 1888.
Cychwyn i'r Wlad y Seithfed Waith.

Sul 9
Aros yn Bryn Gwyn yn nhŷ fy modryb Margred.

Llun 10
Symud i fyny gyn belled â'r 'Creigiau' a'u aros yno Mawrth 11 a Mercher 12 ac yn hwyr nawn Mercher cawsom seinio ein *bolitos*.

Iau 13

Glyn a minnau ac Arthur yn symud i fyny i'r *campamento* a gadael y lleill i gyd ar hôl.

Gwener 14

Disgwyl y gweddill i fyny ac yn bwrw glaw yn drwm.

Sadwrn 15

Myned i lawr i edrych beth oedd yr achos o'r aros ac yn cyfarfod â gwagen Thomas Puw yn dyfod i fyny hyd at ei bothau yn y mwd. Nawn yn oerllyd, euthum i lawr gyda William a Dafydd i edrych am lwybr arall.

Sul 16

Euthum yn fy hôl at y bechgyn eraill i'r *campamento*.

Llun 17

Yr holl o'r gwagenni yn cyrraedd *campamento*. Dyfod rhwng y [*aneglur*] a'r afon.

Mawrth 18 a Mercher 19

Aros yn y *campamento*. Nos Fercher tua 1 o'r gloch y bore, aeth ceffylau Dafydd Huws a 18 o wartheg yn groes i'r afon ac awd â'r cwch ar eu holau a chafwyd y ceffylau i gyd a 2 o'r gwartheg.

Iau 20

Cychwyn am y Pyllau [*aneglur*] yn cyrraedd at Point sydd y tu yma i'r pyllau a 2 wagen eraill yn methu ar y ffordd cyn dyfod i ben y [*aneglur*].

Gwener 21

Bore bwrw glaw.

Sadwrn 22

Bwriadu cychwyn ond methwyd cael y ceffylau i gyd, yna aroswyd yn yr unfan.

Sul 23

Braf iawn aros yn yr unfan.

Llun 24

Symud o Byllau y Cerrig [?] i flaen hafn yr Afon Fach, pellter o tua 2 lig.

Mawrth 25
Symud o flaen yr hafn a [*aneglur*].

Sadwrn 29
Croesi'r Afon Fach.

Sul 30
Aros ar lan yr Afon Fach.

Llun Hydref 1
Symud i fyny tua lig a hanner gyda'r afon Chubut.

Mawrth 2
Symud i fyny (gweithio nawn) tua lig gyda'r afon eto, yn gweithio eto.

Mercher 3
Aros yn yr unfan i wneuthur y ffordd.

Iau 4
Gweithio eto.

Gwener 5
Symud i fyny tua 2 lig a champio yn Hafn y Ffynnon, pellter o tua lig.

Sadwrn 6
Bwrw glaw nes ein rhwystro i drafaelu.

Sul 7
Aros yn yr unfan.

Llun 8
Symud drosodd i'r afon, pellter o tua 4 lig.

Mawrth 9
Aros wrth yr afon.

Mercher 10
Teithio tua 2 lig a champio wrth lyn ar y camp.

Iau 11
Symud drosodd a campio ar gyfer Dôl yr Ymlid.

Gwener 12
Myned allan i chwilio am Harri Davies yr hwn oedd wedi myned i nôl pren er y diwrnod cynt ac heb ddyfod yn ei ôl.

Sadwrn 13
Symud trwodd i Ddyffryn Wiliam a champio ar lan yr afon lle y mae yn gwneud tro i'r Sowth o'r Nor' West.

Sul 14
Aros.

(Hydref) Llun 15
Gwneud taith i'r Drofa Gul, top y Dyffryn. Nawn aeth criw yn eu holau i ladd ych a welwyd wrth y campin.

Mawrth 16
Gwneuthur taith trwodd trwy y Bannau Beiddio a champio yn waelod Dyffryn Coediog.

Nos Fercher
Bwrw glaw.

Mercher 17
Gwneud taith o waelod Dyffryn Coediog a chyrraedd ei dop.

Iau 18
Aros yn Dyffryn Coediog ddiwrnod. Nos – bwrw glaw.

Gwener 19
Bore – bwrw glaw mawr. Teithio tua lig a hanner i fewn i'r tro cyn cyrraedd Dyffryn Allorau.

Sadwrn 20
Cychwyn yn y bore am Ddyffryn yr Allorau a'r haul bron machlud pan yn cyrraedd ei waelod nôl bod trwy'r dydd yn teithio tua lig gan mor ddrwg oedd y ffordd trwy y camp. Cawsom drafferth mawr iawn i groesi [*aneglur*] drwy [*aneglur*] cyn cyrraedd yr afon.

Sul 27
Aros ar gyfer yr Allorau. Diwrnod poeth iawn.

Llun 22
Symud i fyny tua lig a hanner i Ddyffryn Allorau a gweithio y lle cul.

Mawrth 23
Symud i fyny tua 3 lig i Ddyffryn Allorau eto, a phasio heibio i dentiau y gwageniers ar y gogledd.

Mercher 24
Symud tua 3 lig dros y camp ac at Ryd yr Indiaid.

Iau 25
Aros wrth Ryd yr Indiaid i drwsio y drol ychain.

Gwener 26
Meddwl teithio ond fe'n rhwystrwyd trwy iddi fyned yn 'row' rhwng J. M. Thomas ac Evan Davies.

Sadwrn 27
Teithio tua 3 lig a champio yn Trapalaw. Diwrnod oer iawn.

Sul 28
[aneglur] oer eto.

Llun 29
Teithio tua 5 lig a chyrraedd [aneglur].

Mawrth 30
Teithio tua 3 lig a chyrraedd [aneglur]

Mercher 31
Teithio 4 lig a chyrraedd [aneglur] tua lig yn uwch i fyny i sicrhau [aneglur].

Iau Tachwedd 1
Aros diwrnod i hela yn Bwll y Gilfach.

Gwener 2
Teithio tua 5 lig a champio yn [aneglur] ac yn y nawn, daeth i fwrw eira yn drwm ac aeth William Huws i chwarae lluchio pelenni eira y naill at y llall. A rywfodd neu'i gilydd, cafodd John J. Jones ei daro gan un ohonynt ac fe daerai mai gan William Huws y tarawyd ef a'r canlyniad fu iddo wylltio a thynnu ei revolver allan a'i 'nelu at William Huws gan ddweud y byddai iddo ei saethu os byth y cynigiai eilwaith.

Sadwrn 3
Teithio i fyny'r hafn a chyrraedd at droed y trip.

Sul 4
Aros yn droed y trip. Chwythu gwynt y gorllewin yn oer iawn.

Llun 5
Meddwl cyrraedd Langew ond gorfod rhoddi i lawr yn [*aneglur*] tua dwy lig [*tudalen olaf yn anghyflawn yn y llawysgrif*].

Mercher 7
Myned allan i hela a dal llawer.

Iau 8
Teithio tua lig a chyrraedd Aliwffco [*aneglur*] i'r gogledd o Aliwffco ymhen tua lig o'r hafn [*aneglur*] llyn halen mawr.

Gwener 10
Teithio tua 4 lig a cyrraedd Afon Sagmata, yr hanner isaf i'r lle cul.

[*Tachwedd*] Sadwrn 11[*sic*]
Teithio tua 2 lig a cyrraedd Aber Ffynnon [?] a champio yno dros y Sul 12.

Gorffennaf 18
Mola [*aneglur*].

Iau 19
Dychwelyd i lawr at le Fernandez.

Gwener 20
Gweitied yn lle Fernandez am y bechgyn eraill i droi i fyny ac yn meddwl cychwyn i'r camp.

Gorffennaf 21
Chwilio am ddau geffyl a gollwyd y noswaith gynt.

Sul, Gorffennaf 22
Cychwyn adref. Myned allan i'r camp am tua 4 lig ar Camino Chanco.

[*Ceir adran fer yma yn y llawysgrif yn rhestru rhai o gyfrifon JDE.*]

Mehefin 10, 1888
Cyraeddodd yr agerlong y *Gulf of Trinidad* gyda 12 o deuluoedd Seisnig ar ei bwrdd.

Mercher 27
Yn Conesa. Prynais 2 garped am 1,60 ar. m. a 2 am 1,80 ac un ponc[h]o 6 ar. m. eto un *sobrepuesto* [?] 3.

Gorffennaf 2
Prynais un ceffyl *malacara* gwerth 30 *nacional*.

Gorffennaf 3
Derbyniais 200 o *nacion*[*ales*] gan Elias Owen. Nawn prynais 5 o geffylau gan y *comisaro* [?] gwerth 1127 hanner [?].

Mercher 4
Talais i P [*aneglur*] am y *poncho*.

Mehefin 14

Gwener 8 Mehefin, 1888
Cychwyn am Patagones. Cyrraedd gwaelod Llyn Aaron. Cychwyn i'r camp am Pat[*agones*]. Cyfeiriad o'r Bei, gorllewin wrth ogledd-orllewin. Campio wrth lyn bychan tua 2 lig o'r Bei.

Mehefin 15
Teithio i'r un cyfeiriad am tua 6 lig. Campio mewn hen badell ddyfn wrth ffoes o ddŵr, nos bwrw glaw.

Mehefin 16
Teithio eto 4 lig i'r un cyfeiriad. Campio wrth lyn o ddŵr eto, bwrw eira.

Mehefin 17
Teithio eto tua 7 lig ychydig i'r gogledd-orllewin heibio i Pozo Bacial [?] ac at Arroyo Verde pellter o tua 4 lig o Pozo Bacial [?]. Bwrw eira eto ac yn oer iawn.

Mehefin 18
Teithio eto i'r un cyfeiriad am tua 7 lig a chyrraedd at Sierra Ventana. Bwrw eira.

Llun 19 [*sic* am 18]
Bwrw eira trwm trwy'r dydd nes ein rhwystro i deithio.

Mehefin 20
Bwrw eira eto nes ein rhwystro i deithio.

Mercher 21
Teithio am Corral Chico trwy law ac eira. Cyrraedd yno tua machlud haul. Math o le yw hwn yn waelod hafn ddyfn rhwng tair craig fawr a thair hafn yn rhannu i wahanol cyfeiriad. Daethom dros un darn o gerrig tua un lig o hyd, cyfeiriad gorllewin wrth ogledd-orllewin.

Gwener 22
Cyrraedd drosodd o Corral Chico i Pajalta, pellter o tua 10 lig. [*aneglur*]. Cyrraedd o Pajalta i Valcheta a thrwyodd at lle mae y nant Valcheta yn darfod, pellter tua 6 lig o Pajalta.

Sadwrn 23
Cyrraedd dros y *travesía* fewn tua 5 lig i Castre. Campio ar y chwith i'r llwybr wrth lyn mawr o ddŵr glaw. Pellter o tua 15 lig o Valcheta. Nawn cyfarfod â moreira [?]ar lechwedd Bajo [V?]alicho yn myned am Chubut.

Sul 24
Aros wrth y llyn tan fore Llun.

Llun 25
Cyrraedd drosodd i Castre yn gynnar y nawn.

Mawrth 26
Cyrraedd o fewn 3 lig i Conesa.

Mercher 27
Cyrraedd Conesa tua chanol dydd, a math o goloni bychan ar lan y Negro.

[*Yma ceir adran anodd ei darllen am brynu gwahanol fathau o geffylau.*]
Sul, 22
Cychwyn i'r camp dros Camino Chancho. Teithio tua 4 lig, lle tipyn yn ddreiniog yn y cychwyn. Rhoddi i lawr wrth yr ail lyn a dyffryn.

Llun 23

Aros yn yr unfan i chwilio am bug caseg a gollwyd nos Sul trwy i [*aneglur*] trwchus guddio y llyn [?] am tua 2 awr.

Mercher 24

Teithio eto am tua 6 a hanner lig a rhoddi i lawr wrth lyn Sant Antonio. Yn y fan yma daeth Juan Muller gyda trol am Valcheta a'n cyfarfod, yr oedd [wedi] pasio 6 o lynnoedd ar y ffordd yn myned am Pate [gones?].

26

Teithio eto tua 4 lig. Rhoddi i lawr wrth Laguna Chancho. Pasio heibio i chwech neu saith o lynnoedd ar y ffordd heddiw, hefyd yr oeddem yn pasio heibio yng ngolwg [*aneglur*]. St Antonio ar y chwith i ni.

Gwener 27

Teithio tua 11 lig, pasio heibio i 5 o lynnoedd ac wrth gychwyn o Laguna Chancho gadawsom un ceffyl ar ôl ymron marw.

Sadwrn 28

Cyrraedd Valcheta nôl teithio tua 12 lig trwy lefydd dreiniog a chymoedd dyfnion. Pasio heddiw eto heibio 4 o lynnoedd dŵr croyw yn y pen pellaf i Valcheta ac yn y pen yma nid oes llynnoedd croyw i'w cael am tua 7 lig a Valcheta; hallt ydynt i gyd.

Sul 29

Symud o Valcheta i Paja Alta, pellter o tua 5 lig.

Llun 30

Symud o Pajalta i Arroyo Salado, pellter o tua 5 eto.

Mawrth, 1 o Awst

Symud o Salado i Arroyo, pellter o tua 4 lig.

Mercher 2

Symud o Arroyo Verde.

Iau 3

Symud o Arroyo Verde i Sierra Ventana.

Gwener 4
Symud o Sierra Ventana i Arroyo Verde, pellter o tua 6 lig.

Sadwrn 5
Symud o Arroyo Verde i Sierra Colorada, pellter o tua 8 lig.

Sul 6
Aros yn Sierra Colorada i'r ceffylau gael sbel.

Llun 7
Teithio a chyrraedd yr Aguada Pichalao, pellter o tua 8 lig.

Mawrth 8
Cychwyn tua 11 o'r gloch o Aguada Pichalao a chyrraedd bron at
Roco Pala, pellter o tua 5 lig.

Mercher 9
Teithio a chyrraedd at Ffynnon Allwedd, pellter o tua 5 lig.

Iau 10
Cychwyn i'r camp a chyrraedd hyd hanner y *traversia*.

Gwener 11
Cyrraedd drosodd i le [*bwlch yn y testun*] . . .

Gwener 10 Awst
Cyrraedd yn ein holau.

Llawysgrif:
Ysgrifennwyd y gwreiddiol yn llaw JDE yn ystod ei deithiau yn 1888. Cedwir y llyfr
nodiadau gwreiddiol yn Nhrevelin. Dylid cymharu'r rhannau perthnasol o'r llyfr nodiadau
ochr yn ochr â'r hanes a geir gan JDE am yr Ail Daith gyda Fontana yn 1888 ar ddechrau'r
gyfrol hon.

Atodiad Dau:

Braslun o Hanes Llofruddiad Aaron Jenkins, Merthyr Cyntaf y Wladfa fel y'i Hadroddwyd i Tryfan Hughes Cadfan gan John Daniel Evans yn 1937.

Gweithredai Jenkins fel swyddog hedd y Wladfa. Daethai Chileno o'r De ac i dŷ John Richards, Tres Casas yn awr, a bu yno rhyw dridiau. Fel cymeriad amheus, anfonwyd i'w gyrchu i'r Brwyadfa oedd dan ofal Petit Monrat yn Plas Hedd. Deuai Aaron Jenkins ag ef, ac yn hollol ddifeddwl-ddrwg, âi o'i flaen. Gwelodd Robert Thomas hwy yn myned heibio ei le ef felly. Ychydig yn is i lawr, gyferbyn â'r llaw chwith (y De) i Drofa [*aneglur*] ac ar y dde gyferbyn i'r fan y saif capel Tair Helygen a Bedol, deuid i olwg Plas Hedd lle y chwifiai baner Argentina ar y Brwyadfa. Tebyg i'r drwgweithredwr pan welodd hynny, amau mai ei garcharu a gawsai, ac felly trywanodd Aaron Jenkins yn ei ochr yn farwol. Rhoddodd un ar bymtheg trywaniad iddo cyn ei adael, a thorrodd ei dafod i ffwrdd, yna cymerodd ei het, rhai dillad, ei geffyl a'i gêr a dihangodd. Y cyntaf i'w erlid oedd William Jones y Bedol a dilynodd ei olion. Aeth trwy yr hafn [*aneglur*] o'r dyffryn lle mae 'Tan y Bryn' yn awr ac i'r Paith ond daeth yn nos arno a throdd yn ei ôl; er hynny credai yn sicr iddo ei weled yn llechu mewn twmpath drain mawr. Cyn i'r wawr dorri trannoeth, yr oedd yno lu o'r gwladfawyr, ac wedi dod o hyd i'w ôl, erlidiwyd a dilynwyd ei ôl hyd y Paith i gyfeiriad y Gorllewin hyd nes dod gyferbyn â'r dyffryn lle mae 'Tres Casas' yn awr. Yno troai y drwgweithredwr ei gyfeiriad yn sydyn am y dyffryn. Dilynwyd ei ôl hyd at 'Shanti' perthynol i J. Richards yn yr hon yr arhosodd y llofrudd dros y nos, ef a'i geffyl. Cafodd y llofrudd hyd i *tropilla* Richards ar ei ffordd a daliodd y ceffyl gorau a gollyngodd yr un oedd ganddo yn rhydd. Lladrataodd fara ac amryw bethau eraill oddi ar Richards. Yna cafwyd ei olion yn mynd i'r afon, ond methid yn lân â chael ei olion yn dod allan. Felly awd i archwilio ceg y drofa am olion; wedi cylchu y drofa lawer gwaith, methwyd â gweld yr hen olion. Tra yr oedd y llu erlidwyr yng ngheg y drofa, aethai William Jones y Bedol ei hunan yn ôl i'r drofa trwy ganol yr hesg mawr ac yn sydyn daeth ar draws y llofrudd oedd wedi ymguddio o dan dwr o hesg mawr. Y peth cyntaf welodd Bedol oedd y llofrudd yn neidio ar ei geffyl yr ochr chwith ac yn dechrau troi y *boleadores*, ac [*aneglur*] cododd Bedol ei ddryll a saethodd ef yn farw. Oni bai iddo wneud hynny buasai yn sicr o fod wedi syrthio yn aberth i'r llofrudd, neu pe wedi methu ei ergyd (dyna fel yr adroddai William Jones yr hanes, meddai JDE). Daeth y llu yno wedi clywed yr ergyd, a lasiwyd y corff a llusgwyd ef allan i'r hesg i le clir yng ngheg y drofa, yna rhoddodd pawb ei ergyd iddo nes oedd yn rhidyll. Dyna fel y dialwyd gwaed Aaron Jenkins. Un o'r *desperados* o Punta Arenas oedd hwn, un o'r *guardias nacionales chilenos* (rhyw 150 ohonynt) a wrthryfelasant yn erbyn yr awdurdodau yno gan ladd ac ysbeilio. Tybient y medrent ddianc i fyny trwy diriogaeth Santa Cruz a Chubut, ond collasant y ffordd; cafodd rhai eu lladd a bu y lleill farw, ac ychydig oedd y rhai ddiangasant a'u heinioes ganddynt.

Yr oedd y llofrudd wedi hogi ei gyllell y ddwy ochr nes yr oedd fel ellyn; yr oedd ganddo gaseg hogi fechan yn ei feddiant, a chafwyd yn yr hesg groen ceffyl wedi ei ystwytho fel oedd arfer yr Indiaid yn cynnwys yr hyn ladrataodd oddi ar Richards.

Hanes Llofruddiaeth Aaron Jenkins o Ddyddiadur Dafydd Hughes Cadvan 1877.

Llun 16

Aaron Jenkins, hen sefydlwr wedi ei ladd, gan Spaniar oedd wedi dyfod dros y camp o Sandy Point neu Santa Cruz, nis gwyddis yn iawn pa un, wrth ei fod yn cael ei gymeryd i lawr at y Comisario gan Aaron Jenkins i gael ei archwilio a'i holi, pan oeddynt yn myned i lawr felly, heibio tŷ Robart Tomos ac Evan Edwards ac Aaron ar y blaen, a'r llofrudd tu ôl, wedi myned heibio tŷ Evan Edwards, rhyw 3 chant neu bedwar o lathenni, fe gyflawnwyd y llofruddiaeth trwy i'r Spaniar drywanu Aaron yn y modd mwyaf cigyddlyd, saith o weithiau. Y ffordd canfyddwyd Aaron oedd wrth i ddyn o'r enw Evan Jones ddyfod o'r dref; fe welodd gorff ar y llawr a methodd ei nabod ar y pryd, a ffwrdd ag ef ymlaen at dŷ Robart Tomos i hysbysu y darganfyddiad. Fe ddaeth Robart Tomos yn ôl gydag ef ac Edward Jones y Gof, i gael golwg arno, ac yna wedi cyrraedd y fan, fe sylweddolasant mai Aaron Jenkins ydoedd. Fe gymerodd y llofrudd geffyl Aaron, ac hefyd cymerodd ei het a rhoddodd am ei ben, gan adael [ei] het ei hunan ar ôl ac ymaith ag ef, gan gyfeirio at fryniau y dyffryn mawr. Fe aeth William Jones y teiliwr ar ei ôl, hyd nes i dywyll y nos ei ddal, a gorfu iddo droi yn ôl.

Mawrth 17
Fe gododd yr holl wlad i ymlid ar ôl y llofrudd, i gyfeiriad New Bay.

Mercher 18
Yn ymlid ar ei ôl, gan ddilyn ei drac o'r dyffryn mawr, ac i'r dyffryn Chubut, ac oddi yno i'r dyffryn uchaf, ac i fyny at dŷ Dafydd Powell, a gwelwyd ei drac yn mynd trwy ryd yn yr afon, yna croeswyd yr afon ar ei ôl, ac mewn i drofa hesgog, ac yna buwyd yn chwilio am rai oriau, a chafwyd ef o'r diwedd wedi llechu mewn hesg mawr, a phan welodd ef y bobl, neidiodd ar gefn ei geffyl, ac am wneuthur ymosodiad trwy droi y bôls amgylch ei ben i gael bod yn barod i'w gollwng, ac yna fe ollyngwyd bwlet ato nes y cwympodd i lawr oddi ar gefn ei geffyl a dywedodd, 'no matar'; gyda ei fod wedi dweud y geiriau hynny, fe ollyngwyd cawod o fwledi ato, nes oedd fel rhidyll yn y fan, ac yno fe'i gadawyd fel yr oedd heb ei gladdu, ac yna aeth pawb i'w ffordd am eu cartrefleodd.

Iau 19
Aethom lawr i fyned i angladd Aaron, ond wedi cyrraedd y Drofa Gabets, fe benderfynwyd yno fod yn well gohirio yr angladd tan ddydd Gwener am y rheswm am nad oedd rhai o'r bobl oedd yn ymlid y llofrudd heb ddychwelyd yn ôl, ac i roddi cyfleustra i'r rhai hyn fod yn yr angladd, gohiriwyd ef.

Hanes Llofruddiaeth Aaron Jenkins o Hunangofiant John Coslett Thomas (1863–1936).

Tra ni yn yr ysgol honno y drydedd neu'r bedwaredd waith daeth rhywun heibio a'r newydd alaethus fod yr Heddwas Aaron Jenkins wedi ei lofruddio ar y ffordd gyferbyn â Kansas gan ddyn a gymerai i Rawson. Doedd fawr mwy nag awr er pan aeth William a minnau heibio'r fan ar ein ffordd i'r ysgol; a chan y dywedid mai i gyfeiriad ein tŷ y diangodd y llofrudd. Teimlem yn bryderus am ddiogelwch y teulu a'n diogelwch ninau hefyd ar y ffordd tua thre neu ar ôl cyrraedd yno. Ond tua thre yr aethom wroled ag y medrem. Ni feddem arf o gwbl yn amddiffyniad na dim cyflymach i ffoi na traed pe doi angen. Er na ddigwyddodd i ni ddim annymunol ar y ffordd tua thre, ni aethom i'r ysgol hono byth wedyn na neb arall hyd y gwn.

Carcharor a ddiangodd o Chile oedd y llofrudd, a'r llywodraeth wedi gwneud yn hysbys i'r sefydliad y gallasai ddod ar ei ofyn ac am fod ar ei wyliadwriaeth amdano. Pan glywyd fod dieithryn, yn cyfateb i'r disgrifiad gafwyd o hono, wedi dod i dop y dyffryn anfonwyd yr Heddwas i'w geisio a chynghorwyd ef i fynd ag arall neu eraill gydag ef.

Rhoddodd y dieithryn ei hun i fyny yn ddiwrthwynebiad, a diofned yr oedd Aaron ohono fel na chyfyngodd ddim ar ei ryddid, ond gadael iddo deithio'n gyfochrog ag ef ar hyd y ffordd a phan oeddynt ar gyfer ein tŷ, a hi ar dywyllu, y casgliad a ddowd iddo oedd, i'r carcharor gipio cledd yr heddwas o'r wain a'i drywanu yn ei gefn ag ef. Ond gosododd y cledd a'r wain yn groes ar ei fron yn arwydd mai i amddiffyn ei hun y lladdodd. Cymerodd geffyl Aaron yn lle ei geffyl ei hun a ffwrdd ag ef heibio'n tŷ am y bryniau. Digwyddodd i William Jones Teiliwr ddod at y fan bron gyda bod y llofrudd wedi mynd o'r golwg a deall oddi wrth olwg Aaron oedd ar lawr mai cael ei lofruddio a wnaeth, ac ymaeth ag ef nerth traed ei geffyl ac aeth at y tŷ i gael llawddryll ac yn ôl at y fan yr un mor fuan i gael trac ceffyl y ffoadur a'i ddilyn belled allodd cyn iddi dywyllu. Erbyn iddo ddychwelyd yr oedd wedi ymgasglu at ei dŷ llu i gydymgynghori beth orau i'w wneud. Penderfynwyd mynd ar ôl y llofrudd gyda'r wawr y bore wedyn, a danfon cenhadon ar hyd a lled y dyffryn yn y cyfamser â'r her fel ac i eraill fod ar eu gwyliadwriaeth a mynd i hela y llofrudd os mynnent. Mynnodd llawer heblaw y rhai a aethant gyda'r Teiliwr a'r helwyr a thracwyr campus, a buont wrthi am dridiau a theirnos. Aeth y Teiliwr a'i griw i'r fan y trodd ef yn ôl y noson flaenorol, a chael olion fod y llofrudd a'i geffyl yn y llwyn mawr hwnw pan drodd y teiliwr yn ôl oddiwrtho. Ymlaen â hwy ar ei drac nes ei golli ymhlith eraill yn mynd o'r camp i'r Dyffryn Uchaf. Yr oedd dod o hyd i'w drac ar y Dyffryn a'i adnabod oddi wrth dracion eraill yn amhosibl. Ar y dybiaeth iddo ddod yn ôl i'r Dyffryn i'w groesi a mynd tua'r De, ac y gwyddai mai wrth Drofa D.S. y gallai rhydio'r afon ddiogelaf, i'r Drofa honno, drwy y rhyd, yr aethant y trydydd dydd i chwilio; a chyn hir gwelwyd ef gan y Teiliwr yr hwn a gododd ei wn at ei ysgwydd ac a saethodd i lawr y llofrudd pan oedd yn esgyn i'w gyfrwy. Pan glywodd y lleill oedd ar wasgar ymhlith twmpathau hesg mawrion y Drofa yr ergyd, rhithrasant i'r fan a'u gynau yn eu dwylo yn barod i'w tanio; a'u tanio a wnaethant a gollwng eu cynnwys i gorff y llofrudd serch y dymunai arnynt yn daer i beidio ei ladd. Gan i gynifer saethu ato, 'doedd modd gwybod ergyd pwy yn fwy na'i gilydd a'i lladdodd ac felly osgoi i'r un ohonynt deimlo'n euog o'i ladd ac hefyd osgoi cael ei alw i gyfrif fel y cyfryw gan yr awdurdodau, heb ganiatad y rhai yr aethant ar ei ôl. Nid aeth neb o'r awdurdodau Argentaidd ar ei ôl o gwbl am, meddent, mai ofer oedd ceisio dal un oedd wedi ffoi a theithio o leiaf bedwar cant o filltiroedd fel ag yr oedd ef wedi ei wneud. Ond profodd y Cymry iddynt yn wahanol, a chlodforwyd hwynt am hynny, o leiaf, gan eu cydgenedl.

Trofa fawr hesgog rhwng yr afon a'r bryniau ger y lle Cul Uchaf yw'r drofa hon, a diau mai am i bregethwr a'r darlithydd y Parch. D. S. Davies fod ynddi pan y bu ar ymweliad â'r Wladfa y gelwir hi yn 'Drofa D.S.' Yr oedd am yr afon â hi pan laddwyd ynddi llofrudd Aaron, dri tŷ (wrth rif y rhai yr enwyd yr ardal yn Tres Casas – Tri Tŷ) ac un ohonynt yn wag, yn yr hwn y bu'r llofrudd yn llechu a'i geffyl hefyd yn ôl y tom oedd ar lawr, a chraith ar ei ên yn arwyddo i'w dafod gael ei gylymu i'w gadw rhag gweryru tra ynddo a thynnu sylw David Bowen a'i deulu gartrefent gerllaw, a John Rishard yn y tŷ arall. Rhaid iddo fyned i'r tŷ ar ôl i'r cymdogion fynd i gysgu, a mynd allan ohono cyn iddynt godi. Y tebyg yw iddo fod yn Tres Casas cyn i Aaron gael gafael arno, ac y gwyddai fod yno dŷ gwag, a bod Bowen a Richards a bob i stor fechan, o'r rhai, yn ddiau, y bwriadai ladrata angenrheidiau cyn yr elai o'r Drofa, pan gaffai gyfle.

Claddwyd Aaron Jenkins yn barchus wrth ei dŷ oedd heb fod ymhell o'r fan y cwympodd, a chodwyd cofgolofn iddo wrth ei fedd, a gwnawd iddi bopeth a allai y sefydlwyr ei wneud yn amlygiad o'u parch iddo. Un o arloeswyr y Wladfa oedd ef a berchid gan bawb a'i hadwaenai.

Daeth sôn cyn hir fod eraill ar ffo o Chile i gyfeiriad ein sefydliad, a rhybuddiwyd y sefydlwyr i fod ar eu gwyliadwriaeth amdanynt, a threfnodd y sefydlwyr i wneud coelcerth ar y bryniau pan ddeuent, er galw'r sefydlwyr yn arfog i'r fan i ymwneud â hwynt.

Atodiad Tri:

Hanes Dyffryn y Merthyron o 'Hunangofiant' John Coslett Thomas' (1863–1936)

Tra mi wrthi'n brysur ar y tir yr ail wanwyn yn y Drofa Fawr (1883), aeth John Evans, 'Llwyn Glas' (nai i Aaron Jenkins y soniais amdano a lofruddiwyd gan Chileno), a Zacharia Jones ei frawd-yng-nghyfraith, a John Parry a Richard B. Davies – newydd-ddyfodwyr nid adwaenwn – ar daith i'r fewnwlad i'w harchwilio. Teithiasant yn araf am wythnosau, ac agosed allent i'r Gamwy dan chwilio am aur ynddi ac o'i chwmpas am gryn ddau can milltir o ffordd heb ddod o hyd i ddim yn werth mynd ar ei ôl. Yna gwelasant mewn hafn, a alwasant yn Hafn Aur, arwyddion o aur farnasant yn werth ei harchwilio'n fanwl, ond i allu gwneud hynny rhaid fyddai myned yn ôl i'r sefydliad am ychwaneg o fwyd a threfnwyd i John Evans a Zacharia fyned, ac i Parry a Davies aros yn yr hafn i'w harchwilio yn y cyfamser.

Gadawodd John Evans rai o'i geffylau ar lan y Gamwy filltiroedd cyn cyrraedd yn ôl i'r sefydliad iddynt gael eu cefnau atynt erbyn y dychwelai. Cyn iddo gychwyn yn ôl atynt, yr oedd Zacharia wedi rhoddi i fyny fynd yn ôl gydag ef, a Lemuel Aston oedd aur-gloddiwr profiadol. John Hughes oedd newydd-ddyfodwr, William Williams 'Jaici Fach', Benjamin Williams, John Harries a minnau wedi cytuno i fynd yn ôl gydag ef, ac wedi trefnu i gyd-gychwyn ar ddyddiad penodol o'r fan yr oedd ef, Evans, wedi gadael ei geffylau. Y rheswm na fu i mi a John Harries gydfyned â John Evans o'i dŷ oedd, fod ebol i mi ar y paith oeddwn am ei gael at y ddau geffyl arall i fynd i'r daith, a bod John Harries a minnau i fod yn bartneriaid tra ar hyd-ddi, ac wedi cydbrynu angenrheidiau rhyngom y rhai yr oedd John Harries i'w cludo hyd Ffynnon Iago gael i mi fod yn fwy rhydd i chwilio am fy ebol, am ddau niwrnod os byddai raid, cyn ymuno a'm partner wrth y ffynnon i fyned yn ein blaen erbyn y dyddiad penodedig i gydgychwyn a'r lleill o'r lle y gadawodd John Evans ei geffylau.

Ychydig amser cyn i John Evans fyned i fyny'r tro cyntaf y

314

prynais yr ebol gan John Harries, yr hwn a'i prynodd ef gan y Senora Blanca yr hon a'i cafodd yn rhodd fel 'palagero' (ceffyl buan) gan bennaeth yr Indiaid a fasnachai â hi, ac er fod John Evans yn byw o fewn milltir i John Harries a'r Senora Blanca ac o fewn ychydig gyda dwy filltir i dŷ nhad, lle y gadewais yr ebol, yn y gwanwyn tra mi yn trin tir yn y Drofa Fawr, nid oedd John Evans yn nabod yr ebol. Yr oedd 'nhad, erbyn hynny, yn byw ar ei dyddyn ei hun heb fod ymhell oddi wrth y bryniau, i'r rhai yr elai ei geffylau ef, a'm ebol innau gyda hwynt, i bori a threulio eu hamser pan na fyddai eu hangen am eu gwasanaeth.

Y bore y gadewais gartref i fynd i chwilio am fy ebol i fynd i fyny'r wlad, taer-erfyniodd 'nhad arnaf beidio myned oblegid iddo weled mewn breuddwyd Indiaid yn ymosod ar y fintai ac yn lladd rhai ohoni. Cynigiais i'w sylw, iddo freuddwydio felly, oblegid y si oedd ar led fod Indiaid yn bwriadu ymosod ar y sefydliad. 'Gobeithio nad oes gwell sail i'm breuddwyd na'r si, ond ni fydda i ddim yn ddiofn amdanat nes y dychweli,' meddai. Ymaith â mi i'r paith a chwilio hynny allwn ohono o fryn i fryn am ran o ddau ddiwrnod heb weled golwg ar yr ebol, a chyrraedd Ffynnon Iago erbyn yr amser y cytunais â John Harries. Cymhellodd fi i fynd yn fy mlaen gydag ef ar y dealltwriaeth y gwnaem y gorau o'r pum ceffyl a feddem rhyngom; ond gwrthodais oherwydd fod fy nau geffyl i hanner i lawr yn barod, ac mai gwell fyddai iddo ef fyned hebof fel ag i allu cyrraedd at y lleill yn amserol, ac felly y bu.

Bron gyda i mi ddychwelyd i'r batch at John Phillips ger y Gaiman yr oedd y si fod yr Indiaid am ymosod ar y sefydliad wedi troi allan yn ffaith, meddid, ac awd ati i ddrilio ger y batch o dan gyfarwyddyd John Davies, Milwr, i fod yn unol â pharod i wrthsefyll ymosodiad. Yr oeddwn wedi prynu Remington a bidog arni a Colt revolver oedd cystal â rifle o fewn dau canllath i fynd i fyny'r wlad, a medrwn saethu â hwy yn weddol dda at nod mawr, ond ddim cystal at nod byw am mai cas gennyf oedd lladd neu glwyfo dyn byw oni byddai raid er amddiffyn neu gynnal bywyd uwch. Ni welais neb yn handlo bidog na chledd cyn gweld John Davies yn eu handlo wrth ein drilio ni. Driliwyd ni ar draed ac ar geffylau, dan i'r berw am yr Indiaid dawelu. Ond fe'n galwyd i'r gâd, cyn hir, wedyn.

Cyn i'r archwilwyr fynd o'r fan y gadawodd John Evans ei geffylau, daeth atynt ddau Indian ar eu ffordd i'r sefydliad ar neges fasnachol, meddent. Pan gyrhaeddodd yr archwilwyr o fewn rhyw daith diwrnod i Hafn yr Aur, daeth i'w gyfarfod y ddau adawyd yn yr Hafn, wedi blino, meddent, ddisgwyl am ddychweliad y ddau a aeth i'r sefydliad am fwyd, ac am na ddaethant o hyd i aur yn yr Hafn yn werth myned ychwaneg ar ei ôl. Ond gan i gyflenwad o fwyd ddod, a chydag ef ychwaneg o archwilwyr parod oeddent i fynd ymhellach i'r fewnwlad, ac ymaith â hwy, a chyn hir daeth i'w cyfarfod nifer o feirch-filwyr y llywodraeth a chyda hwy Sais o Buenos Aires oedd wedi bod yn sbïo y wlad yr oedd y llywodraeth wrthi yn cymeryd ac yn gyrru yr Indiaid ohoni, yn fyw neu yn farw, fel y gwelai orau. Cynghorodd y milwyr y Cymry i beidio mynd ymhellach i'r wlad oblegid fod ynddi eto ormod o Indiaid yn llechu ym mynyddau yr Andes iddynt fentro mynd yn agos atynt. Ond dywedai'r Sais nad oedd fawr o berygl ond i'r Cymry fod ar eu gwyliadwriaeth. Canlyniad hynny fu i John Evans, John Hughes, Davies a Parry benderfynu mynd yn eu blaen, ac i Ashton, y ddau Williams a John Harries ddychwelyd i'r sefydliad yng nghwmni'r milwyr, a dod â gwybodaeth i minnau am fy ebol oedd ar goll.

Heb wybod ebol pwy oedd daeth John Evans o hyd iddo yn y creigiau ger y fan y gadawodd ei geffylau pan ddychwelodd am fwyd, a gadawodd yr ebol gyda hwynt. Pan gyrhaeddodd John Harries i'r fan, ar ei ffordd i fyny, adnabyddodd yr ebol a dywedodd mai am i mi fethu dod o hyd iddo y dychwelais oddi wrth Ffynnon Iago – taith diwrnod oddi yno. Barnodd John Evans mai gwell na gadael yr ebol yn y fan honno i fynd ar grwydr, fyddai iddo fynd ag ef gydag ef ac y gwnâi hynny o gymwynas â mi, ac na fyddai iddo ei farchogaeth na gwneud ceffyl pwn ohono nac arall, ac felly y bu bron ar hyd y daith, meddai.

Paham na fynnai John Evans i John Harries ddod â'r ebol yn ôl o'r fan y bu iddynt ymwahanu sydd ddirgelwch. Mynnai rhai mai hynny oedd trefn Rhagluniaeth. Ynteu beth am hynny, mynd â'r ebol gydag ef gan milltir ymhellach i'r wlad a wnaeth John Evans nes oedd bron wrth droed yr Andes, lle yn ddiau y ganwyd yr ebol. Yn y fan honno, rhyw gyda'r hwyr, daeth at eu gwersyll ddau

Indian a ddywedodd wrthynt, os mai cyfeillion ac nid gelynion i'r Indiaid oeddynt am iddynt ddod i wersyllu gyda'u llwyth hwy oedd nepell oddi yno. Sicrhaodd y Cymry hwy mai cyfeillion oeddynt, a Chymry ac nid Ysbaeniaid, ac y symudent at y llwyth fore trannoedd. Pe hynny wnaethent, 'doedd wybod beth a ddeuai ohonynt – gweled mwy o'r wlad a dod o hyd i aur ynteu cael eu trosi i'r tu hwnt i'r llen. Barnu wnaethant mai myned yn ôl i'r sefydliad gynted allent oedd y doethaf. Wedi i'r ddau Indian fyned ymaith, ac i len y nos ddod yn gysgod i guddio eu symudiadau, ymaith â'r archwilwyr tua thre a theithio am o gwmpas dau gan milltir gyflymed ag oedd modd, ac heb weled arwydd fod neb yn eu herlid. Gan eu bod yn awr o fewn can milltir i'r sefydliad, teimlent eu bod yn ddiogel; ac am hynny rhoddasant y gynnau a garient gynt yn eu dwylo yn awr ar gefnau eu ceffylau pwn, a myned weddill y daith adref yn hamddenol rhag gwneud gormod o gam â'u ceffylau. Gan fod fy ebol, oedd greadur cryf, heb ei farchogaeth ar hyd y daith, rhoddodd John Evans ei gyfrwy arno yn y fan hon – Dyffryn William a bron gyda ei fod ar ei gefn, wele haid o Indiaid ar eu gwarthaf mor sydyn fel na chawsant amser i allu tynnu eu gynnau o'r pynnau oedd ar gefnau y ceffylau yrrent o'u blaen pe safasai'r ceffylau hynny a'r rhai a farchogent yn llonydd, yr hyn ni wnaethant ond rhedeg yn ddychrynedig yn eu blaen o ffordd eu herlidwyr a grochlefent am waed y marchogion a'u twyllodd. Cwympwyd Parry a Hughes ganddynt mewn byr amser, ond ymddengys i Davies sylweddoli na allai ddianc ac iddo ddisgyn oddi ar ei geffyl neu iddo syrthio ac yn amddiffyn ei hun a'i gledd oedd yr olwg olaf arno a gafodd John Evans yr hwn a'u gadawodd ar ôl oherwydd fod yr ebol odano, ac na welai y gallai fod o fawr, os dim, help i neb pe ceisiai ddal yr ebol yn ôl a phe llwyddai i ladd neu glwyfo y ddau Indian oedd yn ei erlid – gwaywffon un o'r rhai a aeth drwy ei got cyn i'r ebol yn iawn gael ei draed yn y tir, gan mor sydyn a chwyrn y daethant arno. Ond buan y dechreuodd eu gadael ar ôl, ac yn y man, sef wedi rhedeg o gwmpas hanner milltir, ddod at ffos ddofn a llydan mewn man na ellid ei chroesi ond drwy neidio drosti, a throsti yr aeth yr ebol heb arafu, ond ni fentrodd yr Indiaid eu neidio a thra buont hwy yn chwilio am fan arni y gallent ei chroesi yr oedd yr ebol wedi myned yn ei flaen gannoedd o lathenni ac felly gael y gorau arnynt. Ond daliodd i redeg yr un fath, a chyn hir ddod i fan ar lan yr afon na allai fynd yn ei flaen heb ei chroesi, ac ar ei ben ag ef iddi oddi ar dorlan lathenni o uchder, a'i nofio, ac yna ddringo fel cath i fyny dorlan debyg ar yr ochr arall, ac ymlaen i ben bryn lle y gwnaeth ei farchog iddo aros ennyd er gweled a oedd yr Indiaid yn ei ddilyn. Na, yr oeddent ar eu ffordd yn ôl at eu cydfrodorion a'r rhai a ddaliwyd ganddynt.

Rhy bell o'r fan oedd y bryn i John Evans allu gweled oddi ar ei ben sut yr oedd hi ar ei gydarchwilwyr orfu iddo adael ar ei ôl, a ffolineb fyddai ceisio mynd yn ôl atynt na cheisio llechu o fewn golwg iddynt, a gosod ei hun yn agored i gael ei ddal gan yr Indiaid y bu mor gyfyng arno allu ffoi rhagddynt. Ymlaen ag ef yn hytrach i'r De ac anelu am y Sefydliad a thros y lleoedd mwyaf creigiog a welai i'w wneud yn anodd i'r Indiaid allu ei dracio yn lle mynd i'r dwyrain ar hyd y ffordd feraf i'r Sefydliad. Yr oedd carnau yr ebol wedi treulio i'r byw cyn iddo gyrraedd i'r Sefydliad, a'i farchog ar newynu am na chafodd ddim i'w fwyta am bron dridiau.

Aeth yr hanes drwy'r Sefydliad fel tân gwyllt ac yr oedd ugeiniau o wahanol gyrrau o'r Sefydliad ymhen ychydig ddyddiau yn llu arfog o dan ddisgyblaeth John Davis y Milwr yn cael eu harwain i fyny gan John Evans ar hyd y ffordd y dihangodd ef i lawr, i weled sut yr oedd hi ar y tri a fethodd ddianc. Cadwem wyliadwriaeth fanwl ar hyd y ffordd a thra yn gwersyllu. Rhoddid ni drwy ddril bob bore a phob hwyr, ond doedd neb i ollwng ergyd o'i wn ond yn arwydd fod gelyn gerllaw ac i'n galw i'n lle yn y rheng i frwydro. Aeth yr ergyd cyntaf allan gyda'r wawr ar lan yr afon pan oedd pawb yn eu gwâl ond y gwylwyr a digwyddai fod fy ngwyliadwriaeth i a Richard Jenkins (cefnder i John Evans a mab i'w chwaer Mrs Aaron Jenkins). Pan welsom fod y wawr ar dorri, es i orffwys tipyn ac aeth Richard Jenkins oedd (newydd) ddod o'i wely i ddechrau hel y ceffylau at ei gilydd. Bron gyda fy mod wedi rhoddi fy mhen i lawr aeth ergyd allan o wn Richard a hwnnw yn atseinio mor gyflym o'r naill ochr i'r llall o'r cwm cul nes yr oedd fel pe dau yn saethu at ei gilydd draws y cwm. Yr oedd pawb yn ei le, a'i wn yn ei law yn y rheng. Mewn munud neu ddwy wedi i'r ergyd fynd allan a Richard Jenkins yn brasgamu tuag atom dan waeddu, 'Peidiwch ofni, bobol bach! Damwain oedd i'r ergyd fynd allan'. Aeth yr ergyd allan drwy i forthwyl ei wn gael ei godi gan ddrain y gwthiai Richard ei hun drwyddynt a'i wn yn ei law wrth fynd ar ôl y ceffylau. 'Campus,' meddai John Davies y Milwr, 'y mae'r ddamwain wedi cymeryd fy mlaen, ac wedi profi y gallaf ddibynnu arnoch y gwnewch eich dyletswydd os y gelwir arnoch i ymladd. Yr oeddwn wedi trefnu i ollwng ergyd allan yn y lle y bwriadwn wersyllu heno i'ch gosod ar eich prawf, ond ni fydd angen gwneud hynny heno ar ôl gweled gynted y daethoch i'ch lle rwan.'

Pan yn myned i lawr o'r ucheldir at y Gamwy gyda'r hwyr, clywais ddau yn dywedyd wrth ei gilydd eu bod yn arbed eu ceffylau gorau ar gyfer mynd i Ddyffryn William trannoeth rhag ofn y byddai'n dda iddynt wrthynt i ddianc fel y gorfu i John Evans wneud. Ychydig cyn clywed hynny yr oeddwn gyda Mr. John Williams oedd newydd ddod i'r wlad ac yn anghyfarwydd â marchogaeth, ac am hynny a bod y diwrnod yn boeth yr oedd wedi anafu cymaint ar ei ben-ôl fel na allai eistedd arni ar ei gyfrwy – yr oedd yn wylo'n druenus pan ês ato, ond ar ôl padio odano fel ag iddo allu pwyso mwy ar ei forwydydd cymerodd galon, a daeth yn ei flaen at y fyddin. Druan o'r creadur hwn na fedrai farchogaeth pe erlidid ef gan Indiaid fel y bu i John Evans gael ei herlid!

Cyn i ni gyrraedd at yr afon dywedais wrth ein cadfridog am gyflwr John Williams a bod rhai o'r fyddin wedi arbed eu ceffylau gorau ar gyfer mynd i mewn i Ddyffryn William. Mi setla'i hynny bore yfory cyn cychwyn tuag yno, meddai. A gwnaeth, ar derfyn y dril cyn cychwyn, drwy ddywedyd, 'Wel, comrades in arms, os na ddaw rhyw aflwydd i'n cyfarfod, dywed John Evans y byddwn yn Nyffryn William cyn yr hwyr. A ymosodir arnom cyn neu wedi cyrraedd yno, amser a ddengys. Os gwneir, fy orders i yw, saethu Indian a welir a fynno ymosod arnom. Ond i ni sefyll gyda'n gilydd medrwn wrthsefyll a gorchfygu ddengwaith ein nifer o Indiaid. Os oes rhywun neu rywrai ohonoch na fwriada ufuddhau i'm order cynghorwn iddo droi'n ôl tua'r Sefydliad o'r fan hon, neu aros yma tan y dychwelwn. Pawb sydd am ufuddhau i'm orders coded ei wn!' Cododd pawb ei wn, ac ar ein ceffylau â ni, ac ymlaen am Ddyffryn William, a chyrraedd i'w waelod cyn i'r haul fachlud, a rhoddi ein hunain i lawr i wersyllu wrth enau trofa a throi ein ceffylau iddi hyd y bore.

Pan ddaeth y bore ac i ni gael brecwast, aeth pawb ond y rhai a adawyd i ofalu am y ceffylau i fyny ar eu traed at y fan y gwelodd John Evans ei gydarchwilwyr ddiweddaf. Yr oeddwn i i fod o'u nifer, ond gan mai gwell gan John Harries oedd bod yn filwr na bugeiliwr ac mai gwell gennyf finnau oedd bugeilio'r byw na gweled lladdedigion ar lawr o bosibl, arhosais i gyda'r ceffylau i John Harris gael mynd gyda'r lluaws, ar y dealltwriaeth y dychwelai gynted allai â newyddion i mi. Medrwn weled lle y safasant, ond ni fedrwn wneud allan beth a wnaent. Dychwelodd John cyn hir iawn â'r newydd fod y tri wedi eu lladd a chorff Davies wedi ei faeddu'n erchyll, a bod nifer wrthi ar y fan yn torri bedd iddynt ac y byddent wedi eu claddu cyn y cyrhaeddwn atynt. Ymaith â mi i weld eu bedd debygwn i, ond rhyngof a'r bedd lle'r oedd y bobl, des ar draws corff darniog Davies, ac yna at gyrff Parry a Hughes – y tri ar eu cefnau ar lawr a bron yn noethion, fel y'u gadawyd fwy nag wythnos yn ôl gan yr Indiaid, y rhai a gymerasant oddi arnynt bobpeth o werth yn fwyd, dillad, arfau, tools, a cheffylau.

Pan gyrhaeddais at y cyrff yr oedd y bedd ar ei orffen, a rhai o'r bobl yn dod am y cyrff i'w cludo i'r bedd, a chymerais innau ran yn y gwaith, a'r rhan mwyaf annymunol sef casglu aelodau Davies at ei gilydd.

Cyn cau arnynt yn y bedd darllenodd Lewis Jones wasanaeth claddu Eglwys Loegr, a chanwyd 'Bydd Myrdd o Ryfeddodau' gan y dorf, a saethwyd dros eu bedd cyn troi ein cefnau arno. O bob canu a glywais ar lan bedd hwn oedd y canu dwysaf a mwyaf o wylo wrth ganu o'r un a glywais ac a welais erioed, serch nad oedd yno berthynas o gwbl i'r un o'r tri gladdwyd ond perthynas cenedlaethol.

Yr oedd yn ein plith hanner Indian ac Ysbaenwr o'r enw Lucas wyddai'n dda am frodorion y wlad a ddywedodd i gorff Davies gael ei wneud yn gynifer o ddarnau â'r Indiaid a laddodd neu a glwyfodd, a bod cyflwr cyrff y ddau arall yn dynodi na wnaethant unrhyw niwed o bwys i'w herlidwyr. Dywedid fod yr erlidwyr yn llechu y tu ôl i graig o fewn hanner milltir i ni, tra y buom yn torri'r bedd ac yn claddu'r meirw, ac iddynt ein clywed yn canu ac yn saethu ac iddynt ein gweled yn dyfod i'r fan ac yn myned oddi yno, ond mai rhy luosog ac arfog oeddem iddynt feiddio dangos eu hunain i ni.

Diau iddynt hwy aros yno i ddisgwyl i'r un ddihangodd ddychwelyd at ei gymdeithion a'i fwyd a'i glud a'i geffylau, i'w ddal. Dangosodd John Evans i ni'r fan y neidiodd yr ebol y ffos, a'r man y neidiodd i'r afon ac y dringodd ohoni, ac yr oedd bron yn amhosibl ei gredu, serch fod trac yr ebol yn ei ategu, gan mor llydan y ffos a serthed torlannau uchel yr afon.

O gwmpas y fan y syrthiodd y tri merthyr, ni fu neb o'r sefydlwyr bellaf o'r Sefydliad yn flaenorol i'r archwilwyr hyn, ac ymddengys i'r dyffryn gael ei alw ar enw rhyw William a'i gwelodd neu a fu ynddo, ond newidiwyd ei enw i 'Ddyffryn y Merthyron' ar ôl hyn, a chodwyd cofgolofn i'r merthyron ar y fan y'u claddwyd.

Wedi i ni ddychwelyd oddi wrth y bedd a chael cinio – y cinio olaf i lawer ohonom nes y cyrhaeddem yn ôl i'r Sefydliad – troesom yn ôl ar hyd y ffordd sythaf, a chyrraedd i ben uchaf Hirdaith Edwin erbyn yr hwyr, lle bwytaodd rhai ohonom y tamaid diweddaf o fwyd a feddem, a'r tamaid hwnnw yn llai na hanner digon o bryd i ni, tra ni yn tynnu ar gan milltir o gartref, a deugain milltir – hyd yr Hirdaith – rhyngom a'r Gamwy, ac, o bosibl rhyngom â dŵr, am mai anfynych yr oedd dŵr i'w gael ar yr Hirdaith. Ar enw Edwin Cynric Roberts, ewythr John Evans a Richard Evans, y galwyd yr Hirdaith hon am mai efe a fu ar hyd-ddi gyntaf o'r Cymry.

Wedi i'n ceffylau gael awr o bori, ymaith â ni yn ddistop am o gwmpas ugain milltir ac yna roddi awr arall i'r ceffylau i bori ar fan y byddai weithiau ddŵr ar ôl glaw. A gafodd y ceffylau ddŵr yno ai naddo nis gwn, ond bu John Harris a minnau mor ffodus â chael ein disychedu gan ychydig o ddŵr a ddangosodd y lloer i ni wrth fôn llwyn drwy i'w llewyrch arno gael ei adlewyrchu yn ein llygaid wrth fynd ar ôl ein ceffylau, i fynd ymlaen ar ein taith. Rhy ychydig oedd y dŵr i'w gynnig i geffyl pe gallai gael ei geg ato a rhy bell oddi wrthym oedd ein cyd-deithiwr i'w gael ato, oherwydd i'r ceffylau fyned gymaint ar wasgar mewn ymchwil am borfa a dŵr, ac i'r rhai ni ddigwydd fod y rhai pellaf yn ôl. Cyraeddasom at y Gamwy yn fuan ar ôl i'r haul godi a gollyngasom y ceffylau i dorri eu syched a'u newyn, ac aeth ein "mess" ni, oedd bedwar i gysgu am na feddem ddim i'w fwyta, ac am y tybiem fod pawb arall yr un modd, am na chynigiodd neb ddim i ni ym mhen arall yr Hirdaith – yn y fan honno ceisiodd rhai ysgwyd ymaith y prudd-der oedd wedi eu meddiannu ar ddyffryn y Merthyron, a chanu nwyfus, a dwrdiwyd hwynt yn arw gan flaenor am hynny yr hwn yn ôl a glywsom yn ôl llaw a feddai fwy o fwyd nag a allai ei fwyta, ond ni chynigiodd rannu â'r rhai y gwyddai fod eu bwyd wedi darfod. Nid newydd beth oedd hynny iddo ef, meddid, ond peth cyffredin ymhob cyfyngder y bu y Wladfa ynddo o'i chychwyniad. Llew yng nghroen dafad oedd ei gymeriad. Pe gwyddai y rhai oedd ar newynu fod gan y llew fwyd a fedrai ei hepgor diau y cymerent ef oddi arno cyn y dioddefent lawer.

Er mor gysglyd oeddem ni'n pedwar ar ôl bod bedair awr ar hugain ar ein traed ac ar ein ceffylau, a blinedig ar ôl cerdded rhai milltiroedd a marchogaeth tri ugain milltir yn y cyfamser, aeth y mosquitos a'r gnats mor lluosog a phigog mewn byr amser nes ein gyrru ar ffo am y sefydliad cyn i ni gysgu hanner digon nac i'r ceffylau hanner llenwi eu boliau.

Y tŷ pellaf i fyny ar y Dyffryn y pryd hwnnw oedd tŷ Juan fu yn cadw stor Mayo yn y Gaiman, ac oedd yn awr yn cadw stor fach iddo ei hun yn y fan hon i fasnachu â'r Indiaid, ac ato ef yr aethom am rywbeth i dorri ein newyn. 'Pryd y cawsoch fwyd ddiweddaf?' gofynnodd. 'Agos i bedair awr ar hugain yn ôl,' atebasom. 'Ewch i stafell arall i orffwys tra y byddaf yn paratoi bwyd i chwi,' meddai. Bron gyda ein bod wedi rhoddi ein hunain i lawr i orwedd, daeth i ni a pwnsh poeth o win a dŵr 'i dawelu ein cylla nes y deuai'r bwyd yn barod,' meddai. Gwnaeth yfed hwnnw ein rhoddi ym mreichiau cwsg mewn byr amser a'n cadw ynghwsg am hir amser, fel y bwriadodd Juan iddo wneud am, meddai, y barnai mai hynny fyddai orau i ni. Deffrôdd ni i fwynhau pryd ardderchog o fwyd, am yr hwn ni chymerai ddim ond ein diolch pe cynigiem iddo ei well. Gwyddwn yn rhy dda am Juan i gynnig dim arall iddo. Ni chyfarfyddais erioed ag Ysbaenwr a gymerai dâl am fwyd na llety, ac eithrio y rhai a enillant eu cynhaliaeth wrth gwrs.

Gan y dymunai John Evans yn fawr gael cadw yr ebol a achubodd ei fywyd, cydsyniais iddo gael ei gadw, a chyfranodd cyfeillion a garent iddo gael ei gadw, bron y swm a roddais am yr ebol tuag at fy nigolledu wrth ymadael ag ef.

Addunedodd John na châi'r ebol byth gam o'i ran ef ar ôl hynny, a diau iddo gadw at ei adduned serch iddo ei roddi yn y tresi i'w dynnu ef a'i deulu a'i glud i Gwm Hyfryd ymhen blynyddau wedyn, meddid.

Nid achub bywyd John Evans yn unig a wnaeth yr ebol, ond achub ei hun hefyd rhag syrthio i ddwylo'r Indiaid a chael ei gam-drin ganddynt, ac at hynny, o bosibl achub fy mywyd innau drwy fynd i grwydro a thrwy hynny fy nghadw rhag mynd i'r wlad.

Ysgrifennwyd tua 1920.

Llyfryddiaeth

Amaya, L., *Fontana el territoriano* (Buenos Aires, 1936).

Arce, M.E.; González, S.A., *Patagonia: Un jardín natural* (Arce-Gonzalez, Comodoro Rivadavia, 2000).

Bernal, I.; Proano, M.S., *Los Tehuelches* (Busqueda-Yuchan, Buenos Aires, 1988).

Biedma, J.M., *Toponimia del Parque Nacional Nahuel Huapi* (Ediciones Caleuche, San Carlos de Bariloche, 1994).

Casamiquela, R.M., *Toponimia de los galeses en el Chubut* (Comodoro Rivadavia, 2000a).

Casamiquela, R.M., *Toponimia Indígena del Chubut* (Rawson, 2000b).

Centeno, R., *El Evangelio y Don Eduardo* (Buenos Aires, 1991).

Chatwin, B., *In Patagonia* (Picador, London, 1977).

Coronato, F., *Del Imperio al Desamparo*, cyfieithiad o'r 'Wladfa Gymreig' gan Richard Jones, Glyn Du (1919–20), (Puerto Madryn, 2001).

Coronato, F., *Patagonia, 1865. Cartas de los galeses* (Comodoro Rivaderia, 2000).

Coronato, F., *La Primera Huella de la Colonización Galesa en la Patagonia* (Museo Provincial de Ciencias Naturales y Oceanográfico, Puerto Madryn, 1997).

Davies, Gareth A., *Tan Tro Nesaf* (Gwasg Gomer, Llandysul, 1976).

Dumrauf, C.I., *Historia de la Policía del Chubut, Tomo 1* (Editorial Universitaria de la Patagonia, Comodoro Rivadavia, 1994).

Dumrauf, C.I., *El Ferrocarril Central del Chubut, Centro Editor del CEH y S* (Puerto Madryn, 1993).

Erize, E., *Diccionario Comentado Mapuche-Español* (Buenos Aires, 1960).

Erize, E., *Diccionario Mapuche-Español*, 6 edn. (Editorial Yepun, Buenos Aires, 1990).

Evans, Clery A., *John Daniel Evans, El Molinero* (Trevelin, 1994).

Evans, I., *Cartas a mi Abuelo Dalar* (Biblioteca Popular Agustín Alvarez, Trelew, 1996).

Fiori, J., a de Vera, G., *1902: El protagonismo de los colonos galeses en la frontera argentino-chilena* (Municipalidad de Trevelin, Trevelin, 2002).

Foerster, R., *Introducción a la Religiosidad Mapuche* (Editorial Universitaria, Santiago de Chile, 1993).

Fontana, L.J., *Viaje de Exploración en la Patagonia Austral* (Editorial Confluencia, Buenos Aires, 1886).

González, Virgilio, *El Valle 16 de Octubre y Su Plebiscito* (Biblioteca Popular 'Agustín Alvarez', Trelew, 1998).

Graham-Yooll, A., *The Forgotten Colony* (Hutchinson, London, 1981).

Graham-Yooll, A., *La Colonia Olvidada* (Emecé Editores, Buenos Aires, 2000).

Green, F., *Pethau Patagonia* (Cyhoeddiadau Mei, Pen-y-groes, 1984).

Gutierrez, R.A., *Hábitat e inmigración* (Fundación Cedodal, Buenos Aires, 1998).

Harrington, T., *Toponomia del Gününa Küne* (Buenos Aires, 1968).

Hughes, O., *Los Poetas del Eisteddfod* (El Regional, Esquel, 1993).

Hughes, W.M., *Ar Lannau'r Gamwy ym Mhatagonia: Atgofion* (Lerpwl, 1927).

Hughes, W.M., *A Orillas del Rio Chubut en la Patagonia* (El Regional, Esquel, 1993).

Hutton, A.G., *La Patagonia de Chatwin* (Editorial Sudamericana, Buenos Aires, 1999).

Hux, P.M., *Caciques Huilliches y Salineros* (Ediciones Marymar, Buenos Aires, 1991).

Jones de Zampini, A., *Cien Atuendos y Un Sombrero* (Gaiman, 1991).

Jones de Zampini, A., *Reunión de familias en el Sur, I* (Trelew, 1995).

Jones de Zampini, A., *Reunión de familias en el Sur, II* (Gaiman, 2001).

Jones, E.D., *Capillas Galesas en Chubut* (Trelew, 2000).

Jones, L., *La Colonia Galesa* (El Regional, Rawson, 1993).

Jones, M.H., *Trelew: Un Desafío Patagónico* (Tomo 1, 1886–1903, edn. El Regional, Rawson, 1997).

Jones, M.H., *Trelew: Un Desafío Patagónico* (Tomo III, 1914–1923, edn. El Regional, Rawson, 1997).

Jones, M.H., *Trelew: Un Desafío Patagónico* (Tomo IV, 1924–1933, edn. El Regional, Rawson, 1997).

Jones, M.H., *Trelew: Un Desafío Patagónico* (Tomo V, 1934–1943, edn. El Regional, Rawson, 1997).

Jones, M.H., *Trelew: Un Desafio Patagónico* (Tomo II, 1904–1913, edn. El Regional, Rawson, 1998).

Jones, Richard, Glyn Du, *Del Imperio al Desamparo* (El Regional, Gaiman, 2001). Cyfieithiad gan F. Coronato o waith R. Jones a gyhoeddwyd yn *Y Drafod*, 1919–20.

Jones, Thomas, Glan Camwy, *Historia de los Comienzos de la Colonia en la Patagonia* (Textos Ameghinianos, Biblioteca de la Fundación Ameghino, Trelew, 1999). Cyfieithiad Fernando Coronato o *Hanes Cychwyniad y Wladfa ym Mhatagonia, Y Drafod*, 1926.

Kurteff, A., *Los Araucanos en el Misterio de los Andes* (Editorial Plus Ultra, Buenos Aires, 1991).

MacDonald, Elvey, *Yr Hirdaith* (Gwasg Gomer, Llandysul, 1999).

Matthews, A., *Hanes y Wladfa Gymreig yn Patagonia* (Aberdâr, 1894).

Matthews, A., *Crónica de la Colonia Galesa de la Patagonia* (Ediciones Alfonsina, Buenos Aires, 1995).

McEwan, C.; Borrero, L.A.; Prieto, A., *Patagonia* (British Museum, London, 1997).

Moreno, F.P., *Viaje a la Patagonia Austral* (Ediciones El Elifante Blanco, Buenos Aires, 1997).

Moreno, F.P., *Una Excursion al Neuquen, Rio Negro, Chubut y Santa Cruz* (Ediciones El Elifante Blanco, Buenos Aires, 1999).

Morgan, E., *Hacia Los Andes* (El Regional, Rawson, 1991).

Morgan, E., *Dringo'r Andes & Gwymon y Môr* (Honno, Dinas Powis, 2001).

Moyano, C., *Exploracion de los Rios Gallegos, Coile, Santa Cruz y Canales de Pacífico* (Editorial Confluencia, Buenos Aires, 1887).

Musters, G.C., *Vida entre los Patagones* (Ediciones El Elefante Blanco, Buenos Aires, 1997). Teitl gwreiddiol: *At Home with the Patagonians* (1871).

Pavillon, Guido A.T., *Colonia Alexandra (Un lugar del Pájaro Blanco)* (Santa Fe, 2001).

Rhys, W.C., *La Patagonia que Canta* (Emecé Editores, Buenos Aires, 2000).

Sarasola, C.M., *Nuestro Paisanos Los Indios* (Emecé Editores, Buenos Aires, 1992).

Tell, G.; Izaguirre, Irina; Quintana, R.D., *Flora y Fauna Patagónicas* (Ediciones Caleuche, San Carlos de Bariloche, 1997).

Thomas, Beth a Thomas, Peter Wynn, *Cymraeg, Cymrâg, Cymrêg . . . Cyflwyno'r Tafodieithoedd* (Gwasg Taf, Caerdydd, 1989).

Thomas, John Coslett., *Hunangofiant* (Archifdy Regina, Alberta, Canada).

Tshiffely, A.F., *This Way Southward* (Heinemann, London, 1940).

Williams, C.; Williams de Hughes, M., *Er Serchog Gof* (Gwasg Gee, Dinbych, 1997).

Williams, G., *The Desert and the Dream* (University of Wales Press, Caerdydd, 1975).

Williams, G., *The Welsh in Patagonia* (University of Wales Press, Caerdydd, 1991).

Williams, R.B., *Straeon Patagonia* (Gwasg Aberystwyth, Aberystwyth, 1946).

Williams, R.B., *Eluned Morgan* (Y Clwb Llyfrau Cymraeg, Llandysul, 1948).

Williams, R.B., *Rhyddiaith y Wladfa* (Gwasg Gee, Dinbych, 1949).

Williams, R.B., *Croesi'r Paith* (Llyfrau'r Dryw, Llandybïe, 1958).

Williams, R.B., *Awen Ariannin* (Llyfrau'r Dryw, Llandybïe, 1960).

Williams, R.B., *Y Wladfa* (Gwasg Prifysgol Cymru, Caerdydd, 1962).

Ygobone, A.D., *Francisco P. Moreno* (Buenos Aires, 1995).

RHAI O BRIF DEITHIAU JOHN DANIEL EVANS

Nodyn: Seilir y mapiau hyn ar fapiau a ymddangosodd yn John Daniel Evans 'El Baqueano' gan Clery A. Evans a gyhoeddwyd yn 1994 yn Buenos Aires.

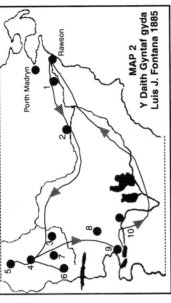

MAP 1
Y Daith Drychinebus
i'r Andes 1883-4

1. Hanner Lleuad 2. Hafn yr Aur 3. Afon Lepa 4. Hafn y Glo 5. Dyffryn y Merthyron 6. Afon Fach 7. Campamento Villegas 8. Y fan lle cyfarfu JDE â Richard Davies

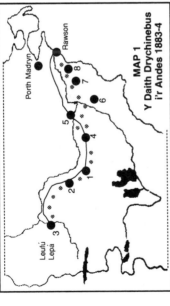

MAP 3
Yr Ail daith gyda
Luis J. Fontana 1888

1. Sacanana 2. Fofo Cahuel 3. Norquinco 4. Foyel 5. Bolsen 6. Cholila 7. Llyn Rivadavia 8. Esquel 9. Bro Hyfryd 10. Quichaura 11. Rhyd yr Indiaid

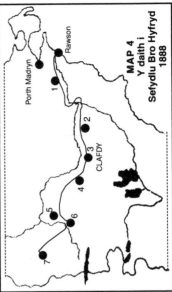

MAP 2
Y Daith Gyntaf gyda
Luis J. Fontana 1885

1. Y Creigiau 2. Dyffryn y Merthyron 3. Afon Gyrants 4. Bro Hyfryd 5. Esquel 6. Corcovado 7. Llyn Rosario 8. Apeleg 9. Llyn Fontana 10. Choiquinilahue

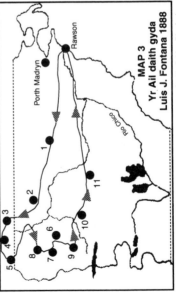

MAP 4
Y daith i
Sefydlu Bro Hyfryd
1888

1. Hirdaith Edwin 2. Carro Rato 3. Llygad Du 4. Rhyd yr Indiaid 5. Languineo 6. Quichaura 7. Bro Hyfryd